# As SETE IRMÃS

LUCINDA RILEY



*Tradução:*
Elaine Cristina Albino de Oliveira

Novo Conceito

Título original: *The Seven Sisters*


3ª Impressão — 2015

Produção editorial:
Equipe Novo Conceito
Impressão e Acabamento Prol 070115

Este livro segue as regras da Nova Ortografia da Língua Portuguesa.

Dados Internacionais de Catalogação na Publicação (CIP)
(Câmara Brasileira do Livro, SP, Brasil)

Riley, Lucinda
As sete irmãs / Lucinda Riley ; tradução Elaine Cristina Albino de Oliveira.
-- Ribeirão Preto, SP : Novo Conceito Editora, 2014.

Título original: The seven sisters
ISBN 978-85-8163-533-0

1. Ficção inglesa I. Título.

14-04405 CDD-823

Índices para catálogo sistemático:
1. Ficção : Literatura inglesa 823

Novo Conceito

Rua Dr. Hugo Fortes, 1885 — Parque Industrial Lagoinha
14095-260 — Ribeirão Preto — SP
www.grupoeditorialnovoconceito.com.br

*Para minha filha Isabella Rose.*

*"Todos nós estamos na sarjeta, mas alguns olham para as estrelas."*

Oscar Wilde

# *As* SETE IRMÃS

*Atlantis*

*Pa Salt* – o pai adotivo das irmãs (falecido)
*Marina (Ma)* – a guardiã das irmãs
*Cláudia* – governanta de *Atlantis*
*Georg Hoffman* – advogado de Pa Salt
*Christian* – o comandante da lancha

**As irmãs D'Apliése**

Maia
Ally (Alcyone)
Star (Asterope)
CeCe (Celeano)
Tiggy (Taygete)
Electra
Merope (não encontrada)

# NOTA DA AUTORA

A série *As Sete Irmãs* é livremente baseada na mitologia das Sete Irmãs das Plêiades, a conhecida aglomeração de estrelas no famoso cinturão de Órion. Da civilização maia aos gregos, passando pelos aborígines, as Sete Irmãs sempre estiveram presentes em inscrições e em versos. Os marinheiros as utilizam como farol há milhares de anos, e até mesmo uma marca de carros japonesa, a Subaru, teve o seu nome inspirado nas irmãs.

Muitos dos nomes presentes na série são anagramas de personagens que povoam lendas, com frases alegóricas relevantes referidas aqui e ali. Não é necessário saber nada disso para apreciar os livros, mas, se você se interessar por conhecer um pouco mais sobre Pa Salt, Maia e suas irmãs, por favor visite o meu site, onde muitas lendas e histórias são reveladas: www.lucindariley.com.

MAIA
22 DE JUNHO DE 2007

PRIMEIRO QUARTO
13; 16; 21

# 1

Sempre me lembrarei de onde estava e o que estava fazendo quando soube que meu pai havia morrido.

Eu estava sentada no belo jardim da casa da minha velha amiga de escola, em Londres, lendo um livro e desfrutando o sol de junho enquanto Jenny fora buscar seu menino na escola.

Quando meu celular tocou, estava pensando no quanto me sentia calma e em como viajar tinha sido uma ótima ideia. Lembro-me claramente de que, ao olhar para a tela do telefone e ver o nome de Marina, estava estudando as clematites que desabrochavam seus botões frágeis, dando à luz uma profusão de cores, encorajadas por uma parteira ensolarada quando meu celular tocou.

— Olá, Ma, como está? — atendi, ouvindo o calor refletido na minha voz.

— Maia, eu...

— O que foi?

Marina fez uma pausa, e, naquele momento, eu soube que alguma coisa estava muito errada.

— Maia, não há outro jeito de te dizer isso. Seu pai sofreu um ataque cardíaco aqui em casa ontem à tarde e, nas primeiras horas desta manhã, ele... faleceu.

Permaneci em silêncio, enquanto um milhão de pensamentos diferentes e ridículos passavam por minha cabeça. O primeiro era que

Marina, por algum motivo desconhecido, decidira me contar uma piada de mau gosto.

— Você é a primeira das irmãs a quem conto, Maia, já que é a mais velha. E eu queria perguntar se você prefere contar às suas irmãs... ou quer que eu conte.

— Eu...

As palavras não se formavam coerentemente em meus lábios, então comecei a perceber que Marina, a querida e amada Marina, a mulher que representava a única mãe que eu conhecia, nunca me diria aquilo se *não fosse* verdade. Só podia ser verdade. E, naquele momento, meu mundo inteiro virou de ponta-cabeça.

— Maia, por favor me diga que você está bem. Essa é a pior notícia que já tive que dar na vida, mas o que mais eu poderia fazer? Deus sabe como as outras meninas vão receber a notícia.

Foi então que ouvi o sofrimento em *sua* voz e compreendi que precisava me conter; tanto para seu próprio bem quanto para o meu. Automaticamente, incapaz de começar a racionalizar a névoa rubra do meu próprio choque e confusão, passei a agir dentro da minha zona de conforto, que era consolar os outros.

— Claro que ligo para minhas irmãs se você preferir, Ma, mas não tenho certeza de onde elas estão. Ally não está treinando para uma regata?

Enquanto continuávamos a discutir onde cada uma das minhas irmãs mais novas estava, como se precisássemos nos reunir para uma festa de aniversário em vez de lamentar a morte de nosso pai, a conversa ganhou um ar surreal.

— Para quando devemos planejar o funeral em sua opinião? Com Electra em Los Angeles e Ally em algum lugar em alto-mar, certamente não podemos considerar nada antes da próxima semana, no mínimo — eu disse.

— Bem — ouvi certa hesitação na voz de Marina. — Talvez seja melhor discutirmos isso quando você chegar em casa. Não há pressa agora, Maia, então, se você preferir continuar em Londres durante esses dois últimos dias de férias, estará tudo bem. Não há mais nada a fazer aqui... — Sua voz foi engolida pela tristeza.

— Ma, estarei no próximo voo para Genebra! Vou telefonar para a empresa aérea imediatamente e aviso o horário do voo. Enquanto isso, farei o possível para entrar em contato com todo mundo.

— Sinto muitíssimo, *chérie* — Marina suspirou. — Sei como você o idolatrava.

— Claro — respondi, a serenidade surreal que havia me dominado enquanto discutíamos o que fazer me desertando de repente, como a calma que antecede uma tempestade violenta. — Telefono mais tarde, quando souber a que horas em que vou chegar.

— Enquanto isso, cuide-se, por favor, Maia. Você sofreu um choque terrível.

Pressionei o botão para encerrar a ligação e, antes que as nuvens da tempestade em meu coração começassem a me afogar, subi as escadas até meu quarto para abrir o e-mail de confirmação do voo de volta e entrar em contato com a empresa aérea. Enquanto esperava para ser atendida, olhei para a cama onde havia acordado naquela manhã, esperando um dia como outro qualquer. E agradeci a Deus pelo fato de os seres humanos não possuírem o dom de prever o futuro.

A mulher prestativa que me atendeu não ajudou muito, e eu sabia, enquanto ela falava de voos lotados, multas e detalhes do cartão de crédito, que minha represa emocional estava prestes a romper. Por fim, assim que relutantemente me cederam um lugar no voo das quatro horas para Genebra, o que significava jogar tudo na mala imediatamente e pegar um táxi para Heathrow, sentei-me sobre a cama e fixei meu olhar por tanto tempo no papel de parede que a estampa começou a dançar diante dos meus olhos.

— Ele se foi — suspirei. — Se foi para sempre. Nunca mais o verei.

Eu esperava que admitir a partida dele em voz alta traria uma torrente violenta de lágrimas e fiquei surpresa quando nada aconteceu. Em vez disso, fiquei sentada, estarrecida, com a mente dominada por praticidades. A ideia de contar às minhas irmãs — às cinco — era terrível, e procurei no meu arquivo emocional qual delas deveria informar primeiro. Inevitavelmente pensei em Tiggy, a segunda mais jovem entre nós seis e a irmã de quem eu sempre fora mais próxima.

Com dedos trêmulos, procurei seu número em minha lista de contatos e fiz a ligação. Quando sua secretária eletrônica atendeu, eu não soube o que dizer, exceto algumas palavras distorcidas pedindo que me ligasse de volta. Ela estava em algum lugar na região montanhosa da Escócia, trabalhando em um centro que cuidava de cervídeos doentes e órfãos.

Quanto às minhas outras irmãs... eu sabia que suas reações iriam variar, pelo menos em aparência, da indiferença a uma efusão dramática de emoção.

Considerando que eu não tinha certeza, naquele momento, de onde *eu* estaria na escala de dor quando falasse com qualquer uma delas, decidi agir como uma covarde e enviar uma mensagem de texto a todas, pedindo para me ligarem assim que possível. Apressadamente, arrumei a mala e desci as escadas estreitas até a cozinha para escrever um bilhete a Jenny, explicando por que tive que partir com tanta pressa.

Decidindo arriscar as ruas de Londres e chamar um táxi, deixei a casa e caminhei rapidamente pela Chelsea Crescent como qualquer pessoa normal faria em um dia normal. Acredito até que tenha dito olá para alguém que passeava com um cachorro, ao cruzar com ele na rua, e consegui sorrir.

Ninguém saberia o que havia acabado de acontecer comigo, pensei, enquanto conseguia um táxi na movimentada King's Road e entrava no veículo, indicando Heathrow como destino.

Ninguém saberia.

* * *

Cinco horas depois, no momento em que o sol começava a se pôr tranquilamente sobre o Lago Léman, cheguei ao nosso pontão particular na orla, de onde seguiria para a última parte da minha jornada de volta para casa.

Christian já estava me esperando em nossa lancha Riva. Pela expressão em seu rosto, deduzi que já sabia da notícia.

— Como vai, mademoiselle Maia? — ele perguntou com compaixão em seus olhos azuis, ajudando-me a embarcar na lancha.

— Estou... feliz por estar aqui — respondi com neutralidade, dirigindo-me ao outro lado do barco e me sentando sobre o assento de couro macio que ocupava toda a extensão da popa. Geralmente eu me sentaria com Christian no banco do passageiro enquanto acelerávamos sobre as águas calmas em uma viagem de vinte minutos. Mas, hoje, ambos respeitamos minha privacidade. Assim que Christian deu a partida no motor potente, o sol refletiu nas janelas das casas fabulosas que se alinhavam às margens do Lago Léman. Frequentemente eu sentia, ao fazer essa viagem, que estava entrando em um mundo etéreo, alheio à realidade.

O mundo de Pa Salt.

Notei a primeira evidência vaga de lágrimas brotando em meus olhos quando pensei no apelido carinhoso do meu pai, que inventei quando era criança. Ele sempre fora apaixonado por velejar e, com frequência, quando voltava para nossa casa no lago, cheirava a ar fresco e ao mar. De algum jeito, o apelido pegou, e minhas irmãs mais jovens também o usavam.

Enquanto a lancha ganhava velocidade e a brisa morna corria pelos meus cabelos, pensei nas centenas de viagens que já fizera para *Atlantis*, o castelo de conto de fadas de Pa Salt. Impossível de acessar por terra, devido à sua posição em um promontório particular e uma meia-lua de terreno montanhoso se erguendo por detrás da casa, o único meio de chegar a *Atlantis* era de barco. Os vizinhos mais próximos estavam a quilômetros de distância ao longo do lago, fazendo de *Atlantis* nosso reino particular, separado do resto do mundo. Tudo o que o lugar continha era mágico... como se Pa Salt e nós, suas filhas, vivêssemos sob um encantamento.

Cada uma de nós havia sido escolhida por Pa Salt quando éramos bebês, adotadas pelos quatro cantos do globo e trazidas para viver sob sua proteção. E cada uma de nós, como Pa gostava de dizer, era especial, diferente... *suas* meninas. Ele nos batizou com o nome das Sete Irmãs, sua constelação favorita. Eu, Maia, a primeira e a mais velha.

Quando era mais jovem, ele me levava ao seu observatório coberto por um domo de vidro no topo da casa, me levantava com suas mãos fortes e grandes e me deixava olhar para o céu noturno através do seu telescópio.

— Lá estão elas — ele dizia enquanto alinhava as lentes. — Olhe, Maia, veja a bela estrela brilhante que te deu seu nome.

E eu *olhava*. Enquanto ele explicava as lendas que eram a fonte do meu nome e do nome das minhas irmãs, eu não prestava muita atenção, mas simplesmente apreciava seus braços apertados ao meu redor, levemente ciente daquele momento raro em que o tinha apenas para mim.

Finalmente reconheci Marina, que eu pensava ser minha mãe enquanto crescia — até mesmo abreviei seu nome para "Ma" —, como babá contratada por Pa para cuidar de mim, visto que ele passava muito tempo longe. Porém, Marina era muito mais do que isso para todas nós. Era ela quem enxugava nossas lágrimas, nos repreendia pela falta de modos à mesa e nos guiava calmamente pela difícil transição da infância para a vida adulta.

Em poucas palavras, sempre esteve ao nosso lado. Eu não poderia tê-la amado mais, mesmo se ela fosse minha mãe biológica.

Durante os três primeiros anos da minha infância, Marina e eu vivemos sozinhas em nosso castelo mágico às margens do Lago Léman, enquanto Pa Salt viajava pelos sete mares para administrar seus negócios. E então, uma a uma, minhas irmãs começaram a chegar.

Geralmente, Pa me trazia um presente sempre que retornava para casa. Eu ouvia o motor da lancha se aproximando, corria pelo gramado e através das árvores até o píer para abraçá-lo assim que descesse da lancha. Como qualquer criança, queria ver o que ele tinha escondido em seus bolsos mágicos para me agradar. Certa vez, contudo, depois de me presentear com uma rena perfeitamente talhada em madeira, que ele garantiu ser da oficina de São Nicolau, no Polo Norte, uma mulher uniformizada desceu da lancha atrás dele. Em seus braços havia um montinho embrulhado em um xale. E o montinho estava se mexendo.

— Desta vez, Maia, eu trouxe um presente muito especial. Você tem uma irmã — ele sorriu para mim e me ergueu em seus braços. — Agora você não vai mais se sentir solitária quando eu precisar viajar.

Depois disso, a vida mudou. A enfermeira que Pa trouxe desapareceu algumas semanas mais tarde, e Marina assumiu os cuidados com minha irmã. Eu não conseguia entender como aquela coisa vermelha que não parava de berrar, frequentemente fedia e tirava a atenção de mim poderia ser um presente. Até certa manhã, quando Alcyone — batizada com o nome da segunda estrela das Sete Irmãs — sorriu para mim de sua cadeira durante o café da manhã.

— Ela sabe quem eu sou — falei, admirada, para Marina, que a estava alimentando.

— Claro que sabe, querida Maia. Você é a irmã mais velha dela, o modelo que ela vai seguir. Será sua responsabilidade ensinar a ela muitas das coisas que você já sabe.

Enquanto crescia, ela se tornou minha sombra, me seguindo para todo lugar, o que me agradava e me irritava igualmente.

— Maia, me espere! — exigia enquanto tropeçava atrás de mim.

Na verdade, ainda que Ally — o apelido que lhe dei — fosse originalmente um acréscimo indesejado à minha existência onírica em *Atlantis*, eu não poderia ter desejado uma companheira mais doce e adorável. Ela raramente chorava e não fazia birra, como muitas crianças de sua idade. Com seus cachinhos louro-avermelhados e grandes olhos azuis, Ally tinha um charme natural que atraía as pessoas, incluindo nosso pai. Em certas ocasiões em que Pa Salt estava em casa depois de uma de suas longas viagens ao exterior, eu notava como seus olhos brilhavam quando ele a olhava, de um jeito que eu sabia que não brilhavam por mim. Enquanto eu era tímida e reticente com estranhos, Ally tinha uma franqueza e uma confiança que conquistavam a todos.

Ela também era uma daquelas crianças que pareciam destacar-se em tudo — particularmente música e esportes aquáticos. Eu me lembro de Pa nos ensinando a nadar em nossa piscina enorme, e, enquanto eu lutava para aprender a técnica para boiar e detestava ficar embaixo d'agua, minha irmãzinha parecia uma sereia. Enquanto eu tinha dificuldade para encontrar o equilíbrio em um barco, mesmo no *Titan*, o iate gigantesco e maravilhoso de Pa Salt quando estava em casa, Ally implorava que ele a levasse para velejar na Laser que ele tinha aportado em nosso píer particular. Eu me agachava na pequena popa do barco enquanto Pa e Ally assumiam o controle e nós acelerávamos pelas águas transparentes. Essa paixão que compartilhavam por velejar os unia de um jeito que eu jamais poderia imitar.

Apesar de Ally ter estudado música no *Conservatoire de Musique de Genève* e ser uma flautista talentosa, que poderia ter agraciado uma orquestra profissional, ela escolheu seguir a carreira de velejadora assim que deixou a escola de música. Agora, competia em regatas regularmente e já havia representado a Suíça em uma série de ocasiões.

Então, quando Ally tinha quase três anos, Pa chegou em casa com nossa nova irmã, chamada Asterope — em homenagem à terceira estrela das Sete Irmãs.

— Mas vamos chamá-la de "Star" — Pa sorriu para Marina, para Ally e para mim enquanto estudávamos o novo acréscimo à família, deitado em seu moisés.

Mas agora eu estava frequentando aulas toda manhã com um professor particular, então a chegada da minha nova irmã me afetou menos que a chegada de Ally. Assim como, apenas seis meses depois, outra bebê com doze semanas de vida, chamada Celeano, a quem Ally imediatamente começou a chamar de CeCe.

Havia apenas três meses de diferença entre Star e CeCe, e, desde que consigo me lembrar, as duas formaram um vínculo estreito. Eram como gêmeas, conversando em sua própria linguagem infantil, que às vezes ainda usam para se comunicar. Elas habitavam um mundo particular, excluindo todas nós. Até agora, com mais de vinte anos de idade, nada mudou. CeCe, a mais nova das duas, sempre foi a chefe, seu corpo robusto e pele castanha um contraste direto com a palidez delicada de Star.

No ano seguinte, mais um bebê chegou. Taygete — a quem apelidei de "Tiggy", por causa de seu cabelo curto e negro, espetado em ângulos estranhos e que me fazia lembrar do pequeno ouriço na famosa história de Beatrix Potter.

Então com sete anos de idade, criei um elo com Tiggy desde o primeiro momento em que a vi. Ela era a mais delicada de todas nós, padecendo de uma doença infantil atrás da outra, mas era um bebê estoico e complacente. Quando outro neném chegou, Electra, trazida por Pa poucos meses depois, uma Marina exausta frequentemente me pedia para ficar com Tiggy, que sofria de febres ou dores de garganta. Finalmente diagnosticada com asma, ela raramente deixava o berçário para passear nos jardins em seu carrinho, pois o ar frio e a neblina pesada do inverno de Genebra poderiam afetar seus pulmões.

Electra era a mais nova das minhas irmãs. Ela, como eu, nunca teve um apelido, porque seu nome combinava perfeitamente com ela. Àquela altura, eu estava acostumada com bebês e suas exigências, mas minha irmã mais nova era, sem dúvida, a mais rabugenta de todas. Tudo nela *era* elétrico; sua habilidade natural em mudar de humor de uma hora para outra significava que nosso lar, até então calmo, ecoava diariamente com gritos agudos. Seus acessos de raiva ressoaram por toda a minha infância, e, quando cresceu, sua personalidade inflamável não abrandou.

Em particular, Ally, Tiggy e eu tínhamos nosso próprio apelido para ela, que era conhecida entre nós três como "Ardilosa". Todas pisávamos em ovos perto dela, não querendo fazer nada que pudesse motivar uma mudança de humor repentina. Posso honestamente dizer que houve momentos em que a odiei pela desordem que trouxe a *Atlantis*.

Ainda assim, quando sabia que uma de nós estava com problemas, Electra era a primeira a oferecer ajuda e apoio. Tanto quanto era capaz de enormes atos de egoísmo, sua natureza generosa era igualmente marcante em outras ocasiões.

Depois de Electra, a casa toda esperava pela chegada de nossa sétima irmã. Afinal, recebemos nosso nome da constelação preferida de Pa Salt e não estaríamos completas sem ela. Até sabíamos seu nome, Merope, e imaginávamos como ela seria. Mas um ano inteiro se passou, depois outro e outro, e mais nenhum bebê chegou a *Atlantis* com Pa.

Lembro-me vivamente de estar com meu pai certa noite em seu observatório. Estava com quatorze anos e às vésperas da adolescência. Esperávamos um eclipse, que ele dizia ser um momento embrionário para nós, humanos, pois sempre trazia mudanças.

— Pa — perguntei. — Quando você vai trazer nossa sétima irmã para casa?

Seu corpo forte e protetor pareceu paralisar por alguns instantes.

Ele me olhou subitamente, como se carregasse o peso do mundo sobre os ombros. Ainda que não tenha se virado, pois ele continuou a se concentrar em alinhar o telescópio com o eclipse que se aproximava, eu soube instintivamente que o deixara angustiado.

— Não, Maia, não vou trazê-la. Porque nunca a encontrei.

Quando a cerca viva e familiar das pináceas, que protegiam a frente da casa dos olhos curiosos, apareceu no horizonte e eu vi Marina esperando no píer, finalmente comecei a absorver o horror trazido pela perda de Pa.

E percebi que o homem que criara um reino em que todas nós éramos suas princesas não estava mais aqui para sustentar o encantamento.

# 2

Marina colocou seus braços gentilmente ao redor dos meus ombros assim que pisei no píer. Sem dizer nada, nos viramos e caminhamos juntas por entre as árvores e atravessamos o gramado amplo que levava até a casa. Em junho, nossa linda casa atingia o ápice de esplendor. Os jardins ornados estavam explodindo em flores, instigando os habitantes a explorar os caminhos escondidos e as grutas secretas.

A casa em si, construída no fim do século XVIII no estilo Luís XV, era um retrato da elegância majestosa. Com quatro andares, suas paredes maciças em rosa-pálido eram salientadas por janelas altas e cobertas por um telhado vermelho íngreme, com pequenas torres em cada canto. Mobiliada com requinte e com todo o luxo moderno, seus carpetes e sofás aconchegantes protegiam e confortavam a todos nós que ali vivíamos. Até mesmo a temperatura interna parecia se ajustar perfeitamente ao clima do lado de fora. Nós, irmãs, dormíamos no último andar, que tinha vistas soberbas e ininterruptas do lago por cima do topo das árvores. Marina ocupava uma suíte no mesmo andar que nós.

Olhei para ela e vi que parecia cansada. Seus olhos castanhos estavam manchados com as sombras da exaustão e seus lábios, sempre sorridentes, encontravam-se tensos e comprimidos. Suponho que deveria estar com mais de sessenta anos, mas ela não aparentava. Alta, com traços aquilinos fortes, era uma mulher bela e elegante, sempre vestida impecavelmente, um chique natural que revelava sua ancestralidade francesa. Eu me lembro de que, quando eu era mais nova, ela costumava usar os cabelos negros e sedosos soltos, mas agora os prendia em um coque na nuca.

Um milhão de perguntas brigavam por precedência em minha mente, mas havia apenas uma que insistia com urgência.

— Por que você não me informou imediatamente quando Pa ficou doente? — perguntei quando entramos na casa e caminhamos em direção à sala de visitas, de teto alto, que se abria para uma varanda ampla de pedra, coberta com vasos cheios de flores coloridas.

— Maia, acredite, implorei por permissão para te contar, contar a todas vocês, mas ele ficou tão perturbado quando comentei que tive de fazer sua vontade.

Compreendi que, se Pa pedisse para ela não nos avisar, havia pouco que Ma poderia fazer. Ele era o Rei e Marina era, na melhor das hipóteses, sua súdita mais confiável; na pior, uma criada que fazia exatamente o que ele mandava.

— Ma, onde ele está agora? — perguntei. — Ainda está no quarto? Devo subir e... vê-lo?

— Não, *chérie*, ele não está lá em cima. Você gostaria de um chá antes de saber mais? — ela perguntou.

— Pra ser honesta, acho que prefiro um gim-tônica bem forte — admiti ao me sentar em um dos grandes sofás.

— Vou pedir para Cláudia preparar. E acho que, diante das circunstâncias, também vou tomar um.

Observei Marina deixar a sala para procurar Cláudia, nossa governanta, que estava em *Atlantis* havia tanto tempo quanto Marina. Ela era alemã, e sua aparência carrancuda escondia um coração de ouro. Como todas nós, idolatrava seu patrão. Eu me perguntei, de repente, o que aconteceria com ela e com Marina. E, na verdade, o que aconteceria com *Atlantis* agora que Pa havia partido.

Essas palavras ainda soavam incongruentes. Pa estava sempre "partindo": para algum lugar, fazendo alguma coisa, ainda que ninguém entre seus funcionários ou sua família tivesse ideia do que, exatamente, ele fazia para ganhar a vida. Eu perguntei uma vez, quando minha amiga Jenny veio passar as férias escolares conosco e ficou espantada com o modo suntuoso como vivíamos.

— Seu pai deve ser absurdamente rico — ela havia comentado, maravilhada, enquanto descíamos do jatinho particular de Pa, que tinha acabado de pousar no aeroporto La Mole, próximo a Saint-Tropez. O chofer estava esperando na pista para nos levar até o porto, onde embarcaríamos no *Titan*, nosso magnífico iate com dez cabines, e partiríamos em nosso cruzeiro anual pelo Mediterrâneo e aonde quer que Pa desejasse nos levar.

Como qualquer criança, rica ou pobre, já que não conhecemos nada diferente enquanto crescíamos, o modo como vivíamos nunca me pareceu incomum. Todas nós tivemos aulas com professores particulares quando éramos pequenas, e foi apenas quando ingressei em um colégio interno, aos treze anos de idade, que comecei a perceber que nossa vida estava longe de uma existência normal.

Perguntei ao Pa uma vez o que ele fazia para dar à sua família todo o conforto imaginável.

Ele me olhou daquele jeito misterioso todo dele e sorriu.

— Sou apenas um mago.

O que, como era sua intenção, não me dizia muita coisa. À medida que crescia, comecei a perceber que Pa realmente era um mestre do ilusionismo e nada era o que parecia ser.

Quando Marina voltou para a sala de visitas carregando dois gins-tônicas em uma bandeja, percebi que, depois de trinta e três anos, eu ainda não tinha ideia de quem meu pai fora no mundo além de *Atlantis*. E ponderei se finalmente começaria a descobrir...

— Aí está — Marina disse, colocando a bebida diante de mim. — Um brinde ao seu pai — ela continuou, levantando o copo. — Que ele descanse em paz.

— Sim, um brinde a Pa Salt. Que ele descanse em paz.

Marina tomou um gole grande antes de colocar o copo sobre a mesa e pegar minhas mãos.

— Maia, antes de discutirmos qualquer detalhe, preciso te contar uma coisa.

— O quê? — perguntei, olhando para sua expressão cansada, franzida de ansiedade.

— Você me perguntou mais cedo se seu pai ainda estava aqui na casa. A resposta é que ele já foi sepultado. Era um desejo dele que isso fosse feito imediatamente e que nenhuma de vocês, meninas, estivesse presente.

Encarei-a como se ela tivesse perdido a razão.

— Ma... Você me disse há apenas alguns minutos que ele morreu nas primeiras horas da manhã de hoje! Como é possível que um enterro tenha sido organizado com tanta rapidez? E por quê?

— Maia, seu pai foi claro: assim que partisse, seu corpo seguiria de jatinho até o iate. Assim que estivesse a bordo, seria colocado em um caixão de chumbo que, ao que tudo indica, estava no compartimento de carga do *Titan* fazia muitos anos, esperando por esse acontecimento. Dali, ele seria levado para alto-mar. Naturalmente, considerando seu amor pela água, ele queria descansar no oceano. E não queria a angústia de suas filhas... presenciando o evento.

— Meu Deus — murmurei, as palavras de Marina me fazendo estremecer. — Com certeza ele sabia que todas nós gostaríamos de nos despedir. Como ele pôde fazer isso? O que vou dizer às outras? Eu...

— Querida Maia, você e eu moramos nesta casa há mais tempo e ambas sabemos que nunca devemos questionar os motivos do seu pai — suspirou. — Acredito que ele quisesse ser sepultado do modo que viveu: discretamente.

— E no controle — acrescentei, a raiva começando a crescer dentro de mim. — É quase como se não confiasse nas pessoas que o amam para fazer o certo por ele.

— Qualquer que fosse o seu critério — Marina disse —, espero que, com o tempo, vocês todas se lembrem dele como o pai afetuoso que era. A única coisa que sei com certeza é que vocês, meninas, eram o mundo dele.

— Mas qual de nós o conhecia? — perguntei, a frustração trazendo lágrimas aos meus olhos. — Algum médico confirmou a morte? Você deve ter uma certidão de óbito. Posso ver?

— O médico me pediu alguns dados pessoais, como lugar e o ano de nascimento. Expliquei que eu era apenas uma empregada e que não conhecia esses detalhes. Pedi que entrasse em contato com Georg Hoffman, o advogado que cuida dos interesses do seu pai.

— Mas por que ele era tão reservado, Ma? Eu estava pensando hoje, durante o voo, e não me lembro de uma ocasião em que ele tivesse trazido amigos a *Atlantis*. Raramente, quando estávamos no iate, um contato de negócios subia a bordo para uma reunião e eles desapareciam para dentro do escritório, mas ele nunca socializava.

— Ele queria manter a vida familiar separada dos negócios, com toda a atenção voltada para suas filhas.

— As filhas que ele adotou e trouxe aqui de todos os cantos do mundo. Por quê, Ma, por quê?

Marina me olhou em silêncio, seus olhos sábios e tranquilos não revelando nenhuma pista quanto ao que ela sabia ou não.

— Quero dizer, quando você é criança — continuei —, você cresce aceitando a vida que tem. Mas ambas sabemos que não é comum, diria até que é muito estranho, um homem solteiro de meia-idade adotar seis meninas ainda bebês e trazê-las para a Suíça para serem criadas sob o mesmo teto.

— Seu pai *era* um homem incomum — Marina concordou. — Mas, certamente, dar a chance de uma vida melhor a órfãs sob sua proteção não pode ser considerado uma coisa ruim — ela argumentou. — Muitas pessoas ricas adotam crianças quando não têm filhos naturais.

— Geralmente elas são casadas — respondi bruscamente. — Ma, você sabe se Pa teve alguma namorada? Alguém a quem tenha amado? Eu o conheci por trinta e três anos e nunca o vi com uma mulher.

— *Chérie*, entendo que seu pai se foi e, de repente, você percebeu que tem muitas perguntas que gostaria de ter feito a ele e que agora não podem ser respondidas... Mas não posso te ajudar. Além disso, esta não é uma boa hora — Marina acrescentou gentilmente. — Por enquanto precisamos celebrar quem ele foi para cada uma de nós e nos lembrar dele como o ser humano gentil e bondoso que todas conhecemos por detrás das paredes de *Atlantis*. Tente se lembrar de que seu pai tinha mais de oitenta anos. Ele viveu uma vida longa e frutífera.

— Mas ele estava velejando com a Laser, no lago, apenas três semanas atrás, se movendo de um lado para o outro do barco como um homem com a metade de sua idade — suspirei. — É difícil conciliar essa imagem com a de alguém que está morrendo.

— É sim, e graças a Deus ele não seguiu os passos de muitos outros com a mesma idade, que morrem lenta e dolorosamente. É maravilhoso que você e as outras meninas se lembrarão dele como um homem saudável e feliz — Marina confortou. — É certamente do que ele gostaria.

— Ele não sofreu no fim, sofreu? — perguntei, com hesitação, sabendo, do fundo do coração, que Marina jamais me contaria se tivesse sofrido.

— Não. Ele sabia o que estava por vir, Maia, e acredito que tenha feito as pazes com Deus. Honestamente, acredito que estivesse contente em partir.

Tentei encontrar consolo no que ela dizia, mas fracassei.

— Como diremos às outras que nosso pai se foi? — supliquei. — E que nem mesmo há um corpo para enterrar? Elas se sentirão como eu me sinto, como se ele simplesmente tivesse desaparecido no ar.

— Seu pai pensou nisso antes de morrer, e Georg Hoffman, o advogado, telefonou mais cedo. Prometo que cada uma de vocês terá uma chance de se despedir dele.

— Mesmo na morte, Pa tem tudo sob controle — eu disse, com um suspiro de frustração. — Deixei mensagens para todas as minhas irmãs, mas nenhuma retornou ainda.

— Bem, Georg Hoffman está de prontidão para vir até aqui assim que todas chegarem. E, por favor, Maia, não me pergunte o que ele vai dizer, pois não faço ideia. Agora, pedi para a Cláudia preparar uma sopa. Duvido que você tenha comido alguma coisa desde a manhã. Você prefere levar a refeição para o Pavilhão ou quer ficar aqui na casa esta noite?

— Vou tomar a sopa aqui, depois vou para casa, se você não se importar. Acho que preciso ficar sozinha.

— Claro. — Marina se inclinou em minha direção e me deu um abraço. — Entendo que esse é um choque terrível. E lamento, mais uma vez, ter de carregar o fardo da responsabilidade de informar o resto das meninas, mas ele me pediu que contasse a você primeiro. Não sei se você encontra consolo nisso. Agora, devo pedir para Cláudia aquecer a sopa? Acho que nós duas precisamos comer alguma coisa.

* * *

Depois que comemos, avisei Marina de que iria para cama e lhe dei um beijo de boa-noite. Pude notar que ela estava exausta. Antes de deixar a casa, subi os muitos lances de escada até o último andar e olhei em cada um dos quartos de minhas irmãs. Todos estavam tão vazios como quando elas saíram de casa para seguir seus próprios caminhos, mas cada um ainda exibia suas personalidades tão diferentes. Não importava quando retornassem, como pombos ao seu ninho à beira-mar: nenhuma delas teria interesse algum em mudá-los. Inclusive eu.

Abrindo a porta do meu antigo quarto, fui até a prateleira onde ainda guardava meus tesouros de infância mais valiosos. Peguei uma velha boneca de porcelana que Pa havia me dado quando eu era bem pequena. Como sempre, ele teceu uma história mágica: a boneca pertencera a uma jovem condessa russa, mas havia ficado solitária em seu palácio de neve, em Moscou, depois que sua dona cresceu e se esqueceu dela. Ele me disse que seu nome era Leonora e que ela precisava de um novo par de braços para amá-la.

Colocando a boneca de volta na prateleira, busquei a caixa que continha um presente que Pa me deu no meu aniversário de dezesseis anos. Abri-a e peguei o colar que ela guardava.

— É uma selenita, Maia — ele disse, enquanto eu admirava a pedra opalescente, incomum, que brilhava com um tom azulado, rodeada de pequenos diamantes. — É mais velha do que eu e vem com uma história muito interessante. — Lembro que ele hesitou naquele momento, como se estivesse ponderando. — Quem sabe eu te conto um dia? — ele continuou. — O colar talvez seja um pouco adulto demais para você no momento. Mas, quando você crescer, acho que vai combinar muito bem.

Pa estava certo. Na época, meu corpo era enfeitado — como o de todas as minhas colegas de escola — com pulseiras prateadas baratas e crucifixos grandes pendurados com couro ao redor do meu pescoço. Nunca usei a selenita, e ela ficou ali, esquecida naquela prateleira, desde então.

Mas iria usá-la agora.

Indo até o espelho, fechei a pequena fivela da delicada corrente de ouro ao redor do meu pescoço e estudei a pedra. Talvez fosse minha imaginação, mas ela parecia brilhar intensamente contra minha pele. Meus dedos instintivamente a tocaram enquanto eu caminhava até a janela para olhar as luzes cintilantes do Lago Léman.

— Descanse em paz, querido Pa Salt — suspirei.

Antes que as lembranças me dominassem, afastei-me rapidamente do meu quarto de infância, deixei a casa e segui por uma passarela estreita que levava ao meu lar atual, a uns duzentos metros dali.

A porta da frente do Pavilhão ficava permanentemente destrancada; devido à segurança de alta tecnologia que protegia o perímetro de nossa propriedade, havia pouca probabilidade de alguém roubar alguns dos meus poucos pertences.

Entrando, vi que Cláudia já havia acendido as lâmpadas da sala de estar. Desabei sobre o sofá, o desespero me dominando.

Eu era a irmã que nunca havia partido.

# 3

Quando meu telefone tocou, às duas da manhã, eu estava deitada, ainda sem conseguir dormir, ponderando por que me sentia incapaz de chorar a morte de Pa. Meu estômago deu uma volta de cento e oitenta graus quando vi o nome de Tiggy na tela.

— Alô?

— Maia, desculpe ligar tão tarde. Só recebi sua mensagem agora. O sinal é ruim aqui. Deu para perceber em sua voz que há algo errado. Você está bem?

O som da voz suave e doce de Tiggy derreteu as arestas congeladas da pedra que pareciam estar no lugar do meu coração.

— Sim, estou bem, mas...

— É Pa Salt?

— Sim. — Engoli a seco, sem fôlego de tanta tensão. — Como você soube?

— Não sabia, quero dizer, não sei. Mas senti uma coisa muito estranha esta manhã quando estava no campo procurando uma das corças mais jovens que marcamos há algumas semanas. Quando a encontrei, estava morta e, por algum motivo, pensei em Pa. Ignorei a sensação porque pensei que fosse apenas tristeza por causa da corça. Ele está...?

— Sinto muito, Tiggy, mas... devo dizer que ele faleceu hoje de manhã. Ou melhor, ontem de manhã — corrigi.

— Ah, Maia, não... Meu Deus, não consigo acreditar. O que aconteceu? Foi um acidente no barco? Disse a ele quando o vi pela última vez que não deveria mais navegar no Laser sozinho.

— Não, ele morreu em casa. Foi um ataque cardíaco.

— Você estava com ele? Ele sofreu? Eu... — A voz de Tiggy perdeu força. — Não suporto pensar nele sofrendo.

— Não, Tiggy, eu não estava lá. Passei alguns dias com minha amiga Jenny em Londres. — Respirei fundo ao me lembrar. — Na verdade, foi Pa quem me convenceu a ir. Ele disse que me faria bem sair de *Atlantis*, tirar umas férias.

— Ah, Maia, isso deve ser terrível para você. Raramente deixa a casa, e logo quando sai...

— Sim — concordei com ênfase.

— Você não acha que ele sabia, acha? E queria te poupar?

Tiggy deu voz ao pensamento que não saía da minha cabeça nas últimas horas.

— Não, não acho. Acredito que isso se chame "Lei de Murphy". De qualquer forma, não se preocupe comigo. Estou muito mais preocupada com você e essa notícia terrível que acabei de te dar. Você está bem? Queria estar aí para te abraçar.

— Para ser honesta, não sei como me sinto agora exatamente, porque isso não parece real. E talvez não pareça real até eu chegar em casa. Vou tentar conseguir um voo para amanhã. Você já contou para as outras?

— Deixei inúmeras mensagens e pedi que me ligassem com urgência.

— Bem, estarei de volta assim que possível para ajudar, querida Maia. Tenho certeza de que há muitas coisas a fazer para o funeral.

Não consegui compartilhar a notícia de que nosso pai já havia sido sepultado.

— Vai ser bom ter você aqui. Agora, tente dormir, Tiggy, se conseguir. Se precisar conversar, a qualquer hora, estou aqui.

— Obrigada. — A oscilação na voz de Tiggy era um indício de que ela estava prestes a chorar, absorvendo a notícia. — Maia, você sabe que ele não foi embora. Os espíritos não morrem; eles apenas se mudam para outro plano.

— Espero que sim. Boa noite, querida Tiggy.

— Seja forte, Maia. Vejo você amanhã.

Ao pressionar o botão para encerrar a chamada, deitei-me na cama, exausta, desejando ter as mesmas crenças espirituais que Tiggy acerca da vida após a morte. Naquele momento eu não conseguia pensar em uma única razão cármica para Pa Salt deixar a Terra.

Certa vez, eu *acreditei* que havia um Deus, ou pelo menos um poder superior à compreensão humana. Mas, em algum momento do caminho, tal consolo foi tirado de mim.

Se fosse honesta, eu saberia dizer exatamente quando isso aconteceu.

Ajudaria se eu pudesse aprender a *sentir* outra vez, em vez de existir como um robô que, ao menos em aparência, era um ser humano calmo e funcional. O fato de eu mal ter reagido à morte de Pa Salt com a emoção apropriada revelava que o problema tinha raízes profundas.

Ainda assim, pensei, eu não tinha dificuldade para consolar os outros. Sabia que minhas irmãs me viam como o alicerce da família, aquela que estaria sempre ao lado delas quando houvesse um problema. A irmã prática, racional e, como Marina me disse quando me deu a notícia, forte.

Ainda assim, bem no fundo, eu sabia que sentia mais medo que qualquer uma delas. Enquanto minhas irmãs abriram as asas e deixaram o ninho, eu permaneci, escondida atrás da necessidade de minha presença enquanto Pa envelhecia. E atrás da desculpa adicional de que era uma situação perfeita para a carreira que escolhi, que era solitária.

Ironicamente, por causa do vazio da minha vida pessoal, eu passava os dias em um mundo fictício e frequentemente romântico, traduzindo romances do russo e do português para o francês, meu idioma pátrio.

Pa foi o primeiro a notar meu dom e minha habilidade de imitar, como um papagaio, qualquer idioma em que falassem comigo. Ele mesmo um especialista em idiomas, gostava de mudar de uma língua para outra para ver seu eu faria o mesmo ao responder. Aos doze anos, eu já era fluente em francês, alemão e inglês — todos os idiomas falados na Suíça — e tinha um bom conhecimento de latim, grego, italiano, russo e português.

Os idiomas se tornaram uma verdadeira paixão para mim, um desafio que era ilimitado, porque não importava quanto era boa: sempre poderia melhorar. As palavras e seu uso correto, tanto no diálogo falado quanto no escrito, me fascinavam. Quando chegou a hora de pensar no que estudar na universidade, a escolha estava clara para mim.

Apenas pedi a Pa sugestões sobre os idiomas em que deveria me especializar.

Ele me olhou pensativo.

— Bem, Maia, cabe a você escolher, mas talvez não deva ser aquele em que você tem fluência no momento, uma vez que terá três ou quatro anos para aprender e aperfeiçoá-lo na universidade.

— Realmente não sei o que fazer, Pa — suspirei. — Amo todos eles. Por isso estou perguntando.

— Bem, então, vou dar um parecer lógico e dizer que, nos próximos trinta anos, o poder econômico do mundo vai mudar radicalmente. Portanto, se fosse você, considerando que já é fluente em três das línguas ocidentais mais importantes, eu buscaria algo mais longe.

— Você quer dizer em países como a China e a Rússia? — perguntei.

— Isso, e também a Índia e o Brasil, claro. Todos esses países possuem riquezas que ainda não foram exploradas e culturas fascinantes.

— Certamente gosto de russo e, na verdade, português. É um idioma — lembro que procurei as palavras adequadas — muito expressivo.

— Bem, então, aí está. — Pa sorriu, e notei que ficou satisfeito com minha resposta. — Por que não estuda ambos? Com seu talento natural para a filologia, você consegue conciliar os dois com facilidade. Garanto, Maia, que, com um ou dois desses idiomas, o mundo estará ao seus pés. Existem poucas pessoas capazes de ver o que está por vir. O mundo está mudando, e você estará na frente.

* * *

Minha garganta estava seca; saí da cama e fui para a cozinha tomar um copo de água. Pensei em Pa esperando que eu, armada com minhas habilidades únicas, embarcasse com confiança na nova era que estava por vir. Naquela época, pensei que era quase exatamente isso que faria. Mais que qualquer coisa, eu estava desesperada para que ele sentisse orgulho de mim.

Mas, como com tantos seres humanos, a vida trouxe acontecimentos que me desviaram da trajetória planejada. E, em vez de serem uma plataforma de lançamento para o mundo, minhas habilidades permitiram que eu me escondesse na casa onde cresci.

Minhas irmãs criticavam minha vida reservada enquanto flutuavam de uma existência a outra pelo mundo. Diziam que eu me tornaria uma velha solitária. Afinal, como conheceria alguém me recusando a colocar os pés fora de *Atlantis*?

— Você é tão bonita, Maia! Todos que conhecem você dizem isso, ainda assim, você fica aqui sozinha. É um desperdício — Ally me repreendeu quando a vi da última vez.

Era verdade que minha aparência me destacava entre a multidão. Em uma família com seis irmãs, todas recebemos rótulos quando éramos mais jovens, a característica que nos tornava especial.

Maia, a beldade; Ally, a líder; Star, a pacificadora; CeCe, a pragmática; Tiggy, a diligente; e Electra, a bola de fogo.

A questão era, pensei enquanto tomava um gole de água: nossos dons nos trouxeram sucesso e felicidade?

Algumas das minhas irmãs ainda eram muito jovens e não viveram o bastante para saber ou para que eu pudesse julgar. Falando por mim, eu sabia que o "dom" da beleza ajudou a criar o momento mais doloroso da minha vida, apenas porque era muito ingênua na época para entender o poder que ela exercia. Então, agora, eu a escondia, o que significava me esconder.

Notei que Pa me observava quando me visitava no Pavilhão. Frequentemente perguntava se eu estava feliz.

— Claro. — Eu sempre respondia afirmativamente. Afinal, tinha poucos motivos aparentes para não ser. Vivia com grande conforto, com braços amorosos a poucos metros de distância. E o mundo, tecnicamente, *estava* aos meus pés. Eu não tinha vínculos, nem responsabilidades...

Mas como eu ansiava por isso.

Sorri brevemente ao pensar em Pa, apenas alguns dias antes, me incentivando a visitar Jenny em Londres. E porque foi ele quem sugeriu, e passei toda a minha vida adulta sentindo que o havia decepcionado, concordei. Mesmo que não pudesse ser "normal", esperava que ele pensasse o contrário.

Então, fui para Londres... e retornei para perceber que ele também havia partido. Para sempre.

Considerando que eram quatro da manhã, voltei para o quarto e me deitei, desesperada para adormecer. Mas o sono não vinha. Meu coração começou a bater forte e eu percebi que, com a morte de Pa, não poderia mais usá-lo como desculpa para permanecer escondida ali. Era até possível que *Atlantis* fosse vendida. Pa nunca havia comentado comigo qualquer coisa sobre o que aconteceria depois de sua morte. Até onde eu sabia, ele também não falou com nenhuma das minhas irmãs.

Até algumas horas atrás, Pa Salt era onipotente, onipresente. Uma força da natureza que nos mantinha a salvo no ar: capazes de voar, mas igualmente sentindo sua proteção o tempo todo.

Pa costumava se referir a nós como suas maçãs douradas. Maduras e perfeitamente redondas, esperando para serem colhidas. E, agora, o galho foi chacoalhado e todas nós fomos derrubadas ao chão, sem uma mão firme para nos pegar enquanto caíamos.

***

Ouvi alguém bater à porta e caminhei aos tropeços para atender. Desesperada com a aproximação da alvorada, horas antes, procurei alguns calmantes que me receitaram havia alguns anos e tomei um. Ao olhar para o relógio na parede e ver que passava das onze, desejei não ter tomado nada.

Quando abri a porta, encontrei o rosto preocupado de Marina.

— Bom dia, Maia. Tentei ligar no telefone fixo e no celular, mas ninguém atendeu, então vim ver se está tudo bem.

— Desculpe. Tomei um calmante e ele me derrubou. Entre — convidei, envergonhada.

— Não. Vou deixar você acordar direito. Depois que tomar um banho e se vestir, pode ir até a casa? Tiggy telefonou e disse que chega por volta das seis da tarde. Ela conseguiu falar com Star, CeCe e Electra, então elas também estão a caminho. Alguma notícia da Ally?

— Vou checar o celular e, se não tiver nada, ligo outra vez.

— Você está bem? Não está com uma aparência boa, Maia.

— Vou ficar bem, Ma, sério. Vou até a casa mais tarde.

— Tudo bem, mas lembre-se que comprimidos não são a solução, *chérie*.

— Eu sei.

Fechei a porta e fui ao banheiro lavar o rosto com água gelada para despertar. Ao me olhar no espelho, entendi por que Marina perguntou se eu estava bem. Linhas apareceram da noite para o dia ao redor dos meus olhos, e havia marcas azuladas sob eles. Meu cabelo escuro, normalmente brilhante, caía apagado e oleoso ao redor do rosto. E minha pele, geralmente da cor do mel e que não precisava de maquiagem, estava pálida e parecia inchada.

— A beldade da família está irreconhecível hoje — resmunguei para meu reflexo antes de procurar o celular entre as roupas de cama. Quando finalmente encontrei o aparelho sob o edredom, notei que havia oito chamadas perdidas. Ouvi as vozes das minhas irmãs, suas mensagens variando entre a descrença e o choque. A única irmã que ainda não havia respondido meu SOS era Ally. Mais uma vez, falei com sua caixa postal e pedi que me ligasse com urgência.

Na casa principal, encontrei Marina e Cláudia trocando os lençóis e arejando os quartos do último andar. Notei que Marina, apesar de sua dor, estava contente com suas meninas voltando para casa. Era raro, naqueles dias, estarmos todas sob o mesmo teto. A última vez que isso aconteceu fora em julho, onze meses antes, no iate de Pa, em um cruzeiro pelas ilhas gregas. No Natal, apenas quatro de nós estávamos em casa, já que Star e CeCe tinham decidido passar alguns meses viajando no Extremo Oriente.

— Pedi a Christian para pegar o barco e buscar uma compra que fiz — Marina disse enquanto descíamos as escadas. — Suas irmãs são tão exigentes, Tiggy é vegetariana e sabe Deus que dieta passageira Electra está fazendo — resmungou, uma parte sua adorando cada segundo daquele caos repentino. Isso a lembrava, eu sabia, de quando estávamos todas sob seus cuidados e precisávamos dela. — Cláudia acordou na cozinha, mas devemos optar pela simplicidade hoje e comer massa e salada. Vocês gostam disso.

— Você sabe a que horas Electra chega? — perguntei quando chegamos à cozinha e o aroma apetitoso da comida de Cláudia trouxe uma série de lembranças da infância.

— Provavelmente não antes da madrugada. Ela conseguiu um voo de Los Angeles a Paris e depois voa de lá para Genebra.

— Como ela estava no telefone?

— Ela estava... chorando — Marina respondeu. — Histericamente — acrescentou, com um suspiro.

— E quanto a Star e CeCe?

— Como sempre, CeCe estava cuidando dos preparativos para as duas. Não falei com Star. CeCe parecia desesperada, pobrezinha, como se tivesse perdido o chão. Elas chegaram do Vietnã há apenas dez dias. Coma um pão fresco, Maia. Tenho certeza de que não comeu nada ainda.

— Obrigada — respondi, e Marina colocou uma fatia de pão com manteiga e geleia na minha frente. — Não quero pensar em como elas estarão — murmurei, mordendo o pão.

— Vão estar como sempre estão e reagir de formas diferentes — Marina respondeu, com sabedoria.

— Todas pensam que estão voltando para casa para o funeral de Pa — suspirei. — Mesmo que fosse um evento extremamente angustiante, pelos menos seria um rito de passagem, um momento onde todas poderíamos celebrar sua vida, colocá-lo para descansar e, suspostamente, começar a superar. Mas agora elas vão chegar em casa e descobrir que ele se foi.

— Entendo, Maia. Mas o que está feito está feito — Marina disse, com pesar.

— Deve haver, com certeza, amigos ou parceiros de negócios a quem deveríamos informar.

— Georg Hoffman disse que cuidaria disso. Ele telefonou outra vez esta manhã para saber quando vocês todas estarão aqui e, então, se preparar para vir vê-las. Eu disse que retornaria a ligação assim que conseguíssemos falar com Ally. Talvez ele possa esclarecer alguns dos mistérios da mente do seu pai.

— Bem, espero que alguém possa — resmunguei, descontente.

— Você se importa em comer sozinha? Tenho mil coisas para fazer antes de suas irmãs chegarem.

— Claro. Obrigada, Ma — respondi. — Não sei o que faríamos sem você.

— Ou o que eu faria sem vocês. — Ela tocou meu ombro e deixou a cozinha.

# 4

Por volta das cinco da tarde, depois de horas caminhando sem rumo pelos jardins e tentando trabalhar em uma tradução para tentar não pensar em Pa e nas consequências de sua morte, ouvi o motor de uma lancha se aproximando do píer. Aliviada que Tiggy finalmente houvesse chegado e que, pelo menos, não ficaria mais sozinha com meus pensamentos, abri a porta da frente e corri pelo jardim para recebê-la.

Observei enquanto ela descia graciosamente do barco. Pa frequentemente sugeria que ela estudasse balé quando era criança; Tiggy não andava, flutuava, carregando seu corpo ágil e elegante com leveza, como se seus pés não tocassem o chão. Ela tinha uma presença distintamente sobrenatural, e seus grandes olhos claros, emoldurados por sobrancelhas espessas, dominavam seu rosto em forma de coração. Fiquei impressionada com sua semelhança com a jovem corça de que cuidou com tanto fervor.

— Querida Maia — ela disse, colocando seus braços ao meu redor.

Ficamos abraçadas por um momento, em silêncio. Quando ela se afastou de mim, vi que lágrimas transbordavam de seus olhos.

— Como você está? — ela perguntou.

— Chocada, estarrecida... e você?

— O mesmo. Ainda incapaz de absorver — respondeu ela quando começamos a caminhar, nossos braços ainda apertados ao redor dos ombros uma da outra.

Tiggy parou abruptamente na varanda e me encarou.

— Pa está...? — Ela indicou a casa. — Se estiver, preciso de alguns momentos para me preparar.

— Não, Tiggy, ele não está mais na casa.

— Suponho que o tenham levado para um... — Sua voz desapareceu pesarosamente com a ideia.

— Vamos entrar, tomar uma xícara de chá e eu explico tudo.

— Sabe, tentei sentir a presença dele, quero dizer, do seu espírito. Geralmente consigo, entende? — Tiggy suspirou. — Mas havia apenas um vazio; nada para sentir.

— Talvez seja muito cedo para sentir qualquer coisa — consolei-a, acostumada com as ideias estranhas de Tiggy e querendo evitar meu pragmatismo implacável. — Com certeza eu não sinto nada — acrescentei enquanto entrávamos na cozinha.

Cláudia estava ao lado da pia e se virou para ver Tiggy, que sempre suspeitei ser sua favorita por causa da fragilidade e gentileza, e vi compreensão em seus olhos.

— Não é horrível? — Tiggy disse, caminhando em direção à governanta e oferecendo um abraço. Ela era a única entre nós que se sentia confortável o bastante para abraçar Cláudia.

— É, sim — Cláudia concordou. — Vão para a sala de visitas. Já vou servir o chá para vocês.

— Onde está a Ma? — Tiggy perguntou depois que seguimos as ordens de Cláudia.

— Lá em cima, dando um último retoque nos quartos de vocês. Ela provavelmente quis nos deixar um pouco a sós — respondi enquanto nos sentávamos.

— Ela estava aqui? Quero dizer, com Pa, no final?

— Sim.

— Mas por que ela não entrou em contato mais cedo? — Tiggy perguntou, assim como eu havia perguntado.

Nos trinta minutos seguintes, respondi a todas as perguntas que fiz quando interroguei Marina no dia anterior. Também contei que o corpo de Pa já havia sido sepultado em uma caixa de chumbo no oceano. Esperava que ela ficasse tão indignada quanto eu, mas Tiggy apenas deu um leve suspiro de compreensão.

— Ele queria retornar ao lugar que amava e descansar lá para sempre. De certa forma, Maia, estou contente que não o tenha visto... *sem vida*, porque agora posso me lembrar dele do jeito que era.

Estudei minha irmã, surpresa que, sendo a mais sensível entre todas nós, a morte de Pa não a tivesse afetado tanto quanto imaginei que afetaria, ao menos visivelmente. Seus cabelos grossos e castanhos brilhavam ao redor de sua face como uma crina suntuosa. Os enormes olhos castanhos, com sua expressão inocente, quase surpresa, cintilavam.

A reação calma de Tiggy me deu esperanças de que minhas outras irmãs seriam tão otimistas quanto ela aparentava ser, ainda que eu não fosse.

— Ironicamente, Tiggy, você está maravilhosa — elogiei, dando voz aos meus pensamentos. — Parece que todo aquele ar fresco da Escócia combina com você.

— Ah, combina sim, definitivamente — ela concordou. — Depois de todos aqueles anos da infância que fiquei dentro de casa, sinto que fui libertada. Amo meu emprego, mesmo sendo trabalho duro, e o chalé onde moro é bem básico. Não tem nem banheiro dentro de casa.

— Uau — respondi, admirando sua habilidade de renunciar a todo o conforto para seguir sua paixão. — Então, é mais satisfatório que trabalhar em um laboratório no Servion Zoo?

— Ah, meu Deus, com certeza. — Tiggy ergueu uma sobrancelha. — Para ser honesta, era um ótimo emprego, mas eu odiava aquele lugar porque não estava trabalhando com os animais, apenas analisava sua composição genética. Você deve pensar que sou louca por deixar uma carreira promissora para vaguear pelas regiões montanhosas da Escócia durante dias e noites, por quase salário nenhum, mas é muito mais gratificante.

Ela arregalou os olhos e sorriu quando Cláudia entrou na sala carregando uma bandeja, que colocou sobre a mesinha de centro antes de se retirar.

— Não acho que você seja louca, Tiggy. Sério, entendo muito bem.

— Na verdade, nunca me senti tão feliz... Até falar com você ontem à noite.

— É porque você encontrou sua vocação, tenho certeza — sorri.

— É, isso e... outras coisas — ela admitiu, e notei um rubor suave tingir suas faces delicadas. — Mas essa é uma história para outra hora. Quando as outras chegam?

— CeCe e Star devem chegar por volta das sete e Electra chega nas primeiras horas da madrugada — respondi.

— Como ela reagiu quando soube? — Tiggy perguntou. — Não precisa responder. Posso imaginar.

— Foi Ma quem falou com ela. Disse que Electra chorou muito.

— Como sempre, então — Tiggy comentou, tomando um gole de chá. Depois suspirou, de repente, e o brilho desapareceu de seus olhos. — É entranho. Continuo esperando que Pa entre na sala a qualquer momento. Mas ele nunca mais vai fazer isso.

— Não, não vai — concordei, com tristeza.

— Há algo que precisemos fazer? — Tiggy se levantou e foi até a janela olhar para fora, como uma gazela presa buscando sua liberdade. — Sinto que deveríamos fazer... *alguma coisa* — repetiu.

— Não há nada para fazer. Ao que parece, o advogado de Pa virá nos ver quando estivermos todas reunidas, para explicar alguns detalhes, mas por enquanto — chacoalhei os ombros — podemos apenas esperar pelas outras.

— Certo.

Vi Tiggy pressionar a testa contra o vidro da janela.

— Nenhuma de nós realmente o conhecia, não é? — ela disse, baixinho.

— Não, não o conhecíamos — concordei.

— Maia, posso fazer mais uma pergunta?

— Claro.

— Você se pergunta de onde veio? Quero dizer, quem foram seus verdadeiros pais?

— Isso já passou pela minha cabeça, Tiggy, mas Pa foi tudo para mim. Ele *foi* o meu pai. Suponho que nunca tenha precisado, ou querido, nada além disso.

— Você quer dizer que se sentiria culpada se tentasse descobrir?

— Talvez — concordei —, mas Pa sempre foi o suficiente; eu não conseguiria imaginar um pai mais amoroso e atencioso.

— Entendo. Vocês tinham um elo diferente. Talvez o primogênito sempre tenha.

— Mas ele também te amava. Cada uma de nós tinha um relacionamento especial com ele.

— Sei que ele me amava — Tiggy disse com calma —, mas isso não me impediu de pensar sobre minhas origens. Pensei em perguntar a ele, mas não queria chateá-lo. Então nunca perguntei. De qualquer forma — ela continuou, estoicamente —, agora é tarde demais. — Ela bocejou e acrescentou: — Você se importa se eu subir para o quarto para descansar? Talvez seja o choque tardio ou o fato de não ter um dia de folga há semanas, mas estou exausta.

— De jeito nenhum. Vá se deitar, Tiggy.

Observei enquanto ela se levantou e flutuou pela sala até chegar à porta.

— Até mais tarde.

— Durma bem — eu disse ao me encontrar sozinha outra vez. E irritada. Talvez fosse impressão minha, mas o ar sobrenatural de Tiggy, o modo como ficava distante de tudo o que acontecia ao seu redor, estava mais evidente. Eu não sabia exatamente o que queria dela; afinal, temia a reação das minhas irmãs à notícia, portanto deveria estar feliz que Tiggy parecesse tão bem e tão calma apesar de tudo.

Ou o verdadeiro motivo da minha inquietação era o fato de cada uma das minhas irmãs ter uma vida além daquela com Pa Salt e seu lar de infância? Enquanto *Atlantis* e Pa Salt eram todo o meu mundo.

* * *

Star e CeCe desembarcaram da lancha pouco depois das sete, e eu estava lá para recebê-las. Nunca disposta a oferecer afeição física, CeCe me permitiu um abraço breve antes de se afastar.

— Notícia terrível, Maia — comentou. — Star está muito abalada.

— Tenho certeza que sim — respondi, observando Star parada atrás de nossa irmã, mais pálida do que nunca.

— Como você está, querida? — perguntei, abrindo os braços em sua direção.

— Devastada — ela sussurrou, apoiando a cabeça, com seus gloriosos cabelos da cor do luar, sobre meus ombros por alguns segundos.

— Pelo menos estamos juntas agora — acrescentei. Star se afastou de mim e se aproximou de CeCe, que imediatamente colocou um braço forte e protetor ao redor dela.

— O que precisa ser feito? — CeCe perguntou enquanto caminhávamos em direção à casa.

Guiei as duas até a sala de visitas e pedi que se sentassem. E, mais uma vez, falei sobre as circunstâncias da morte de Pa e seu desejo de ter um sepultamento reservado, sem nossa presença.

— Então, quem foi que colocou Pa no mar? — CeCe perguntou, com a lógica fria que apenas minha quarta irmã possuía. Eu sabia que ela não queria ser insensível. CeCe desejava apenas os fatos.

— Para ser honesta, eu não perguntei, mas tenho certeza de que podemos descobrir. Provavelmente foi algum membro da tripulação do *Titan*.

— E onde foi? Foi perto de Saint-Tropez, onde o iate estava ancorado ou velejaram até alto-mar? Tenho certeza de que foram para alto-mar — CeCe acrescentou.

Eu e Star estremecemos com sua necessidade de detalhes.

— Ma disse que ele foi sepultado em um caixão de chumbo que já estava a bordo do *Titan*. Mas onde foi, não sei de fato — respondi, esperando que esse fosse o fim do interrogatório.

— Tudo indica que o advogado vai nos informar sobre os detalhes do testamento de Pa Salt — ela insistiu.

— Sim, acredito que sim.

— Até onde sabemos, podemos estar destituídas — acrescentou. — Você se lembra de como ele era obcecado para que ganhássemos nosso sustento sozinhas? Não duvido que tenha deixado tudo para a caridade.

Mesmo sabendo que a falta de tato de CeCe estava mais evidente como forma de lidar com seu estado emocional atual, e que a delicadeza nunca tinha sido um ponto forte nela, cheguei ao meu limite. Não respondi ao seu comentário e, em vez disso, me voltei para Star, que estava sentada ao lado da irmã no sofá.

— Como você está se sentindo? — perguntei, gentilmente.

— Eu...

— Ela está em choque, como todas estamos — CeCe interrompeu antes que Star pudesse responder. — Mas vamos superar isso, não vamos? — continuou, estendendo uma mão bronzeada em direção à sua irmã e pegando seus dedos pálidos e finos. — É uma pena, porque eu estava prestes a dar boas notícias ao Pa.

— E que notícias são essas? — perguntei.

— Recebi um convite para começar, em setembro, um curso de um ano no The Royal College of Art, em Londres.

— Que ótima notícia, CeCe — comentei. Ainda que nunca tenha compreendido suas estranhas "instalações", como CeCe se referia ao seu trabalho, preferindo um estilo de arte moderna mais tradicional, eu sabia que essa era sua paixão e fiquei contente por ela.

— Estamos empolgadas, não estamos?

— Sim — Star concordou obedientemente, apesar de, naquele momento, não parecer nem um pouco empolgada. Eu podia notar que seu lábio inferior tremia.

— Vamos nos estabelecer em Londres. Isto é, se ainda houver dinheiro disponível depois que nos reunirmos com o advogado de Pa.

— Honestamente, CeCe — eu disse, minha paciência finalmente chegando ao fim —, este não é um bom momento para pensar nessas coisas.

— Lamento, Maia, mas você sabe como eu sou. Amava Pa demais. Ele era um homem brilhante e sempre me incentivou com meu trabalho.

Por alguns instantes, vi vulnerabilidade e, talvez, um pouco de medo nos olhos castanhos de CeCe.

— Sim, ele era único — declarei.

— Certo, Star, por que você não sobe e desfaz as malas? — CeCe sugeriu. — A que horas será o jantar, Maia? Nós duas gostaríamos de comer alguma coisa logo.

— Vou pedir a Cláudia para servir assim que possível. Vai demorar ainda para Electra chegar, e eu não consegui falar com Ally.

— Até daqui a pouco, então — CeCe se levantou, com Star imitando seus passos. — Se houver algo que eu possa fazer, basta pedir — CeCe sorriu com tristeza ao dizer isso. Mesmo com toda a sua insensibilidade, eu sabia que fora sincera.

Mais uma vez sozinha, ponderei sobre o enigma que era o relacionamento entre essas minhas duas irmãs. Geralmente eu discutia isso com Marina, nós duas preocupadas, ao passo que, enquanto cresciam, Star apenas se escondia atrás da personalidade forte de CeCe.

— Parece que Star não tem personalidade própria — eu disse várias vezes. — Não tenho ideia do que ela realmente pensa. Com certeza, isso não é saudável.

Marina concordou completamente, mas, quando comentei com Pa Salt, ele sorriu seu sorriso enigmático e disse para não me preocupar.

— Um dia Star vai abrir as asas e voar, como o anjo glorioso que é. Espere para ver.

Isso não me consolou, pois, assim como Star dependia de CeCe, era óbvio que, apesar da aparência de autocontrole de CeCe, a dependência era mútua. E se Star *realmente* fizesse o que Pa Salt havia previsto, eu sabia que CeCe ficaria desnorteada sem ela.

***

O jantar naquela noite foi melancólico. Minhas irmãs se adaptavam a estar em casa, onde tudo ao nosso redor servia para lembrar o que perdemos e a enormidade da situação. Marina tentou o possível para alegrar a todas, mas parecia incerta quanto ao que fazer para conseguir isso. Fez perguntas sobre o que cada uma de suas preciosas meninas fazia naquele momento de sua vida, mas lembranças silenciosas de Pa Salt traziam lágrimas espontâneas aos nossos olhos. Finalmente, a conversa deu lugar ao silêncio.

— Ficarei contente quando Ally for encontrada; poderemos seguir adiante e ouvir o que Pa Salt quer nos dizer — Tiggy suspirou. — Com licença. Vou dormir.

Beijando todas nós, ela deixou a sala, assim como CeCe e Star fizeram poucos minutos depois

— Ah, minha nossa — Marina suspirou quando ficamos sozinhas à mesa. — Elas estão inconsoláveis. E concordo com Tiggy; quanto mais cedo encontrarmos Ally e ela retornar, mais rápido poderemos começar a superar a perda.

— Obviamente ela está fora da área de alcance do celular — suspirei. — Você deve estar exausta, Ma. Vá dormir. Eu espero Electra chegar.

— Tem certeza, *chérie*?

— Claro que sim — confirmei, sabendo que Marina sempre teve dificuldade para lidar com minha irmã mais nova.

— Obrigada, Maia — ela disse, aceitando sem mais protestos. Levantou-se, beijou gentilmente minha cabeça e deixou a cozinha.

Nos trinta minutos seguintes, ajudei Cláudia a tirar a mesa, grata por ter alguma coisa prática para fazer enquanto esperava por Electra. Acostumada com o silêncio de Cláudia, considerei sua presença particularmente reconfortante naquela noite.

— Quer que eu tranque a casa, Maia? — ela perguntou.

— Não. Você também teve um longo dia. Vá dormir e eu cuido de tudo.

— Como preferir. *Guten nacht* — ela disse ao deixar a cozinha.

Vagando pela casa, sabendo que ainda havia pelo menos duas horas até Electra chegar e me sentindo desperta depois de dormir até tarde naquela manhã, cheguei até a porta do escritório de Pa Salt. Sentindo uma compulsão por sua presença ao meu redor, girei a maçaneta e descobri que a porta estava trancada.

Isso me surpreendeu e me perturbou; durante as muitas horas que ele passara naquela sala, trabalhando em casa, a porta sempre estivera aberta para suas meninas. Ele nunca estava ocupado demais para oferecer um sorriso de boas-vindas quando eu chegava; sempre gostei de me sentar em seu escritório, que continha sua essência física e material. Mesmo com uma série de computadores sobre sua mesa e uma tela enorme pendurada na parede, pronta para conferências via satélite, meus olhos sempre buscavam os pequenos tesouros pessoais colocados aleatoriamente nas prateleiras atrás da escrivaninha.

Objetos simples que, havia me dito, ele colecionou em suas viagens constantes ao redor do mundo. Entre outras coisas, havia uma miniatura da Madonna em um porta-retrato dourado, que cabia na palma da minha mão, um violino velho, uma bolsinha de couro surrada e um livro esfarrapado de um poeta inglês de quem nunca ouvi falar.

Nada raro, nada especialmente valioso, apenas bugigangas que significavam alguma coisa para ele.

Apesar da certeza de que um homem como Pa poderia ter enchido nossa casa com obras de arte de valor inestimável e antiguidades únicas se assim desejasse, na realidade não tínhamos muitos artefatos valiosos. Sempre senti que ele possuía aversão a pertences materiais sem vida de qualquer valor. Ele ridicularizava abertamente seus contemporâneos abastados quando pagavam somas exorbitantes por obras de arte famosas, dizendo que a maioria delas acabaria escondida em salas de segurança máxima devido ao medo de roubos.

— A arte deve ser exibida para todos — ele dizia. — É um presente do artista para a alma. Qualquer coisa que precise ficar escondida dos olhos não tem valor.

Quando ousei mencionar o fato de que ele mesmo tinha um jatinho particular e um iate luxuoso, ele ergueu uma sobrancelha

— Maia, você não vê que essas coisas são apenas meios de transporte? Proporcionam um serviço prático, um meio para chegar a um fim. Se pegarem fogo amanhã, posso facilmente substituí-las. Ter minhas seis obras de arte, minhas filhas, é o suficiente para mim. As únicas coisas no mundo que merecem ser valorizadas, pois vocês são insubstituíveis. As pessoas a quem você ama *são* insubstituíveis, Maia. Lembre-se disso, certo?

Foram palavras que ele havia dito muitos anos antes e que nunca esqueci. Eu desejava apenas, com cada célula do meu corpo, ter me lembrado delas quando mais precisei.

Afastei-me da porta do escritório de Pa Salt emocionalmente vazia e fui para a sala de visitas, ainda me perguntando por que a porta estava trancada. Perguntaria a Marina no dia seguinte, pensei enquanto passava por uma mesa qualquer e pegava uma fotografia. Havia sido tirada a bordo do *Titan* alguns anos atrás e mostrava Pa, rodeado por todas as filhas, apoiado na amurada do convés do iate. Ele exibia um grande sorriso, suas feições atraentes relaxadas, sua cabeça coberta de cabelos grisalhos soprados pelo vento, seu corpo ainda musculoso e em forma bronzeado pelo sol.

— Quem *era* você? — perguntei à fotografia. Depois com um suspiro, devolvi o porta-retrato à mesa e, sem algo melhor para fazer, liguei a televisão e naveguei pelos canais até encontrar um telejornal. Como sempre, as notícias eram sobre guerra, dor e destruição, e eu estava prestes a mudar de canal quando o âncora anunciou que o corpo de Kreeg Eszu, famoso capitão da indústria que comandava uma empresa gigantesca de comunicação internacional, havia sido encontrado na enseada de uma ilha grega, trazido pelo mar.

Meu coração começou a bater mais forte... não apenas porque meu pai havia escolhido, recentemente, passar a eternidade no fundo do mar, mas porque havia uma ligação direta *comigo*...

Prestei atenção enquanto o repórter explicava que sua família havia anunciado que Kreeg Eszu fora diagnosticado com câncer terminal recentemente. A suspeita era de que, dado seu diagnóstico, Eszu tenha decidido tirar a própria vida. Seu filho, Zed, que havia anos trabalhava ao lado do pai, assumiria imediatamente o posto de CEO da Athenian Holdings. Uma foto dele apareceu na tela e, instintivamente, fechei os olhos.

— Meu Deus — gemi, me perguntando por que o destino escolheu esse momento para me lembrar do homem que passei os últimos quatorze anos tentando desesperadamente esquecer.

Parecia que, ironicamente, em um espaço de poucas horas, nós dois perdemos nossos pais para um túmulo que ficava no fundo do oceano.

Levantei-me, andando de um lado ao outro da sala e tentando esquecer a imagem de seu rosto — que parecia mais atraente do que me lembrava.

"Lembre-se da dor que ele causou a você, Maia", disse a mim mesma. "Está acabado, foi há muitos anos. Não reviva aquilo, faça o que fizer..."

Mas claro, suspirei ao afundar no sofá, sem energia, que nunca estaria realmente acabado.

# 5

Duas horas depois, ouvi o zunido suave do motor da lancha anunciando a chegada de Electra. Respirei fundo e tentei me controlar. Saí da casa e atravessei o jardim iluminado pela lua, o orvalho morno sob meus pés descalços, e vi que Electra já cruzava o gramado em minha direção. Sua pele cor de ébano parecia reluzir como um lustre sob o luar, enquanto suas longas pernas diminuíam a distância entre nós.

Com mais de um metro e oitenta, eu me sentia insignificante ao lado de sua elegância natural e estatuesca. Ao nos aproximarmos, foi ela quem me abraçou apertado, minha cabeça se acomodando sobre seu peito.

— Ah, Maia, Maia... — ela gemeu. — Por favor, diga que não é verdade. Ele não pode ter partido, simplesmente não pode. Eu...

Electra começou a chorar tão alto que decidi levá-la ao Pavilhão em vez de perturbar as outras irmãs que já estavam dormindo na casa. Desviei nosso percurso sutilmente para aquela direção e ela continuou a chorar de forma lamentável enquanto eu fechava a porta atrás de nós, seguia para a sala de estar e a colocava sobre o sofá.

— Maia, o que vamos fazer sem ele? — ela me perguntou, seus olhos cor de âmbar implorando uma resposta.

— Não há nada que possamos fazer para apagar a dor de sua perda, mas espero que, pelo menos, com todas nós juntas, possamos consolar umas às outras — respondi, rapidamente transferindo uma caixa de lenços da prateleira para o sofá, ao lado dela. Ela pegou um e secou as lágrimas, depois assoou o nariz.

— Não parei de chorar desde que Ma me contou. Não posso suportar, Maia, simplesmente não posso.

— Nenhuma de nós pode — concordei.

Enquanto ouvia e assistia sua demonstração de pesar, pensei em como sua presença física, notável e sensual, contrastava com a menina vulnerável que habitava sua alma. Frequentemente eu via fotos suas em revistas, nos braços de um astro do cinema ou de um playboy milionário, sempre fabulosa e no controle. Nessas ocasiões, eu imaginava se aquela era a mesma mulher emocionalmente volátil que eu conhecia como minha irmã. Passei a acreditar que Electra ansiava por constantes demonstrações de amor e afeto para satisfazer sua insegurança inerente.

— Quer tomar alguma coisa? — perguntei durante uma pausa em seus soluços. — Um conhaque, talvez? Pode ajudar a se acalmar.

— Não, não tomo álcool há meses. Mitch também está em abstinência.

Mitch era o atual namorado de Electra, conhecido pelo resto do universo como Michael Duggan, um cantor americano mundialmente famoso que estava em turnê, apresentando-se em arenas gigantescas que transbordavam de mulheres histéricas.

— Onde ele está no momento? — eu quis saber, imaginando que falar sobre o namorado distrairia Electra, evitando outra explosão de lágrimas.

— Chicago. Na semana que vem ele toca no Madison Square Garden. Maia, você pode me contar como Pa Salt morreu? Preciso saber.

— Tem certeza, Electra? Obviamente você está chateada e fez uma longa viagem. Talvez depois de uma boa noite de sono se sinta melhor.

— Não, Maia. — Electra negou com a cabeça e fez um esforço visível para se conter. — Prometo que me controlo. Por favor, me conte.

Então, pela terceira vez, repeti o que Marina havia dito, poupando-a de quantos detalhes pude. Electra ficou imóvel, ouvindo com atenção cada palavra que eu falava.

— Você já pensou nos arranjos para o funeral? Mitch disse que talvez, se for na semana que vem, ele possa vir para me apoiar.

Pela primeira vez, fiquei aliviada que Pa tenha escolhido ser sepultado reservadamente. A possibilidade da exposição na mídia causada pela presença do namorado *megastar* de Electra no funeral de Pa me fez estremecer.

— Electra — comecei —, ambas estamos cansadas agora e...

— O que foi, Maia? — Electra perguntou, notando imediatamente minha hesitação. — Me diga, por favor.

— Certo, vou contar, mas por favor tente não se aborrecer.

— Farei o possível, prometo.

Então, confessei que um tipo de funeral já havia acontecido. Surpreendentemente, embora eu tenha notado que suas juntas ficaram brancas quando cerrou os punhos, Electra não chorou outra vez.

— Mas por que ele faria algo assim? — ela perguntou. — É cruel nos negar a oportunidade de dizer adeus. Sabe de uma coisa? — Os olhos de Electra brilharam com raiva. — Isso é típico dele. Sempre soube o que era melhor. Acho que foi muito egoísta da parte dele.

— Bem, temos que acreditar que foi o contrário. Ele queria nos poupar da dor de uma despedida física.

— Mas como posso sentir, de verdade, que ele se foi? Como qualquer uma de nós pode? Em Los Angeles falam sobre a importância do "ponto-final" o tempo todo. Como isso pôde acontecer conosco agora?

— Para ser honesta, Electra, não acredito que você, algum dia, possa colocar um "ponto-final" em sentir falta de alguém que amou.

— Talvez não, mas isso não ajuda. — Electra me fuzilou com os olhos. — Bem, Pa Salt e eu nunca concordamos em muitas coisas. Quero dizer, é óbvio que ele não aprovava o modo como eu ganho a vida. Acho que ele foi a única pessoa que pensou que eu fosse inteligente. Você sabe que eu fui reprovada em todos os exames escolares e que ele ficou furioso comigo.

Eu me lembrava, *vivamente*, das discussões que reverberavam de seu escritório sobre os boletins péssimos de Electra e outros aspectos de sua vida conforme ela crescia. Electra via as regras como algo a ser quebrado e era a única entre nós que enfrentava Pa e discutia com ele. Ainda assim, ao mesmo tempo, eu via um brilho de admiração nos olhos de Pa quando ele falava de sua impetuosa filha mais nova.

— Ela certamente tem brio — Pa me dissera em mais de uma ocasião —, e isso sempre vai separá-la do resto.

— Electra, ele te adorava — confortei-a. — E, sim, talvez quisesse que você usasse o cérebro, mas qual é o pai que não quer isso para um filho? E, temos que admitir, você se tornou a mais bem-sucedida e famosa entre nós. Olhe para sua vida e compare com a minha. Você tem tudo.

— Não, não tenho. É tudo ilusão, não há substância, mas o que posso fazer? — Ela suspirou de repente. — Estou cansada, Maia. Você se importa se eu dormir no Pavilhão esta noite?

— Claro que não. A cama extra está arrumada. Durma quanto quiser. Até encontrarmos Ally, não há nada que possamos fazer exceto esperar.

— Obrigada. E desculpe por ficar tão emotiva. Mitch me colocou em contato com um terapeuta para me ajudar com essas mudanças de humor — confessou. — Me dá um abraço? — ela pediu ao se levantar.

— Claro.

Coloquei meus braços ao seu redor e a trouxe para junto de mim. Depois, ela pegou sua mala de viagem e atravessou a sala, parando em frente à porta.

— Estou com uma dor de cabeça horrível. Por acaso você tem codeína?

— Não, lamento. Mas tenho alguns comprimidos de paracetamol.

— Não se preocupe. — Electra me deu um sorriso cansado e triste. — Até amanhã.

Ao apagar as luzes do Pavilhão e ir para meu quarto, refleti sobre como, da mesma forma que fiquei surpresa com a reação apática de Tiggy, a reação de Electra também me deu algo para pensar. Parecia haver um desespero latente nela esta noite, algo que eu não conseguia definir, mas que me preocupava de todo modo.

Quando me aconcheguei sob as cobertas, perfeitamente reorganizadas por Cláudia depois da minha noite agitada, pensei que a morte de Pa Salt seria um momento de renascimento para todas nós.

* * *

Nenhuma das minhas irmãs estava acordada na manhã seguinte quando fui ver Marina e perguntar se tinha notícias de Ally.

— Não — ela respondeu.

— Pa saberia o que fazer; sempre sabia.

— Sim — Marina concordou. — Como Electra estava?

— Chocada, devastada e furiosa por não poder se despedir adequadamente de Pa, mas conseguiu controlar suas emoções. Quase — acrescentei.

— Bom. Georg Hoffman telefonou outra vez para saber se encontramos Ally e fui obrigada a dizer que não. O que podemos fazer?

— Nada, exceto tentar ser pacientes. A propósito, Ma — eu disse enquanto preparava uma xícara de chá —, quando tentei entrar no escritório do Pa ontem à noite, descobri que a porta estava trancada. Você sabe por quê?

— Porque seu pai me pediu para trancar pouco antes de morrer. E insistiu que lhe entregasse a chave logo em seguida. Não tenho ideia de onde ele a colocou, para ser honesta. Com tudo ficando tão... difícil depois, não pensei mais nisso.

— Bem, obviamente teremos de encontrá-la. Tenho certeza de que Georg vai precisar entrar lá. É quase certo que Pa guardava todos os seus documentos lá.

— Sim. Bem, considerando que nenhuma das suas irmãs apareceu até agora e é quase meio-dia, pensei em pedir a Cláudia que prepare um *brunch*.

— Boa ideia — concordei. — Já que não há notícias de Ally, vou voltar ao Pavilhão e ver se Electra está acordada.

— Tudo bem, *chérie*. — Marina me deu um sorriso solidário. — A espera vai terminar logo.

— Eu sei.

Saí da casa e seguia em direção ao Pavilhão quando, entre as árvores, vi uma figura solitária sentada no píer, olhando fixamente para o lago. Caminhei em sua direção e a toquei gentilmente no ombro, tentando não assustá-la.

— Star, você está bem?

— Estou, acho. — Ela deu de ombros.

— Posso me sentar?

Ela consentiu quase imperceptivelmente com a cabeça. Ao me sentar e colocar minhas pernas sobre a borda do píer, olhei para ela e percebi que seu rosto estava marcado por lágrimas.

— Onde está CeCe? — perguntei.

— Dormindo, ainda. Ela gosta de dormir quando está triste. Não consegui pregar o olho esta noite.

— Também estou com dificuldade para dormir — admiti.

— Não consigo acreditar que ele se foi, Maia.

Sentei-me mais perto, em silêncio, sabendo que era raro para ela falar abertamente sobre seus sentimentos com alguém que não fosse CeCe. E não queria dizer nada que pudesse fazê-la se fechar outra vez.

— Sinto como se estivesse... — ela continuou finalmente — perdida. Sempre soube que, de algum modo, Pa era a única pessoa que me entendia. Quero dizer, *realmente* entendia.

Ela se virou para mim, suas feições etéreas e formidáveis distorcidas por uma máscara de desespero.

— Você entende, Maia?

— Sim — respondi devagar. — Acho que entendo. Por favor, Star, se precisar de alguém para conversar, estou sempre aqui. Lembre-se disso, certo?

— Certo.

— Aí está você!

Saltamos, por instinto, e nos viramos para ver CeCe caminhando pelo píer em nossa direção. Talvez eu tenha imaginado, mas tenho certeza de que vi um vislumbre de irritação passar rapidamente pelos olhos azuis opalescentes de Star.

— Vim tomar um pouco de ar fresco, já que você estava dormindo — Star disse ao se levantar.

— Bem, estou acordada agora. Tiggy também. Electra chegou ontem à noite? Acabei de olhar em seu quarto e não há sinal de que alguém dormiu lá.

— Chegou, mas ficou comigo no Pavilhão. Vou ver se ela já acordou — respondi, levantando-me e seguindo minhas irmãs pelo gramado.

— Suponho que você tenha tido uma noite difícil, Maia, lidando com os chiliques de Electra — CeCe disse.

— Na verdade, em se tratando de Electra, ela estava relativamente calma — respondi, sabendo que havia pouca afeição entre essas minhas duas irmãs. Elas eram o oposto uma da outra; CeCe sempre prática, repudiando qualquer exibição de emoção, e Electra muito volátil.

— Bem, tenho certeza de que não vai durar muito — CeCe torceu o nariz. — Até mais tarde.

Voltei para o Pavilhão, ponderando sobre a angústia de Star. Ainda que não tivesse mencionado CeCe, foi a primeira vez que vi um indício de que a dominação de CeCe era um problema. Entrando no Pavilhão, ouvi sons de movimento na cozinha.

Electra, deslumbrante em um robe de seda verde-esmeralda, preparava um chá.

— Dormiu bem? — perguntei.

— Como um bebê — ela respondeu. — Você me conhece, sempre durmo bem. Quer um pouco de chá?

Olhei com suspeita para o saquinho de chá.

— Chá de quê?

— Chá verde puro. Todos bebem na Califórnia. Mitch diz que faz muito bem.

— Bem, você me conhece. Sou viciada no bom e velho chá inglês, com toda a cafeína que contém — sorri e me sentei —, então acho que vou passar.

— Todos somos viciados em alguma coisa, Maia. Eu não me preocuparia muito com chás. Então, alguma notícia de Ally?

Relatei exatamente o que Marina havia dito mais cedo.

— Sei que a paciência não é uma virtude minha, como meu terapeuta não se cansa de me lembrar. Mas vamos ficar sentadas esperando Ally aparecer? Se ela estiver em alto-mar, pode demorar semanas.

— Espero que não — respondi, observando enquanto ela se movia graciosamente pela cozinha. Ainda que eu fosse, supostamente, a beldade da família, sempre achei que o título deveria ser de Electra. Ela havia acabado de sair da cama, seu cabelo estava solto sobre seus ombros, embaraçados e naturalmente cacheados, e seu rosto não precisava de maquiagem nenhuma para enfatizar as maçãs em suas faces e seus lábios grossos. Em conjunto com seu corpo atlético e feminino, lembrava uma rainha amazona.

— Você não tem nada que não contenha tantos aditivos? — ela perguntou, abrindo a geladeira e estudando o que havia dentro dela.

— Perdão. Meros mortais como eu não verificam os rótulos — respondi, esperando que ela entendesse a piada.

— Vamos falar a verdade, Maia. Sua aparência não importa quando você raramente vê outro ser humano dia após dia, certo?

— Não, não importa. Você está certa — respondi, sem alterar a voz. Ela estava dizendo a verdade.

Electra finalmente escolheu uma banana, que descascou e mordeu, desconsolada.

— Tenho uma sessão de fotos importante para a *Vogue* em três dias, que espero não precisar cancelar.

— Também espero que não precise, mas quem sabe quando Ally vai aparecer? Ontem à noite pesquisei as regatas em andamento na internet, mas não achei nenhuma. Então, não podemos nem mesmo enviar uma mensagem para as autoridades marítimas para contatá-la. De qualquer modo — sugeri —, as outras já estão acordadas na casa. Quando estiver pronta, por que não vai vê-las?

— Tanto faz — Electra disse, com indiferença.

— Vejo você depois — concluí me levantando. Eu sabia que, com esse humor, era melhor deixar Electra sozinha. Fui para o quarto que usava como escritório, me sentei à escrivaninha e liguei o computador.

Vi que havia recebido um e-mail gentil de um autor brasileiro, Floriano Quintelas, cujo maravilhoso livro, *A Cascata Silenciosa*, eu havia traduzido alguns meses antes. Me correspondi com ele durante o processo de tradução, quando tinha dificuldade com uma frase em particular — queria transmitir a qualidade poética e etérea de sua redação da melhor maneira possível —, e continuamos a nos corresponder periodicamente desde então.

Ele escreveu para dizer que seu livro seria lançado em Paris no mês de julho, e que adoraria se eu pudesse comparecer à noite de autógrafos. Floriano aproveitou para incluir os primeiros capítulos de um novo livro, pedindo que os lesse se tivesse tempo.

Sua mensagem aqueceu meu coração, já que a tradução era, muitas vezes, um trabalho anônimo e ingrato. Por isso eu valorizava as raras ocasiões em que um autor entrava em contato direto comigo; eu me sentia em sintonia com ele.

Minha atenção foi tirada do computador quando notei uma figura familiar deixando o píer e correndo pelo gramado.

— Ally — suspirei surpresa, levantando-me rapidamente. — Electra, Ally chegou! — gritei enquanto deixava o Pavilhão apressada para recebê-la.

Minhas outras irmãs obviamente também a viram. Quando finalmente cheguei à varanda da casa principal, CeCe, Star e Tiggy já estavam ao redor dela.

— Maia — Ally disse ao me ver —, que coisa horrível!

— É, é horrível. Mas como você soube? Tentamos falar com você nos últimos dois dias.

— Vamos entrar? — ela sugeriu. — Já explico.

Fiquei um pouco para trás enquanto minhas irmãs se aglomeravam ao redor de Ally para entrar na casa. Mesmo sendo a mais velha e aquela que procuravam quando tinham um problema, como um grupo, era Ally quem assumia o comando. E, naquele momento, eu deixei.

Marina já estava ao pé da escada, pronta e esperando de braços abertos. Depois que a abraçou, ela sugeriu que fôssemos para a cozinha.

— Boa ideia. Estou desesperada por uma xícara de café — Ally disse. — Foi uma longa viagem de volta.

Enquanto Cláudia preparava o café, Electra foi recebida calorosamente por todas, exceto por CeCe, que fez questão de apenas gesticular em sua direção.

— Certo, eu ia contar o que aconteceu porque, para ser honesta, ainda estou confusa — Ally disse enquanto nos sentávamos ao redor da mesa. — Ma — ela disse a Marina, que pairava ao nosso redor —, você também precisa ouvir isso. Talvez você possa explicar.

Marina concordou e se sentou à mesa conosco.

— Bem, lá estava eu, no Mar Egeu, treinando para a Regata de Cíclades, que acontecerá na semana que vem, quando um amigo velejador me convidou para passar alguns dias com ele em seu iate. O clima estava fantástico e foi ótimo relaxar de verdade, para variar — Ally admitiu, com um sorriso fraco.

— De quem era o barco? — Electra perguntou.

— Já disse, de um amigo — Ally respondeu abruptamente, e todas nós erguemos uma sobrancelha, espantadas.

— Como eu estava dizendo — continuou —, estávamos lá alguns dias atrás quando meu amigo me disse que um colega dele havia enviado uma mensagem pelo rádio dizendo que tinha visto o *Titan* na costa de Delos. Meu amigo obviamente conhecia o barco de Pa, e ambos decidimos que seria divertido surpreendê-lo com uma visita. Estávamos apenas a uma hora de distância se acelerássemos, então partimos.

Ally tomou um gole do seu café antes de continuar.

— Vimos o *Titan* pelo binóculo quando nos aproximamos e chamamos Hans, o comandante de Pa, para dizer que estávamos por perto. Mas — Ally suspirou —, por motivos que não entendemos naquela hora, não tivemos resposta. E, na verdade, podíamos ver que o barco estava se afastando de nós. Fizemos o possível para alcançá-lo, mas, como vocês sabem, o iate do Pa é capaz de voar se for preciso.

Observei as expressões atentas das minhas irmãs ao redor da mesa, todas claramente intrigadas com a história de Ally.

— O sinal do meu celular estava péssimo, e só ontem eu recebi todas as suas mensagens. E uma sua, CeCe, me dizendo exatamente o que havia acontecido.

— Desculpe, Ally — CeCe abaixou o olhar, envergonhada. — Achei que não teria sentido ficar enrolando. Precisávamos que você viesse para casa o mais rápido possível.

— E eu vim. Então, por favor — Ally implorou —, alguém pode me dizer que diabos está acontecendo? E por que o barco de Pa Salt estava na Grécia quando ele já estava... morto?

Todos os olhos se voltaram para mim, inclusive os de Ally. Tão resumidamente quanto possível, contei o que havia acontecido, ocasionalmente apelando a Marina para confirmação. O rosto de Ally perdeu a cor quando expliquei onde e como nosso pai quis ser sepultado.

— Ah, meu Deus... — ela sussurrou. — Provavelmente interrompi o que era seu sepultamento particular. Não me surpreende que o barco tenha se afastado tão rápido. Eu...

Conforme Ally colocava a cabeça sobre as mãos, as outras se levantaram e foram em sua direção. Marina e eu compartilhamos um olhar sofrido de lados opostos da mesa. Finalmente, Ally se recuperou e pediu desculpas pela exibição espontânea de emoção.

— Deve ter sido terrível para você perceber o que realmente aconteceu — Tiggy disse. — Todas nós sentimos muito, Ally.

— Obrigada. — Ela assentiu com a cabeça. — Mas agora, pensando nisso, Pa me disse uma vez, quando estávamos velejando juntos, que desejava ser sepultado no mar. Tudo faz sentido agora.

— Exceto o fato de que nenhuma de nós foi convidada para estar presente quando aconteceu — Electra comentou, contrariada.

— Não. Não fomos — Ally suspirou. — Ainda assim, por pura coincidência, eu estava lá. Vocês se incomodam em me deixar um pouco sozinha?

Minhas irmãs e eu concordamos e, com mensagens de apoio, Ally deixou a cozinha.

— Deve ser difícil para ela — Marina disse.

— Bem, pelo menos agora sabemos, aproximadamente, onde Pa Salt decidiu ser sepultado — CeCe disse.

— Pelo amor de Deus, CeCe, é só nisso que você consegue pensar? — Electra declarou.

— Perdão. Sempre prática. Essa sou eu — CeCe respondeu, sem ser afetada.

— Bem, estou contente por sabermos de seu paradeiro — Tiggy anunciou. — Sempre soubemos que ele tinha um lugar especial no coração para as ilhas gregas, Cyclades em especial. Talvez nesse verão possamos pegar o iate e jogar uma coroa de flores no mar, onde Ally viu o barco no radar.

— Claro — Star arriscou. — Essa ideia é linda, Tiggy.

— Meninas, alguém aceita um *brunch*? — Marina perguntou.

— Eu não — Electra disse. — Vou comer uma salada, se houver algum vegetal nesta casa.

— Tenho certeza de que podemos encontrar algo que agrade — Marina disse com paciência, fazendo um sinal para Cláudia começar a preparar a comida. — Agora que Ally está em casa, posso telefonar para Georg Hoffman e pedir que ele venha assim que possível?

— Com certeza — CeCe disse antes que eu pudesse responder. — Vamos ouvir o que Pa Salt tem a dizer tão logo quanto possível.

— Vocês acham que Ally estará disposta? — Marina acrescentou. — Ela teve um choque terrível hoje.

— Para ser honesta, acho que ela prefere acabar logo com isso, assim como todas nós — eu disse. — Então, sim, Ma, ligue para Georg.

# 6

Ally não apareceu para almoçar e nós não a incomodamos, sabendo que ela precisava de privacidade para compreender o que havia acontecido.

Marina entrou na cozinha enquanto Cláudia tirava a mesa.

— Acabei de falar com Georg; ele chega pouco antes do pôr do sol. Ao que parece, seu pai fez exigências específicas quanto ao horário.

— Certo. Bem, acho que um pouco de ar fresco me faria bem depois desse almoço — CeCe disse. — Alguém está a fim de uma volta rápida pelo lago?

Minhas irmãs concordaram, talvez ansiosas para escapar da tensão que dominava a casa.

— Se não se incomodarem, não vou me juntar a vocês — eu disse. — Uma de nós precisa ficar para o caso de Ally desejar alguma coisa.

Depois que as quatro partiram na lancha com Christian, eu disse a Marina que voltaria ao Pavilhão e que, se Ally precisasse de mim, me encontraria lá. Peguei meu laptop, acomodei-me no sofá e comecei a ler os primeiros capítulos do novo livro de Floriano Quintelas. Como o primeiro, a prosa era intensa e exatamente o tipo de narração que eu amava. A trama se passava cem anos atrás, na região das Cataratas do Iguaçu, e contava a história de um garoto africano libertado da tirania da escravidão. Fascinada, devo ter relaxado tanto que adormeci. Lembro-me de meu laptop escorregando para o chão e de alguém chamando meu nome.

Acordando assustada, vi que era Ally.

— Desculpe, Maia. Você estava dormindo?

— Acho que sim — concordei, sentindo-me culpada por algum motivo.

— Ma disse que as outras estão no lago, então pensei que poderia vir falar com você. Tudo bem?

— Sim — respondi, tentando me libertar do torpor causado pelo cochilo improvisado.

— Que tal uma xícara de chá? — Ally perguntou.

— Será ótimo, obrigada. English Breakfast para mim, como sempre.

— Eu sei — ela sorriu, erguendo uma sobrancelha levemente ao deixar a sala. Quando retornou com duas xícaras fumegantes, eu me sentei e vi que suas mãos tremiam ao tomar um gole do seu chá.

— Maia, preciso contar uma coisa.

— O que foi?

Ally colocou sua xícara abruptamente sobre o pires.

— Esqueça o chá. Você tem alguma coisa mais forte?

— Tem vinho na geladeira. — Fui até a cozinha pegar a garrafa e uma taça. Considerando que Ally raramente bebia, eu sabia que ela estava prestes a compartilhar algo sério.

— Obrigada — ela disse quando lhe entreguei a taça. — Provavelmente não é nada. — Chacoalhou os ombros, tomando um gole. — Mas, quando chegamos perto de onde o barco de Pa estava, e eu o vi acelerando na direção oposta, havia outro iate grande ancorado lá.

— Isso não é incomum, é? — perguntei. — É final de junho, e as águas do Mediterrâneo tendem a ficar lotadas de turistas.

— Sim, mas... Esse barco... Tanto eu quanto meu amigo reconhecemos. Era o *Olympus*.

A xícara de chá estava a meio caminho da minha boca quando Ally disse isso. E voltou para o pires com um estalo.

— E você provavelmente ouviu o que aconteceu no *Olympus*. — Ally mordeu o lábio.

— Sim, eu li no jornal enquanto estava no avião.

— Você não acha estranho que Pa tenha escolhido exatamente aquele lugar para ser sepultado? E que, talvez ao mesmo tempo, Kreeg Eszu estivesse prestes a tirar sua própria vida ali perto?

Claro que pensei — por razões que jamais poderia dizer a Ally — que era uma coincidência ridícula, quase obscena. Mas com certeza não era mais que isso. Não poderia ser, simplesmente *não poderia*...

— Com certeza — respondi, fazendo o possível para esconder minha inquietação. — Com certeza é. Mas tenho certeza de que não há nenhuma ligação. Eles nem se conheciam, certo?

— Não que eu saiba — Ally comentou —, mas o que é que nós *sabemos* sobre a vida de Pa longe desta casa e do seu iate? Conhecíamos tão pouco de seus amigos ou colegas de negócio. E parece lógico que tenham se encontrado alguma vez no passado. Afinal, ambos eram homens ricos e bem-sucedidos.

— Sim, Ally, mas tenho certeza de que foi apenas uma coincidência. Você também estava nas redondezas com seu barco. Delos é uma ilha maravilhosa, para onde muitos barcos vão.

— Eu sei. Mas não consigo tirar da cabeça que Pa está repousando sozinho no fundo do oceano. Naquele momento, eu nem mesmo sabia que ele estava morto. Muito menos que estava em algum lugar sob aquele incrível mar azul. Eu...

Levantei-me e coloquei um braço ao redor da minha irmã.

— Ally, por favor, esqueça a presença do outro barco lá; é irrelevante, mas o fato de que você estava lá para ver onde Pa escolheu descansar é um consolo. Talvez, como Tiggy sugeriu, possamos fazer um cruzeiro até lá no verão e colocar uma coroa sobre a água.

— O pior de tudo é que — Ally soluçava — eu me sinto tão culpada!

— Por quê?

— Porque... aqueles poucos dias no iate foram fantásticos! Eu estava tão feliz, mais feliz do que já me senti em toda a minha vida. E a verdade é que eu não queria que ninguém me encontrasse, então desliguei o celular. Enquanto isso, Pa estava morrendo! Logo quando ele precisou de mim, eu não estava lá!

— Ally, Ally... — Acariciei seu cabelo, tirando-o do rosto enquanto a embalava gentilmente. — Nenhuma de nós estava lá. E, honestamente, acredito que Pa queria que fosse assim. Por favor, lembre-se de que moro aqui e até eu estava longe quando aconteceu. De acordo com Ma, não havia nada a ser feito. Precisamos acreditar nisso.

— Eu sei. Mas parece que há tantas coisas que eu queria perguntar e contar, e agora ele se foi.

— Acho que todas nos sentimos assim — concordei com tristeza. — Mas pelo menos temos umas às outras.

— Sim, temos. Obrigada, Maia — Ally disse, com gratidão. — Não é incrível — ela suspirou — como nossa vida vira de ponta-cabeça em questão de horas?

— Sim, é — concordei com veemência. — De qualquer forma, mais tarde quero saber o motivo da sua felicidade.

— No futuro eu conto, prometo, mas não agora. Como você está, Maia? — ela perguntou, mudando de assunto.

— Estou bem — respondi, indiferente. — Ainda chocada, como todas nós.

— Imagino... E contar às nossas irmãs não deve ter sido fácil. Sinto muito não estar aqui para ajudar.

— Bem, pelo menos você está aqui agora, o que significa que podemos nos reunir com Georg Hoffman e começar o resto de nossa vida.

— Ah, sim, esqueci de dizer que Ma pediu para estarmos na casa em uma hora. Ele deve chegar a qualquer momento, mas parece que quer conversar com ela antes. Sendo assim... — Ally suspirou — Posso tomar outra taça de vinho?

***

Às sete horas, Ally e eu voltamos para a casa principal e encontramos nossas irmãs sentadas na varanda sob o sol do entardecer.

— Georg Hoffman chegou? — perguntei quando nos sentamos.

— Sim, mas disse para esperarmos aqui. Ele está com Ma, em algum lugar. Típico de Pa Salt — Electra comentou, insolente.

Nós seis ficamos sentadas ali, apreensivas, até que Georg finalmente apareceu na varanda com Marina.

— Desculpe demorar tanto, meninas. Eu precisava organizar algumas coisas. Meus pêsames a todas vocês — ele disse, com frieza, estendendo uma mão sobre a mesa e cumprimentando cada uma de nós à maneira suíça. — Posso me sentar?

— Claro — respondi, indicando a cadeira ao meu lado. Ele estava vestido impecavelmente em um terno escuro. As marcas em seu rosto bronzeado e as entradas em seu cabelo grisalho diziam que deveria estar com uns sessenta anos.

— Vou estar lá dentro, se precisarem de mim — Marina seguiu em direção à casa.

— Bem, meninas — Georg começou —, sinto muito que a primeira vez que nos encontramos pessoalmente seja diante de circunstâncias trágicas. Sinto como se conhecesse cada uma de vocês através do seu pai. A primeira coisa que devo dizer é que ele as amava muito. Não apenas isso, mas também tinha muito orgulho das mulheres que vocês se tornaram. Falei com ele antes da... de ele nos deixar, e sei que queria que eu lhes contasse isso.

Fiquei surpresa ao notar um brilho de lágrimas nos olhos de Georg. Eu sabia que era incomum para um homem como ele mostrar suas emoções. Depois disso, tive vontade de ser mais cordial, de algum modo.

— Tenho certeza de que a primeira coisa a fazer é tirar a questão financeira do caminho e garantir que todas estarão seguras, de certa forma, pelo resto da vida. Contudo, seu pai exigiu que vocês não vivam como princesas preguiçosas. Isso significa que vocês receberão uma renda suficiente para não permitir que tenham dificuldade, mas nunca o bastante para que vivam com luxo. Isso, como ele enfatizou, vocês precisam conquistar sozinhas, como ele fez. Os bens de seu pai serão mantidos em um fundo fiduciário, que ele me deu a honra de gerenciar. Caberá a mim ajudá-las. Se precisarem de quantias maiores, basta me procurarem com uma proposta ou um problema.

Todas permanecemos em silêncio, ouvindo atentamente.

— Esta casa também é parte do fundo. Cláudia e Marina concordaram, e ficariam felizes, em permanecer para cuidar da propriedade. No dia em que a última de vocês falecer, o fundo será dissolvido, *Atlantis* poderá ser vendida e a renda será dividida entre quaisquer filhos que vocês venham a ter. Se não tiverem nenhum, o dinheiro passará para uma instituição de caridade da escolha do seu pai. Pessoalmente — Georg declarou —, acho que ele foi muito inteligente. Esta casa é de vocês para o resto da vida, portanto saibam que têm um lugar seguro para retornar, se precisarem. Mas o desejo do seu pai era que vocês deixassem o ninho e escrevessem seus próprios destinos.

Observei minhas irmãs trocarem olhares, incertas se estavam contentes ou não com a decisão de Pa. Para mim, percebi, pouco havia mudado, tanto na prática quanto financeiramente. Eu ainda tinha o Pavilhão, pelo qual pagava um aluguel simbólico a Pa, e meu trabalho era suficiente para suprir qualquer necessidade.

— Há mais uma coisa que seu pai deixou a vocês: devo pedir que venham comigo. Por aqui, tenham a bondade.

Georg se levantou e, em vez de caminhar em direção à porta da casa, saiu pela lateral da varanda. Nós o seguimos, como ovelhas atrás de um pastor, pelo jardim. Chegamos a um recanto escondido, que ficava atrás de uma parede formada por arbustos artisticamente podados. Tinha vista para o lago, com uma paisagem espetacular do pôr do sol e das montanhas do outro lado.

Do terraço que ficava no centro, degraus levavam a uma enseada pequena e pedregosa onde nós, irmãs, nadávamos em águas frescas e claras durante o verão. Eu sabia que aquele era o lugar favorito de Pa na parte externa. Quem não o encontrasse na casa geralmente o encontrava sentando ali, com o aroma doce de lavanda e o perfume das rosas emanando dos canteiros bem cuidados.

— Então — Georg continuou —, aqui estamos. E isso é o que ele queria que eu mostrasse a vocês.

Ele apontou para o terraço e nós olhamos, impressionadas, para uma escultura estranha, mas linda, que estava no centro do lugar.

Estudamos o objeto fascinadas, congregando ao seu redor. Um pedestal de pedra quase da altura da minha cintura tinha uma estrutura circular no topo. Enquanto o examinava, percebi que a forma era composta de uma série de anéis sobrepostos, finos e intricados, ao redor de uma esfera central dourada. Olhando mais de perto, vi que a bola no centro era, na verdade, um globo com o contorno dos continentes gravado sobre sua superfície, atravessado por uma haste de metal com uma seta em uma das pontas. Ao redor da circunferência havia mais um anel, retratando os doze signos do zodíaco.

— O que é isso? — CeCe perguntou, falando por todas.

— É uma esfera armilar — Georg explicou.

Continuamos sem entender, então ele continuou:

— A esfera armilar existe há milhares de anos. Os antigos gregos a usavam para determinar a posição das estrelas e a hora do dia. Estes anéis ao redor do globo representam as linhas equatorial, latitudinal e longitudinal da Terra. E o meridiano, que circunda a todos, e que tem os doze signos do zodíaco inscritos nele, vai do norte ao sul. A haste central aponta diretamente para *Polaris*, a Estrela Polar.

— É lindo — Star sussurrou, inclinando-se para olhar mais de perto.

— Mas o que isso tem a ver conosco? — Electra perguntou.

— Explicar isso não faz parte das minhas responsabilidades — Georg disse. — Contudo, se olharem com atenção, notarão que os seus nomes aparecem nos anéis que acabei de mostrar.

Todas nos aproximamos mais e vimos que Georg tinha razão.

— Aqui está o seu, Maia — Ally disse, apontando para um anel. — Também tem números que parecem coordenadas — ela comentou, procurando seu próprio anel para estudá-lo. — Tenho certeza de que é isso o que eles são. É o que usamos para navegar o tempo todo.

— Também há inscrições, mas não entendo o que elas dizem, já que parecem estar em outro idioma — Electra acrescentou.

— Estão em grego — anunciei, reconhecendo as letras imediatamente.

— O que dizem? — Tiggy perguntou.

— Tenho que pegar um papel e uma caneta para anotar e tentar traduzir — respondi, estudando minha própria inscrição mais de perto.

— Certo, então essa é uma escultura muito bonita e está no terraço. Mas o que significa de fato? — CeCe perguntou, impaciente.

— Como eu disse, não cabe a mim explicar — Georg repetiu. — Marina está preparando um champanhe na varanda, de acordo com as instruções do seu pai. Ele queria que vocês brindassem a sua morte. Depois darei a cada uma de vocês um envelope deixado por ele que, espero, vai esclarecer mais do que fui capaz de explicar.

Mais uma vez o seguimos pelo jardim, todas abaladas e em silêncio. Ao chegar à varanda, havia duas garrafas de champanhe *Armand de Brignac* sobre a mesa. Marina se movia para nos servir enquanto nos acomodávamos em cadeiras.

Georg levantou sua taça primeiro.

— Por favor, juntem-se a mim para celebrar a vida extraordinária do seu pai. Posso apenas dizer que este era o funeral que ele desejava; todas as suas meninas juntas em *Atlantis*, o lar que teve a honra de compartilhar com vocês por todos esses anos.

Como robôs, levantamos nossas taças.

— A Pa Salt — eu disse.

— A Pa Salt — todas responderam.

Tomamos um gole desconfortável e eu ergui os olhos para o céu, para o lago e para as montanhas ao longe, e disse que o amava.

— Então, quando receberemos essas cartas? — Ally perguntou, quebrando o silêncio.

— Vou pegá-las agora — Georg se levantou e deixou a mesa.

— Este é o funeral mais bizarro que já presenciei — CeCe comentou.

— Agradeça a Pa Salt por isso — Electra disse, com um sorriso fraco.

— Posso tomar mais um pouco de champanhe? — Ally perguntou.

Marina, notando que todas havíamos secado nossos copos, nos serviu outra vez.

— Você entende isso tudo, Ma? — Star perguntou, apreensiva.

— Eu sei tanto quanto você, *chérie* — ela respondeu, com seu jeito enigmático.

— Bem, eu só queria que ele estivesse aqui — Tiggy suspirou, com lágrimas nos olhos — para explicar pessoalmente.

— Mas não está — Ally lembrou, baixinho —, e, de alguma forma, sinto que isto tudo é bem adequado. Ele tornou agradável uma coisa que poderia ser terrível para nós. E agora devemos encontrar forças umas nas outras.

— Você está certa — Electra concordou.

Olhei para Ally e desejei ser capaz de encontrar as palavras certas — como ela sempre podia — para dar forças às minhas irmãs.

Quando Georg voltou, o champanhe havia entrado em nossa corrente sanguínea e nos relaxado um pouco. Ele se sentou outra vez, colocando seis envelopes de papel pardo sobre a mesa.

— Estas cartas foram deixadas aos meus cuidados há cerca de seis semanas. Fui incumbido de entregá-las a vocês por ocasião da morte do seu pai.

Olhamos para as cartas com níveis iguais de interesse e suspeita.

— Posso tomar um pouco mais de champanhe? — Georg pediu, com a voz tensa.

Percebi, naquele momento, que aquilo tudo também era difícil para ele. Informar seis filhas em luto sobre o legado incomum de seu pai deveria ser traumático até para o mais pragmático dos indivíduos.

— Claro, Georg — Marina disse, enchendo seu copo.

— Então — Ally disse —, devemos abrir as cartas agora ou depois, sozinhas?

— Seu pai não fez nenhuma exigência quanto a isso — Georg respondeu. — Tudo o que disse foi que vocês deveriam abrir os envelopes quando estivessem prontas e confortáveis para fazê-lo.

Examinei minha carta. Meu nome estava escrito na linda caligrafia que eu conhecia tão bem. Senti vontade de chorar só de ver seus traços.

Nós nos olhamos, tentando descobrir como cada uma se sentia.

— Acho que prefiro ler a minha reservadamente — Ally disse.

Houve um murmúrio geral de consentimento. Eu sabia que, como sempre, Ally traduzia nossos sentimentos.

— Com isso, meu trabalho está feito. — Georg acabou de tomar seu champanhe, colocou a mão no bolso do casaco e retirou seis cartões, que distribuiu às ocupantes da mesa. — Por favor, não hesitem em entrar em contato, qualquer uma de vocês, se precisarem da minha ajuda. Tenho certeza, conhecendo seu pai, de que ele pensou em tudo de que cada uma poderá precisar. Agora devo deixá-las. Mais uma vez, meninas, meus sentimentos. Tenham certeza de que estarei à disposição de vocês dia e noite.

— Obrigada, Georg — eu disse. — Apreciamos sua ajuda.

— Adeus — ele disse, levantando-se e fazendo uma saudação com a cabeça. — Vocês sabem onde estou se precisarem.

Assistimos em silêncio enquanto ele partia, então vi Marina também se levantar da mesa.

— Acho que todas precisamos comer alguma coisa. Vou pedir a Cláudia para servir o jantar aqui — ela anunciou, seguindo Georg e deixando a varanda para entrar na casa.

— Estou quase com medo de abrir isto — Tiggy declarou, tocando seu envelope. — Não posso imaginar o que contém.

— Maia, você acha que pode traduzir as inscrições da esfera armilar para nós? — Ally perguntou.

— Claro — respondi, notando que Marina e Cláudia vinham em nossa direção com pratos. — Depois do jantar.

— Espero que não se importem... Não estou com fome — Electra disse, levantando-se. — Até mais tarde.

Assim que ela partiu, eu soube que cada uma de nós queria ter a coragem de fazer a mesma coisa. Todas queríamos ficar sozinhas.

— Você está com fome, Star? — CeCe perguntou.

— Acho que devemos comer alguma coisa — Star respondeu baixinho, suas mãos segurando o envelope com força.

— Tudo bem — CeCe respondeu.

Todas fizemos um esforço valoroso para engolir a comida, preparada com tanto carinho por Cláudia. E, então, uma a uma, minhas irmãs começaram a se levantar e a deixar a mesa em silêncio, até que restamos apenas Ally e eu.

— Você se importa, Maia, se eu também for dormir? Estou exausta.

— Claro que não — respondi. — Você foi a última a saber e ainda está superando o choque.

— Sim, estou — ela concordou e se levantou. — Boa noite, querida Maia.

— Boa noite.

Esperei que ela deixasse a varanda e então fechei os dedos ao redor do meu envelope, que ficara ao lado do meu prato. Também me levantei e segui para o Pavilhão. Fui até o quarto e coloquei o envelope debaixo do travesseiro, depois peguei papel e caneta no escritório.

Equipada com uma lanterna, atravessei o jardim para estudar a esfera armilar. A noite caía e as primeiras estrelas surgiam. Pa Salt havia me mostrado as Sete Irmãs muitas vezes em seu observatório, quando elas brilhavam diretamente sobre o lago entre os meses de novembro e abril.

— Sinto saudade — sussurrei em direção ao céu —, e espero entender um dia.

Voltei minha atenção para os anéis dourados que circundavam o globo. Copiei as frases em grego da melhor forma que pude, segurando a lanterna com a mão esquerda. Pensei que deveria voltar no dia seguinte para me certificar de que havia copiado tudo corretamente e contei as inscrições que tinha nas mãos.

Havia seis.

Mas havia um anel que eu não tinha olhado ainda. Quando direcionei a lanterna para o sétimo anel, procurando a inscrição, notei que não existia nenhuma.

# 7

Passei as primeiras horas da madrugada traduzindo as citações gravadas na esfera armilar. Não senti que era direito meu investigar se cada frase era relevante para minhas irmãs. Deixei a minha por último, como Star, quase assustada demais para descobrir o que dizia. Quando terminei de traduzir, respirei fundo.

***Nunca deixe o medo decidir seu destino.***

Eu soube, então, que as sete palavras que Pa Salt havia me deixado não podiam ser mais exatas ao descrever quem eu era.

* * *

Na manhã seguinte, depois de preparar minha xícara de chá obrigatória, voltei para o quarto e hesitantemente peguei o envelope sob meu travesseiro, carregando-o até a sala de estar. Coloquei-o sobre a mesinha à minha frente e o estudei enquanto tomava o chá.

Finalmente, depois de respirar fundo algumas vezes, peguei o envelope e o abri. Havia uma carta e mais alguma coisa; conforme minha mão buscava dentro dele, senti algo sólido, mas suave, sob meus dedos. Enquanto retirava o objeto, vi que era um ladrilho de formato triangular, de cor cremosa, em tom esverdeado. Virei o objeto e notei que havia uma inscrição apagada no verso.

Incapaz de decifrar o que estava escrito, coloquei o ladrilho sobre a mesa. Com as mãos trêmulas, abri a carta de Pa e comecei a ler.

Atlantis
*Lago Léman*
*Suíça*

*Minha querida Maia,*

*Tenho certeza de que, quando se sentar para ler esta carta, você estará se sentindo confusa e triste. Minha querida primogênita, posso apenas dizer que você foi uma alegria para mim. Ainda que não possa declarar ser seu pai natural, imploro que acredite que a amei como se fosse minha. E devo confessar que foi você quem me inspirou a continuar a adotar suas lindas irmãs mais novas; e todas vocês me deram mais alegrias que qualquer outra coisa na vida.*

*Você nunca me perguntou sobre sua verdadeira herança, a história sobre onde a encontrei e as circunstâncias que levaram à sua adoção. Eu teria contado se você tivesse me procurado, como uma de suas irmãs fez há alguns anos. Ao deixar a Terra, sinto que é correto lhe proporcionar a liberdade para que você mesma descubra tudo, no futuro, se desejar.*

*Nenhuma de vocês tinha certidão de nascimento, e, como você sabe, agora todas são oficialmente registradas como minhas filhas. Posso indicar o caminho certo, mas somente você pode escolher embarcar na jornada rumo ao seu passado.*

*Na esfera armilar, que você já deve ter visto a esta altura, está um conjunto de coordenadas indicando exatamente onde sua história começa. Há também uma pequena pista dentro do envelope, que irá ajudá-la um pouco mais.*

*Maia, não posso dizer o que você vai encontrar se decidir voltar ao seu país de nascimento. O que posso dizer é que sua família e sua história tocaram minha vida.*

*Fico triste por não haver tempo para contar minha própria história para você. Sei que às vezes você sentiu que eu guardava muitas coisas em segredo. O que eu fiz foi para protegê-las. Mas nenhum homem ou mulher é uma ilha. Conforme você crescia, precisei deixá-la voar.*

*Todos temos segredos, mas, por favor, acredite quando digo que minha família é tudo. E que o amor de um pai por um filho é a força mais poderosa do mundo.*

*Maia, é natural que eu olhe para minha vida arrependido de muitas das decisões que tomei. Meu maior desejo é, pelo menos, passar para minhas filhas um pouco da sabedoria que acumulei. Cometer erros é parte da condição de ser humano, uma vez que é assim que aprendemos e crescemos.*

*Acho que há uma parte sua que, por causa de sua experiência de vida até aqui, a fez perder a fé na natureza humana. Minha querida Maia, por favor, saiba que eu sofri a mesma aflição, e isso prejudicou minha vida em certas ocasiões. Contudo, aprendi, ao longo dos anos que passei neste mundo, que para cada maçã podre há milhares de outras cujo coração está repleto de bondade. E você deve confiar na bondade inata dentro de cada um de nós. Só então será capaz de viver e amar plenamente.*

*Vou deixar você agora, minha querida Maia; tenho certeza de que há muita coisa em que você e suas irmãs devem pensar.*

*Onde eu estiver, cuidarei sempre de você.*

*Seu pai, que te ama,*

Pa Salt

Permaneci sentada, segurando a carta, e percebi que minhas mãos tremiam. Eu sabia que precisava lê-la novamente, e talvez uma terceira e uma quarta vez, mas uma pergunta não saía da minha cabeça.

Ele sabia...?

Telefonei para o celular de Marina e pedi a ela que viesse me ver no Pavilhão. Ela chegou cinco minutos depois e viu a angústia estampada no meu rosto.

Fomos para a sala de estar, e ela notou a carta aberta sobre a mesinha de centro.

— Ah, Maia — ela disse, abrindo os braços em minha direção. — Tenho certeza de que você está angustiada depois de ouvir a voz do seu pai falando com você do túmulo.

Não me mexi para aceitar seu abraço.

— Ma, por favor, você precisa me dizer se alguma vez contou a Pa Salt sobre o nosso... segredo.

— Claro que não! Acredite, eu nunca trairia você.

Vi a mágoa nos olhos gentis de Marina.

— Então ele nunca soube?

— Não. Como poderia? Lembre-se do esforço que fizemos para garantir que ele não descobrisse. Você está dizendo que a carta faz referência àquilo?

— Não... — Comecei a andar de um lado para o outro, a angústia apertando meu coração, que batia forte. — Não, não faz. Mas na carta ele diz uma coisa que me fez pensar que *soubesse*...

— Posso dar uma olhada?

— Claro. Aqui está. — Peguei a carta e entreguei a ela, observando atentamente enquanto lia.

Finalmente, ela me olhou com uma expressão mais calma. E fez um gesto de compreensão.

— Entendo por que você reagiu dessa maneira, mas, honestamente, creio que seu pai estivesse apenas compartilhando uma parte *dele*. Sei que era algo em que acreditava. E é por isso que sugeri que você, na época, compartilhasse o problema com ele. Você se lembra, Maia?

— Sim.

Desabei abruptamente sobre o sofá e coloquei a cabeça entre as mãos.

— Ma, eu estava tão envergonhada, tão horrorizada... e assustada, também. Tomei a decisão errada?

— Maia — Marina balançou a cabeça e suspirou —, como a carta do seu pai diz, todos nós cometemos erros. Fazemos apenas o que consideramos melhor em determinado momento. E você, entre todas as suas irmãs, passou a vida colocando os sentimentos dos outros na frente dos seus. Especialmente os do seu pai.

— Eu nunca quis decepcioná-lo.

— Eu sei, *chérie*, mas tudo o que seu pai queria era que cada uma de vocês fosse feliz e se sentisse segura e amada. Por favor, não se torture, especialmente hoje. Sei que isso é a última coisa de que ele gostaria. Mas talvez seja hora de pensar em si mesma, agora que ele partiu, e no que *você* quer — Marina se sacudiu. — Electra anunciou que está partindo, Tiggy também. CeCe telefonou para Georg Hoffman logo de manhã e foi com Star até o escritório dele em Genebra. Ally está ocupada com seu laptop na cozinha.

— Você sabe se alguma delas já leu sua carta? — perguntei, tentando me controlar.

— Se leram, não me disseram nada — Marina afirmou.

— Ma, sei que não preciso pedir, mas, por favor, não quero que minhas irmãs saibam que já abri a minha. Ou sobre a conversa que acabamos de ter.

— Não precisa pedir. Você quer se juntar a nós para o almoço, antes de Electra e Tiggy irem embora?

— Com prazer. Desculpe, Ma, por duvidar de você. Sei que nunca me trairia.

— É compreensível, considerando a carta. A propósito, o escritório do seu pai está aberto agora. Encontrei a chave — ela sorriu. — Use esse tempo sozinha para se acalmar. Vejo você à uma hora.

— Obrigada — murmurei enquanto Marina deixava a sala em direção à porta da frente. Mas ela parou e se virou.

— Maia, é sério. Você é a filha que eu gostaria de ter tido. Assim como seu pai, eu te amo como se fosse minha.

* * *

É difícil admitir que, depois que Marina saiu, eu me sentei no sofá e chorei copiosamente. Foi como se uma torrente de emoções contidas fosse libertada, e, para minha vergonha, perdi o controle para uma onda de autopiedade.

Eu sabia que estava chorando por *mim*. Não por Pa e sua morte, ou seu sofrimento durante a passagem, mas por minha própria dor em perdê-lo e pela terrível compreensão de que o decepcionei ao não confiar nele o bastante para contar a verdade.

Que tipo de pessoa eu era? O que eu fizera?

E por que estava sentindo todas essas coisas agora, coisas que não eram relacionadas à morte de Pa Salt?

"Estou me comportando como Electra", eu disse a mim mesma, esperando que isso ajudasse. Mas não ajudou. E as lágrimas não paravam. Perdi a noção do tempo e, quando finalmente ergui os olhos, Tiggy estava diante de mim, o rosto preocupado.

— Ah, Maia, vim apenas dizer que Electra e eu estamos partindo em breve e queríamos nos despedir. Mas não posso te deixar assim...

— Não — ofeguei —, desculpe. Eu...

— Por que você precisa se desculpar? — ela perguntou, sentando-se ao meu lado e pegando minhas mãos. — Você é humana. Acho que às vezes se esquece disso.

Notei que olhou para a carta de Pa, ainda aberta sobre a mesa, e a peguei, de forma protetora.

— Foi muito angustiante? — ela perguntou, observando-me.

— Sim... não...

Eu não conseguia me explicar. Entre as irmãs que poderiam estar ali naquele momento, Tiggy foi aquela a quem mais protegi, que podia contar comigo e ao lado de quem sempre estive. A troca de papéis não passou despercebida.

— Aliás, você perdeu o almoço — ela disse.

— Desculpe.

— Por favor, dá para parar de pedir desculpas? Nós entendemos e todas te amamos. Sabemos o que a morte de Pa significa para você.

— Olhe para mim! Sou o "pilar", aquela que apoia todo mundo! E aqui estou eu, desmoronando. Você já abriu sua carta? — perguntei.

— Não, ainda não. Acho, ou melhor, sinto, que preciso levá-la comigo para a Escócia. E ir até o campo, meu lugar particular e especial, e ler a carta lá.

— Bem, esta é minha casa, o lugar a que pertenço, portanto abri a minha aqui. Mas me sinto tão culpada, Tiggy — confessei.

— Por quê?

— Porque... Estou chorando por mim. Não por Pa, mas por *mim*.

— Maia — ela suspirou —, você acha que há outro motivo para as pessoas chorarem a morte de um ente querido?

— Claro que sim. Elas choram por uma vida interrompida, pela dor que a pessoa sofreu.

— Bem — Tiggy ofereceu um sorriso tímido —, sei que você acha difícil acreditar no mesmo que eu, que *existe* uma vida diferente após a morte; que sua alma continua a viver. E tudo o que posso ver agora é Pa em algum lugar do universo, libertado de seu corpo inadequado... livre pela primeira vez. Porque eu podia ver frequentemente em seus olhos que ele sofreu muito durante a vida. E tudo o que posso dizer é que, quando um dos meus cervídeos morre e é libertado da dor da vida, entendo que estou chorando por minha perda, porque vou sentir saudade daquele animal. Maia, por favor, mesmo que você não acredite em nada, tente entender que o luto é pelas pessoas que ficam. Por *nós*. Todos lamentamos por nós mesmos e pela nossa perda. E você não deve se sentir culpada por isso.

Olhei para minha irmã e senti sua aceitação tranquila. Soube que ela estava certa, que eu havia enterrado a parte de mim que chamava de "alma" há anos.

— Obrigada, Tiggy. Lamento ter perdido o almoço.

— Você não perdeu muito. No fim, éramos apenas eu e Ally. Electra estava arrumando as malas e disse que já tinha comido muita porcaria. CeCe e Star ainda estão em Genebra; foram ver Georg Hoffman hoje de manhã.

— Ma me contou. Provavelmente tem a ver com dinheiro?

— Suponho que sim. Você sabe que CeCe foi aprovada em um curso de arte em Londres. Vão precisar de um lugar para morar, e isso custa dinheiro.

— Certo.

— Mas a morte de Pa afeta sua situação mais que a nossa. Quero dizer, todas sabemos que você ficou aqui para fazer companhia e cuidar dele.

— Tiggy, esta não é toda a verdade. Fiquei porque eu não tinha outro lugar para ir — admiti

— Como sempre, acho que está sendo dura demais consigo mesma. Pa *era* parte do motivo para você ficar aqui. Agora que ele se foi, o mundo é seu. O seu trabalho pode ser feito de qualquer lugar, e talvez seja hora de pensar no que *você* quer. Agora — Tiggy olhou para o relógio — realmente preciso arrumar as malas. Adeus, querida Maia — ela disse, colocando os braços ao meu redor. — Por favor, se cuide. Você sabe que estarei a um telefonema de distância se precisar de mim. Por que não me visita na Escócia qualquer dia? A paisagem é linda e a atmosfera é inacreditavelmente tranquila.

— Talvez, Tiggy. Obrigada.

Observei enquanto ela deixava o Pavilhão e me levantei para me despedir de Electra. Enquanto atravessava os jardins para ir até o píer, dez minutos depois, minha irmã mais nova apareceu ao meu lado.

— Estou indo — ela disse. — Minha agência disse que vai me processar se eu não aparecer para a sessão de fotos amanhã.

— Claro.

— Ei — Electra tombou a cabeça para um lado —, você está bem?

— Sim, estou.

— Ouça: agora que você não tem mais que cuidar do Pa, por que não aparece em Los Angeles e fica comigo e Mitch por um tempo? Temos uma casa de hóspedes incrível no jardim. Sério, você é bem-vinda a qualquer hora.

— Obrigada, Electra. Mantenha contato, certo?

— Sim. Então, até logo — ela falou quando chegamos ao píer. Notei que CeCe e Star estavam desembarcando.

— Olá — CeCe cumprimentou, e seu sorriso me disse que sua missão em Genebra havia sido bem-sucedida.

— Você está indo embora, Electra? — Star perguntou.

— Preciso voltar para Los Angeles. Algumas de nós precisam trabalhar para ganhar a vida, sabe como é — ela respondeu, com ênfase, e eu soube que o comentário era uma alfinetada em CeCe.

— Bem, pelo menos algumas de nós usarão o cérebro, não o corpo, para ganhar nosso sustento no futuro — CeCe devolveu enquanto Ally chegava com Tiggy.

— Meninas, este é um momento para ficarmos unidas. Adeus, Electra. — Ally caminhou até CeCe e a beijou em ambas as faces. — Vamos tentar combinar de nos encontrar logo.

— Certo — Electra concordou, beijando Star, mas ignorando CeCe. — Está pronta, Tiggy?

— Estou — Tiggy disse, depois de abraçar o resto de nós e caminhar até Star. Ao abraçá-la, Tiggy sussurrou alguma coisa em seu ouvido e Star sussurrou de volta.

— Certo, vamos, então — Electra se apressou. — Não posso perder meu voo.

Assisti enquanto Tiggy e Electra subiam no barco, e, quando o motor soou, nós, as quatro irmãs remanescentes, acenamos antes de nos virarmos e voltarmos para a casa.

— Acho que Star e eu também vamos embora mais tarde — CeCe comentou.

— Sério? Não podemos ficar um pouco mais? — Star perguntou, descontente.

— Para quê? Pa se foi, já falamos com o advogado e precisamos voltar a Londres assim que possível para encontrar um lugar para morar.

— Tudo bem — Star concordou.

— O que você vai fazer em Londres enquanto CeCe estuda arte? Ally perguntou.

— Não sei ainda — Star respondeu.

— Você pensou em fazer um curso de gastronomia, não pensou, Star? Ela é uma cozinheira incrível, sabe? — CeCe comentou comigo. — Ok, vou verificar os voos. Sei que tem um às oito horas de Genebra para Heathrow que seria perfeito. Até mais tarde.

Fiquei com Ally e observamos enquanto CeCe e Star entravam na casa.

— Não diga nada — suspirei. — Eu sei.

— Sempre achei que a proximidade entre as duas fosse algo bom enquanto crescíamos — Ally disse. — São as filhas do meio, e era importante ter uma à outra.

— Lembro que Pa sugeriu que fossem para escolas separadas... Star chorou muito e implorou para ir com CeCe.

— Um dos problemas é que ninguém tem chance de conversar reservadamente com Star. Ela está bem? Está com uma aparência terrível desde que chegou.

— Ally, não tenho a menor ideia. Na verdade, às vezes sinto que não a conheço — admiti.

— Bem, se CeCe se envolver em seu curso de arte e Star decidir fazer alguma coisa diferente, talvez elas tenham chance de se desvincular um pouco. Mas que tal você e eu nos sentarmos sob o sol na varanda? Vou pedir a Cláudia para servir uns sanduíches. Você está pálida, Maia, e sei que não almoçou. Eu gostaria de discutir um assunto com você.

Concordei, ciente de que precisava de sustento. O calor do sol acariciava meu rosto e me acalmava. Ally reapareceu e sentou-se ao meu lado.

— Cláudia está trazendo sanduíches — ela disse. — Maia, não quero me intrometer, mas você abriu sua carta ontem à noite?

— Sim, abri. Bem, na verdade foi esta manhã — confessei.

— É claro que ficou chateada.

— No início, sim, mas estou bem agora, Ally, sério — respondi, ainda despreparada para discutir o assunto. A preocupação doce de Tiggy havia me consolado, mas eu sabia que a atenção de Ally me faria sentir pequena. — E você?

— Sim, abri — Ally admitiu. — Foi bonito e me fez chorar, mas também me enalteceu. Passei a manhã procurando as coordenadas na internet. Sei exatamente de onde cada uma de nós veio. E descobri algumas surpresas também — Ally acrescentou, enquanto Cláudia trazia um prato e o colocava na minha frente.

— Você sabe exatamente onde nascemos? Onde *eu* nasci? — perguntei.

— Sim, quero dizer, pelo menos uma pista de onde Pa nos encontrou. Você quer saber, Maia? Posso te contar ou posso deixar que descubra sozinha.

— Eu... não sei — respondi, incerta.

— Tudo o que posso dizer é que Pa viajou muito.

Olhei para ela. Queria poder ser tão calma quanto Ally parecia estar naquele estranho paradoxo entre morte e nascimento.

— Então você sabe de onde veio? — indaguei.

— Sim. E acho que ainda não faz sentido.

— E quanto a nossas irmãs? Você contou a elas que sabe onde nasceram?

— Não, mas as ensinei a verificar as coordenadas no Google Earth. Preciso explicar para você também? Ou simplesmente contar?

— No momento, não tenho certeza.

— Bem, como falei, é bem fácil procurar.

— Então, provavelmente, vou fazer isso — afirmei, sentindo mais uma vez que estava um passo atrás de minha irmã.

— Vou anotar os detalhes para você localizar as coordenadas, Maia, caso decida que quer saber. Você conseguiu traduzir as inscrições em grego que estão na esfera armilar?

— Sim, traduzi todas.

— Bem, eu gostaria de saber o que Pa escolheu para mim — Ally disse. — Pode me contar?

— Não me lembro exatamente, mas posso voltar ao Pavilhão e copiar para você.

— Obrigada.

Mordi um dos sanduíches, desejando pela milésima vez ser mais parecida com Ally, que lidava com tudo de frente, sem medo de nada que a vida colocasse em seu caminho. A carreira que havia escolhido, repleta de perigo e geralmente solitária, enfrentando ondas que poderiam afundar seu barco frágil em um segundo, era uma metáfora perfeita para sua personalidade. Entre todas nós, eu acreditava que ela estava mais confortável com o que se tornou. Ally nunca pensava em qualquer coisa com negatividade, aceitando as derrotas como uma lição positiva de vida antes de seguir em frente.

— Então — Ally continuou —, parece que nós duas podemos fornecer às nossas irmãs as informações de que precisam se quiserem explorar o passado.

— Podemos, mas talvez seja cedo para qualquer uma de nós decidir se seguirá as pistas que Pa deixou.

— Claro — Ally suspirou. — Tenho a regata em Cíclades, que está para começar, e preciso me juntar à tripulação assim que possível. Para ser honesta, Maia, depois do que vi há dois dias, vai ser difícil voltar para o mar.

— Posso imaginar — respondi, sentindo certa vulnerabilidade em Ally, depois de tudo o que pensei. — Mas você vai ficar bem, tenho certeza.

— Espero que sim. Honestamente, é a primeira vez que tenho medo desde que comecei a velejar em competições.

— Bem, você dedica tudo à vela há anos, Ally, então não deixe que isso a afete. Faça isso por Pa. Ele não iria gostar que você perdesse sua autoconfiança.

— Você está certa. Vou fazer o melhor para que minha equipe vença. Por ele. Obrigada, Maia. Sabe, eu estava pensando, mais cedo, que permiti que a vela dominasse minha vida. Lembra que eu queria ser flautista profissional quando era mais nova? Mas, quando fui admitida na escola de música, a vela já havia ocupado o primeiro lugar — ela admitiu, com nostalgia.

— Claro que me lembro — sorri. — Você tem tantos talentos, Ally. Devo confessar que sinto falta de te ouvir tocando.

— Eu também. Na verdade, estou começando a perceber isso. De qualquer modo, você vai ficar bem aqui sozinha? — ela perguntou.

— Claro que vou. Por favor, não se preocupe comigo. Tenho Ma e meu trabalho. Ficarei bem.

— Talvez, no fim do verão, você queira passar uns dias comigo no meu barco. Podemos navegar para qualquer lugar que desejar, talvez a

Costa Amalfitana, no sul da Itália. É tão bonito lá, um dos meus lugares favoritos... E talvez minha flauta esteja a bordo — ela sorriu, recuperando-se um pouco.

— Que ideia adorável. Obrigada, mas ando ocupada com o trabalho no momento.

— Conseguimos dois lugares em um voo para Heathrow — CeCe interrompeu, aparecendo atrás de nós na varanda. — Christian vai nos levar ao aeroporto em uma hora.

— Então vou checar se consigo um voo para Nice e vou com vocês. Não se esqueça de copiar a inscrição para mim, certo, Maia? — Ally disse ao se levantar e desaparecer casa adentro.

— Então, CeCe, como você está? — perguntei. — Foi tudo bem no escritório de Georg?

— Tudo bem — CeCe concordou. — Você traduziu as inscrições? — ela indagou, puxando uma cadeira para se sentar.

— Sim.

— Ally me disse que tinha nossas coordenadas — CeCe disse.

— Você já abriu sua carta? — perguntei, insegura.

— Não. Star e eu combinamos de abrir as cartas juntas. Mas seria útil se você pudesse fazer uma cópia das nossas inscrições, colocar em um envelope e me entregar antes de partirmos. Pedi a Ally para fazer o mesmo com as coordenadas.

— Posso te dar a sua, CeCe. Mas Pa disse especificamente em sua carta para mim que devo entregar as citações traduzidas apenas para as irmãs a quem pertencem. Então, darei a de Star diretamente para ela — menti.

— Tudo bem — CeCe chacoalhou os ombros —, mas é óbvio que vamos compartilhar. — Ela me olhou de repente. — Você vai ficar bem aqui sozinha, agora que Pa se foi? O que vai fazer?

— Tenho meu trabalho para me manter ocupada — afirmei.

— Claro, mas todas sabemos que você estava aqui por causa dele. Seria ótimo se viesse a Londres nos visitar assim que tivermos nosso apartamento. Já entrei em contato com algumas imobiliárias. Adoraríamos recebê-la.

— É muita gentileza sua, CeCe. Aviso se tiver tempo.

— Bom... Maia, posso perguntar uma coisa?

— Sim.

— Você... Você acha que Pa gostava de mim?

— Que pergunta! É lógico que ele gostava, CeCe. Ele amava a todas nós igualmente.

— É que...

Vi as unhas curtas de CeCe se moverem sobre a mesa como os dedos de um pianista.

— O que foi? — perguntei.

— Bem, para ser honesta, estou com medo de abrir a carta. Quero dizer, como você sabe, não sou uma pessoa sensível e nunca senti que tinha um relacionamento próximo com Pa. Não sou boba... Sei que as pessoas pensam que sou grossa e prática demais, exceto Star, é claro, mas o fato é que eu *sinto* as coisas por dentro. Você entende?

A confissão inesperada de CeCe me fez, por instinto, pegar sua mão.

— Entendo completamente. Mas, CeCe, lembro de quando você chegou, ainda bebê, e que Ma ficou surpresa por ser perto da chegada de Star. Quando perguntei a Pa por que ganhamos outra irmã tão rápido, ele disse que você era tão especial que ele simplesmente teve que trazê-la para casa. E essa é a verdade.

— Sério?

— *Sério.*

Pela primeira vez desde que a conheci, minha quarta irmã parecia prestes a chorar.

— Obrigada, Maia — ela disse, com gratidão. — Agora preciso encontrar Star e avisar que partiremos em breve.

Ao vê-la se levantar e entrar, pensei que a morte de Pa já havia mudado todas nós.

***

Uma hora mais tarde, depois de entregar as respectivas inscrições às três, eu estava outra vez no píer para me despedir. Observei Ally, CeCe e Star deslizarem com a lancha sobre as águas do lago, a caminho de suas próprias vidas. No Pavilhão, peguei uma taça de vinho, pensando que cada uma de minhas irmãs havia me oferecido um lugar em sua existência; eu podia, literalmente, escolher passar o próximo ano atravessando o globo e habitar seus mundos tão diferentes.

Mesmo assim, ali estava eu, ainda vivendo no lar onde cresci.

Então, pensei, caminhando determinada para meu escritório e ligando o laptop, talvez fosse o momento de descobrir quem eu era. E o lugar a que pertencia.

* * *

Minhas mãos tremiam levemente enquanto eu acessava o Google Earth. Cuidadosamente digitando as coordenadas como Ally me orientara, segurei o fôlego enquanto o laptop me dizia onde encontrar minha história. Finalmente, depois que um pequeno círculo na tela girou sem parar, como um globo em seu eixo, os detalhes surgiram à minha frente. E o local do meu nascimento foi revelado.

# 8

Para minha surpresa, dormi profundamente naquela noite, sem sonhos, e acordei renovada. Continuei deitada, olhando para o teto do quarto, processando o que havia descoberto no dia anterior.

Senti que a informação não era surpreendente — como se eu sempre soubesse, de alguma forma, sobre o meu DNA. Na verdade, por pura coincidência, minha vida já incluía parte do meu passado. Mal pude acreditar que, de fato, vi a casa onde, possivelmente, nasci. A vista aérea no Google Earth a fez parecer enorme e grandiosa, eu me perguntei por que, diante de seu esplendor aparente, Pa me tirou dali quando eu era um bebê.

Quando saí da cama, meu celular tocou. Vi um número desconhecido na tela e supus que fosse um engano, então deixei tocar e fui para a cozinha tentar despertar com uma xícara de chá.

Enquanto tomava o chá, imaginei que poderia simplesmente entrar em um avião amanhã se quisesse. E em menos de vinte e quatro horas poderia bater à porta do meu passado.

*Casa das Orquídeas, Laranjeiras, Rio de Janeiro, Brasil.*

Tentei me lembrar dos detalhes exatos da conversa que tive com Pa antes de decidir sobre a universidade. Ele me encorajou a estudar português, e me lembro de que aprendi facilmente, como se fosse minha língua-mãe, o francês.

Fui até a sala de estar buscar o pequeno ladrilho que estava no envelope. Estudei a inscrição do verso, quase apagada.

Havia mais sentido em estudá-la agora... Percebi que as palavras estavam em português. Reconheci algumas das letras e uma data — 1929 —, mas não consegui decifrar o resto.

Um arrepio repentino de emoção correu pelo meu corpo, mas eu o reprimi imediatamente. Seria ridículo simplesmente tomar um avião e ir para o Brasil, não seria?

Seria...?

Ponderei por um momento, tomando uma segunda xícara de chá, e decidi que sim, no futuro, faria a viagem para o meu passado. Afinal, eu tinha um motivo válido para ir até lá, considerando que traduzia autores brasileiros para o francês. Eu poderia ainda visitar os editores brasileiros de Floriano Quintelas — o autor que havia entrado em contato comigo recentemente —, e eles talvez pudessem me recomendar para outros autores.

Meu celular tocou outra vez. Levantei-me e fui pegá-lo de cima do criado-mudo; o som me alertava sobre uma mensagem deixada após uma ligação não atendida. Levei o aparelho ao ouvido enquanto voltava para a cozinha, e uma voz familiar demais falou comigo:

— Maia, oi. Sou eu, Zed. Espero que se lembre de mim — ele disse, com uma risadinha casual. — Não sei se você ouviu a notícia sobre o meu pai. Tão trágico... Para ser honesto, ainda estamos superando o choque. Eu soube ontem sobre o seu pai, por intermédio de um amigo velejador. Entendi que ele também faleceu há poucos dias. De qualquer forma, tenho que ir a Genebra nos próximos dias e pensei que seria bom ver você. Talvez possamos chorar no ombro um do outro. A vida é bizarra, não é? Eu não fazia ideia de que você ainda morava em Genebra, mas tenho o telefone da sua casa em algum lugar. Tentarei ligar quando chegar, ou quem sabe telefono para a famosa *Atlantis* se não ouvir notícias suas depois desta mensagem. Sinto muito sobre seu pai. Cuide-se.

Um som me alertou sobre o fim da mensagem enquanto eu permanecia imóvel. O choque de ouvir aquela voz depois de quatorze anos me paralisou.

— Ah, meu Deus — ofeguei, processando a possibilidade de Zed aparecer na porta da minha casa em dois dias. Eu me senti como um coelho encurralado. Parte de mim querendo me esconder embaixo da cama, caso ele já estivesse em Genebra e pudesse vir me encontrar a qualquer instante...

Marina e Cláudia podiam atender o telefone na casa e, inocentemente, dizer que eu realmente estava em *Atlantis*. Essa ideia me deu arrepios. Eu precisava instruí-las imediatamente a não dizer a *ninguém* que eu estava ali.

Mas e se Zed simplesmente aparecesse? Ele sabia como chegar a *Atlantis*. Descrevi a localização em detalhes para ele uma vez.

— Preciso sair daqui — murmurei, minhas pernas finalmente obedecendo a meu comando e me levando até a sala de estar, onde caminhei de um lado para o outro, pensando em qual oferta das minhas irmãs aceitaria.

Nenhuma delas parecia atraente, então pensei em voltar para Londres e me esconder com Jenny até que fosse seguro voltar.

Mas por quanto tempo? Zed poderia muito bem ficar em Genebra por um longo tempo. Eu podia apostar que a fortuna do seu pai estava nas mãos e nos cofres dos bancos suíços.

— Por que agora? — reclamei com os céus. Assim como precisava de um tempo para me reencontrar e me acalmar, eu sabia que precisava partir. Vê-lo outra vez acabaria comigo, especialmente diante do meu estado emocional frágil.

Olhei para a mesinha, e meus dedos buscaram instintivamente a superfície suave do ladrilho triangular. Encarei-o fixamente enquanto meu cérebro processava a ideia.

Se eu quisesse colocar uma longa distância entre nós, sem ninguém saber onde eu estava, o Brasil seria o lugar perfeito. Eu levaria o laptop e continuaria meu trabalho de tradução atual lá. Por que não?

— Sim, Maia. Por que não? — perguntei a mim mesma.

* * *

Uma hora depois, entrei na cozinha da casa e perguntei a Cláudia onde Marina estava.

— Ela foi a Genebra fazer algumas coisas, Maia. Devo dar algum recado quando ela chegar?

— Sim — respondi, procurando coragem para dar voz àquelas palavras. — Pode dizer que viajo hoje à noite, por pelo menos duas semanas. E, Cláudia, se alguém me procurar, por telefone ou pessoalmente, diga que não estarei em casa por um bom tempo.

O rosto sempre impassível de Cláudia registrou uma expressão de surpresa.

— Para onde você vai, Maia?

— Para longe — respondi, com neutralidade.

— Bom — ela disse.

Esperei que continuasse, mas isso foi tudo.

— Vou voltar para o Pavilhão e arrumar as malas — acrescentei. — Avise Christian, quando ele voltar, de que preciso da lancha para me levar a Genebra por volta das três horas.

— Quer que eu prepare um almoço para você?

— Não, obrigada — recusei, sabendo que meu estômago estava agitado. — Virei me despedir antes de partir. E, lembre-se, Cláudia: se alguém ligar de agora em diante, eu não estou.

— Eu sei, Maia. Você já falou.

Duas horas depois, com o voo e o hotel reservados e uma mala arrumada às pressas, deixei *Atlantis*. Enquanto a lancha me carregava tranquilamente pelas águas do Léman, percebi que não sabia se estava fugindo do meu passado ou correndo em direção a ele.

# 9

Devido às cinco horas de diferença de fuso horário, pisei em solo brasileiro às seis horas da manhã seguinte. Eu esperava o sol ofuscante da América do Sul, então fiquei decepcionada ao encontrar um céu nublado. Compreendi que havia chegado durante o inverno brasileiro, que, apesar das temperaturas altas, significava a ausência do calor tropical intenso que eu esperava.

Ao pisar no terminal de desembarque, vi um homem segurando uma placa com meu nome.

Olá. Sou a Senhorita D'Apliése. Como está? — perguntei, em português, quando me aproximei do motorista. Eu me diverti com seu olhar de surpresa.

Ele me levou até o carro e nós deixamos o aeroporto do Rio de Janeiro. Olhei pela janela com interesse ávido. Aquela era a cidade onde nasci. Ainda que eu tivesse viajado pelo Brasil durante o segundo ano da faculdade, o programa de intercâmbio era sediado em uma universidade de São Paulo, e meus passeios me levaram até a antiga capital, Salvador. Histórias sobre o Rio e o crime, a pobreza e a vida noturna extravagante da cidade me deixaram com medo de visitá-lo, especialmente por ser uma mulher solteira. Mas agora lá estava eu, parte do DNA da cidade. E ela era parte do meu DNA, se a informação de Pa Salt estivesse correta.

O motorista, feliz por encontrar um estrangeiro que falasse português fluentemente, perguntou de onde eu era.

— Daqui. Eu nasci aqui — respondi.

Ele ergueu os olhos e me estudou pelo espelho.

— Claro. Agora vejo que você parece brasileira! Mas seu sobrenome é D'Apliése. Presumi que fosse francesa. Está visitando parentes?

— Sim, suponho que sim — respondi, a verdade daquelas palavras ecoando em minha mente.

— Veja. — O motorista apontou para uma montanha alta, onde uma figura branca estava com os braços abertos, abraçando a cidade. — Lá está o nosso Cristo Redentor. Sei que estou em casa quando O vejo.

Olhei para a figura, que parecia flutuar entre as nuvens como uma aparição angelical. Assim como o resto do mundo, eu já havia visto aquela imagem inúmeras vezes na TV, na internet e em livros, mas a realidade era impressionante e comovente.

— Já foi visitá-Lo? — o motorista perguntou.

— Não, ainda não.

— Então você é uma carioca de verdade! — ele sorriu. — Esta é uma das sete maravilhas do mundo moderno, mas para nós, aqui no Rio, é uma coisa corriqueira. São os turistas que correm para vê-Lo.

— Definitivamente, vou visitar — prometi enquanto desaparecíamos por um túnel e o Cristo Redentor sumia da paisagem.

Quarenta minutos depois, paramos em frente ao Hotel Caesar Park. Do outro lado da ampla avenida estava a Praia de Ipanema, deserta devido ao horário, mas simplesmente magnífica, estendendo-se até onde a vista alcançava.

— Aqui está o meu cartão, senhorita D'Apliése. Meu nome é Pedro, e estarei à disposição a qualquer hora em que desejar conhecer a cidade.

— Obrigada — agradeci, pagando alguns reais a mais como gorjeta, e segui o porteiro até a recepção para me registrar.

Poucos minutos depois, eu estava instalada em um suíte espaçosa e agradável, com uma vista maravilhosa da Praia de Ipanema através das grandes janelas panorâmicas. O quarto era absurdamente caro, mas era o que tinham disponível sem reserva prévia. Considerando que eu raramente gastava meu próprio salário, não me senti culpada. Dependendo dos acontecimentos dos próximos dias, se eu decidisse ficar mais tempo, alugaria um apartamento.

E o que *aconteceria* nos próximos dias?

As últimas vinte e quatro horas haviam sido um turbilhão, alimentado pelo pânico e pelo desespero de sair da Suíça, e não pensei no que fazer quando chegasse. Por enquanto, depois de dormir mal no voo, exausta com o trauma dos últimos dias, decidi pendurar o aviso de "não perturbe" na porta, me deitar entre os lençóis frescos e perfumados e dormir.

* * *

Ao acordar, poucas horas depois, percebi que estava com fome, mas também ansiosa para conhecer a cidade. Tomei o elevador até o restaurante da cobertura. Sentada em uma pequena sacada com uma vista maravilhosa do mar e das montanhas, pedi uma salada Caesar e uma taça de vinho branco. As nuvens haviam sido sopradas para longe, como uma lembrança, e a praia estava lotada de corpos bronzeados tomando sol.

Assim que acabei de comer, senti que minha mente estava mais aberta para pensar no melhor a fazer. Estudei o endereço apontado pelas coordenadas, que copiei no celular, e considerei que não seria garantido que minha família original ainda ocupasse a casa. Eu não sabia seus nomes ou qualquer coisa sobre eles. Não consegui conter um riso irônico diante da ideia de aparecer na porta da casa anunciando que procurava minha família há muito tempo perdida.

Refleti, tentando honrar a inscrição que Pa Salt deixara na esfera armilar, que o pior que poderia acontecer seria a porta ser fechada na minha cara. Talvez a taça de vinho e o *jet-lag* acrescentassem uma qualidade etérea aos meus pensamentos e proporcionassem uma sensação incomum de coragem. Voltei para minha suíte e, antes de mudar de ideia, verifiquei com a recepção se Pedro, o motorista que me pegara no aeroporto, estava disponível para me levar ao endereço que procurava.

— Sem problemas — a *concierge* disse. — Você quer o carro imediatamente?

— Sim.

Dez minutos mais tarde, eu estava de volta ao carro de Pedro, saindo lentamente do centro da cidade.

— Acho que conheço esse lugar, *A Casa das Orquídeas* — ele comentou.

— Eu não conheço — confessei.

— Bem, se for onde penso, é bem interessante. É uma casa antiga, que era habitada por uma família portuguesa muito rica — ele explicou, enquanto parávamos mais uma vez por causa do congestionamento, que, segundo ele me disse, nunca acabava.

— A casa pode ter novos proprietários — considerei.

— É verdade. — Ele olhou para o espelho e eu notei que percebeu meu nervosismo. — Você está procurando um parente?

— Sim — respondi honestamente, olhando para o alto enquanto ele dirigia e imediatamente vendo o Cristo Redentor sobre nós. Nunca fui particularmente religiosa, mas naquele momento senti um conforto extraordinário emanando de Seus braços abertos.

— Vamos passar pelo endereço que você quer daqui a pouco — Pedro avisou quinze minutos depois. — Duvido que você possa ver muito da rua, porque a casa é rodeada por uma cerca alta. Este bairro era chique, mas agora, infelizmente, muitas fábricas foram construídas nos arredores.

Pude notar que edifícios industriais e residenciais se misturavam ao longo da avenida.

— Lá está a casa, senhorita.

Olhei na direção que Pedro apontava e vi uma extensão coberta por uma cerca viva malcuidada, com flores silvestres empurrando suas cabecinhas bonitas, mas destrutivas, entre as folhagens. Comparado ao nosso jardim, mantido impecavelmente em Genebra, tive a impressão de que o lugar não via mãos dedicadas havia muito, muito tempo.

Tudo o que enxerguei acima da cerca foi um conjunto de chaminés antiquadas. Sua cor original, vermelho-tijolo, estava encoberta por anos de fuligem e um tom de negro.

— Talvez a casa esteja vazia — Pedro considerou, imediatamente avaliando, assim como eu, o exterior malcuidado.

— Talvez — concordei.

— Devo estacionar? — ele me perguntou, diminuindo a velocidade e encostando poucos metros depois da propriedade.

— Sim, por favor.

Após estacionar, ele desligou o motor e se virou para me olhar.

— Espero aqui. Boa sorte, senhorita D'Apliése.

— Obrigada.

Saí do carro e bati a porta com mais força do que necessário, preparando-me para o que estava por vir. Caminhando pela calçada, eu dizia a mim mesma que não importava, de verdade, o que ocorreria nos próximos minutos da minha vida. Sempre tive um pai amoroso e, em teoria, uma mãe, além das minhas irmãs. O motivo de estar ali tinha menos relação com o que estava por detrás daquela cerca viva e muito mais a ver com aquele de quem fugi.

Com essa verdade me dando confiança, atravessei a cerca viva e o portão de ferro aberto até chegar à entrada. E, pela primeira vez, vi a casa onde, segundo as coordenadas, minha história havia começado.

Era uma mansão elegante do século XVIII; seu formato quadrado era formal, suas paredes de estuque tinham intrincadas curvas de gesso que lembravam o passado colonial brasileiro. Ao me aproximar, notei que o estuque estava deteriorado e rachado, e a pintura das dezenas de janelas altas havia descascado em muitos lugares, revelando a madeira nua.

Criando coragem, caminhei rumo à casa, passando pela base de uma fonte de mármore talhado, onde filetes de água devem ter brincado um dia. Vi que a maioria das persianas estava fechada e comecei a questionar se Pedro não estava certo. A casa estaria abandonada.

Subindo os degraus largos que levavam à porta da frente, apertei a campainha antiquada. Mas não ouvi nenhum som do lado de dentro. Tentei mais duas vezes e bati na porta com toda a confiança que tinha. Depois de esperar uma resposta, não ouvi passos se aproximando. Decidi bater outra vez, com mais força.

Esperei na soleira da porta por uns bons minutos até concluir que era inútil e que ninguém atenderia a porta. Olhando para cima e notando, mais uma vez, as persianas fechadas nas janelas dos quartos, deduzi que a casa definitivamente não era habitada.

Desci os degraus, ponderando entre voltar direto para o carro e esquecer a coisa toda ou investigar a área para ver se não conseguia ao menos espiar por uma fresta nas persianas. Decidi investigar. Esperando que minhas ações não fossem percebidas por ocupantes invisíveis, segui nas pontas dos pés pelo lado da casa.

Percebi que ela era mais longa do que larga. A parede lateral se estendia em direção ao que, segundo julguei, fora um lindo jardim um dia. Continuei caminhando ao longo de seu comprimento, decepcionada por não encontrar nenhuma abertura por onde espiar dentro da casa. Ao chegar ao fim da parede, deparei com uma varanda coberta por musgo.

Meu olhar imediatamente notou a escultura de pedra de uma jovem em um dos cantos, entre vasos quebrados de terracota. Ela estava sentada, olhando diretamente para a frente. Ainda que, notei ao me aproximar, seu nariz estivesse lascado, as feições claras e simples da mulher eram magníficas.

Eu estava prestes a virar para a esquerda e checar os fundos da casa quando vi uma figura sentada sob uma árvore no jardim, abaixo da varanda.

Meu coração começou a soar em meus ouvidos, e eu me escondi atrás da parede, antes de olhar com cuidado para não ser vista estudando a figura. Àquela distância, era difícil fazer uma descrição física exata, mas percebi que era uma mulher muito idosa, a julgar pelo modo como estava sentada.

Sua imagem trouxe milhares de possibilidades à minha mente. Nunca fui eficaz em tomar decisões imediatas, e fiquei parada ali, encolhida e com medo, um olhar de esguelha na mulher, que poderia ou não ser minha parente.

Ergui o rosto para os céus e tive a intuição de que Pa nunca se acovardara diante de momentos como aquele. Pela primeira vez em minha vida adulta, eu também não iria me acovardar.

Coloquei-me à vista da mulher, caminhando em sua direção. Ela não virou a cabeça para mim enquanto eu me aproximava. Quando finalmente fiquei perto o bastante para vê-la direito, notei que seus olhos estavam fechados. Ela parecia estar adormecida.

Isso me deu a oportunidade de observar os detalhes do seu rosto. Imaginei se reconheceria algumas de minhas próprias feições, mas sabia que tinha grande chance de aquela mulher ser uma estranha, alguém que havia morado na casa durante os trinta e três anos em que estive longe dela.

— Desculpe. Posso ajudar, senhorita?

Quase morri de susto ao ouvir uma voz suave atrás de mim, e então me virei. Uma senhora negra idosa, magra, de cabelos grisalhos, vestindo um uniforme de empregada antiquado, olhava para mim com desconfiança.

— Desculpe — apressei-me em dizer. — Ninguém atendeu a porta...

A mulher levou um dedo aos lábios.

— Shh, ela está dormindo. Por que você está aqui?

— Porque eu... — Como eu poderia transmitir a verdade para aquela mulher em poucas palavras sussurradas? — Me disseram que tenho uma ligação com esta casa, e eu gostaria de falar com o proprietário.

Senti que ela me examinava e notei seus olhos brilharem quando encontraram o colar ao redor do meu pescoço.

— A senhora Carvalho não recebe ninguém. Ela está muito doente e sente muita dor.

— Bem, talvez você possa dizer que vim vê-la. — Abri a bolsa e retirei um dos meus cartões, identificando-me como tradutora, e o entreguei à empregada. — Estou hospedada no Caesar Park. Você pode dizer que eu gostaria muito de falar com ela?

— Posso, mas não vai fazer diferença — a empregada disse bruscamente.

— Você se incomoda se eu perguntar há quanto tempo esta senhora que está aqui mora nesta casa?

— A vida inteira. Bem, acompanho você até a porta.

Suas palavras me deram um frio na espinha, então movi o olhar uma última vez em direção à mulher idosa. Se Pa Salt e suas coordenadas estivessem corretos, então ela tinha, de algum modo, um grau de parentesco comigo. Virei-me e a empregada começou a me acompanhar de volta pela varanda. Quando chegamos ao canto da casa, uma voz fraca ecoou atrás de nós.

— Quem é ela?

Ambas paramos e nos viramos. Vi uma centelha de medo no olhar da empregada.

— Perdoe-me, senhora Carvalho. Não quis perturbar — ela respondeu.

— Você não perturbou. Eu estava observando há uns cinco minutos. Traga-a até aqui. Não podemos conversar a cem metros de distância.

A empregada fez como sua senhora ordenou e, relutantemente, me levou de volta, através da varanda e dos degraus, até o jardim. Ela me colocou diante da velha senhora e leu os detalhes no meu cartão.

— Esta é a senhorita Maia D'Apliése. Ela é tradutora.

Frente a frente com a mulher, notei que estava pálida. Sua pele era de um cinza funesto, como se a força vital estivesse lentamente enfraquecendo. Mas seus olhos penetrantes me analisavam, e, quando um vislumbre de reconhecimento e choque passou por eles, percebi que sua mente ainda era aguçada.

— Por que você está aqui? — ela perguntou.

— É uma longa história.

— O que você quer?

— Nada. Eu...

— A senhorita D'Apliése me disse que tinha uma associação com esta casa — a empregada disse, quase como um incentivo.

— Sério? E que tipo de associação seria?

— Me disseram que esta é a casa onde nasci — expliquei.

— Bem, lamento decepcioná-la, senhorita, mas nenhuma criança nasceu sob este teto desde que dei à luz minha filha, há mais de cinquenta anos. Não é verdade, Yara? — ela perguntou à empregada.

— Sim, senhora.

— Quem lhe deu essa informação? Alguém que deseja estabelecer um relacionamento comigo de modo a herdar esta casa quando eu morrer, sem dúvida.

— Não, senhora. Posso garantir que isso não tem nada a ver com dinheiro. Não é o motivo da minha visita — afirmei, com veemência.

— Então, por favor, explique mais claramente qual é o motivo.

— Fui adotada quando era um bebê. Meu pai adotivo, que faleceu na semana passada, me deixou uma carta dizendo que esta era a casa onde minha família vivia. — Encarei-a fixamente, esperando que a verdade das minhas palavras estivesse visível em meus olhos.

— Entendo. — Mais uma vez ela me estudou cuidadosamente, hesitando antes de responder. — Mas devo dizer que seu pai cometeu um terrível engano e você desperdiçou a viagem. Lamento não poder ajudar mais. Adeus.

Quando finalmente permiti que a empregada me guiasse para fora da propriedade, tinha certeza de que a velha senhora estava mentindo.

# 10

Eram apenas oito horas quando retornei ao hotel, mas meu corpo me dizia que passava da meia-noite, então cometi o erro de cair em um sono profundo, acordando com a alvorada na manhã seguinte. Continuei na cama, refletindo sobre o que havia descoberto no dia anterior. Apesar da negação veemente da senhora, meus instintos diziam que Pa Salt não estava errado. Contudo, pensei com tristeza, eu não sabia o que fazer. Não importava o que a mulher e sua empregada soubessem, ambas deixaram claro que não pretendiam compartilhar nada comigo.

Tirei o ladrilho da bolsa, mais uma vez tentando decifrar a gravação no verso.

Qual era o propósito? Tudo o que havia eram algumas palavras ilegíveis e uma data. Um momento do passado registrado no verso de uma pedra triangular.

Ligando o laptop para me distrair, verifiquei os e-mails e vi uma mensagem do meu editor brasileiro, com quem entrei em contato durante três longas horas de espera no aeroporto Charles de Gaulle, em Paris.

*Prezada Srta. D'Apliése,*

*É um prazer saber que decidiu visitar o Brasil. Nosso escritório fica em São Paulo, e pode ser inconveniente viajar até aqui para nos ver, mas ficaríamos encantados em conhecê-la pessoalmente. Encaminhamos sua mensagem para Floriano Quintelas, o autor em pessoa, que mora no Rio. Tenho certeza de que ele ficará feliz em encontrá-la e ajudá-la durante sua estadia em nosso lindo país. Por favor, não hesite em entrar em contato se precisar de alguma coisa.*

*Atenciosamente,*

*Luciano Baracchini*

A simpatia e o calor da mensagem trouxeram um sorriso aos meus lábios. Lembrei-me de que, durante minha última vista, a cultura era diferente do estilo formal suíço. Não havia dúvida de que, se tivesse qualquer tipo de problema, essas pessoas, que não me conheciam, me receberiam e ajudariam da melhor forma possível.

Voltei a me deitar na cama, olhando pela janela enquanto o sol se erguia sobre o mar e a avenida começava a borbulhar com o trânsito da manhã. O Rio estava acordando.

A questão era: depois do que aconteceu ontem, eu deveria tentar investigar mais a fundo os segredos escondidos?

Considerando que a única alternativa era retornar a Genebra, o que eu sabia ser uma impossibilidade no momento, decidi ficar pelo menos mais alguns dias e bancar a turista. Ainda que já estivesse no fim das investigações sobre minha origem, eu poderia pelo menos conhecer a cidade onde possivelmente nasci.

Depois de me vestir, peguei o elevador até o saguão e saí do hotel. Atravessei a avenida e pisei na Praia de Ipanema. Estava deserta, porque ainda era muito cedo, então caminhei em direção às ondas que quebravam contra a areia macia sob meus pés, depois me virei e olhei para o Rio sob a perspectiva do mar.

Uma profusão de prédios, de tamanhos e alturas diferentes, brigava por um lugar em frente ao mar, com o topo dos montes do outro lado, visível acima da paisagem urbana. À minha direita, a longa extensão de areia terminava em um aglomerado de rochas; à esquerda ficava o panorama impressionante das colinas gêmeas, o Morro Dois Irmãos.

Ali, completamente sozinha, senti uma energia passar por minhas veias e uma sensação repentina de liberdade e leveza.

"Isso é parte de mim, e eu sou parte disso..."

Por instinto, comecei a correr pela praia, meus dedos se contraindo contra a areia escorregadia e me sustentando conforme eu abria os braços, em um momento de contentamento puro. Parei de repente, ofegando e me inclinando, rindo do meu comportamento.

Deixei a praia, atravessei a avenida e comecei a me embrenhar pela cidade, notando a mistura de edifícios coloniais e modernos, obrigados a coexistir ao longo das ruas devido à mudança na moda arquitetônica.

Virei uma esquina e me vi em uma praça, onde vendedores ambulantes estavam montando uma feira matinal de frutas e legumes. Parando em uma das barracas, peguei um pêssego e o homem atrás da banca sorriu para mim.

— Por favor, pegue, senhorita.

— Obrigada — respondi e me afastei, meus dentes rompendo a fruta macia e suculenta. Tive os passos interrompidos quando ergui os olhos e vi a figura branca do Cristo mais uma vez pairando sobre mim.

— É isso o que vou fazer hoje — anunciei.

Percebendo que não sabia onde eu estava nem a distância do hotel, segui o som das ondas e, como um pombo-correio voltando para casa, finalmente encontrei o caminho de volta.

Tomei café na cobertura. Pela primeira vez desde a morte de Pa, estava com apetite. Ao retornar para o quarto, notei que havia uma série de mensagens no celular. Decidi ignorá-las, recusando-me a permitir que a realidade manchasse a alegria que sentia naquela manhã. Contudo, em uma mensagem de minha caixa de e-mails, o nome do remetente chamou minha atenção. Era Floriano Quintelas.

*Querida Srta. D'Apliése,*

*Meu editor disse que você está no Rio. Seria um prazer conhecê-la pessoalmente e quem sabe levá-la para jantar ou almoçar como forma de agradecer por seu trabalho. Meus editores franceses acreditam que o livro venderá muito bem. Talvez você prefira apenas conhecer minha linda cidade pelos olhos de um verdadeiro carioca. O número do meu celular está no fim deste e-mail. Para ser sincero, ficarei ofendido se você não me ligar durante sua estadia.*

*Estou à sua disposição.*

*Atenciosamente,*

*Floriano Quintelas*

O e-mail me fez sorrir. Tomando como base nossa correspondência ao longo do último ano em relação ao texto de *A Cascata Silenciosa*, deduzi que ele não gostava de usar palavras desnecessárias.

Então, pensei: Floriano entraria em contato comigo se estivesse em Genebra e eu me ofereceria para lhe mostrar a cidade?

Eu ficaria ofendida se ele não telefonasse?

A resposta era sim, para ambas as perguntas.

Decidi que seria melhor e mais sutil entrar em contato via mensagem de texto. Não tenho certeza de quantos minutos demorei para compor uma mensagem, editá-la e reescrevê-la, até finalmente ficar satisfeita e clicar em *Enviar*.

Assim que a mensagem foi enviada, claro, reli o texto.

*Querido Floriano, estou feliz por estar no Rio e seria ótimo* — eu substituí "um prazer" — *me encontrar com você em algum momento. Vou brincar de turista no Corcovado hoje, mas você pode me encontrar neste número de telefone. Atenciosamente, Maia D'Apliése.*

Satisfeita em conseguir transmitir simpatia e, ao mesmo tempo, permanecer distante — eu *também* era uma escritora, afinal —, procurei a *concierge* no saguão para descobrir como chegar ao Cristo Redentor.

— Senhorita, podemos oferecer tanto a opção de luxo quanto a experiência real. Pessoalmente, sugiro a segunda opção — a *concierge* me disse. — Pegue um táxi para o Cosme Velho, diga ao motorista que quer visitar o Cristo, depois pegue o trem que sobe o Corcovado.

— Obrigada.

— O prazer é meu.

Dez minutos depois, eu estava em um táxi a caminho do Cosme Velho e do Cristo. Meu celular tocou. Floriano Quintelas.

— Alô?

— Senhorita D'Apliése?

— Sim.

— É o Floriano. Onde você está?

— Em um táxi a caminho do Cristo. Estou perto da estação.

— Posso encontrá-la?

Hesitei e ele percebeu.

— Vou entender se você preferir visitá-lo sozinha.

— Não, claro que não. Ficarei contente em ter um guia local.

— Bem, por que não pega o trem para subir o morro e eu a encontro na escadaria?

— Tudo bem — concordei —, mas como vou reconhecer você? Deve haver muitas pessoas lá.

— Eu reconhecerei você, senhorita D'Apliése. Vi sua foto na internet. Até logo.

Paguei ao motorista e desci em frente à pequena Estação do Corcovado, na encosta da montanha, imaginando como seria Floriano Quintelas pessoalmente. Embora eu não o conhecesse, era apaixonada pelo modo como ele escrevia.

Após comprar o bilhete, embarquei no trem, que tinha apenas dois vagões, lembrando-me das frágeis ferrovias alpinas que serpenteavam as montanhas da Suíça. Escolhi um assento e ouvi a cacofonia de idiomas diferentes, nenhum deles o português. Finalmente o trem começou a se mover, e então olhei pela janela, para a encosta, coberta por uma floresta densa. Impressionou-me saber que uma mata como aquela poderia estar tão perto da cidade grande. Isso nunca seria permitido em Genebra.

Senti a cabeça se inclinar para trás à medida que subíamos, refletindo sobre a habilidade do homem para criar um veículo que transportasse a mim e aos outros passageiros em um ângulo quase vertical. A vista ficou cada vez mais espetacular até que, finalmente, paramos em outra pequena estação e todos desembarcaram.

Ergui os olhos e fiquei face a face com os calcanhares do Cristo Redentor, sobre um grande pedestal. A escultura se elevava a uma altura tão grande que eu mal podia ver o restante do corpo. Vendo os outros passageiros começarem a subir as escadas, perguntei-me se Floriano queria me encontrar no topo ou aos pés da escadaria. Não desejando perder mais tempo, comecei a subir e subir. Centenas de degraus mais tarde, recuperei o fôlego, ofegando com o calor e o esforço físico.

— Olá, senhorita D'Apliése. É um prazer finalmente conhecê-la.

Um par de olhos castanhos simpáticos sorria para mim, com um toque de divertimento diante da minha surpresa.

— Você é Floriano Quintelas?

— Sim! Não me reconhece da foto da contracapa?

— Reconheço, mas... — Fiz um gesto na direção dos degraus atrás de mim. — Como você chegou aqui mais rápido que eu?

— Eu já estava aqui — Floriano sorriu.

— Como? Por quê? — perguntei, confusa.

— Com certeza você não leu os detalhes da minha biografia. Se tivesse lido, saberia que sou historiador. E que também gosto de trabalhar como guia, em certas ocasiões, para pessoas que desejam aprender com meus conhecimentos sobre o Rio.

— Entendo.

— A verdade é que meu livro ainda não é lucrativo o suficiente para garantir meu sustento, e é dessa forma que complemento minha renda — ele admitiu. — Mas não é nenhum sacrifício mostrar e contar aos turistas sobre a Cidade Maravilhosa. Esta manhã acompanhei um grupo de americanos que queria chegar aqui antes da multidão. Reparou que já está lotado?

— Sim.

— Então, senhorita D'Apliése, estou à sua disposição. — Floriano fez uma referência caricata.

— Obrigada — respondi, ainda aturdida com sua aparição inesperada.

— Pronta para conhecer o ponto turístico mais icônico do Brasil? Juro que não será necessário me dar gorjeta no final — ele brincou, guiando-me entre a multidão até um pátio em frente à estátua. — Esta é a melhor vista Dele. Não é incrível?

Meus olhos se ergueram em direção à face bondosa do Cristo enquanto Floriano falava sobre Sua construção. Para ser honesta, minha cabeça estava dominada pela imagem e eu não prestei muita atenção aos detalhes que ele narrava.

— O milagre é que ninguém morreu durante a construção. Na verdade, o administrador do projeto era judeu quando começou a trabalhar no Cristo, mas se converteu ao cristianismo antes de acabar o trabalho. O senhor Levy escreveu o nome de todos os membros de sua família e os colocou no coração do Cristo antes que ele fosse lacrado com concreto dentro da estátua.

— Que história linda! — comentei.

— Há muitas histórias comoventes como essa. Por exemplo — ele fez sinal para que eu me aproximasse da estátua —, todo o exterior do Cristo é composto de um mosaico de peças triangulares de pedra-sabão. As mulheres da alta sociedade passaram meses colando os triângulos em uma rede para montar painéis enormes, o que significava que o exterior seria flexível, e, portanto, a estátua não ficaria sujeita a rachaduras em grande escala. Uma senhora idosa que esteve presente durante o processo me disse que muitas das mulheres escreviam os nomes de seus entes queridos e uma mensagem ou prece no verso das pedras. E lá estão elas, eternamente junto ao Cristo.

Meu coração acelerou e eu o encarei, estarrecida.

— Senhorita Maia, você está bem? — Floriano disse, olhando-me com preocupação. — Falei alguma coisa errada?

— É uma longa história — consegui encontrar minha voz.

— Bem, você pode imaginar que as histórias longas são o meu tipo preferido — ele disse, com um sorriso maroto, antes de estudar meu rosto mais uma vez. Ao fazer isso, sua expressão ganhou um aspecto preocupado. — Você está pálida, senhorita. Talvez seja o sol. Vamos tirar uma foto? Naturalmente, você deve se posicionar diante do Cristo com os braços abertos como todo turista. Depois podemos ir à lanchonete tomar um copo d'água.

Assim, como milhares de turistas fizeram antes de mim, posei como Floriano pediu, sentindo-me muito tola parada ali, de braços abertos, com um sorriso forçado.

Foto tirada, ele me guiou escada abaixo até uma lanchonete.

— Sente-se. Vou pegar uma bebida. Então — ele disse ao retornar, sentando-se à minha frente e colocando uma garrafa d'água e dois copos sobre a mesa —, qual é a sua história?

— Floriano, é muito complicada — suspirei, incapaz de dizer mais alguma coisa.

— E eu sou um estranho com quem você não se sente confortável em compartilhar. Entendo — ele concordou, pausadamente. — Eu sentiria o mesmo. Posso fazer apenas duas perguntas?

— Claro.

— Primeiro, sua "longa história" é o motivo de você estar no Rio?

— Sim.

— E, segundo, o que foi que eu disse que a deixou abalada?

Pensei na pergunta por alguns segundos enquanto tomava um gole de água. O problema era que, se eu contasse a ele, teria de explicar tudo. Mas ele, provavelmente, era uma das poucas pessoas que poderiam me dizer se o ladrilho triangular com a inscrição ilegível havia sido destinado ao Cristo. Então não tive escolha.

— Tenho algo que gostaria de lhe mostrar — eu finalmente disse.

— Então me mostre — ele incentivou.

— Está no hotel, no meu cofre.

— É algo valioso? — Floriano ergueu uma sobrancelha.

— Não, pelo menos não financeiramente. Mas é valioso para mim.

— Bem, considerando que já fiquei no Cristo por três longas horas, sugiro levar você de volta ao hotel para ver esse objeto que deseja me mostrar.

— Sério, Floriano, não quero incomodar.

— Senhorita Maia — ele disse, levantando-se —, tenho que descer o morro, e você pode muito bem me acompanhar. Venha comigo.

— Certo, obrigada.

Para minha surpresa, não seguimos para a estação, mas para um micro-ônibus estacionado próximo à lanchonete. Ao embarcar, ele cumprimentou o motorista com um olá simpático e deu um tapinha em suas costas. Outros passageiros já estavam a bordo, e, pouco depois que nos sentamos, o ônibus partiu por uma estrada sinuosa, cercada pela mata. Poucos minutos depois, chegamos a um estacionamento. Floriano marchou em direção a um pequeno carro vermelho e destrancou a porta.

— Às vezes meus clientes não gostam de seguir o caminho cênico no trem, e então eu os trago direto para cá — ele explicou. — Muito bem, senhorita Maia, para onde vamos?

— Para o Hotel Caesar Park em Ipanema.

— Perfeito. Meu restaurante preferido fica bem perto de lá, e meu estômago me diz que é hora do almoço. Gosto de comer — ele acrescentou ao partir em velocidade rumo à outra parte daquela estrada sinuosa através da floresta. — Devo admitir que estou curioso para descobrir o que você tem para me mostrar — ele falou quando deixamos o Corcovado e nos juntamos ao fluxo contínuo de tráfego, deixando o Cosme Velho e seguindo para a zona sul da cidade.

— Provavelmente não é nada — respondi.

— Então não há nada a perder se me mostrar — ele comentou, no mesmo tom.

Enquanto ele dirigia, olhei discretamente para meu novo amigo. Sempre acho estranho o momento em que conheço alguém pessoalmente depois de nos comunicarmos a distância. Na verdade, Floriano era quase exatamente como eu imaginei, através de seus romances e e-mails, que seria.

Ele era incrivelmente atraente, muito mais em pessoa que por foto, com muito charme e energia. Tudo nele, do cabelo escuro e da pele bronzeada até o corpo musculoso e forte, revelava sua origem sul-americana.

Porém, ironicamente, ele não fazia o meu tipo. Sempre fui atraída pelo seu oposto ariano: homens ocidentais com pele e cabelos claros. Talvez, pensei, considerando minha própria aparência, fosse o meu oposto também.

— Então — ele disse encostando no estacionamento do hotel —, vá pegar o que quer que seja. Eu vou esperá-la aqui.

Em minha suíte, penteei o cabelo e retoquei o batom, depois peguei o ladrilho triangular do cofre e guardei na bolsa.

— Agora vamos almoçar — Floriano anunciou quando voltei para o carro. — O restaurante fica depois da esquina, mas talvez seja difícil encontrar vaga para estacionar. — Poucos minutos depois, ele apontou para uma casa branca, em estilo colonial, com mesas em um pátio agradável. — É ali que vamos comer. Vá segurar uma mesa. Encontro você daqui a pouco.

Fiz o que ele pediu, e uma garçonete me levou até uma mesa. Sentada observando as pessoas, resolvi checar as mensagens no celular. Meu coração bateu mais forte quando ouvi a voz de Zed outra vez, dizendo que telefonou para *Atlantis* e que a governanta havia dito que eu estava no exterior. Ele afirmou que sentia muito por não me ver, mas que partiria para Zurique no dia seguinte.

Isso significava que era seguro voltar para casa agora...

— Meu Deus! Deixo você sozinha por alguns minutos e você fica com essa cor estranha outra vez? — Floriano exclamou, encarando-me, confuso, ao se sentar. — O que foi agora?

Fiquei espantada que ele notasse minha apreensão pela segunda vez. E percebi que seria difícil esconder qualquer coisa daquele homem, que parecia ter uma intuição natural e certeira.

— Nada — respondi, guardando o telefone na bolsa. — Na verdade, sinto-me aliviada.

— Que bom. Vou tomar uma Bohemia. Toma comigo?

— Não sou fã de cerveja, para ser honesta.

— Maia, você está no Rio! Você precisa tomar uma cerveja. É isso ou uma caipirinha, que, posso garantir, é bem mais forte — acrescentou.

Concordei em tomar a cerveja, e, quando a garçonete se aproximou, pedimos o sanduíche de filé de que Floriano gostava.

— O filé é argentino. Apesar de sermos rivais da Argentina no futebol, adoramos a carne que vem de lá — ele sorriu. — Maia, acho que não consigo esperar muito para ver esse objeto que você quer me mostrar.

Tudo bem. — Tirei o ladrilho da bolsa e o coloquei cuidadosamente sobre a mesa.

— Posso? — ele perguntou, estendendo as mãos na direção da mesa.

— Claro.

Observei enquanto ele pegou o ladrilho e o examinou. Então ele o virou e notou as palavras apagadas no verso.

— Bem... — Ele respirou fundo. Notei que estava surpreso. Agora entendo o que deixou você abalada. E, sim, antes que pergunte, parece que isto estava destinado a adornar o Cristo. Bem, bem... — ele comentou, a presença do ladrilho deixando-o sem palavras. Finalmente, acrescentou: — Posso perguntar como conseguiu isto?

Então, do momento em que a cerveja foi servida até quinze minutos depois, quando serviram os sanduíches, compartilhei a história toda com Floriano. Ele ouviu com paciência, interrompendo apenas quando precisava que eu esclarecesse algo. Quando terminei, o prato de Floriano estava vazio e o meu mal havia sido tocado.

— Bem, agora trocamos. Você come enquanto eu falo. — Ele indicou meu prato e eu fiz o que sugeriu. — Tenho certeza de que posso ajudar em pelo menos uma coisa, e é o nome da família que vive na *Casa das Orquídeas*. Os Aires Cabral são muito conhecidos no Rio, aristocratas na verdade. São descendentes da antiga família real portuguesa. Vários membros da família Aires Cabral fizeram parte da história do Rio nos últimos duzentos anos.

— Mas não tenho como provar para aquela senhora que tenho relação com sua família — adverti.

— Bem, não temos certeza disso ainda. Na verdade, não teremos certeza de nada até fazermos uma investigação adequada — Floriano disse. — Em primeiro lugar, é muito fácil para mim traçar um histórico através de certidões de nascimento, casamento e óbito. Os registros devem ser meticulosos em uma família católica proeminente como essa. Depois, precisamos decifrar os nomes no ladrilho e ver se algum combina com o nome próprio de algum Aires Cabral.

Eu estava meio tonta e sentindo os efeitos do *jet-lag*, especialmente depois da cerveja e de ter acordado muito cedo.

— Vale a pena? — perguntei. — Mesmo se os nomes combinarem, duvido que a mulher admita alguma coisa.

— Um passo de cada vez, Maia. Por favor, tente não ser tão derrotista. Você atravessou um oceano para chegar ao Rio e descobrir sua história, e não pode desistir depois de um dia. Então, com a sua permissão, enquanto você volta para o hotel e tira um cochilo, vou bancar o detetive. Tudo bem?

— Sério, Floriano, não quero incomodar.

— Incomodar? Para um historiador, isso é um presente! Mas devo avisar que algumas partes disso podem acabar no meu próximo livro — ele acrescentou, com um sorriso. — Posso ficar com isto? — ele indicou o ladrilho. — Vou passar no Museu da República e ver se algum dos meus amigos do laboratório pode usar seu equipamento mágico. É quase certeza que eles conseguem decifrar a inscrição no verso.

— Sim, obrigada — concordei, pensando que seria grosseiro recusar. De repente notei duas jovens, por volta dos vinte anos, pairando com certa timidez ao redor de Floriano.

— Com licença... Você é Floriano Quintelas? — uma das garotas perguntou, aproximando-se da mesa.

— Sim, sou eu.

— Queríamos dizer que amamos seu livro. Você pode, por favor, nos dar seu autógrafo? — A garota ofereceu um pequeno diário e uma caneta para Floriano.

— Claro — ele sorriu ao assinar o diário, depois conversou com elas amigavelmente. Quando foram embora, as garotas estavam ruborizadas e contentes.

— Então você é famoso? — zombei enquanto nos levantávamos.

— No Rio, sim. — Ele chacoalhou os ombros. — Meu livro é um best-seller aqui, mas só porque paguei algumas pessoas para lerem — brincou. — Outros países compraram o manuscrito e vão publicar no próximo ano. Portanto, é esperar para ver se poderei largar o emprego de guia turístico e escrever em tempo integral.

— Bem, achei o livro lindo e tocante, e acredito que vá vender muito bem.

— Obrigado, Maia — ele agradeceu. — Seu hotel é aqui perto — ele acrescentou, apontando na direção do Caesar Park —, e quero me apressar antes que os vários departamentos que preciso visitar no Museu da República encerrem o expediente. O que você acha de nos encontrarmos no saguão do hotel lá pelas sete horas? Posso ter algumas respostas a essa altura.

— Se você tiver tempo.

— Eu tenho. Tchau.

Ele acenou e eu observei enquanto caminhava, determinado, pela rua. Ao me voltar para a direção oposta, percebi que aquele homem — historiador, escritor, celebridade e guia turístico de ocasião — era um ser humano cheio de surpresas.

# 11

— E então?

Floriano transbordava empolgação, algumas horas depois, quando tomamos o elevador até o bar na cobertura do hotel.

— Tenho novidades. Já que são boas notícias, acho que é o momento certo para você tomar sua primeira caipirinha.

— Tudo bem — respondi, escolhendo uma mesa na frente da varanda para assistir ao pôr do sol sobre a praia, suavemente desaparecendo por detrás das montanhas enquanto uma noite agradável se aproximava.

— Aqui. — Ele me entregou uma folha de papel que estava em uma pasta plástica. — Dê uma olhada nisto. É uma lista de todos os nascimentos, casamentos e mortes na família Aires Cabral desde 1850.

Corri os olhos pela lista de nomes, ainda incapaz de acreditar que tivesse alguma relevância para mim.

— Você vai notar que Gustavo Aires Cabral se casou com Izabela Bonifácio em janeiro de 1929. Eles tiveram uma filha em abril de 1930, chamada Beatriz Luíza. Como não há certidão de óbito registrada, podemos presumir, por enquanto, que seja a senhora que você encontrou na casa ontem.

— Ela teve filhos? — arrisquei.

— Sim, teve. Ela se casou com Evandro Carvalho em 1951 e deu à luz uma menina, a quem deu o nome de Cristina Izabela, em 1956.

— Carvalho era o sobrenome da senhora! E o que aconteceu com Cristina?

— É aí que a linhagem parece acabar, até onde os registros de nascimento e óbito no Rio podem dizer — Floriano continuou. — Não consegui encontrar mais registros de nenhum filho de Cristina. Mas, também, não temos o sobrenome do pai e, ainda, nem mesmo sabemos se ela se casou. Infelizmente o escritório estava prestes a fechar e eu não tive tempo de verificar tudo.

— Quer dizer que... se eu tiver parentesco com essa família, e é um grande "se", Cristina é a candidata mais forte a ser minha mãe — eu disse baixinho enquanto nossa bebida era servida. — Saúde! — brindei com Floriano e tomei um gole grande do coquetel, quase me afogando quando o líquido forte desceu pela minha garganta.

Floriano riu do meu desconforto.

— Desculpe, eu deveria ter avisado que é uma bebida forte — ele disse, tomando um gole de sua própria caipirinha como se fosse água. — Também passei no Museu da República e pedi a um amigo para dar uma olhada na inscrição com seu equipamento de UV. A única coisa que ele pôde me dizer, com certeza, é que o primeiro nome no ladrilho é "Izabela". De acordo com os registros que encontrei, ela foi, tecnicamente, sua bisavó.

— E o outro nome que aparece na inscrição?

— Está muito mais apagado, e o meu amigo está examinando melhor. Mas ele já descobriu as três primeiras letras.

— E são as três primeiras letras do meu bisavô em potencial, Gustavo Aires Cabral? — perguntei.

— Não, não são. Aqui, ele escreveu o que decifrou até agora. — Floriano me passou outra folha de papel que estava na pasta plástica.

Examinei seu conteúdo.

— *L a u...?* — Olhei para ele, confusa.

— Espere mais vinte e quatro horas e garanto que Estéfano vai descobrir o resto do nome. Ele é ótimo, garanto. Quer mais uma? — ele perguntou, indicando a caipirinha.

— Não, obrigado. Acho que prefiro uma taça de vinho branco.

Depois que Floriano pediu nossa segunda rodada, ele passou a me olhar intensamente.

— O que foi? — perguntei.

— Tenho mais uma coisa para te mostrar, Maia. Se isso não for uma prova definitiva de que você tem, de fato, parentesco com os Aires Cabral, não sei o que é. Está preparada?

— Não é nada ruim, é? — eu quis saber, apreensiva.

— Não. Acho que é algo muito bonito. Aqui está. — Outra folha de papel foi passada para mim. Desta vez, estava inteiramente tomada pela fotografia granulada do rosto de uma mulher.

— Quem é ela?

— Izabela Aires Cabral, cujo primeiro nome está no verso do seu ladrilho e que pode ser sua bisavó. Você vê a semelhança?

Olhei fixamente para as feições da mulher. E, sim, podia ver meus traços refletidos ali.

— Talvez — respondi, com indiferença.

— Maia, é surreal — Floriano afirmou categoricamente. — E posso garantir que há muito mais fotos onde encontrei esta. Há um arquivo inteiro de fotografias de Izabela, de jornais antigos, que acessei em microfilmes na Biblioteca Nacional. Ela era considerada, na época, uma das mulheres mais belas do Brasil. Casou-se com Gustavo Aires Cabral na catedral aqui do Rio em janeiro de 1929. Foi o casamento do ano.

— Pode ser apenas uma coincidência — comentei, sentindo-me desconfortável com a comparação implícita entre mim e a beldade da época —, mas...

— Sim? — ele perguntou, ansioso para que eu continuasse.

— Quando estive na *Casa das Orquídeas*, notei uma escultura no canto do terraço. Chamava atenção por ser incomum e por não ser o tipo de coisa que você normalmente encontra em um jardim. Era de uma mulher, sentada em uma cadeira. Olhando para esta fotografia, tenho certeza de que era a mesma mulher. E, sim, na hora pensei que fosse familiar.

— Porque ela se parece com você! — ele exclamou, quando a garçonete transferia a bebida da bandeja para a mesa. — Bem, sinto que já fizemos progresso.

— Sou muito grata, Floriano, mas ainda não acredito que a mulher que encontrei ontem queira me dizer qualquer coisa, muito menos me reconhecer. Por que deveria? Você não faria a mesma coisa diante das circunstâncias? — desafiei.

— Admito que, se uma estranha entrasse no meu jardim e anunciasse ter um grau de parentesco com minha família, mesmo que se parecesse muito com minha mãe, eu veria tudo com suspeita — Floriano concordou, sério.

— O que fazemos agora? — perguntei.

— Vamos visitar a casa outra vez. Acho que devo acompanhá-la. Isso pode ajudar você a ter um pouco mais de credibilidade quando ela ouvir meu nome.

Não pude evitar um sorriso diante da convicção de Floriano de que a mulher saberia quem ele era. Os europeus, mais reservados, nunca queriam ser considerados arrogantes, e faziam o possível para parecer sinceramente humildes. Os sul-americanos, por sua vez, tinham uma franqueza natural e desmedida ao celebrar suas realizações.

— Também quero ver essa escultura que você mencionou, Maia — Floriano continuou. — Se importa se eu for com você?

— Nem um pouco. Você me ajudou muito até agora.

— É um prazer. Afinal, você é a cópia exata de uma das mulheres mais belas da história do Brasil.

Senti o rosto ruborizar e fiquei desconfortável com o elogio. Minha mente cínica imediatamente questionou se ele esperava certos favores em troca. O sexo casual era a regra, eu sabia, mas não era algo que se poderia considerar.

— Com licença — ele pediu quando seu celular tocou e ele atendeu, em português rápido, alguém que tratou por "querida". — Sem problemas. Vejo você em quinze minutos. — Ele olhou para mim e suspirou. — Infelizmente, preciso ir — explicou, tomando o resto de sua caipirinha.

— Petra, a garota com quem moro, conseguiu perder a chave outra vez — Floriano girou os olhos e pediu a conta.

— Não — interrompi com determinação —, esta é por minha conta, como agradecimento por toda a sua ajuda.

— Então devo agradecer também — ele concordou, graciosamente. — A que horas pego você amanhã?

— Quando for melhor para você. Não tenho compromisso.

— Sugiro, então, umas dez e meia, antes que a senhora Beatriz Carvalho almoce e tire um cochilo vespertino. Não se levante — ele pediu quando deixou sua cadeira. — Fique e termine o seu vinho. Até amanhã, Maia. Tchau.

Ele foi embora, gesticulando para a garçonete, que o admirava com uma expressão de reconhecimento. Tomei meu vinho, sentindo-me envergonhada por, mesmo brevemente, pensar que Floriano quisesse dormir comigo.

Como todas as outras pessoas que eu conhecia, ele tinha sua própria vida. "Bem", pensei ao levar a taça de vinho aos lábios, "talvez seja hora de encontrar a minha."

# 12

Floriano chegou pontualmente às dez e meia ao saguão do hotel, e logo saímos em seu carro vermelho. Ele dirigiu confiante pelo tráfego incessante, enquanto eu prendia o fôlego a cada possibilidade de colisão.

— De onde você é? — perguntei, para desviar a atenção de sua pilotagem aterrorizante. — Você é um brasileiro de verdade?

— O que você acha que é um brasileiro de verdade? — ele perguntou. — Não existe nada do tipo. Somos uma raça de mestiços, de diferentes nacionalidades, credos e cores. Os únicos brasileiros "de verdade" foram os nativos que os portugueses começaram a assassinar quando chegaram aqui, há uns quinhentos anos, reivindicando a riqueza de nosso país para si. E muitos mais, que não morreram de forma violenta, pereceram diante das doenças que os colonizadores trouxeram. Para resumir a longa história da minha família, minha mãe é descendente de portugueses e meu pai é italiano. Não existe uma linhagem pura no Brasil.

Eu aprendia rápido sobre o país onde possivelmente nasci.

— E os Aires Cabral?

— Bem, curiosamente, eram portugueses puros até Izabel, sua possível bisavó, aparecer. O pai dela era um homem muito rico de ascendência italiana que, como muitos da época, fez fortuna com o café. Interpretando nas entrelinhas, presumo que os Aires Cabral estivessem com dificuldades financeiras, assim como muitas famílias aristocráticas e indolentes. Izabela era muito bonita e vinha de família rica, então podemos concluir que houve um acordo.

— Isso é uma suposição ou um fato? — perguntei.

— Cem por cento conjectura. Que, exceto quando temos datas e uma carta ou diário, é sempre o caso quando se começa a investigar uma situação histórica. Nada pode ser definitivo, porque as vozes que devemos ouvir para confirmar a história não estão mais conosco. Como historiador, você precisa aprender a juntar o quebra-cabeça para conseguir ver o todo.

— Sim. Suponho que você esteja certo — concordei, compreendendo o que ele dizia.

— Com a internet, a pesquisa e a história vão mudar. Estamos entrando em uma nova era, em que poucos segredos e mistérios precisarão ser desvendados. Ainda bem que também sou escritor, porque a Senhora Wikipédia e seus amigos usurparam minha profissão. Minhas memórias, quando eu estiver velho, não terão valor: estará tudo na internet, para todos verem.

Refleti sobre isso enquanto Floriano, sem perguntar pela direção correta, pegou uma passagem particular até a *Casa das Orquídeas*.

— Como você sabe exatamente onde fica? — perguntei, surpresa, enquanto ele estacionava confiante em frente à casa.

— Minha querida Maia, sua possível família é famosa no Rio. Todos os historiadores conhecem esta casa. É uma das poucas que restam de uma era perdida. Então... — ele continuou, desligando o motor. — Pronta?

— Sim.

Com Floriano à minha frente, seguimos para a casa e subimos os degraus da entrada.

— A campainha não funciona — informei.

— Vou bater.

E ele bateu. Alto, como se quisesse despertar os mortos. Sem resposta por trinta segundos, Floriano bateu ainda mais forte, o que trouxe o som de passos correndo sobre azulejos do lado de dentro. Ouvi as trancas sendo arrastadas e as fechaduras girando. Finalmente, a porta foi aberta e vi a empregada de cabelos grisalhos, que havia conhecido durante minha primeira visita, parada na entrada da casa. Assim que ela me notou, suas feições se contraíram, em reconhecimento e pânico.

— Desculpe incomodar, senhora. Meu nome é Floriano Quintelas. Sou amigo da senhorita D'Apliése. Não desejamos perturbar ou preocupar sua patroa. Entretanto, temos algumas informações que podem ser do interesse dela. Sou um historiador respeitado e também escritor.

— Sei quem o senhor é, senhor Quintelas — a empregada concordou, seus olhos voltados em minha direção. — A senhora Carvalho está tomando café, mas, como eu já havia dito a sua amiga, é uma mulher muito doente.

Ao ouvir o tom formal com que a empregada falava, eu quis rir. Era como se ela atuasse em um melodrama vitoriano de segunda categoria.

— Não podemos entrar com você e explicar à senhora Carvalho quem somos? — Floriano sugeriu. — Se ela não se sentir disposta a conversar conosco, prometo que iremos embora.

Floriano já tinha um pé do outro lado da soleira, o que forçou a empregada a dar um passo para trás e nos deixar entrar em um saguão grandioso, com uma escada em curva que levava aos andares superiores. Uma mesa de mogno estava no centro do cômodo, e um relógio de pêndulo imponente ficava ao lado de uma parede. Sob a curva da escadaria, era possível ver um corredor longo e estreito, que obviamente levava aos fundos da casa.

— Por favor, mostre-nos o caminho — Floriano pediu à empregada, adotando seu tom formal.

Ela pausou, hesitante, como se ponderasse. Depois, fez um sinal com a cabeça e foi em direção ao corredor, comigo e com Floriano logo atrás. Contudo, assim que chegamos ao lado de uma porta ao final da passagem mal iluminada, a empregada voltou-se para nós. A essa altura, notei que ela estava decidida a não nos permitir entrar antes de falar com sua senhora.

— Esperem aqui — ela disse, determinada.

Assim que a empregada entrou na sala, fechando a porta em nossa cara, olhei para Floriano.

— Ela é apenas uma velha doente. É certo incomodá-la?

— Não, Maia, mas é certo que ela se recuse a revelar detalhes sobre sua verdadeira família? Aquela mulher atrás da porta pode muito bem ser sua avó. A filha dela pode ser sua mãe. Você realmente se importa se atrapalharmos sua rotina matinal por alguns minutos?

A empregada voltou.

— Ela vai recebê-los por cinco minutos. E só. — Mais uma vez, senti que ela me olhava com atenção enquanto entrávamos em uma sala escura que cheirava a bolor e umidade. A decoração não era renovada havia décadas. Enquanto meus olhos se acostumavam ao breu, notei o tapete oriental gasto sob nossos pés e as cortinas cor de damasco desbotadas na janela. A decadência geral era compensada pela mobília antiga e refinada, de jacarandá e nogueira, além do lustre magnífico suspenso sobre nós.

A Sra. Carvalho estava sentada em uma cadeira de veludo com encosto alto e tinha um cobertor sobre os joelhos. Uma jarra de água e inúmeros comprimidos estavam sobre uma mesinha ao lado dela.

— Você voltou — ela disse.

— Por favor, perdoe a Senhorita D'Apliése por incomodá-la outra vez — Floriano começou. — Mas a senhora pode imaginar que, para ela, encontrar sua família é um assunto sério. E ela não irá desistir.

— Senhor Quintelas — a velha suspirou —, como eu disse a sua amiga ontem, não posso ajudá-la.

— Tem certeza, senhora Carvalho? É óbvio que não precisa olhar muito além do retrato pendurado sobre sua lareira para saber que a senhorita Maia não está aqui com segundas intenções. Não está atrás do seu dinheiro; quer apenas encontrar sua família. Isso é errado? Alguém pode culpá-la por isso?

Olhei na direção que Floriano havia mencionado e vi uma pintura a óleo da mulher que reconheci como Izabela Aires Cabral. Desta vez não restava dúvida. Até mesmo eu pude notar que éramos idênticas.

— Izabela Aires Cabral era sua mãe — Floriano continuou. — E a senhora teve uma filha, Cristina, em 1956.

A mulher continuou sentada, os lábios cerrados em silêncio.

— Então a senhora não está preparada nem mesmo para considerar a possibilidade de ter uma neta? Preciso informá-la, senhora, que provas da ancestralidade da senhorita D'Apliése estão sendo coletadas, neste exato momento, por um amigo meu no Museu da República. Nós voltaremos — Floriano prometeu.

A velha continuou em silêncio, evitando o olhar de Floriano. De repente, gemeu de dor.

— Por favor, vão embora — ela pediu, e eu vi a agonia em seus olhos.

— Chega — sussurrei, angustiada, para Floriano. — Ela está doente, não é justo.

Floriano concordou com um pequeno gesto.

— Adeus, senhora Carvalho. Desejo que tenha um bom dia.

— Desculpe, senhora Carvalho — eu disse. — Não vamos mais incomodá-la, prometo.

Floriano deixou a sala marchando determinado, e eu o segui, envergonhada e quase chorando.

Vimos a empregada pairando pelo corredor e fomos em sua direção.

— Obrigado por nos deixar entrar, senhora — Floriano disse, enquanto a seguíamos de volta pelo corredor até a porta.

— Continue falando com ela — ele sussurrou para mim. — Preciso ver uma coisa.

Assim que Floriano desapareceu após descer os degraus, virei-me para a empregada, meu rosto expressando arrependimento.

— Sinto muito por aborrecer a senhora Carvalho. Prometo que não volto novamente sem sua permissão.

— A senhora Carvalho está muito doente, senhorita. Ela está morrendo e não tem muito tempo.

Enquanto a empregada agia indecisa na soleira da porta, senti que havia algo que gostaria de me dizer.

— Eu queria lhe fazer uma pergunta — continuei, apontando para a fonte que não jorrava mais água no centro do pátio. — Você estava aqui quando a casa estava em seu esplendor?

— Sim, nasci aqui.

Notei que ela recordava o passado, enquanto olhava para a fonte dilapidada com tristeza nos olhos. Então, virou-se para mim de repente e, com o canto do olho, vi Floriano desaparecer ao lado da casa.

— Senhorita — ela sussurrou —, tenho uma coisa para lhe dar.

— Perdão? — Meus pensamentos foram temporariamente distraídos por Floriano e não ouvi o que ela disse.

— Tenho uma coisa para dar para a senhorita. Mas, por favor, você precisa me prometer que nunca contará à senhora Carvalho. Ela nunca perdoaria minha traição.

— Claro — respondi. — Compreendo.

A empregada tirou um pacote marrom e fino do bolso do seu avental branco e me entregou.

— Por favor, imploro, não diga a ninguém que lhe dei isto — ela murmurou. — Foram deixados para mim por minha mãe. Ela disse que eram parte da história da família Aires Cabral e deixou sob meus cuidados pouco antes de morrer.

Olhei para ela, impressionada.

— Obrigada — sussurrei, contente, ao perceber que Floriano estava de volta, esperando ao lado do carro. — Mas por quê? — perguntei.

Com um dedo fino e magro, ela apontou para a selenita no cordão de ouro ao redor do meu pescoço.

— Sei quem você é. Adeus. — Ela voltou correndo para dentro da casa e fechou a porta.

Confusa, coloquei o pacote na bolsa e desci os degraus em direção ao carro.

Floriano já estava sentado no banco do motorista, com o motor do carro ligado. Entrei e saímos em ritmo acelerado pelo portão.

— Você viu a escultura? — perguntei.

— Vi — ele respondeu, descendo a avenida e se afastando da casa. — Lamento que ela se recuse a reconhecer você, Maia, mas meu cérebro ardiloso juntou mais uma peça ao quebra-cabeça. E acho que entendo o porquê. Quando chegarmos à cidade, vou deixar você no hotel e voltar ao Museu da República e à biblioteca. Posso te ligar mais tarde se tiver novidades? — ele perguntou quando chegamos ao hotel.

— Claro — respondi, saindo do carro.

Com um aceno, ele seguiu adiante pela avenida e eu tomei o elevador até o meu andar. Fechando a porta depois de pendurar o aviso de "não perturbe", fui para a cama e peguei o pacote na bolsa. Dentro dele havia um série de cartas, amarradas com um barbante. Coloquei-as sobre a cama, desatei o nó e peguei o primeiro envelope, que, notei, havia sido aberto cuidadosamente com uma espátula. Examinando o sobrescrito do envelope, vi que as cartas eram destinadas a uma certa "Srta. Loen Fagundes".

Tirando a carta de dentro com muito cuidado, senti a fragilidade do papel sob meus dedos. Abri a folha e vi que o endereço no topo era de Paris e a data era 30 de março de 1928. Verificando as demais cartas, percebi que a pilha de correspondência não estava em ordem cronológica, uma vez que havia cartas enviadas em 1927 para Loen Fagundes de outro endereço no Brasil. Depois de abrir mais alguns envelopes, vi que a assinatura no final de todas as cartas era de "Izabela", a mulher que poderia ter sido minha bisavó...

Lembrei-me das palavras da empregada:

*Sei quem você é...*

Meus dedos tocaram a selenita em meu colar. Tudo o que eu podia imaginar era que ele foi trazido comigo, como uma espécie de recordação, talvez de minha mãe, quando Pa Salt me adotou ainda bebê. Ele me disse, quando me deu o presente, que havia uma história interessante por detrás dele. Talvez estivesse sutilmente me incentivando a perguntar pela história um dia; talvez não quisesse me aborrecer naquele momento ao falar de uma relação direta com meu passado. Ele esperava que eu perguntasse. E eu desejava de todo o coração, naquele momento, ter perguntado.

* * *

Na hora seguinte, concentrei-me nas cartas — deveria haver umas trinta — e as coloquei em uma pilha por ordem de data.

Estava ansiosa para começar a ler a bela caligrafia quando meu telefone tocou e eu ouvi a voz empolgada de Floriano do outro lado da linha.

— Maia, tenho novidades. Posso passar aí em uma hora?

— Você se importa se nos encontrarmos amanhã? Acho que devo ter pego alguma virose — menti, sentindo-me culpada, mas desejando usar o resto do dia para ler as cartas.

— Amanhã às dez, então?

— Claro. Tenho certeza de que estarei bem a essa hora.

— Se precisar de qualquer coisa, Maia, por favor, me ligue.

— Ligo sim, obrigada.

— Por nada. Melhoras — ele disse.

Desligando o celular, pedi duas garrafas de água e um sanduíche ao serviço de quarto. Assim que terminei de comer, peguei a primeira carta com dedos trêmulos e comecei a ler...

# IZABELA

## RIO DE JANEIRO
## NOVEMBRO DE 1927

# 13

Izabela Rosa Bonifácio foi despertada por pés minúsculos que sapateavam sobre o chão de ladrilhos. Sentando-se ereta, mirou o chão ao lado da cama e viu o sagui olhando para ela. Em suas mãos — cópias em miniatura e peludas das suas —, o macaco segurava sua escova de cabelo. Bel não conseguiu conter o riso enquanto o sagui continuava a olhar para ela, seus olhos negros implorando permissão para escapar com o novo brinquedo.

— Você quer escovar seus pelos? — ela perguntou, deslizando de bruços até o pé da cama. — Por favor — ela estendeu uma mão na direção do macaco —, me devolva. É minha e a minha mãe vai ficar brava se você roubar.

O macaco inclinou a cabeça em direção à sua rota de fuga e, quando os dedos longos e finos de Bel tentaram pegar a escova, saltou graciosamente sobre o parapeito e desapareceu de vista.

Com um suspiro, Bel caiu na cama, sabendo que receberia outro sermão de seus pais sobre fechar as janelas à noite exatamente por esse motivo. A escova era de madrepérola, um presente de batizado de sua avó materna — como ela havia dito para o macaco — e sua mãe não ficaria contente. Bel voltou para a cabeceira da cama e colocou a cabeça sobre os travesseiros, alimentando uma esperança inútil de que o sagui deixaria a escova cair no jardim antes de voltar para seu lar na mata que cobria a encosta da colina nos fundos da casa.

Uma brisa suave soprou uma mecha de seus cabelos espessos e escuros sobre a testa, trazendo os aromas delicados das goiabeiras e limoeiros sob a janela. Mesmo que o relógio ao lado da cama dissesse que eram apenas seis e meia da manhã, ela já podia sentir o calor do dia que chegava. Olhou pela janela e notou que não havia nem um montículo de nuvem manchando o céu que clareava.

Loen, a criada, não bateria à porta para ajudá-la a se vestir por pelo menos uma hora. Bel se perguntou se deveria criar coragem para sair de fininho, enquanto todos ainda dormiam, para dar um mergulho na água fresca da magnífica piscina com azulejos azuis que Antônio, seu pai, construíra no jardim.

Era a mais recente aquisição de Antônio, que tinha muito orgulho por ter uma das primeiras piscinas em uma casa particular no Rio. Um mês atrás, ele havia convidado amigos importantes para visitá-la, e todos a admiravam da varanda que a circundava. Os homens estavam vestidos em ternos caros, feitos sob medida, e as mulheres usavam cópias dos últimos modelos de Paris, comprados em lojas exclusivas da Avenida Rio Branco.

Bel pensou que era irônico que nenhuma daquelas pessoas tivesse trazido trajes de banho e que ela também permanecesse completamente vestida naquele calor insuportável, desejando se livrar de suas roupas formais e mergulhar na água fresca e transparente. Na verdade, até aquele momento, Bel não havia visto ninguém usar a piscina. Quando perguntou ao pai se podia nadar, ele negou com a cabeça.

— Não, querida, você não pode ser vista em trajes de banho pelos criados. Você só pode nadar quando não estiverem por perto.

Como os empregados estavam sempre por perto, Bel rapidamente percebeu que a piscina era apenas mais um ornamento, um pertence grandioso que seu pai usava para impressionar os amigos. Outra parada em sua jornada infinita para alcançar o prestígio social que tanto almejava.

Quando perguntou à mãe por que seu pai nunca parecia contente com o que tinha, uma vez que viviam em uma das casas mais belas do Rio, jantavam no Hotel Copacabana Palace com frequência e até mesmo tinham um Ford novinho em folha, sua mãe dera de ombros.

— É apenas porque, não importa quantos carros ou fazendas ele tenha, nunca poderá mudar seu sobrenome.

Durante seus dezessete anos, Bel aprendera que Antônio era descendente de imigrantes italianos que chegaram ao Brasil para trabalhar na lavoura de café em fazendas de terra fértil e verdejante ao redor da cidade de São Paulo. O pai de Antônio havia sido um trabalhador dedicado, mas também era inteligente e economizara o bastante para comprar seu próprio pedaço de terra e começar o próprio negócio.

Quando Antônio estava com idade suficiente para assumir o negócio, o comércio de café prosperava e ele comprou mais três fazendas. Os lucros deixaram a família rica, e, quando Bel tinha oito anos de idade, seu pai comprara uma antiga fazenda a cinco horas de distância do Rio. Aquele ainda era o lugar que Bel considerava seu lar. Escondida no alto das montanhas, a enorme casa colonial era tranquila e acolhedora e guardava as lembranças mais preciosas da jovem. Livre, naqueles dias, para vaguear e cavalgar pelos dois mil hectares da propriedade, ela vivera uma infância idílica e sem preocupações.

Mas estar mais perto do Rio ainda não era o suficiente para Antônio. Ela se lembrava de jantar com os pais uma noite e ouvir Antônio explicando para a esposa por que deveriam se mudar para a cidade.

— Rio é a capital, o centro do poder no Brasil. E devemos fazer parte disso.

À medida que os negócios de Antônio cresciam, sua fortuna também aumentava. Três anos depois, seu pai chegara em casa e anunciara que havia comprado uma casa no Cosme Velho, um dos bairros mais luxuosos do Rio.

— Agora os aristocratas portugueses não poderão mais me ignorar, porque serão nossos vizinhos! — Antônio bradou enquanto batia na mesa, triunfante.

Bel e a mãe compartilharam um olhar horrorizado diante da possibilidade de deixarem seu lar nas montanhas e se mudarem para a cidade grande. Entretanto, sua mãe, geralmente dócil, foi inflexível e exigiu que a Fazenda Santa Tereza não fosse vendida, de modo que tivessem um santuário para onde escapar do calor do Rio no verão.

— Por quê, mãe, por quê? — Bel choramingou naquela noite, quando a mãe entrou em seu quarto para lhe dar um beijo de boa-noite. — Eu amo morar aqui, não quero me mudar para a cidade.

— Porque não é o suficiente para seu pai ser tão rico quanto qualquer nobre português que mora no Rio. Ele quer ser igual a eles perante a sociedade. E ganhar seu respeito.

— Mas, mãe, até eu sei que os portugueses do Rio menosprezam os italianos paulistas. Ele nunca vai conseguir o que quer.

— Bem — sua mãe disse, com pesar —, Antônio conseguiu tudo o que queria até agora.

— Como vamos saber como nos comportar? — ela perguntou. — Morei no campo a maior parte da minha vida. Nunca vamos nos adaptar como papai deseja.

— Seu pai está considerando contratar a senhora Nathalia Santos, uma mulher da aristocracia portuguesa cuja família está com dificuldades financeiras. Ela ganha a vida ensinando famílias como a nossa a se comportar na sociedade do Rio. E também faz apresentações.

— Então devemos nos transformar em bonecas, que usam as melhores roupas, dizem as coisas certas e usam o talher correto? Acho que prefiro morrer. — Bel fingiu vomitar para expressar seu descontentamento.

— É mais ou menos isso — sua mãe concordou, rindo da avaliação da filha, seus olhos castanhos brilhando com a diversão. — Izabela, você, sua única filha, é o maior tesouro dele. Você é maravilhosa, Bel, e seu pai acredita que sua beleza vai atrair um bom casamento.

Bel olhou para a mãe, horrorizada.

— Vou ser usada como moeda para papai ganhar aceitação social? Não, me recuso! — Ela rolou na cama e atacou os travesseiros com os punhos.

Carla caminhou até a cama e pousou sua figura arredondada na beirada, acariciando as costas tensas da filha com uma mão rechonchuda.

— Não é tão ruim quanto parece, querida — ela consolou.

— Mas eu só tenho quinze anos! Quero me casar por amor, não por prestígio. Além disso, os homens portugueses são pálidos, magricelas e preguiçosos. Prefiro os italianos.

— Bel, você não pode dizer isso. Toda raça tem uma mistura de bom e ruim. Tenho certeza de que seu pai encontrará alguém de quem goste. O Rio é uma cidade grande.

— Eu não vou!

Carla se inclinou e beijou os cabelos negros de sua filha.

— Bem, uma coisa precisamos admitir: você herdou a teimosia do seu pai. Boa noite, querida.

* * *

Isso havia acontecido três anos antes, e nenhuma opinião expressada por Bel naquele dia havia mudado desde então. Seu pai ainda era ambicioso, sua mãe ainda era gentil, a sociedade do Rio era tão inflexível em suas tradições quanto duzentos anos antes, e os homens portugueses ainda não eram atraentes.

Mesmo assim, sua residência no Cosme Velho era espetacular. As paredes macias ocre e as janelas altas abrigavam cômodos com proporções nobres que foram totalmente redecorados de acordo com as especificações de seu pai. Ele também havia insistido na instalação de toda a comodidade moderna disponível, como um telefone e banheiros nos andares superiores. Do lado de fora, as dependências foram projetadas para rivalizar com o esplendor do magnífico Jardim Botânico do Rio.

A propriedade recebeu o nome de Mansão da Princesa, em homenagem à Princesa Isabel. Esta uma vez havia tomado, por causa de suas propriedades curativas, a água do Rio Carioca, que atravessava a propriedade.

Mesmo com o inegável luxo em que vivia, Bel considerava opressiva a presença do Corcovado, que se erguia diretamente atrás da casa. Frequentemente ela desejava os espaços abertos e o ar fresco e limpo das montanhas.

Desde que chegara ao Rio, a Sra. Santos, sua professora de etiqueta, havia se tornado parte da rotina de Bel. Ela a ensinava a entrar em uma sala — ombros para trás, cabeça erguida, *flutue* — e a fazia memorizar a árvore genealógica de todas as famílias portuguesas importantes do Rio. Conforme recebia aulas de francês, piano, história da arte e literatura europeia, Bel começou a sonhar em viajar pelo Velho Mundo.

Pior ainda: ela fora instruída a esquecer o idioma nativo de sua família, ensinado por sua mãe desde o berço, e se esforçava para falar português sem sotaque italiano.

Bel sempre se olhava no espelho e se permitia um sorriso irônico. Não importava quanto Nathalia Santos se esforçasse em apagar suas origens: sua verdadeira herança se revelava em suas feições. Sua pele perfeita, que, nas montanhas, precisava apenas de um indício de sol para ganhar um tom bronzeado e brilhante — a Sra. Santos havia alertado várias vezes para o fato de que ela deveria ficar longe do sol —, era o contraste ideal para suas mechas de cabelo escuro e os enormes olhos castanhos, que lembravam noites quentes nas colinas da Toscana, a terra natal de seus ancestrais.

Os lábios grossos de Izabela proporcionavam um vislumbre de sensualidade natural, e seus seios protestavam diariamente contra o arame do espartilho que os prendia. Conforme Loen apertava os laços toda manhã, tentando domar os sinais visíveis de sua feminilidade, Bel sentia que a vestimenta apertada era a metáfora perfeita para sua situação. Ela era como um animal selvagem, cheia de fogo e de energia, presa em uma jaula.

* * *

Ao ver uma lagartixa minúscula correr como um relâmpago de um canto do teto ao outro, ela pensou que, naquele momento, o réptil podia fugir pela janela, assim como o sagui. Enquanto isso, Izabela passaria outro dia amarrada como um frango, prestes a ser colocada no forno ardente da sociedade carioca, aprendendo a ignorar sua natureza e a se tornar a dama da sociedade que seu pai desejava que fosse.

Em uma semana os planos de seu pai chegariam ao ápice. Ela completaria dezoito anos e seria lançada na sociedade do Rio com uma festa espetacular no magnífico Hotel Copacabana Palace.

Depois disso, Bel seria forçada a aceitar a melhor oferta de matrimônio que seu pai pudesse encontrar. Os últimos vestígios da liberdade que ainda tinha chegariam ao fim.

Uma hora depois, uma batida familiar na porta a alertou para a presença de Loen.

— Bom dia, senhorita Bel. Que manhã bonita, não? — a criada perguntou ao entrar no quarto.

— Não — Bel respondeu, mal-humorada.

— Venha. A senhorita precisa se levantar e se vestir. Tem um dia cheio.

— Tenho? — Bel fingiu ignorância, sabendo muito bem quais obrigações a esperavam durante o dia.

— Não brinque comigo, minha pequena — Loen avisou, usando o apelido carinhoso que havia dado a Bel quando ainda era criança. — Você sabe tão bem quanto eu que tem aula de piano às dez e depois sua professora de francês chega. À tarde, madame Duchaine vem fazer a última prova do seu vestido.

Bel fechou os olhos e fingiu não ouvir.

Sem se intimidar, Loen caminhou até a cama e chacoalhou Bel gentilmente.

— O que você tem?! Vai fazer dezoito anos em uma semana e seu pai organizou uma festa maravilhosa. Todo mundo no Rio vai estar lá! Não está animada?

Bel não respondeu.

— O que você quer vestir hoje? O vestido creme ou o azul? — Loen insistiu.

— Tanto faz!

Loen foi até o guarda-roupa e às gavetas, depois colocou as roupas que ela mesma havia escolhido ao pé da cama de Bel.

Com relutância, Bel se sentou.

— Perdoe-me, Loen. Estou triste porque um sagui entrou no quarto esta manhã e roubou minha escova de cabelo, um presente da minha avó. Sei que mamãe vai ficar zangada por eu ter deixado a janela aberta outra vez.

— Não! — Loen ficou horrorizada. — Sua escova de madrepérola com os macacos na selva! Quantas vezes você tem que ouvir que deve fechar a janela à noite?

— Muitas — Bel concordou.

— Vou pedir aos jardineiros para procurar na propriedade. Pode ser que ainda encontrem.

— Obrigada — Bel disse ao levantar os braços para ajudar Loen a remover sua camisola.

***

Durante o café da manhã, Antônio Bonifácio estudava a lista de convidados para a festa de sua filha no Copacabana Palace.

— A senhora Santos reuniu os maiores e mais importantes nomes, e a maioria confirmou presença — Antônio comentou, com satisfação. — Mas os Carvalho Gomes não aceitaram, nem os Ribeiro Barcellos. Lamentam, mas têm outro compromisso — Antônio ergueu uma sobrancelha.

— Bem, não sabem o que vão perder. — Carla colocou uma mão sobre os ombros do marido, sabendo que aquelas eram duas das famílias mais importantes do Rio. — A cidade toda vai comentar e eles ficarão sabendo, tenho certeza.

— Espero que sim — Antônio resmungou. — Está custando muito caro. E você, minha princesa, vai ser o centro das atenções.

— Sim, papa. Sou muito grata.

— Bel, você sabe que não deve me chamar de "papa". Sou seu "pai" — Antônio chamou sua atenção.

— Desculpe, pai. É difícil mudar o hábito de uma vida inteira.

— Então... — Antônio dobrou o jornal e se levantou, fazendo um gesto de despedida para sua esposa e filha. — Vou trabalhar para pagar tudo isso.

Os olhos de Bel seguiram seu pai enquanto ele deixava a sala a passos largos. Ela pensou que o homem ainda era atraente, com seu físico alto e elegante e seus cabelos ainda negros, com poucos sinais de grisalho nas têmporas.

— Papai está tão tenso — Bel disse à mãe. — Você acha que está preocupado com a festa?

— Bem, seu pai está sempre tenso. Seja com a produção de café em uma das nossas fazendas, seja com a sua festa, sempre encontra algo com o que se preocupar. É apenas... o jeito dele — Carla respondeu com indiferença. — Agora, preciso ir. Vou me encontrar com a senhora Santos esta manhã para discutir os últimos preparativos da festa. Ela espera que você se junte a nós depois de suas aulas de piano e francês para discutir a lista de convidados.

— Mãe, já sei a lista de trás para a frente — Bel resmungou.

— Eu sei, querida, mas nada pode dar errado.

Carla se levantou, hesitou por um momento e se voltou para Bel.

— Preciso dizer mais uma coisa. Minha querida prima Sofia está se recuperando de uma doença séria, e eu convidei ela e seus três filhos para ficar em nossa fazenda enquanto se recupera. Uma vez que temos apenas Fabiana e seu marido lá, devo mandar Loen para cuidar dos filhos de Sofia a fim de que ela possa descansar. Lamento, mas Loen terá que ir para as montanhas até o fim da semana.

Mãe! — Bel exclamou, horrorizada. — Minha festa será em poucos dias. O que vou fazer sem ela?

— Sinto muito, Bel, mas não há escolha. Gabriela ficará conosco, e tenho certeza de que ajudará em tudo de que você precisar. Agora, preciso ir se não quiser me atrasar. — Carla colocou uma mão reconfortante sobre o ombro da filha antes de deixar a sala.

Bel afundou na cadeira e digeriu a má notícia. Ficou aborrecida com a ideia de não estar com sua única aliada às vésperas de um dos eventos mais importantes de sua vida.

Loen nascera na fazenda, onde seus ancestrais africanos haviam trabalhado como escravos na produção de café. Quando a escravidão foi finalmente abolida no Brasil, em 1888, muitos escravos libertos pegaram suas ferramentas naquele mesmo dia e abandonaram os antigos mestres, mas os pais de Loen escolheram ficar. Eles continuaram a trabalhar para os antigos proprietários da fazenda, uma rica família portuguesa. Até que, como muitos aristocratas cariocas fizeram, desprovidos do trabalho escravo para sustentar a lavoura de café, a fazenda precisou ser vendida. O pai de Loen havia escolhido aquele momento para desaparecer, deixando sozinhas a esposa, Gabriela, e a pequena Loen, então com nove anos de idade.

Quando Antônio comprou a propriedade, meses depois, Carla teve pena e insistiu que ambas ficassem como criadas. Havia três anos, mãe e filha se mudaram para o Rio com a família.

Ainda que Loen fosse, tecnicamente, apenas uma criada, ela e Bel cresceram juntas na fazenda. Havendo poucas crianças da mesma idade com quem brincar, as duas formaram um vínculo especial. Apesar de ser um pouco mais velha que Bel, Loen era madura para a idade e uma fonte infinita de conselhos e conforto para sua jovem ama. Bel, por sua vez, recompensava a bondade e lealdade da amiga ensinando-a a ler e a escrever, durante muitas noites.

Assim, pelo menos, Bel refletia, com um suspiro, enquanto tomava um gole de café, as duas poderiam se corresponder enquanto estivessem separadas.

— Já terminou, senhorita? — Gabriela perguntou, interrompendo os pensamentos de Bel com um sorriso simpático, sinal de que havia ouvido a declaração de Carla.

Bel olhou para a mesa repleta de mangas frescas, figos, amêndoas e uma cesta de pão ainda quente. Era o bastante para alimentar a rua inteira, pensou. Demais para uma família de três pessoas.

— Sim, pode tirar a mesa. Lamento pelo trabalho extra enquanto Loen estiver na fazenda — acrescentou.

Gabriela deu de ombros, estoicamente.

— Minha filha também vai ficar decepcionada por não estar aqui para os preparativos do seu aniversário. Mas não tem importância. Daremos um jeito.

Depois que Gabriela a deixou, Bel pegou o *Jornal do Brasil*, que estava sobre a mesa, e o abriu. Na primeira página havia uma fotografia de Bertha Lutz, defensora dos direitos das mulheres, parada diante de seus partidários em frente à prefeitura. A Srta. Lutz havia inaugurado a Federação Brasileira para o Progresso Feminino seis anos antes e estava em campanha pelo direito ao voto feminino. Bel acompanhava seu progresso com voracidade. Os tempos eram outros para as mulheres brasileiras, contudo ela continuava ali, com um pai preso no passado, ainda acreditando que ela deveria ser vendida pela melhor proposta e gerar uma prole saudável.

Desde que se mudaram para a cidade, Antônio havia mantido sua preciosa filha debaixo de sete chaves, nunca permitindo que deixasse a casa para uma simples caminhada sem uma acompanhante. Ele não parecia perceber que as poucas jovens da mesma idade a quem fora apresentada em visitas formais, julgadas amigas adequadas pela Sra. Santos, eram de famílias que abraçavam a modernidade em vez de lutar contra ela.

Sua amiga Maria Elisa da Silva Costa, por exemplo, era descendente de uma família aristocrática portuguesa. Sua família não flutuava de um evento social a outro, como Antônio acreditava tão erroneamente. A velha corte portuguesa que seu pai sonhava integrar havia se tornado história, seus últimos vestígios eram defendidos por poucos que ainda se agarravam a um mundo que desaparecia.

Maria Elisa era uma das poucas jovens com quem Izabela tinha algo em comum. Seu pai, Heitor, era um arquiteto de renome e recentemente havia recebido a honrosa incumbência de construir o monumento ao Cristo Redentor no topo do Corcovado, a montanha que se erguia dramaticamente no quintal de sua casa. Os Da Silva Costa viviam em Botafogo, e, quando seu pai visitava o topo da montanha para tirar medidas, Maria Elisa o acompanhava até o Cosme Velho e visitava Bel enquanto Heitor tomava o trem montanha acima. Bel esperava uma visita dela para aquele dia.

— Senhorita, precisa de mais alguma coisa? — Gabriela perguntou, pairando ao lado da porta com uma bandeja pesada.

— Não, obrigada, Gabriela. Você pode ir.

Poucos minutos depois, Bel se levantou e deixou a sala.

***

— Você deve estar ansiosa por sua festa — Maria Elisa disse. Elas estavam sentadas sob a sombra da floresta tropical que se projetava sobre o jardim da casa. A folhagem era podada por um pequeno exército de jardineiros, para impedir que a mata invadisse a propriedade impecável, mas do outro lado do perímetro ela subia descontrolada a encosta da montanha.

— Acho que ficarei contente quando acabar — Bel respondeu, com honestidade.

— Eu estou ansiosa, com certeza — Maria Elisa sorriu. — Alexandre Medeiros estará lá, e eu estou interessada nele. Vou estar no paraíso se ele me tirar para dançar — acrescentou, tomando um gole de seu suco de laranja. — Algum jovem chamou sua atenção? — Maria Elisa perguntou, olhando para Bel com expectativa.

— Não. De qualquer forma, sei que meu pai vai escolher um marido para mim.

— Ah, ele é tão antiquado! Quando converso com você, sinto que tenho sorte por ter meu pai, mesmo que ele tenha a cabeça nas nuvens com o seu Cristo. Você sabe — Maria Elisa diminuiu a voz para um sussurro —, meu pai é, na verdade, ateu e ainda assim está construindo o maior monumento para o Senhor no mundo!

— Talvez esse projeto altere suas crenças — Bel sugeriu.

— Ontem à noite ouvi-o conversando com minha mãe sobre uma viagem à Europa a fim de encontrar um escultor para a estátua. Como ele precisará ficar lá por muito tempo, disse que nós iríamos com ele. Você pode imaginar, Bel? Visitaremos Florença, Roma e, naturalmente, Paris — Maria Elisa franziu seu pequeno nariz coberto por sardas, com prazer, ao pensar na possibilidade.

— Europa? — Bel exclamou, virando-se para ficar de frente com a amiga. — Maria Elisa, neste exato momento posso honestamente dizer que odeio você. Sempre foi um sonho meu visitar o Velho Mundo. Especialmente Florença, de onde minha família veio.

— Bem, talvez, se tudo der certo, você possa vir conosco. Por parte do tempo, pelo menos? Seria melhor para mim também, senão vou ter apenas meus dois irmãos como companhia. O que você acha? — Os olhos de Maria Elisa brilhavam com empolgação.

— Acho que é uma sugestão maravilhosa, mas meu pai não deixaria — Bel afirmou. — Se ele nem me deixa dar um passeio sozinha até o fim da rua, não creio que me permitisse atravessar o oceano. Além disso, ele me quer aqui no Rio, disponível para me dar em casamento assim que possível. — Bel esmagou uma formiga com o sapato, desconsolada.

O som de um carro entrando na casa as alertou para o fato de que o pai de Maria Elisa havia chegado para buscá-la.

— Então — ela disse, levantando-se e abraçando Bel afetuosamente —, vejo você em sua festa na próxima quinta?

— Sim.

— Adeus, Bel — Maria Elisa se despediu, atravessando o jardim. — Não se preocupe; vamos pensar em um plano.

Bel continuou sentada onde estava, sonhando ver o Duomo e a Fonte de Netuno, em Florença. Entre todas as aulas culturais que a Sra. Santos organizara, a de história da arte fora a mais interessante. Um artista havia sido contratado para ensinar o básico sobre desenho e pintura. Aquelas tardes sentada no estúdio arejado da Escola Nacional de Belas Artes foram alguns dos seus momentos mais agradáveis desde que havia chegado ao Rio.

O artista também era escultor e permitiu que Bel se arriscasse com uma porção de argila vermelha e grossa. Ela ainda se lembrava da suavidade úmida entre seus dedos, da maleabilidade enquanto se esforçava para moldar uma figura.

— Você tem talento de verdade — o artista disse, com aprovação, depois que ela lhe mostrara uma versão lamentável da Vênus de Milo. Tendo habilidade ou não, Bel se apaixonara pela atmosfera do estúdio e, depois que as aulas chegaram ao fim, sentia saudade das visitas semanais.

Ela ouviu a voz de Loen chamando da sacada, indicando que madame Duchaine havia chegado para a prova final do vestido da festa.

Deixando para trás os sonhos com a Europa e as glórias da selva, Bel se levantou e atravessou o jardim para entrar na casa.

# 14

Na manhã do seu décimo oitavo aniversário, Bel acordou com nuvens pesadas cruzando o horizonte do outro lado da sua janela e ouviu o som de um trovão. Isso indicava que uma tempestade ganharia força e o céu seria iluminado por relâmpagos. Então, logo os céus se abririam e deixariam a água cair sem cerimônia sobre o Rio, encharcando seus habitantes desventurados.

Enquanto Gabriela se movia apressada pelo quarto, lembrando Bel de seus compromissos daquele dia, a jovem se voltou para a janela e estudou o céu.

— Tomara que as nuvens decidam arrebentar antes da sua festa e a chuva já tenha acabado quando os convidados começarem a chegar. Pense no desastre que seria se a lama espirrasse em seu vestido ao descer do carro para entrar no hotel. Vou até a capela pedir para Nossa Senhora que a chuva acabe antes de anoitecer e para o sol aparecer e secar as poças. Agora vamos, senhorita Izabela. Seus pais a esperam na sala para o café da manhã. Seu pai quer vê-la antes de sair para trabalhar. É um dia muito especial para todos nós.

Por mais que amasse Gabriela, Bel desejou, pela centésima vez, que Loen estivesse ali nesse dia especial para acalmar sua ansiedade.

Dez minutos depois, ela entrou na sala para o café. Antônio se levantou com os braços abertos.

— Minha preciosa filha, hoje você chega à maioridade. Eu não poderia estar mais orgulhoso. Venha, abrace o seu pai.

Bel caminhou para o conforto daqueles braços fortes e protetores, sentindo o aroma do perfume que seu pai sempre usava e do óleo que passava no cabelo.

— Agora, beije sua mãe antes de mostrarmos o presente que temos para você.

— *Piccolina* — Carla disse, deixando escapar o antigo termo carinhoso em italiano. Ela se levantou e beijou a filha afetuosamente, então se afastou e abriu os braços. — Tão bela!

— Herdou a beleza de sua mãe — Antônio interrompeu, olhando com afeição para sua esposa.

Bel podia ver lágrimas nos olhos do pai. Era raro ele demonstrar emoção, e ela foi imediatamente transportada para uma época em que eles eram apenas uma simples família italiana, antes de seu pai ficar rico. A recordação deixou um nó em sua garganta.

— Veja o que compramos para você. — Antônio estendeu a mão até a cadeira ao seu lado e pegou duas caixas de veludo. — Isto é seu — ele disse, ansiosamente abrindo a caixa maior, revelando o que havia dentro. — E isto também — e abriu a segunda caixa.

Bel ficou espantada com a beleza do colar e dos brincos de esmeralda diante de si.

— Pai! Meu Deus! São maravilhosos! — Bel se inclinou e, com a permissão do pai, tirou o colar de sua almofada de seda. Era feito de ouro, com esmeraldas que aumentavam em tamanho e culminavam em uma pedra gloriosa e cintilante que caía no centro da peça.

— Experimente — Antônio sugeriu, fazendo sinal para que a esposa fechasse o colar às suas costas.

Depois que Carla obedeceu, Bel ergueu os dedos e acariciou a suavidade fria da pedra.

— Ficou bem?

— Antes de você se olhar no espelho, precisamos colocar os brincos — Antônio disse, e Carla ajudou a filha a prender em suas orelhas as delicadas pedras em formato de lágrima.

— Pronto! — Antônio guiou Bel até o espelho pendurado sobre o aparador. — São lindos! — ele exclamou, estudando o reflexo da filha, a joias brilhando contra a pele macia do seu pescoço esguio.

— Pai, devem ter custado uma fortuna!

— São de Minas Gerais. Eu mesmo inspecionei as pedras antes de serem lapidadas e escolhi as melhores.

— Querida, seu vestido de seda, que é na cor creme e bordado em verde-esmeralda, foi desenhado especialmente para realçar seu presente de aniversário — Carla acrescentou.

— Esta noite — Antônio declarou, com satisfação — não haverá nenhuma dama exibindo joias mais belas ou mais valiosas. Mesmo as que estiverem usando as joias da coroa portuguesa!

De repente, toda a alegria natural ao receber um presente tão magnífico evaporou. Ao olhar para seu reflexo no espelho, Bel percebeu que as joias nada tinham a ver com uma tentativa de agradar-lhe. Eram apenas um meio de impressionar as pessoas importantes que estariam em sua festa naquela noite.

As pedras reluzentes ao redor de seu pescoço agora pareciam vulgares, ostentosas... Bel era apenas a tela onde os ornamentos da riqueza de seu pai eram exibidos. Seus olhos se encheram de lágrimas.

— Não chore. — Carla estava imediatamente ao seu lado. — Entendo que esteja emocionada, mas não deve se aborrecer em seu dia.

Bel buscou a mãe por instinto encostou a cabeça sobre seus ombros enquanto o medo do futuro a invadia.

* * *

Bel se lembrava de sua festa de aniversário no Copacabana Palace — a noite em que ela e, principalmente, seu pai foram apresentados à sociedade do Rio — como uma série de imagens confusas.

Gabriela deve ter feito a oração correta a Nossa Senhora, uma vez que, ainda que houvesse chovido a tarde toda, às quatro horas a tempestade cessou, no exato momento em que Bel terminava o banho e a cabeleireira chegava para arrumar seu penteado. Cordões com minúsculas esmeraldas — mais um presente de seu pai — foram trançados entre os fios de suas ondas volumosas. O vestido, feito com seda enviada especialmente de Paris e costurado com destreza pela madame Duchaine visando acentuar seus seios, seus quadris e estômago, caía sobre seu corpo como uma segunda pele.

Quando Izabela chegou ao hotel e saiu do carro com Antônio, uma multidão de fotógrafos, pagos pelo seu pai, entrou em ação. Um bombardeio de flashes explodiu em seu rosto enquanto ele a escoltava para dentro.

A fonte de champanhe fluiu como água a noite toda. Caviar Beluga, raro e importado da Rússia, foi servido em abundância, como se fossem salgadinhos baratos de um vendedor ambulante.

Depois de um jantar cujo prato principal foi lagosta à thermidor, acompanhado pelos melhores vinhos franceses, a banda mais popular do Rio tocou no terraço. A enorme piscina foi coberta para que os convidados pudessem dançar sob a luz das estrelas.

Antônio se recusou a permitir que tocassem samba, que, apesar de popular, ainda era considerado a música dos pobres do Rio. Entretanto, foi persuadido pela Sra. Santos a concordar com algumas execuções de maxixe, uma vez que seus passos energéticos eram considerados elegantes em clubes sofisticados de Paris e Nova York.

Bel se lembrou de dançar com uma série de homens, seus toques em seu ombro nu tão insignificantes quanto um mosquito que ela imediatamente repelia.

Então, Antônio em pessoa trouxe um rapaz para conhecê-la.

— Izabela — ele disse —, deixe-me apresentá-la a Gustavo Aires Cabral. Ele gostaria de ter o prazer de dançar com você.

Bel soube imediatamente, pelo sobrenome, que aquele homem diminuto e de rosto pálido representava uma das famílias mais aristocráticas do Brasil.

— Claro — ela respondeu, abaixando os olhos com respeito. — Será uma honra, senhor.

Izabela foi incapaz de ignorar que Gustavo era tão baixo que seus olhos mal alcançavam os dela, e, quando ele se abaixou para beijar-lhe a mão, ela notou que seu cabelo já estava desaparecendo do topo da cabeça.

— Senhorita, onde você estava se escondendo? — ele murmurou ao escoltá-la até a pista de dança. — Você certamente é a mulher mais linda do Rio.

Enquanto dançavam, Bel não precisou olhar para seu pai para saber que ele os observava com um sorriso de satisfação nos lábios.

Mais tarde, quando o bolo com dez camadas já havia sido cortado e todos haviam sido servidos com taças da fonte de champanhe para um brinde, uma explosão repentina de sons assaltou os ouvidos de Bel. Como todos no terraço, ela olhou em direção ao barulho e viu um barco flutuando sobre as ondas perto da praia, soltando centenas de fogos de artifício. As luzes coloridas acenderam o céu noturno sobre a cidade, e todos ficaram fascinados com o espetáculo. Com Gustavo pairando atrás dela, Bel conseguiu produzir apenas um sorriso falso de gratidão.

* * *

Bel acordou às onze horas do dia seguinte e, depois de escrever para Loen — que com certeza estava desesperada por notícias da festa —, deixou o quarto e desceu as escadas. Os Bonifácio haviam chegado em casa bem depois das quatro da manhã, e ela encontrou seus pais tomando um desjejum tardio. Tinham os olhos turvos e cansados.

— Veja quem acordou! — Antônio expressou prazer. — A nova princesa do Rio!

— Bom dia, pai. Bom dia, mãe — ela disse ao se sentar, Gabriela começando a servi-la. — Apenas café, obrigada — acrescentou, recusando a oferta de comida.

— Como você está, minha querida?

— Um pouco cansada — ela admitiu.

— Talvez você tenha tomado muito champanhe ontem à noite — Antônio disse. — Eu, pelo menos, tomei.

— Tomei apenas uma taça a noite toda. Estou cansada, só isso. Não vai para o escritório hoje, pai?

— Não agora. Pelo menos hoje posso chegar mais tarde. E veja: — Antônio indicou uma bandeja prateada sobre a mesa, repleta de envelopes. — Um grande número de convidados já enviou seus empregados para entregar notas de agradecimento pela noite de ontem e para convidá-la para almoçar ou jantar. Também há uma carta destinada a você. Eu obviamente não li, mas pude ver quem mandou pelo selo no envelope. Abra-a, Izabela, e conte a seus pais o que ela diz.

Antônio passou o envelope para Bel, que viu o brasão dos Aires Cabral no selo de cera. Ela abriu o envelope e leu as poucas linhas escritas no papel estampado em alto-relevo.

— E então? — Antônio indagou.

— É de Gustavo Aires Cabral, agradecendo pela noite passada, com esperança de que possamos nos reencontrar em breve.

Antônio bateu palmas de alegria.

— Izabela, que garota esperta você é! Gustavo é descendente do último rei de Portugal e tem um dos melhores pedigrees do Rio.

— E escreveu para nossa filha! — Carla levou as mãos ao peito, também comovida com a honra.

Bel estudou a expressão de alegria no rosto de seus pais e suspirou.

— Pai, Gustavo apenas enviou uma nota de agradecimento pela noite. Não é um pedido de casamento.

— Não, querida, mas pode ser um dia. — Seu pai piscou. — Vi que ele ficou encantado com você. Ele mesmo admitiu. E como não ficaria? — Antônio exibiu o *Jornal do Brasil* com uma foto de Bel na primeira página, radiante, chegando à festa. — A cidade toda está falando de você, minha princesa. Sua vida e a nossa serão bem diferentes de agora em diante.

***

Realmente, nas semanas seguintes, conforme o Natal se aproximava e a estação social do Rio chegava ao ápice, os pés de Bel mal tocavam o chão. Madame Duchaine voltou à casa e foi instruída a fazer muitos outros vestidos para ir a opera, bailes e jantares. O treinamento em etiqueta era fornecido pela Sra. Santos, que se comportava com pose e autoconfiança em cada ocasião.

Gustavo Aires Cabral, a quem Maria Elisa e Bel chamavam secretamente de "furão", devido a sua semelhança com esse animal e ao hábito de estar sempre farejando Bel, estava presente em muitos desses eventos.

Na noite de estreia de *Don Giovanni* no Theatro Municipal, ele abordou Bel no saguão e insistiu que ela visitasse o camarote de seus pais durante o intervalo para ser formalmente apresentada a eles.

— Você deveria se sentir honrada. — Maria Elisa ergueu as sobrancelhas assim que Gustavo deixou Bel e caminhou entre a multidão que tomava champanhe no saguão antes de as cortinas subirem. — Os pais dele são a coisa mais próxima de realeza que ainda resta no Rio. Pelo menos — ela riu — se comportam como se fossem.

Quando Bel foi levada ao camarote durante o intervalo, ela se viu fazendo uma reverência espontânea, como se estivesse conhecendo o imperador em pessoa. A mãe de Gustavo, Luiza Aires Cabral, esnobe e coberta de diamantes, estudou-a com olhos frios e semicerrados.

— Senhorita Bonifácio, você é tão bela quanto dizem — Luiza disse, graciosamente.

— Obrigada — Bel respondeu com timidez.

— E seus pais? Estão aqui? Creio que não tenhamos tido o prazer de conhecê-los ainda.

— Não, não vieram esta noite.

— Seu pai tem várias fazendas de café na região de São Paulo, pelo que eu soube — o pai de Gustavo, Maurício, uma réplica envelhecida de seu filho, perguntou.

— Sim, senhor.

— E, naturalmente, está ficando cada vez mais rico com elas. Há muito dinheiro novo na região — Luiza comentou.

— Sim, senhora — Bel concordou, compreendendo a ofensa implícita.

— Bem — seu marido acrescentou apressadamente, dirigindo um olhar de aviso à esposa —, devemos providenciar um convite para almoçarem conosco.

— Claro — A Sra. Aires Cabral fez um gesto para Bel antes de voltar a atenção para a sua vizinha.

— Acho que gostaram de você — Gustavo disse enquanto a escoltava de volta ao seu próprio camarote.

— Sério? — Bel pensava exatamente o oposto.

— Sim, eles fizeram perguntas e estavam interessados. Isso é sempre um bom sinal. Vou lembrá-los da promessa de receber seus pais.

Bel comentou com Maria Elisa, logo depois, que esperava que Gustavo se esquecesse do jantar.

***

O convite para um almoço na casa dos Aires Cabral, contudo, chegou prontamente à família Bonifácio. Carla ficou preocupada com o que vestiria para tal ocasião e experimentou a maioria dos modelos que havia em seu guarda-roupa.

— Mãe, por favor. É apenas um almoço — Bel implorou. — Tenho certeza de que os Aires Cabral não vão se importar com o que você vestir.

— Ah, sim, vão sim. Você não vê que seremos examinados com rigidez? Uma opinião negativa de Luiza Aires Cabral e as portas do Rio, que têm sido abertas tão facilmente para você até agora, serão fechadas.

Bel respirou fundo e saiu do quarto de vestir de sua mãe com vontade de gritar que não importava o que os Aires Cabral pensavam dela ou de seus pais: ela não seria vendida como um quilo de carne para *qualquer um*.

***

— Você vai aceitar se ele pedir você em casamento? — Maria Elisa perguntou quando visitou Bel naquela tarde e soube do convite.

— Minha nossa! Mal o conheço. Além disso, tenho certeza de que os pais dele querem uma princesa portuguesa para seu filho, não uma filha de imigrantes italianos.

— Talvez eles queiram, mas meu pai disse que os Aires Cabral estão com dificuldades financeiras. Como muitas famílias antigas da aristocracia, fizeram fortuna com as minas de ouro em Minas Gerais, mas isso foi há duzentos anos. Suas fazendas começaram a entrar em decadência quando a escravidão foi abolida. Papai me contou que não fizeram quase nada para remediar a situação desde então, e sua fortuna foi diminuindo.

— Como os Aires Cabral podem ser pobres se vivem em uma das casas mais elegantes do Rio e a mãe de Gustavo vive carregada de joias? — Bel perguntou.

— As joias devem ser herança de família, e, ao que parece, a casa não vê uma gota de tinta há cinquenta anos. Meu pai foi examiná-la uma vez, porque precisava de reparos urgentes. Ele disse que a residência era tão úmida que havia bolor verde crescendo nas paredes do banheiro. Quando ele apresentou o orçamento da reforma ao senhor Aires Cabral, o homem ficou horrorizado e mandou meu pai embora — Maria Elisa deu de ombros. — Eles só têm influência por causa do nome, não do dinheiro. Seu pai, por outro lado, é muito rico. — Maria Elisa olhou para Bel. — Não importa o quanto tente negar, você deve enxergar o que está acontecendo.

— Mesmo que Gustavo peça minha mão, não podem me obrigar a me casar com ele, Maria Elisa.

Bem, acho que seu pai precisa ser convencido disso. Ter uma filha com o sobrenome dos Aires Cabral seria a realização de um sonho para ele, e seus netos dariam continuidade à linhagem. Qualquer pessoa pode ver que é a união perfeita: você tem a beleza e a riqueza, Gustavo tem a origem nobre.

Mesmo que Bel tentasse não pensar nesse cenário, as palavras honestas de Maria Elisa expressavam a realidade.

— Deus me ajude — ela suspirou. — O que posso fazer?

— Não sei, Bel. Realmente não sei.

Bel mudou de assunto em uma tentativa de amenizar o desespero que ameaçava dominá-la. E deu voz àquilo que estava em sua mente desde que Maria Elisa havia mencionado pela primeira vez.

— Quando você parte para a Europa?

— Em seis semanas. Estou muito empolgada. Meu pai disse que já reservou as passagens em um navio a vapor que nos levará até a França.

— Maria Elisa — Bel pegou uma das mãos de sua amiga —, imploro que pergunte a seu pai se ele poderia falar com o meu sobre eu ir a Paris com você. Convença-o a persuadir papai de que será benéfico terminar meus estudos com uma viagem ao Velho Mundo antes de conseguir um bom casamento. Se eu não agir, você está certa: meus pais vão me dar em casamento para Gustavo nos próximos meses. Preciso escapar. Por favor!

— Tudo bem. — Os olhos castanhos de Maria Elisa perceberam o pavor de Bel. — Vou falar com meu pai e ver o que ele pode fazer. Mas pode ser tarde demais. O fato de os Aires Cabral terem convidado seus pais para almoçar em sua casa me diz que o pedido de casamento é iminente.

— Mas eu tenho apenas dezoito anos! Sou jovem demais para me casar, não sou? Bertha Lutz declarou que devemos lutar por nossa independência, ganhar nosso próprio sustento, para não precisarmos nos vender para o homem que pagar mais. E todas as mulheres apoiam sua exigência por igualdade!

— Sim, Bel, apoiam, mas aquelas mulheres não são *você*. Ouça — Maria Elisa tocou a mão de sua amiga, oferecendo consolo —, prometo falar com meu pai e então veremos se é possível tirar você do Rio pelo menos por alguns meses.

— E pode ser que eu nunca mais volte — Bel sussurrou para si mesma.

***

No dia seguinte, Bel entrou no carro com seus pais para se dirigir à *Casa das Orquídeas*, o lar dos Aires Cabral. Carla se sentou ao lado de Bel, que podia sentir a apreensão de sua mãe.

— Calma, mãe. É apenas um almoço.

— Eu sei, querida — Carla respondeu, olhando fixamente para a frente enquanto o chofer atravessava os portões de ferro e estacionava diante de uma mansão branca imponente.

— Realmente é uma propriedade impressionante — Antônio comentou ao deixar o veículo. Os três seguiram até o pórtico que abrigava a porta de entrada.

Apesar da imponência e da elegância da arquitetura, Bel se lembrou das palavras de Maria Elisa ao notar os jardins negligenciados e a pintura desgastada.

Uma criada os recebeu e os levou a uma sala de visitas formal e fria, decorada com mobília antiga. Bel notou o cheiro de umidade e sentiu um calafrio, apesar do calor lá de fora.

— Vou informar ao senhor Aires Cabral que vocês chegaram — a criada disse, com um gesto para se sentarem.

Depois do que pareceu uma longa espera, durante a qual os três permaneceram em silêncio, Gustavo finalmente entrou na sala.

— Senhor e senhora Bonifácio, senhorita Izabela. Estou muito feliz por recebê-los em nossa casa. Minha mãe está um pouco atrasada, mas se juntará a nós em breve.

Gustavo apertou a mão de Antônio e beijou a de Carla, depois pegou a mão de Bel.

— Como você está bonita hoje, Izabela. Aceitam algo para beber enquanto esperamos meus pais?

Finalmente, depois de dez minutos de conversa desconfortável, o Sr. e a Sra. Aires Cabral entraram na sala.

— Minhas desculpas. Negócios de família nos ocuparam, mas aqui estamos — o Sr. Aires Cabral disse. — Vamos ao almoço?

A sala de jantar era grandiosa, com uma mesa de mogno elegante que, Bel estimou, poderia reunir quarenta convidados a seu redor. Porém, ao olhar para o teto, ela viu rachaduras extensas nas molduras, que um dia deviam ter sido exuberantes.

— Está se sentindo bem, senhorita Izabela? — Gustavo, sentado ao lado dela, perguntou.

— Sim, estou bem.

— Bom, bom.

Bel se esforçou para encontrar um assunto, já que havia esgotado a fonte de temas gerais em ocasiões sociais anteriores.

— Há quanto tempo sua família mora nesta casa? — ela conseguiu perguntar.

— Há uns duzentos anos — Gustavo respondeu. — E acredito que pouca coisa tenha mudado desde então — ele sorriu. — Às vezes tenho a impressão de que vivo em um museu, ainda que seja um museu muito bonito.

— É realmente lindo — Bel concordou.

— Assim como você — Gustavo acrescentou, gentilmente.

Durante o almoço, Bel flagrou Gustavo encarando-a toda vez que voltava o olhar para ele. Seus olhos estavam repletos de admiração, ao contrário de seus pais, que, em vez de conversarem educadamente com os Bonifácio, faziam um verdadeiro interrogatório. Ela fitou sua mãe do outro lado da mesa, tensa e pálida, lutando para conversar com a Sra. Aires Cabral, e lhe enviou um olhar de compreensão.

À medida que o vinho começou a aliviar a tensão dos presentes, Gustavo em especial passou a falar com mais liberdade. Durante o almoço, Bel descobriu sua paixão por literatura, seu amor pela música clássica e seus estudos em filosofia grega e a história de Portugal. Nunca tendo trabalhado, Gustavo preenchia seu tempo estudando, e, enquanto discutiam esses temas, ele começou a ganhar vida. Compartilhando seu amor pela arte, Bel se sentiu mais confortável com ele e o almoço transcorreu de modo agradável.

— Parece-me que você tem um conhecimento muito vasto — ela sorriu, e o grupo se levantou para tomar café na sala de visitas.

— Bondade sua, Izabela. Qualquer elogio seu vale mais que mil outros. E você também é conhecedora de arte.

— Sempre sonhei viajar para a Europa, para apreciar o trabalho dos grandes mestres — ela admitiu, com um suspiro.

Meia hora depois, os Bonifácio se despediram.

Conforme o carro se afastava da casa, Antônio olhou para sua esposa e filha no banco de trás e abriu um sorriso reluzente.

— Bem, duvido que pudesse ter sido melhor.

— Sim, querido — Carla, como sempre, concordou com a opinião do marido. — Correu tudo bem no almoço.

— Mas a casa... minha nossa! Precisa ser demolida e reconstruída. Ou, pelo menos, será necessário investir uma fortuna em café para restaurá-la — Antônio sorriu com presunção. — E a comida que serviram? Já apreciei refeições melhores em uma cabana de praia. Vamos convidá-los para jantar na próxima semana, Carla, e mostraremos como se faz. Diga ao nosso cozinheiro para preparar o melhor peixe e o melhor filé e não poupar despesas.

— Sim, Antônio.

Assim que chegaram em casa, o Sr. Bonifácio saiu outra vez, alegando que precisava passar algumas horas no escritório. Carla e Bel atravessaram o jardim em direção à casa.

— Gustavo parece gentil — sua mãe arriscou.

— Sim, ele é — Bel concordou.

— Você sabe que ele está apaixonado por você, não sabe?

— Não, mãe. Hoje foi a primeira vez que conversamos direito.

— Eu o observei durante o almoço e posso afirmar agora que ele gosta muito de você. — Carla soltou um longo suspiro. — Só isso já me deixa feliz.

# 15

— Você já pediu ao seu pai para falar com o meu sobre a viagem à Europa? — Bel perguntou quando Maria Elisa veio visitá-la, poucos dias depois. Era possível ouvir o desespero em sua própria voz.

— Sim, pedi — Maria Elisa respondeu enquanto se sentavam no lugar de sempre no jardim. — Ele ficará contente com a sua companhia, caso seu pai permita. Prometeu falar com ele quando vier me buscar mais tarde.

— Meu Deus — Bel suspirou. — Tomara que ele faça o que puder para convencer meu pai.

— O que me preocupa, Bel, é que um pedido de casamento de Gustavo é quase certo, de acordo com o que você me disse. Mesmo que seu pai concorde, seu noivo não vai deixar você ir. — Maria Elisa pausou e estudou a expressão ansiosa de Bel antes de continuar.

— Seria tão ruim assim se casar com ele? Afinal, você acabou de dizer que Gustavo é um homem gentil e inteligente. Você viveria em uma das casas mais belas do Rio, e tenho certeza de que seu pai ficaria feliz em restaurar o lugar de acordo com suas preferências. Com seu novo sobrenome, aliado a sua beleza, você seria a rainha da sociedade carioca. Muitas garotas gostariam de ter uma chance como essa — ela lembrou.

— O que você está dizendo? — Bel ficou de frente para a amiga, seus olhos negros brilhando. — Pensei que estivesse do meu lado.

— E estou, Bel, mas você me conhece; sou pragmática e ouço mais a razão do que o coração. Tudo o que estou dizendo é que poderia ser pior.

— Maria Elisa — Bel contorceu as mãos —, eu não o amo! Com certeza isso é o mais importante.

— Em um mundo ideal, sim, mas ambas sabemos que o mundo não é ideal.

— Você parece uma velha falando, Maria Elisa. Não quer se apaixonar?

— Talvez — concordou —, mas também quero um casamento que envolva outras coisas. Só estou dizendo para tomar cuidado, Bel, porque não aceitar se casar com Gustavo seria uma afronta séria à família dele. Eles podem não ser mais ricos, mas ainda têm muito poder nesta cidade. A vida pode ficar difícil para você e para seus pais.

— Bem, então você está dizendo que, se Gustavo me pedir em casamento, não tenho escolha a não ser aceitar. Devo, portanto, subir o Corcovado e me jogar lá de cima?

— Bel — Maria Elisa balançou a cabeça e ergueu as sobrancelhas —, por favor, fique calma. Tenho certeza de que haverá um jeito. Mas precisa haver equilíbrio entre o que *você* quer e a vontade dos outros.

Bel estudou Maria Elisa enquanto esta observava um beija-flor dardejando entre as árvores. Sua aparência, como sempre, era serena, como uma lagoa de águas calmas, sem ondulação alguma na superfície. Em contraste, Bel se sentia como uma cachoeira rugindo montanha abaixo e se chocando contras as rochas.

— Eu queria ser mais parecida com você, Maria Elisa. Você é tão sensata.

— Não, sou apenas flexível. De qualquer forma, Bel, não tenho sua paixão, nem sua beleza.

— Não seja tola. Você é uma das pessoas mais lindas que eu conheço, por dentro e por fora. — Bel lhe deu um abraço espontâneo. — Obrigada pelo conselho e pela ajuda. Você é uma amiga de verdade.

* * *

Uma hora depois, Heitor da Silva Costa, pai de Maria Elisa, chegou à Mansão da Princesa. Gabriela abriu a porta enquanto Bel e Maria Elisa, escondidas na sala de café, ouviram quando ele perguntou se Antônio estava em casa.

Bel nunca trocou mais que alguns cumprimentos com o Sr. Da Silva Costa em ocasiões sociais, mas gostava do pouco que havia visto. Ela o considerava um homem atraente, com feições distintas e pálidos olhos azuis que, frequentemente, pareciam estar em um lugar diferente daquele ao seu redor. Talvez, ela pensou, no topo do Corcovado e na figura monumental de Cristo que construía.

Bel respirou aliviada quando seu pai saiu do escritório e cumprimentou Heitor com cordialidade, ainda que um pouco surpreso, no corredor. Sua esperança era o fato de Antônio respeitar Heitor, não apenas por ser descendente de uma família portuguesa, mas também por ser uma espécie de celebridade no Rio, em decorrência do projeto do Cristo.

As duas jovens ouviram seus pais entrando na sala de visitas e a porta se fechando atrás deles.

— Não estou aguentando — Bel disse, sentando-se em uma cadeira. — Meu futuro depende dessa conversa.

— Você é muito dramática, Bel — Maria Elisa sorriu. — Vai dar tudo certo.

Vinte minutos depois, agoniada com o suspense, Bel ouviu a porta da sala de estar se abrindo e os dois homens surgiram, falando sobre o Cristo.

— Quando quiser subir a montanha e ver o meu projeto, me avise — Heitor dizia. — Agora, preciso encontrar minha filha e voltar para casa.

— Claro. — Antônio fez um sinal para Gabriela procurar Maria Elisa. — Foi um prazer vê-lo, senhor, e obrigado pela oferta generosa.

— Por nada. Ah, aí está você, Maria Elisa. Devemos nos apressar, pois tenho uma reunião agendada para as cinco na cidade. Adeus, senhor Bonifácio.

Assim que pai e filha se voltaram para a saída, Maria Elisa fez um gesto de incerteza na direção de Bel, que esperava no fim do corredor. Depois desapareceu do outro lado da porta.

Bel observou seu pai por alguns segundos e o viu se virar para voltar para o escritório. Ao vê-la parada ali, com a ansiedade estampada no rosto, ele balançou a cabeça e respirou fundo.

— Estou vendo que você já sabia.

— Foi ideia da Maria Elisa — Bel mentiu. — Ela me convidou porque achou que seria melhor ter companhia enquanto estiver na Europa. O senhor sabe que ela só tem dois irmãos mais novos e...

— Eu disse ao senhor Da Silva Costa que está fora de questão.

— Mas por quê, pai? O senhor deve saber que uma viagem pela Europa seria imperativa para minha educação.

— Você não precisa aprender mais, Izabela. Gastei milhares de réis aperfeiçoando seus estudos, e valeu a pena. Você já tem um peixe na rede. Sabemos que o pedido de casamento do senhor Gustavo é iminente. Então, me diga: por que eu concordaria em enviar você para o outro lado do oceano, para o Velho Mundo, neste momento crucial, quando está prestes a ser coroada a rainha do Novo Mundo?

— Pai, por favor, eu...

— Chega! Não quero ouvir mais nada sobre isso. O assunto está encerrado. Vejo você no jantar.

Com um soluço, Bel se virou e correu para os fundos da casa, surpreendendo as criadas que preparavam a refeição da noite, e saiu pela porta que levava ao quintal. Atravessou o jardim, sem se preocupar com o vestido, e começou a se embrenhar na mata que cobria a encosta, agarrando plantas e árvores enquanto subia.

Dez minutos depois, satisfeita pelo fato de ninguém poder ouvi-la, desabou sobre o chão quente e uivou como um animal selvagem. Quando sua raiva e frustração finalmente se abrandaram, Bel tirou a terra de seu vestido de musselina. Sentou-se com o queixo sobre os joelhos, os braços apertados ao redor das pernas. Ao olhar para o Rio lá embaixo, a vista maravilhosa começou a acalmá-la. Ela fitou a paisagem, estudando os arredores do Cosme Velho. Então se virou e olhou para cima, para o imponente Corcovado, com uma nuvem cinzenta ao redor do topo.

Na outra direção, a certa distância da encosta da montanha, havia uma favela, um vilarejo onde habitantes paupérrimos construíam abrigos com os materiais que pudessem encontrar. Se prestasse atenção, Bel podia ouvir os sons fracos que a brisa trazia: a música que alegrava a vida dos moradores do morro. A visão e os sons daquela gente lhe devolveram a razão.

— Não sou nada mais que uma menina rica, mimada e egoísta — Bel repreendeu a si mesma. — Como posso me comportar assim quando tenho tudo e eles não têm nada?

Bel abaixou lentamente a cabeça sobre os joelhos e pediu perdão.

— Por favor, Virgem abençoada, arranque meu coração quente e coloque um frio como o de Maria Elisa no lugar — ela orou com fervor. — Ele não é bom para mim. Juro que serei grata e obediente de agora em diante, e não vou contestar os desejos do meu pai.

* * *

Dez minutos depois, Bel desceu a encosta e atravessou a cozinha. Estava suja e desarrumada, mas tinha a cabeça erguida. Correndo para o quarto, pediu a Grabriela que lhe preparasse um banho, então repousou na banheira, tentando acostumar-se com a ideia de ser uma filha e *esposa* perfeita e submissa...

O assunto da viagem à Europa não foi mencionado durante o jantar e, naquela noite, Bel deitou-se em sua cama sabendo que jamais seria mencionado outra vez.

# 16

Duas semanas depois, os três membros da família Aires Cabral compareceram a um jantar na Mansão da Princesa. Antônio não poupou esforços para impressionar, enfatizando que seu negócio de café crescia ao passo que a demanda da América pelos grãos mágicos do Brasil aumentava a cada mês.

— Nossa família foi proprietária de várias fazendas próximas ao Rio, mas, com o fim da escravidão, elas se tornaram dispendiosas — confessou Maurício, pai de Gustavo.

— Ah, sim. Tenho sorte por minhas fazendas serem próximas a São Paulo, onde nunca dependemos exclusivamente da mão de obra escrava — Antônio respondeu. — E, certamente, a terra naquela região é mais adequada ao cultivo do café. Acredito que minha produção seja uma das melhores. Vamos provar uma amostra depois do jantar.

— Sim, obviamente devemos todos aceitar a modernidade — Maurício concordou formalmente.

— E buscar manter os valores e tradições do passado — a mãe de Gustavo acrescentou.

Bel observou Luiza Aires Cabral durante o jantar. Sua expressão raramente abria um sorriso. Não havia dúvida de que, quando mais jovem, ela fora uma beldade, com seus olhos azuis incomuns e estrutura óssea delicada. Mas era como se a amargura tivesse apagado seu charme exterior, corroendo-a de dentro para fora. Bel prometeu a si mesma que, não importava o caminho que sua vida tomasse, jamais teria o mesmo destino.

— Creio que você conheça a filha de Heitor da Silva Costa, Maria Elisa — Gustavo comentou com Bel em um tom de voz suave. — Ela é uma boa amiga?

— Sim, ela é.

— Amanhã vou acompanhar meu pai em um encontro com o senhor Da Silva Costa no Corcovado, a fim de que ele nos atualize sobre seus planos. Meu pai é membro do Círculo Católico, de quem partiu a ideia de construir um monumento ao Cristo. Ouvi dizer que os planos do senhor Da Silva Costa mudam com frequência, e não invejo a responsabilidade que assumiu. A montanha tem mais de setecentos metros de altura.

— Nunca estive no topo, mesmo morando tão perto — Bel respondeu. — O sopé da montanha fica nos fundos do nosso jardim.

— Talvez seu pai permita que eu a leve.

— Eu adoraria. Obrigada — Bel respondeu, educadamente.

— Então, temos um plano. Pedirei a ele mais tarde.

Bel deixou de corresponder o olhar de Gustavo para degustar a deliciosa sobremesa, um pudim feito com leite condensado e caramelo, mas ainda sentia que seus olhos a fitavam.

Duas horas mais tarde, logo que a criada fechou a porta depois que os convidados partiram, Antônio sorriu para Carla e Bel.

— Acho que ficaram impressionados e acredito que você, minha princesa — tocou no queixo de Bel —, receberá notícias de Gustavo muito em breve. Ele me perguntou antes de sair se poderia levá-la ao Corcovado na semana que vem. É o lugar perfeito para um rapaz pedir uma jovem em casamento, não é?

Bel abriu a boca para responder à sugestão de seu pai, mas então se lembrou da promessa de adotar uma atitude mais complacente.

— Sim, pai — ela disse, baixando o olhar, com submissão.

Mais tarde, ao deitar-se para dormir e desejando mais uma vez que Loen estivesse disponível para conversar, Bel ouviu uma batida na porta.

— Entre.

— Querida — o rosto de Carla apareceu —, não acordei você, acordei?

— Não, mãe, por favor, entre. — Bel fez um sinal e sua mãe se sentou na cama, buscando suas mãos.

— Izabela, lembre-se, por favor, que é minha filha amada e que conheço você muito bem. Uma vez que ambas sabemos que Gustavo vai pedi-la em casamento, preciso perguntar se é isso que você quer.

Lembrando-se mais uma vez de sua promessa, Bel pensou com cuidado em como responder.

— Mãe, na verdade, não amo Gustavo. E também não gosto dos pais dele. São arrogantes conosco e preferem uma noiva portuguesa para seu filho. Mas Gustavo é doce e gentil, uma boa pessoa, acho. Sei que isso faria vocês felizes, principalmente meu pai. Portanto — Bel não conseguiu evitar um pequeno suspiro antes de continuar —, se ele pedir minha mão, ficarei feliz em aceitar.

Carla olhou intensamente para sua filha.

— Tem certeza, Bel? Não importa o que seu pai queira... Como sua mãe, preciso saber quais são seus verdadeiros sentimentos. Seria um pecado terrível condená-la a uma vida e a um homem que você não deseja. Acima de tudo, quero que seja feliz.

— Obrigada, mãe. Tenho certeza de que serei.

— Bem — Carla continuou, depois de uma pausa —, acredito que o amor possa crescer entre um homem e uma mulher ao longo dos anos. Confie em mim. Quando me casei com seu pai — ela esboçou um sorriso —, também tive dúvidas no começo, mas agora, apesar de todos os defeitos, eu nao mudaria nada nele. Lembre-se: é importante que o homem esteja mais apaixonado pela mulher do que ela por ele.

— Por que você diz isso, mãe?

— Porque, minha querida, ainda que o coração de uma mulher possa ser inconstante, e amar inúmeras vezes, quando os homens amam, mesmo que não demonstrem suas emoções, eles amam para sempre. E acredito que Gustavo te ame. Posso ver em seu semblante quando ele olha para você. Isso vai garantir que seu marido fique a seu lado e seja fiel. — Carla beijou Bel. — Durma bem, querida.

Carla saiu do quarto e Bel pensou no que ela havia dito. Esperava que sua mãe estivesse certa.

***

— Você está pronta para ir?

— Sim. — Bel estava em pé na sala de visitas enquanto seus pais a inspecionavam.

— Você está linda, minha princesa — Antônio disse, com admiração. — Que homem poderia ignorá-la?

— Está nervosa, querida? — Carla perguntou.

— Vou subir o Corcovado de trem com Gustavo, só isso — Bel disse, tentando conter a irritação que crescia.

— Bem — Antônio continuou, sobressaltando-se ao ouvir a campainha —, veremos. Ele chegou.

— Boa sorte e que Deus a abençoe — Carla completou, beijando ambas as faces da filha.

— Vamos esperar para ouvir as novidades — concluiu o pai de Izabela.

Gustavo esperava na porta, seu corpo magro em um raro momento de elegância em um terno de linho bege e um chapéu de palha garboso na cabeça.

— A senhorita está linda. Nosso motorista aguarda. Vamos?

Enquanto caminhavam até o carro e se acomodavam no banco de trás, Bel percebeu que Gustavo estava muito mais nervoso que ela. Ele permaneceu em silêncio durante o percurso de três minutos até a pequena estação, de onde o trem partia para o topo do Corcovado. Ajudando-a a deixar o veículo, o rapaz a escoltou até um dos carros do trem, que, na realidade, era um entre dois vagões puxados por uma maria-fumaça em miniatura.

— Espero que aprecie a paisagem, ainda que não seja uma viagem confortável — Gustavo comentou.

O trem começou a subir a montanha, a inclinação tão íngreme que Bel sentiu dificuldade para manter a cabeça erguida. Quando o trem deu um solavanco, Bel, por instinto, agarrou o ombro de Gustavo e ele imediatamente colocou um braço ao redor de sua cintura.

Foi o gesto mais íntimo do relacionamento entre os dois até então. Ainda que Bel não tivesse sentido nenhuma excitação, também não sentiu repulsa. Era como o toque carinhoso de um irmão mais velho. O barulho da maria-fumaça tornou qualquer conversa impossível, portanto Bel relaxou e começou a apreciar o passeio enquanto o trenzinho atravessava a rica selva urbana, cujas raízes descansavam nos fundos de seu jardim.

Bel ficou decepcionada quando o trem chegou à estação no topo da montanha e os passageiros desembarcaram.

— Há um lugar excelente aqui, com uma vista excepcional do Rio, ou então podemos escalar os degraus até o topo e ver como estão as escavações para a fundação do Cristo Redentor — Gustavo disse.

— Quero ir até o topo, com certeza. — Bel sorriu, notando um olhar de aprovação em Gustavo. Eles seguiram as almas corajosas que subiam os degraus íngremes, o sol quente testando sua resistência enquanto sentiam mais e mais calor em suas roupas formais.

"Não posso transpirar", Bel pensou ao sentir a umidade de suas roupas íntimas contra sua pele. Finalmente chegaram ao platô no topo da montanha. À sua frente havia um mirante. Próximo dali, Bel pôde ver as escavadoras mecânicas arrancando montes de pedras com suas garras gigantes. Gustavo pegou sua mão e a guiou até a sombra do mirante.

— O senhor Da Silva Costa explicou que é necessário cavar muitos metros para garantir que a estátua não tombe. — Ele colocou as mãos sobre os ombros de Bel e a guiou até a borda da plataforma. — Olhe ali.

Bel seguiu o indicador de Gustavo e viu o telhado vermelho de um edifício elegante.

— Não é o Parque Lage?

— Sim. O Jardim Botânico é formidável, mas você conhece a história da casa que fica no centro dele?

— Não, não conheço.

— Bem, não faz muito tempo, um brasileiro se apaixonou por uma cantora de ópera italiana. Ele ficou desesperado para se casar com ela e trazê-la para morar no Rio, mas a artista, acostumada à Itália, não queria se mudar. Então, ele perguntou o que seria necessário para que ela deixasse sua amada Roma para trás. A cantora respondeu que queria viver em um palácio, como aqueles que amava em seu próprio país. Portanto — Gustavo sorriu —, ele construiu um palácio para ela. Os dois se casaram e moram até hoje no Rio, sob um teto que parece um pedacinho da terra natal da esposa.

— Que história romântica — Bel não pôde conter um suspiro, e se inclinou o quanto pôde para admirar a paisagem deslumbrante a seus pés. Quase imediatamente, um braço circundou sua cintura outra vez.

— Cuidado. Eu não gostaria de explicar a seus pais que você caiu do topo do Corcovado — ele sorriu. — Izabela, se eu pudesse, construiria para você uma casa tão bela quanto aquela.

Bel, ainda inclinada sobre a borda e com o rosto invisível para ele, ouviu suas palavras.

— É gentileza sua dizer isso, Gustavo.

— É a verdade. Izabela... — Ele a virou gentilmente de frente para si. — Você deve saber o que estou prestes a perguntar.

— Eu...

Imediatamente, um dedo tocou seus lábios.

— Acho que é melhor não dizer nada por enquanto, ou a coragem pode me abandonar. — Ele limpou a garganta, apreensivo. — Com sua beleza, entendo que não sou, fisicamente, o que você merece como marido. Ambos sabemos que você poder ter qualquer homem que desejar. Todos os homens do Rio estão encantados por você, assim como eu. Mas quero dizer que aprecio muito mais que sua aparência física.

Gustavo fez uma pausa e Bel sentiu que precisava responder. Ela abriu a boca, mas, novamente, um dedo tocou seus lábios.

— Por favor, deixe-me terminar. No momento em que a vi pela primeira vez, em sua festa de dezoito anos, soube que queria tê-la como esposa.

Pedi a seu pai para me apresentar e, bem — ele moveu os ombros —, sabemos o que aconteceu depois. Sei que devemos ser pragmáticos aceitar que nossa união, superficialmente, é de conveniência, uma vez que sua família tem o dinheiro e a minha tem a linhagem. Mas, Izabela, preciso confessar que, para mim, nosso casamento não seria baseado nessas condições tristes. Porque... — Gustavo baixou a cabeça por um momento, então ergueu seu olhar. — Eu te amo.

Bel viu honestidade nos olhos dele. Apesar de saber que ele a pediria em casamento naquele dia, suas palavras foram mais comoventes e genuínas do que ela esperava. A jovem começou a acreditar nas palavras que sua mãe havia dito. Sentiu, ironicamente, uma onda de piedade por Gustavo, e também remorso, uma vez que gostaria muito de ter os mesmos sentimentos por ele. Isso tornaria mais fácil montar o quebra-cabeça de sua existência.

— Gustavo, eu...

— Por favor, Izabela — ele sorriu. — Juro que estou terminando. Entendo que, no momento, você certamente não sente o mesmo por mim. Mas acredito que posso proporcionar muitas coisas de que você precisa para prosperar na vida. E espero que um dia você possa me amar, pelo menos um pouco.

Bel olhou para trás de Gustavo e viu que os outros visitantes do mirante haviam se afastado e que eles estavam sozinhos.

— Não sei se isso ajuda — Gustavo continuou —, mas encontrei o senhor Da Silva Costa há três dias e ele comentou que você gostaria de visitar a Europa com a família dele. Izabela, quero que você vá. Se concordar em ficarmos noivos imediatamente e se casar comigo quando voltar da Europa, digo a seu pai que acredito que uma visita ao Velho Mundo prepararia você muito bem para ser minha esposa.

Bel o encarou, completamente surpresa com a sugestão.

— Você é muito jovem, querida. Deve se lembrar de que sou quase dez anos mais velho — Gustavo disse, tocando seu rosto. — E quero que amplie seus horizontes, assim como me permitiram fazer quando eu era mais jovem. Então, o que me diz?

cisava responder rápido. O que Gustavo oferecia m sonho. Uma palavra dele poderia proporcionar desejava: a liberdade de viajar para longe dos limites preço era muito alto, mas ela já estava preparada alquer modo.

— é muita generosidade sua sugerir isso.

— Claro que não estou contente com isso, Izabela. Vou sentir sua falta todos os dias, mas entendo que não é possível manter um belo pássaro em uma gaiola. Se você o ama, precisa deixar que voe em liberdade. — Gustavo buscou suas mãos. — Obviamente, eu preferiria que fosse eu a lhe mostrar os magníficos lugares do Velho Mundo. De fato, considerei uma viagem à Europa para nossa lua de mel. Mas a verdade é que, no momento, não tenho o capital necessário para uma aventura assim. Além disso, meus pais dependem da minha presença aqui. — Então, o que você tem a dizer? — Ele olhou para ela com expectativa.

— Gustavo, com certeza seus pais e a sociedade carioca não aprovariam essa ideia. Se eu for sua noiva, não deveria ficar no Rio com você até o nosso casamento?

— No Velho Mundo, de onde meus pais vieram, é comum uma jovem fazer uma viagem cultural antes de se casar. Eles vão aceitar. Então, querida Izabela, não me faça esperar mais. Não posso suportar essa agonia.

— Acho... — Bel respirou fundo. — Acho que vou aceitar.

— Graças a Deus! — ele exclamou, aliviado. — Então, é hora de te dar este presente. — Gustavo tirou uma caixa de veludo desgastada do bolso do casaco. — Este anel é parte da herança dos Aires Cabral. Foi usado, segundo a história conta, pela prima do imperador Dom Pedro I quando ficou noiva.

Bel olhou para o diamante perfeito, cravado entre duas safiras.

— É lindo — ela respondeu, honestamente.

— A pedra que está no centro é muito antiga, extraída das minas de Tejuco, e o ouro é de Ouro Preto. Posso colocá-lo em seu dedo? Só para ver o tamanho — acrescentou —, porque naturalmente devo acompanhá-la até sua casa e pedir sua mão formalmente a seu pai.

— Naturalmente.

Gustavo colocou o anel no quarto dedo da mão direita de Izabela.

— Pronto — ele disse. — Será necessário ajustá-lo, mas ficou bem em você. — Gustavo pegou sua mão e beijou o anel. — Sabe, minha doce Izabela, a primeira coisa que notei em você foram suas mãos. Elas são — beijou a ponta de cada dedo — únicas.

— Obrigada.

Gustavo removeu o anel e o devolveu à caixa.

— Agora, é melhor retornarmos antes de o trem parar de correr por hoje e ficarmos presos aqui. Acho que isso não agradaria a seu pai — ele comentou

— Não — ela concordou enquanto Gustavo a guiava pela mão, saindo do mirante e descendo as escadas até a estação. Secretamente, Bel sabia que, agora que havia pescado seu "príncipe", seu pai ficaria contente com qualquer coisa.

***

Quando chegaram em casa, Bel foi imediatamente para o quarto enquanto Gustavo falava com seu pai. Ela se sentou na beirada da cama, apreensiva, mandando Gabriela embora quando a criada perguntou se queria se trocar. Bel se sentia insegura e eufórica ao mesmo tempo.

Ela refletiu sobre a decisão de Gustavo de encorajá-la a viajar para a Europa. Era possível que se sentisse secretamente aliviado com o pretexto para adiar sua união inevitável, em vez de assumir que não estava pronto para um casamento apressado? Talvez, Izabela pensou, o pobre Gustavo também estivesse pressionado por seus pais, assim como ela. Por outro lado, a expressão de adoração em seus olhos quando a pediu em casamento era genuína...

Seus pensamentos foram interrompidos quando Gabriela retornou ao quarto, um sorriso largo no rosto.

— Seu pai deseja sua presença. Me disseram para servir o melhor champanhe. Parabéns, senhorita. Espero que seja feliz e que Nossa Senhora a abençoe com muitos filhos.

— Obrigada, Gabriela — Bel sorriu para a criada enquanto deixava o quarto, depois desceu as escadas devagar e seguiu o som de vozes vindo da sala de visitas.

— E aqui está ela, a futura noiva! Venha beijar seu pai, minha princesa. E saiba que acabei de consentir em sua união.

— Obrigada, pai — Bel respondeu enquanto ele beijava seu rosto.

— Minha Izabela, saiba que você me fez o pai mais feliz do mundo hoje.

— E, a mim, o homem mais feliz do Rio — Gustavo sorriu.

— Ah, aqui está sua mãe para compartilhar de nossa alegria — Antônio acrescentou quando Carla entrou na sala.

A celebração continuou quando o champanhe foi servido e os quatro brindaram à saúde e à felicidade de Bel e Gustavo.

— Estou preocupado com o fato de mandá-la a milhares de quilômetros de distância antes de se casarem, senhor — Antônio disse, uma leve carranca marcando seu semblante ao olhar para Gustavo.

— Como expliquei, Bel ainda é muito jovem, e acredito que uma visita à Europa será vantajosa para que amadureça. Além disso, o que ela aprender vai contribuir para termos conversas mais estimulantes quando ficarmos mais velhos e não tivermos mais declarações de amor um para o outro. — Gustavo sorriu e deu uma piscada sorrateira para Bel.

— Bem, não sei quanto a isso — Antônio disse —, mas suponho que assim, pelo menos, ela terá acesso aos melhores estilistas de Paris para confeccionar seu vestido de noiva — concordou.

— Claro. E tenho certeza de que ficará perfeita no modelo que escolher. Agora — Gustavo terminou de beber seu champanhe — preciso me despedir e dar a boa notícia aos meus pais. Sei que não ficarão surpresos — ele sorriu.

— Certamente. E, antes que sua noiva embarque para a Europa, devemos dar uma festa. Talvez no Copacabana Palace, onde você conheceu sua futura esposa. — Antônio não conseguia evitar sorrir de orelha a orelha. — Precisamos anunciar a festa de noivado nas colunas sociais de todos os jornais — acrescentou, acompanhando Gustavo até a porta.

— Ficarei feliz por deixar os preparativos sob a competência da família da minha noiva — Gustavo concordou. Depois, buscou a mão de Bel e a beijou. — Boa noite, Izabela, e obrigada por me tornar um homem muito feliz.

Antônio esperou até que o carro de Gustavo se afastasse da casa, e então, com um grito de alegria, pegou Bel em seus braços fortes e a rodopiou, como costumava fazer quando era uma menininha.

— Minha princesa, você conseguiu! *Nós* conseguimos. — Ele colocou Bel no chão e foi abraçar sua esposa. — Está feliz, Carla?

— Certamente. Contanto que Bel esteja satisfeita, é uma notícia maravilhosa.

Antônio estudou Carla por alguns segundos e franziu o cenho.

— Você está bem, querida? Parece pálida.

— Estou com dor de cabeça, só isso. — Carla se esforçou para sorrir — Vou dizer à cozinheira para preparar algo especial para o jantar.

Bel seguiu sua mãe pelo corredor até a cozinha, em parte para escapar da euforia de Antônio.

— Mãe, você *está* contente por mim?

— Claro que estou, Izabela.

— Tem certeza de que está se sentindo bem?

— Sim, Izabela. Agora vá para o quarto e coloque um vestido bonito para comemorar.

# 17

As semanas seguintes se passaram voando, e o noivado de Bel e Gustavo foi muito comemorado na sociedade carioca. Todos queriam fazer parte daquele conto de fadas — o mais próximo que tinham de um príncipe herdeiro e sua linda noiva.

Antônio festejava os convites que começaram a receber para saraus e jantares em mansões cujas portas estiveram fechadas para eles até então.

Bel tinha pouco tempo para pensar em sua viagem à Europa, apesar de a passagem no navio a vapor já ter sido reservada e de madame Duchaine ter sido chamada para adequar seu guarda-roupa a uma visita à capital mundial da moda.

Loen finalmente havia retornado da fazenda, e Bel estava ansiosa para ouvir sua opinião a respeito de Gustavo.

— Pelo que pude perceber, senhorita Bel — a criada arriscou enquanto ajudava Bel a se vestir para o jantar certa noite —, acho que ele é um homem honrado e que será um bom marido. E, com certeza, o nome de sua família trará certas vantagens. Mas... — parou abruptamente e balançou a cabeça. — Não, não cabe a mim dizer.

— Loen, por favor, você me conhece desde criança e não há ninguém em quem eu confie mais. Você precisa me contar em que está pensando.

— Me perdoe por lembrar, minha pequena — ela respondeu, abrandando sua expressão —, mas você disse, em suas cartas, que não tinha certeza sobre esse noivado. E agora que os vi juntos... bem, posso ver que não está apaixonada por ele. Isso não a preocupa?

— Minha mãe acha que vou aprender a amá-lo com o tempo. Além disso, que escolha eu tenho? — Bel perguntou, seus olhos implorando conforto.

— Tenho certeza de que sua mãe está certa. Senhorita Bel, eu... — Loen ficou insegura de repente.

— O que foi?

— Quero dizer uma coisa. Enquanto estava na fazenda, conheci uma pessoa. Um homem, quero dizer.

— Minha nossa, Loen! — Bel ficou surpresa. — Por que não me disse antes?

— Estava com vergonha, acho, e a senhorita está tão ocupada com seu noivado que não tive chance.

— Quem é ele? — Bel perguntou, curiosa.

— Bruno Canterino, filho de Fabiana e Sandro — a criada confessou.

Bel pensou no jovem atraente que trabalhava na fazenda de seus pais e sorriu para Loen.

— Ele é muito bonito. Vocês combinam!

— Nós nos conhecemos desde crianças e sempre fomos amigos. Mas agora sei que existe mais do que isso entre nós dois — Loen admitiu.

— Você o ama? — Bel perguntou.

— Sim, e estou com muita saudade agora que estou de volta ao Rio. Bem, vamos terminar de arrumá-la, ou ficará atrasada.

Bel permaneceu em silêncio enquanto Loen a ajudava, sabendo exatamente por que ela havia falado de modo tão honesto sobre o amor que sentia. Mas, assim como tinha consciência disso, ela sabia que o pontapé inicial para o casamento com Gustavo já fora dado e que não havia nada a ser feito.

* * *

O que conformava Bel era o fato de que, quanto mais tempo passava com Gustavo, mais ele a conquistava. Estava sempre atento à menor de suas necessidades e ouvia com interesse cada frase que passava por seus lábios. Sua felicidade genuína por ela ter aceitado seu pedido tornava difícil não se apegar ao rapaz.

— Se ele não é mais uma fuinha, então é um cachorrinho — Maria Elisa riu quando as duas amigas se encontraram em um baile de gala no Jardim Botânico. — Pelo menos você não sente mais antipatia por ele.

— Não, gosto muito dele — Bel disse, querendo acrescentar que aquele não era o ponto. Ela deveria *amar* seu futuro marido.

— Mal posso acreditar que ele deixou você ir à Europa com minha família. Muitas pessoas na mesma posição não permitiriam.

— Parece que ele quer o melhor para mim — Bel afirmou, insegura.

— Parece que sim. Você é uma garota de sorte. Vai voltar para ele, não vai? — Maria Elisa a olhou com suspeita. — Esse noivado não é apenas uma artimanha para conseguir ir à Europa, é?

— O que você acha que eu sou? — Bel perdeu a paciência. — Claro que vou voltar! Como acabei de dizer, passei a gostar muito de Gustavo.

— Que bom! — Maria Elisa declarou, com firmeza. — Não quero ter que dizer a ele que sua noiva fugiu com um pintor italiano.

— Ah, por favor, como se isso pudesse acontecer! — Bel virou os olhos.

* * *

Na véspera do embarque de Bel com os Da Silva Costa para atravessar o Atlântico até a França, Gustavo foi à Mansão da Princesa se despedir. Pela primeira vez seus pais a deixaram sozinha com ele na sala de visitas.

— Então, esta é a última noite em que vou vê-la durante meses — ele sorriu, com tristeza. — Vou sentir sua falta, Izabela.

— Também vou sentir saudade, Gustavo — ela respondeu. — Não sei como agradecer por me deixar ir.

— Apenas quero fazê-la feliz. Ouça. — Gustavo tirou do bolso um pequeno saco de couro. Quando o abriu, Bel viu que continha um colar.

— Isto é para você — disse, entregando-o a ela. — É uma selenita, e dizem que protege quem a usa, especialmente se estiver viajando para longe daqueles que o amam, atravessando o mar.

Bel olhou para a delicada pedra branco-azulada, cravada em um círculo de diamantes diminutos.

— Amei — exclamou, com entusiasmo genuíno. — Obrigada, Gustavo.

— Foi escolhida especialmente para você — ele continuou, contente com a reação de Bel. — Não é muito valiosa, mas fico feliz que tenha gostado.

— Adorei — respondeu, tocada por sua consideração. — Você poderia colocar em mim?

Gustavo fez como ela pediu, então aproximou os lábios do seu pescoço e o beijou. — Minha linda Izabela — exclamou, com admiração. — Combina com você.

— Prometo que vou usar todos os dias.

— E vai escrever com frequência?

— Sim.

— Izabela, eu... — de repente, os dedos de Gustavo levaram os lábios dela para junto dos dele, em seu primeiro beijo. Havia muito tempo Bel estava curiosa para saber como seria beijar um homem. Nos livros que lera, as mulheres geralmente ficavam com as pernas bambas durante a experiência. Bem, ela pensou, enquanto a língua de Gustavo penetrava sua boca e ela se esforçava para descobrir o que fazer com sua própria língua, seus joelhos certamente não fraquejaram. Na verdade, quando Gustavo se afastou, Bel decidiu que não foi desagradável. Apenas sentiu... nada. Não sentiu nada.

***

— Adeus, querida Loen. Cuide-se — Bel disse enquanto se preparava para deixar o quarto e encontrar seus pais para seguir até o porto.

— A senhorita também. Estou preocupada com essa viagem. Por favor, escreva com frequência, sim?

— Claro — Bel concordou. — Vou contar tudo o que não posso contar aos meus pais — sorriu. — Então se certifique de esconder minhas cartas. Preciso ir agora, mas por favor me escreva contando o que acontece por aqui. Cuide-se, Loen. — Izabela a beijou e deixou o quarto.

Ao subir no carro, Bel refletiu sobre o fato de sua criada experimentar o único sentimento da qual ela mesma seria privada pelo resto da vida.

* * *

Seus pais a acompanharam até o convés do navio. Carla examinou, surpresa, a aconchegante cabine.

— Minha nossa, é igualzinho a um quarto em terra firme — ela disse, caminhando até a cama e se sentando para experimentar o colchão. — Há lâmpadas elétricas e boas cortinas — continuou.

— Não me diga que você esperava que Bel viajasse à luz de velas em uma rede no convés — Antônio zombou. — Posso garantir que esta passagem custou o bastante para cobrir toda a comodidade moderna imaginável.

Pela milésima vez Bel desejou que seu pai não comparasse tudo à quantidade de dinheiro que lhe custava. O navio emitiu um alerta para os visitantes, indicando que estava prestes a zarpar, e Bel abraçou sua mãe. — Por favor, cuide-se até eu voltar, mãe. Você não parece bem ultimamente.

— Pare de se preocupar, Bel. Estou envelhecendo, é isso — Carla sorriu. — Tome cuidado até estar de volta.

Bel viu lágrimas nos olhos de sua mãe.

Foi a vez de Antônio abraçá-la.

— Adeus, minha princesa. Espero que, depois de ver a beleza do Velho Mundo, ainda deseje voltar para a mãe, o pai e o noivo que te amam.

Bel subiu ao convés com eles e acenou em despedida quando desceram a prancha. Quando não eram mais que pontos distantes na paisagem, pela primeira vez ela sentiu uma onda de ansiedade. Estava viajando para o outro lado do mundo com uma família que mal conhecia. Enquanto o apito do navio a ensurdecia e o espaço entre a embarcação e a costa aumentava, Bel acenou freneticamente.

— Adeus, meus queridos pais. Fiquem bem e que Deus os abençoe.

* * *

Bel apreciou a viagem, com inúmeros entretenimentos para os passageiros abastados. Passou horas na piscina com Maria Elisa, um prazer ainda mais doce porque era algo negado a ela no Rio, ou jogando croquet na grama artificial do convés superior. As duas meninas riam com os olhares de admiração dos muitos rapazes a bordo quando entravam na sala de jantar.

O anel de noivado lhe proporcionava proteção contra os admiradores mais afetuosos, encorajados pelo vinho, quando dançavam ao som da banda do navio após o jantar. Maria Elisa, porém, divertiu-se com vários flertes inocentes, que Bel apoiava e vivia indiretamente.

Durante a viagem, ela passou a conhecer a família de Maria Elisa melhor do que jamais fora capaz no Rio, forçados a conviver sobre o oceano daquela maneira. Os dois irmãos mais novos de sua amiga, Carlos e Paulo, tinham quatorze e dezesseis anos, respectivamente, e, naquela fase desconfortável entre a infância e a adolescência, quando os pelos começavam a brotar em seus queixos, raramente tinham coragem de falar com Bel.

A mãe de Maria Elisa, Maria Georgiana, era uma mulher inteligente, de olhos aguçados, em quem Bel logo percebeu uma tendência a ataques repentinos de raiva quando algo não saía a seu modo. Passava a maior parte do tempo jogando bridge em um salão elegante, enquanto seu marido raramente deixava a cabine.

— O que seu pai faz lá o dia todo? — Bel perguntou certa noite, quando se aproximavam do arquipélago de Cabo Verde, na costa da África, onde o barco aportaria por algumas horas a fim de coletar suprimentos.

— Está trabalhando em seu Cristo, naturalmente — Maria Elisa respondeu. — Minha mãe diz que perdeu o amor do marido para Nosso

Senhor, alguém em quem ele tão frequentemente dizia não acreditar. Irônico, não é?

Certa tarde, Bel bateu à porta da cabine que acreditava ser de Maria Elisa. Sem receber resposta, abriu a porta e chamou a amiga. Imediatamente percebeu que havia cometido um engano, uma vez que foi um Heitor da Silva Costa surpreso quem ergueu os olhos de uma escrivaninha coberta de cálculos arquiteturais complexos. Eles cobriam não apenas a superfície da escrivaninha, mas também a cama e o chão.

— Senhorita Izabela, boa tarde. Como posso ajudar?

— Desculpe incomodar, senhor. Estava procurando por Maria Elisa e entrei na cabine errada.

— Não se preocupe. Também já me confundi tentando encontrar o caminho. Todas as portas são iguais — Heitor sorriu. — Quanto à minha filha, tente a porta ao lado, mas ela pode estar em qualquer lugar deste navio. Confesso que não estou prestando muita atenção ao seu paradeiro. Eu... — ele gesticulou em direção à escrivaninha — ando distraído com outras coisas.

— Posso... posso ver seus desenhos?

— Você está interessada? Os olhos pálidos de Heitor se iluminaram de prazer.

— Claro que sim! Todos no Rio dizem que será um milagre essa estátua ser construída no topo de uma montanha tão alta.

— E estão corretos. Como o Cristo não pode fazer isso sozinho, eu devo ajudar. — Ele sorriu, com exaustão. — Bem — o Sr. Da Silva Costa fez um sinal para Bel se aproximar —, deixe-me mostrar como eu acredito que podemos conseguir.

Heitor indicou uma cadeira e, pela hora seguinte, mostrou a Izabela que construiria uma estrutura forte o bastante para sustentar o Cristo.

— Vamos preencher Seu interior com vigas de ferro e com uma nova invenção europeia chamada concreto armado. Veja, Bel, o Cristo não é uma estátua. Ele é um edifício fantasiado de ser humano. Deve suportar os ventos fortes ao Seu redor e a chuva que cairá sobre Sua cabeça. Sem falar nos relâmpagos que Seu Pai envia do céu para nós, mortais, aqui na Terra, para nos lembrar de Seu poder.

Bel ouviu Heitor com respeito; era um prazer acompanhar o modo poético e detalhado como ele falava de seu projeto. Ela se sentiu honrada por ser merecedora dessas informações.

— Quando chegarmos à Europa, devo encontrar um escultor que possa dar vida à imagem que temos Dele. A engenharia necessária para construir Seu interior não terá valor para um público que verá apenas Seu exterior. — Ele a encarou, pensativo. — Acredito, senhorita, que isto também seja comum em nosso dia a dia. Você não concorda?

— Sim — Bel começou, insegura, nunca tendo pensado nisso antes —, acredito que sim.

— Por exemplo — ele elaborou —, você é uma jovem muito bonita, mas eu conheço a alma que a move? A resposta é: não, não conheço. Então, devo encontrar o escultor certo para o trabalho e voltar ao Rio com o rosto, o corpo e as mãos que Seus admiradores desejam.

***

Naquela noite, Bel deitou-se para dormir se sentindo um pouco desconfortável. Ainda que Heitor da Silva Costa fosse velho o bastante para ser seu pai, ela estava envergonhada por admitir a si mesma que sentia certa atração por ele.

# 18

Seis semanas depois de deixar o Rio de Janeiro, o navio aportou em Le Havre. Os Da Silva Costa embarcaram imediatamente em um trem para Paris, onde um carro os aguardava na estação para levá-los até um apartamento elegante na Avenue de Marigny, nas proximidades da Champs-Élysées. O plano era estabelecer a família ali, próximo ao escritório que Heitor havia alugado para trabalhar e se encontrar com muitos dos especialistas com quem gostaria de falar antes de finalizar a estrutura do Cristo.

Quando viajasse para a Itália e para a Alemanha a fim de falar com dois dos escultores europeus mais aclamados da época, a família viajaria com ele.

Pelas duas semanas seguintes, Bel sabia que poderia absorver Paris. Depois do jantar naquela primeira noite, abriu as cortinas da janela do quarto de pé-direito alto que dividia com Maria Elisa e admirou a vista, inspirando o aroma novo e estranho e estremecendo levemente com o ar gelado. Era início da primavera, o que significava temperaturas altas no Rio. Em Paris, contudo, mal chegava aos dez graus.

Na rua abaixo, ela viu as parisienses caminhando pelo bulevar, de braços dados com cavalheiros. Estavam vestidas elegantemente na nova moda, quase masculina, inspirada por Chanel, com linhas simples e saias na altura dos joelhos — a um mundo de distância dos vestidos formais a que Bel estava acostumada.

Ela respirou fundo e soltou seu cabelo do coque que o prendia no topo da cabeça, imaginando se ousaria cortá-lo no novo estilo curto. Seu pai, com certeza, a deserdaria. Ele sempre dizia que o cabelo coroava a beleza da filha. Mas Bel estava a milhares de quilômetros de distância, fora do alcance dele pela primeira vez na vida.

Um choque de excitação percorreu seu corpo e ela esticou o pescoço para a esquerda, onde podia ver as luzes cintilantes do Sena, o grande rio que atravessava Paris, e a margem ocidental, do outro lado. Havia ouvido muitas coisas sobre o grupo de artistas boêmios que frequentavam as ruas ao redor de Montmartre e Montparnasse; e sobre as modelos que eram preparadas para serem retratadas nuas por Picasso ou pelo poeta Jean Cocteau, cujo estilo de vida escandaloso, supostamente alimentado pelo ópio, havia chegado inclusive às colunas sociais do Rio de Janeiro.

Ela sabia, pelo que aprendera nas aulas de história da arte, que a margem ocidental havia sido o ponto preferido de artistas como Degas, Cézanne e Monet. Atualmente, um grupo mais jovem e muito mais ousado, liderado pelos surrealistas, havia assumido o controle. Escritores como F. Scott Fitzgerald e sua linda esposa, Zelda, haviam sido fotografados em La Closerie des Lilas tomando absinto com seus amigos boêmios famosos. Pelo que Bel entendia, o grupo vivia intensamente, bebendo durante o dia e dançando a noite toda.

— Vamos dormir, Bel. Estou exausta da viagem. — Maria Elisa interrompeu seus pensamentos ao entrar no quarto. — Por favor, você pode fechar a janela? Estou morrendo de frio.

— Claro. — Bel fechou a janela e foi ao banheiro vestir sua camisola.

Dez minutos depois, elas estavam lado a lado em suas camas.

— Minha nossa, é tão frio em Paris — Maria Elisa disse, tremendo ao puxar as cobertas até o pescoço. — Você não acha?

— Não muito — Bel respondeu, apagando o abajur ao lado da cama. — Boa noite, Maria Elisa, durma bem.

Deitada no escuro, Bel foi dominada pela excitação e inquietude que aquela cidade e a multidão do outro lado do rio ofereciam. E certamente sentia muito calor.

* * *

Na manhã seguinte, Bel estava vestida às oito horas, ansiosa para caminhar pelas ruas de Paris, absorvendo o ambiente. Heitor era o único membro da família na sala de jantar quando a jovem chegou para o café da manhã.

— Bom dia, Izabela. — Ele ergueu os olhos, já com uma caneta nas mãos enquanto tomava um gole de seu café. — Dormiu bem?

— Sim, muito bem. Não estou incomodando, estou?

— Não, de modo algum. Fico feliz por ter companhia. Esperava tomar café sozinho esta manhã, uma vez que minha esposa reclamou de uma noite maldormida por causa do frio.

— Infelizmente, sua filha também — Bel informou. — Ela pediu para tomar o café na cama. Acha que pode estar resfriada.

— Bem, pela sua aparência, é bom ver que você não sofre do mesmo mal — Heitor comentou.

— Ah, mesmo que estivesse com pneumonia esta manhã, ainda sairia da cama. — Bel sorriu enquanto a criada lhe servia uma xícara de café. — Como alguém pode se sentir doente em Paris? — ela disse, pegando um pão estranho, com o formato de uma cornucópia, de uma cesta no centro da mesa.

— Isso é um croissant — Heitor informou quando a viu estudando a guloseima. — Fica uma delícia se comido quente, com geleia de frutas. — Ele tomou um gole do café. — Também adoro esta cidade, apesar de que, infelizmente, terei pouco tempo para passear enquanto estiver aqui. Serão muitas reuniões.

— Com possíveis escultores?

— Sim! Estou empolgado. Também tenho uma reunião com um especialista em concreto armado, o que não é muito romântico, mas pode ser o ponto-chave do projeto.

— O senhor já esteve em Montparnasse? — Bel arriscou antes de morder o pão e suas papilas gustativas aprovarem.

— Sim, mas já faz muitos anos. Foi em minha primeira visita ao Velho Mundo. Quer dizer que a imagem da margem ocidental e de seus habitantes... incomuns lhe atrai?

Bel notou que os olhos de Heitor brilhavam.

— Sim, quero dizer, foi onde alguns dos maiores artistas de nossa geração nasceram. Gosto muito de Picasso.

— Você é fã do cubismo?

— Não, e também não sou especialista. Apenas aprecio grandes obras de arte — Bel explicou. — Desde que fui instruída em história da arte, ganhei interesse pelo assunto.

— Então não é surpresa que esteja ansiosa para explorar a área boêmia. Mas devo alertá-la, senhorita, é um lugar muito... decadente se comparado ao Rio de Janeiro.

— Imagino que seja decadente se comparado a qualquer lugar! — Bel concordou. — Eles vivem de um jeito diferente, experimentando novas ideias, movendo o mundo da arte...

— Sim, é verdade. Entretanto, se eu decidisse usar o estilo de arte de Picasso como inspiração para o Cristo, acho que teria problemas. — Ele riu. — Então, infelizmente, minha busca não me levará a Montparnasse. Agora, temo que deva ser rude e deixá-la. Tenho minha primeira reunião em meia hora.

— Ficarei bem sozinha — Bel respondeu, observando Heitor se levantar, recolher seus papéis e seu caderno.

— Obrigado pela companhia. Gosto muito de nossas conversas.

— Eu também — Bel respondeu, com timidez, e o Sr. Heitor fez um gesto com a cabeça antes de deixar a sala.

* * *

O resfriado de Maria Elisa lhe trouxe febre, e por volta do horário do almoço um médico foi chamado. Sua mãe parecia um pouco melhor, e ambas foram orientadas a tomar aspirina e descansar até a febre passar. Com toda Paris chamando, Bel vagueou pelo apartamento como um animal enjaulado, a frustação ofuscando sua compaixão por Maria Elisa muito mais do que deveria.

— Sou uma pessoa horrível e egoísta — ela reprimiu a si mesma ao se sentar à janela, observando a vida em Paris do lado de fora.

Finalmente, por puro tédio, Bel concordou em jogar cartas com os irmãos de Maria Elisa enquanto as horas preciosas daquele primeiro dia passavam.

# 19

Devido à natureza prolongada do resfriado de Maria Georgiana e de Maria Elisa, a impaciência de Bel para sair aumentava drasticamente. No fim da primeira semana, sem ter pisado nenhuma vez no bulevar parisiense, criou coragem para pedir permissão a Maria Georgina para dar uma volta e respirar ar puro. A resposta, como previsto, foi negativa.

— Não sem um acompanhante, Izabela. Nem eu nem Maria Elisa estamos bem no momento para ir com você. Haverá tempo suficiente para visitar os cartões postais de Paris quando retornarmos de Florença — Maria Georgina declarou, com veemência.

Bel deixou o quarto de Maria Georgiana imaginando se conseguiria se conter por mais sete dias até partirem para Florença. Ela se sentia uma prisioneira faminta admirando uma caixa de chocolates através das barras de sua cela, uma tentação a poucos milímetros de seu alcance.

Foi Heitor quem finalmente a salvou. Durante aquela semana, os dois haviam se encontrado durante o café da manhã, e, ainda que tivesse compromissos, ele notou a solidão da jovem.

— Izabela, hoje vou a Boulogne-Billancourt me encontrar com um escultor, o professor Paul Landowski. Já conversamos por carta e por telefone, e irei a seu ateliê ver onde e como trabalha. Ele é, no momento, meu favorito para esculpir o Cristo, ainda que eu precise me encontrar com outros artistas na Itália e na Alemanha. Gostaria de me acompanhar?

— Eu... ficaria honrada, senhor. Mas não quero atrapalhar.

— Com certeza não irá. Entendo que está entediada presa aqui, e podemos pedir a um dos assistentes que lhe mostre o ateliê enquanto converso com o professor Landowski.

— Senhor Da Silva Costa, não há nada que eu gostaria mais de fazer — Bel declarou com convicção.

— Bem, não pense nisso como um favor — Heitor respondeu. — Afinal, seu futuro sogro é membro do Círculo Católico, que foi essencial para promover a ideia de termos um monumento no alto do Corcovado e de organizar formas de conseguir verba. Seria uma vergonha voltar ao Rio e dizer a ele que fracassei em apresentar você às riquezas culturais do Velho Mundo. Portanto — Heitor sorriu —, partimos às onze.

***

Enquanto atravessavam a Pont de l'Alma e chegavam à margem ocidental, Bel olhava ansiosa pela janela, como se esperasse que Picasso em pessoa estivesse sentando em um café a céu aberto.

— O ateliê de Landowski fica longe daqui — Heitor disse. — Acho que ele está menos interessado em beber com seus amigos nas ruas de Montparnasse do que inspirado por seu trabalho. E, claro, tem uma família, o que não é algo facilmente tolerado na margem ocidental.

— O sobrenome dele não parece francês — Bel comentou, um pouco decepcionada que Landowski não fosse parte do grupo que ansiava conhecer.

— Não, ele é descendente de poloneses, mas acredito que sua família more na França há mais de setenta anos. Talvez seu temperamento não seja adequado às divagações mais bizarras de alguns de seus contemporâneos. Contudo, ele adota o novo estilo Art Déco, cada vez mais popular na Europa. Acho que pode ser ideal para o nosso Cristo.

— Art Déco? — Bel perguntou. — Não sei o que é isso.

— Como posso explicar esse estilo? — Heitor murmurou. — Bem, é como se qualquer coisa que você vê no dia a dia, como uma mesa ou um vestido, até mesmo um ser humano, possa ser reduzida a linhas básicas. Não é nada extravagante ou romântico, mas tem o estilo clássico de muitos dos grandes artistas e escultores do passado. É simples, rudimentar... como acredito que o Cristo gostaria de ser visto.

Conforme eles avançavam de carro, a paisagem ficava mais rural e a cidade dava lugar a aglomerados ocasionais de casas ao longo da estrada. Bel não conseguiu evitar pensar na ironia da situação: quando finalmente pôde escapar do apartamento, afastou-se do coração pulsante da cidade que tanto queria explorar.

Depois de entrar em diversas ruas erradas, o motorista virou à esquerda e entrou em uma casa grande e de formato irregular.

— Chegamos — Heitor disse, saindo do carro imediatamente, os olhos brilhando com expectativa. Enquanto o seguia pelo jardim, Bel notou uma figura magra, com a cabeça coberta por cabelos grisalhos despenteados e barba longa, surgir pela lateral da casa, vestindo um avental sujo de argila. Ela observou enquanto os dois homens se cumprimentaram e começaram a conversar com excitação. Continuou a certa distância, não desejando interromper a conversa, e alguns minutos se passaram antes que Heitor se lembrasse de sua presença.

— Senhorita — ele chamou —, aceite minhas desculpas. É sempre um grande momento conhecer pessoalmente alguém com quem apenas se trocou ideias por correspondência. Deixe-me apresentar o professor Paul Landowski. Professor, senhorita Izabela Bonifácio.

Landowski estendeu a mão e levou os dedos de Izabela aos lábios.

— *Enchanté.* — Depois olhou para as mãos de Bel e, para surpresa da jovem, começou a traçar os contornos com seus próprios dedos. — Mademoiselle, a senhorita tem dedos maravilhosos. Não tem, monsieur Da Silva Costa?

— Lamento nunca ter notado antes — Heitor respondeu. — Mas, sim, o senhor está certo.

— Agora, vamos aos negócios, monsieur — Landowski disse, soltando a mão de Bel. — Deixe-me lhe mostrar meu ateliê, e então discutiremos em detalhes a imagem do Cristo.

Bel seguiu os dois homens pelo jardim, notando que a folhagem parecia estar adormecida, verdejante, mas sem flores visíveis ainda. Em sua terra natal, as cores vibrantes das plantas nativas decoravam a paisagem o ano todo.

Landowski os levou até uma construção alta, parecida com um celeiro, que ficava nos fundos do jardim e tinha as laterais de vidro para deixar a luz entrar. Um rapaz estava sentado a uma mesa em um canto arejado, trabalhando em um busto de argila. Nem mesmo ergueu os olhos quando entraram, tão concentrado estava em sua tarefa.

— Estou trabalhando em uma escultura provisória de Sun Yat-Sen e tenho dificuldade para aperfeiçoar os olhos. Eles têm uma forma diferente dos olhos ocidentais — Landowski apontou. — Meu assistente está tentando melhorar minha tentativa.

— O senhor utiliza apenas argila e pedra, professor Landowski? — Heitor perguntou.

— Uso o que o cliente desejar. Você tem alguma ideia do que quer para seu Cristo?

— Pensei no bronze, mas me preocupo com o fato de Nosso Senhor ganhar um brilho esverdeado conforme o bronze envelheça no vento e na chuva. Além disso, desejo que todo o Rio olhe para o alto e o veja com trajes claros, não escuros.

— Entendo — Landowski disse. — Mas, se estiver pensando em trinta metros, acho que será impossível carregar uma estátua de pedra desse tamanho e altura montanha acima, e mais difícil ainda será erguê-la quando chegar lá.

— Sim — Heitor concordou —, e é por esse motivo que, com a estrutura arquitetônica interna que espero finalizar enquanto estiver na Europa, acredito que a forma externa do Cristo deva ser feita em moldes. E reconstruída, parte por parte, no Rio.

— Bem, se já viu o suficiente aqui, vamos voltar à casa e estudar os desenhos que fiz. Mademoiselle — Landowski voltou sua atenção para Bel —, a senhorita prefere conhecer o ateliê enquanto conversamos? Ou ficaria mais confortável com minha esposa na sala de visitas?

— Ficarei contente aqui, obrigada — Bel respondeu. — É um privilégio ver os trabalhos em seu ateliê.

— Tenho certeza de que, se pedir, meu assistente poderá abandonar os olhos de Sun Yat-Sen por alguns minutos e providenciar um lanche. — Landowski fez um gesto na direção do jovem, e então deixou o ateliê com Heitor.

O assistente, contudo, parecia inconsciente de sua presença enquanto ela caminhava pelo ateliê, querendo se aproximar para observar o que ele fazia, mas não desejando atrapalhar. Havia um forno enorme do lado oposto à principal área de trabalho, presumivelmente usado para queimar a argila. À sua esquerda ficavam dois cômodos; um era um lavabo simples, que também continha uma pia grande com pacotes de argila empilhados contra a parede, e o outro, uma pequena cozinha sem janelas. Bel se dirigiu ao espaço principal do ateliê e olhou pela janela dos fundos, onde viu uma variedade de pedras enormes, de formas e tamanhos diferentes, que seriam, possivelmente, esculpidas por Landowski no futuro.

Tendo exaurido todas as possibilidades de distração, Bel notou uma cadeira de madeira instável, onde foi se sentar. Observou o assistente, trabalhando com a cabeça inclinada, completamente concentrado. Dez minutos depois, quando o relógio bateu meio-dia, ele limpou as mãos em seu uniforme e ergueu os olhos abruptamente.

— Almoço — anunciou e, pela primeira vez, olhou diretamente para Bel e sorriu. — *Bonjour*, mademoiselle.

Uma vez que sua cabeça esteve abaixada o tempo todo, Bel não havia notado suas feições. Mas, quando ele sorriu, ela sentiu uma sensação estranha no estômago.

— *Bonjour*. — Devolveu o sorriso com timidez. Ele se levantou e caminhou em sua direção, e Bel também se levantou.

— Perdoe-me, mademoiselle, por ignorá-la — ele se desculpou em francês —, mas estava concentrado em um globo ocular, e é uma operação muito delicada. — O rapaz parou a um metro de distância e a estudou intensamente. — Já nos encontramos antes? A senhorita é familiar.

— Não, creio que seja impossível. Cheguei recentemente do Rio de Janeiro.

— Então estou engando. — Ele moveu a cabeça, pensativo. — Não vou cumprimentá-la, pois minhas mãos estão cobertas de argila. Com licença, vou me lavar.

— Claro — Bel disse, sua voz soando como um sussurro forçado. Ela havia se levantado com facilidade enquanto o jovem se aproximou para cumprimentá-la, mas agora, conforme desaparecia para dentro do cômodo com a pia, ela se sentou abruptamente, tonta e sem fôlego. Bel se perguntou se estava prestes a ficar resfriada como Maria Elisa e sua mãe.

Cinco minutos depois, o rapaz voltou, sem seu avental e vestindo uma camisa limpa. Os dedos de Bel se moveram alguns centímetros por conta própria, instintivamente desejando correr entre aqueles longos cabelos castanhos, acariciar a pele clara de sua face, contornar a bonita forma de seu nariz e os lábios cheios que escondiam dentes brancos e perfeitos. A expressão sonhadora em seus olhos verdes a lembrava os olhos de Heitor: fisicamente presente, mas com os pensamentos em outro lugar.

Bel percebeu de repente que os lábios dele se moviam e um som deixava sua boca. Ele perguntava seu nome. Assustada com sua reação, ela se obrigou a despertar de seu devaneio e tentou se controlar e falar com clareza, pela primeira vez, em francês.

— Mademoiselle, está se sentindo bem? Parece que viu um fantasma.

— Desculpe, eu estava... em outro lugar. Meu nome é Izabela. Izabela Bonifácio.

— Ah, como a rainha da Espanha — o assistente comentou.

— E a falecida princesa do Brasil — Bel anunciou rapidamente.

— Lamento admitir que conheço muito pouco do seu país e sua história. Exceto pelo fato de que competem conosco ao acreditar que produzem a melhor xícara de café.

— Os melhores grãos, pelo menos — Bel defendeu. — Obviamente, sei muito sobre o seu país — ela continuou, imaginando se soava tão tola quanto se sentia.

— Sim. Nossa arte e nossa cultura atravessaram o mundo ao longo de centenas de anos, enquanto a sua ainda está nascendo. E não tenho dúvida de que vai se formar — acrescentou. — Agora, já que o professor e seu amigo arquiteto parecem tê-la abandonado, talvez a senhorita aceite comer alguma coisa enquanto me conta sobre o Brasil.

— Eu... — Bel olhou pela janela, nervosa com a impropriedade das circunstâncias. Nunca havia encontrado esse homem antes e estava a sós com ele. Se seu pai ou seu noivo pudessem vê-la agora...

O jovem notou sua preocupação e fez um gesto indiferente com as mãos.

— Posso garantir que vão esquecê-la por um bom tempo enquanto conversam. Podem demorar horas. Então, se não quiser morrer de fome, por favor, sente-se à mesa que vou preparar nosso almoço.

O rapaz se virou e atravessou o ateliê em direção à cozinha que Bel havia visto antes.

— Perdoe-me, monsieur, mas qual é o seu nome?

Ele parou e se virou.

— Desculpe. Como sou rude. Meu nome é Laurent. Laurent Brouilly.

Bel se sentou no banco áspero de madeira, colocado em um pequeno nicho em um dos cantos da sala. Um riso suave escapou de seus lábios ao pensar nas circunstâncias em que se encontrava. Sozinha com um homem, e não qualquer homem, mas um que preparava o almoço para ambos. Ela nunca havia visto seu pai sequer entrar na cozinha, que dirá preparar uma refeição.

Poucos minutos depois, Laurent voltou carregando uma bandeja com duas baguetes recém-tiradas do forno, dois pedaços de queijo francês de aroma forte, uma jarra de cerâmica e duas taças.

Ele colocou a bandeja sobre a mesa, depois puxou um pedaço de cortina velha que estava pendurada em uma haste presa ao teto.

— Para deixar a poeira do ateliê longe da nossa comida — explicou, enquanto removia o conteúdo da bandeja e o colocava sobre a madeira nua da mesa. Depois serviu uma quantidade generosa de um líquido amarelo-claro nas duas taças e passou uma para ela.

— O senhor toma vinho com pão e queijo? — Bel admirou-se.

— Mademoiselle, somos franceses. Tomamos vinho com tudo, a *qualquer* hora. — Ele sorriu ao levantar a taça. — *Santé* — disse, brindando.

Laurent tomou um longo gole de vinho enquanto Bel tomou um gole hesitante. Ela o observou pegar um pedaço de pão, abrir com os dedos e prosseguir para recheá-lo com fatias de queijo. Não querendo perguntar pelos pratos, ela o imitou.

Uma refeição simples nunca fora tão saborosa, ela pensou com prazer. Em vez de engolir a comida em grandes mordidas, como Laurent fazia, Bel pegava pequenos pedaços de pão e queijo com os dedos e os levava à boca. O tempo todo, os olhos dele permaneciam nela.

— O que está olhando? — Bel perguntou finalmente, desconfortável com a atenção constante.

— Você — ele respondeu, esvaziando a taça de vinho e se servindo outra dose.

— Por quê?

Ele tomou outro gole e então deu de ombros, do jeito único dos gaélicos, como Bel veio a reconhecer.

— Porque, mademoiselle Izabela, você é magnífica.

Bel sentiu seu estômago dar saltos uma vez mais.

— Não fique horrorizada, mademoiselle. Tenho certeza de que uma mulher como você já ouviu isso milhares de vezes. Deve estar acostumada a ter pessoas admirando-a.

Bel pensou nisso e supôs que sim, atraía muitos olhares de admiração. Mas nenhum deles havia sido tão intenso quando o *dele*.

— Já pintaram um retrato seu? Ou talvez já tenha sido esculpida? — ele perguntou.

— Uma vez, quando eu era criança, meu pai encomendou um retrato.

— Estou surpreso. Pensei que estivessem fazendo fila em Montparnasse para pintá-la.

— Estou em Paris há menos de uma semana, monsieur, e ainda não fui a muitos lugares.

— Bem, já que a descobri, sou da opinião de que não deveria permitir que nenhum daqueles malandros e vagabundos chegue perto de você — sorriu.

— Eu adoraria visitar Montparnasse — Bel suspirou —, mas duvido que tenha permissão.

— Claro — ele concordou. — Muitos pais em Paris preferem que suas filhas se afoguem no rio a permitir que percam sua virtude e seu coração na margem ocidental. Onde está hospedada?

— Em um apartamento na Avenue de Marigny, perto da Champs-Élysées. Sou convidada da família Da Silva Costa. Eles são meus guardiões.

— E não estão ansiosos para conhecer o que Paris tem a oferecer?

— Não. — Bel pensou que ele estivesse falando sério, até ver sua expressão.

— Bem, como um artista de verdade sabe, toda regra deve ser quebrada, cada obstáculo, vencido. Temos apenas uma vida, mademoiselle, e devemos vivê-la como escolhermos.

Bel permaneceu em silêncio, mas a euforia por finalmente encontrar alguém que sentia o mesmo que ela era demais e as lágrimas ardiam em seus olhos. Laurent notou imediatamente.

— Por que chora?

— No Brasil, a vida é diferente. Obedecemos às regras.

— Compreendo, mademoiselle — ele balbuciou. — E posso ver que já concordou em obedecer a uma. — Laurent apontou o anel de noivado em seu dedo. — Vai se casar?

— Sim, quando retornar desta viagem à Europa.

— E está contente com a união?

Bel ficou surpresa com o jeito direto de Laurent. Esse homem era um estranho, que não sabia praticamente nada sobre ela. Ainda assim, estavam compartilhando uma refeição e intimidades como se houvessem sido amigos a vida inteira. Se esse era o jeito como os boêmios viviam, Bel decidiu que queria adotá-lo.

— Gustavo, meu noivo, será um marido fiel e amoroso — respondeu. — Além disso, não acredito que um casamento envolva apenas amor — mentiu.

O jovem a estudou por alguns instantes antes de respirar fundo e balançar a cabeça.

— Mademoiselle, uma vida sem amor é como um francês sem vinho ou um ser humano sem oxigênio. Mas — suspirou — talvez você esteja certa. Algumas pessoas aceitam a ausência do amor e estão preparadas para concordar com outras coisas, como riqueza e posição social. Não eu — Laurent balançou a cabeça. — Eu jamais poderia me sacrificar sobre um altar materialista. Se devo passar o resto da vida com alguém, quero acordar toda manhã e olhar nos olhos da mulher que amo. Estou surpreso que esteja preparada a aceitar menos que isso. Posso ver que o coração que bate dentro de você é ardente.

— Por favor, monsieur...

— Perdoe-me, mademoiselle. Fui longe demais. Chega! Mas eu gostaria muito de ter a honra de esculpi-la. Importa-se se eu perguntar ao monsieur Da Silva Costa se posso praticar minha arte tendo você como modelo?

— Você pode perguntar, mas eu não poderia... — Bel, enrubescida e envergonhada, não sabia como formar a frase.

— Não, mademoiselle — Laurent leu sua mente. — Fique tranquila que não vou pedir que tire suas roupas. Pelo menos por enquanto — acrescentou.

Bel ficou sem palavras diante da insinuação. Sentia-se igualmente excitada e assustada.

— Onde você mora? — ela perguntou, desesperada para mudar de assunto.

— Como qualquer artista de verdade, alugo um quarto em um sótão com mais seis pessoas, em um dos becos de Montparnasse.

— E você trabalha para o professor Landowski?

— Não usaria essa expressão exatamente, porque recebo em comida e vinho — Laurent corrigiu. — Se o sótão que divido em Montparnasse fica muito apertado, ele me deixa dormir aqui no ateliê, em um colchão. Estou aprendendo minha arte, e não há professor melhor que Landowski. Os surrealistas testam a Art Déco em pinturas, e Landowski faz o mesmo em esculturas. Ele está se colocando à frente dos trabalhos exagerados do passado. Foi meu professor na *École Nationale Supérieure des Beaux-Arts*, e, quando me escolheu como assistente, nem pensei em recusar.

— De onde sua família é? — Bel indagou.

— Por que o interesse? — Laurent riu. — A próxima pergunta será sobre a minha classe social... Entenda, mademoiselle Izabela, nós, artistas de Paris, somos apenas quem *somos*; deixamos nosso passado para trás e vivemos o momento. Somos definidos pelo talento, não pela nossa descendência. Mas, já que pergunta — acrescentou, tomando um gole de vinho —, vou contar. Minha família vem de uma linhagem nobre e tem um château perto de Versalhes. Se não os tivesse deixado, eu haveria me tornado aquilo que queriam que eu me tornasse. Como filho mais velho, seria o conde Quebedeaux Brouilly a esta altura. Entretanto, uma vez que meu pai declarou que me deserdaria quando confessei que gostaria de ser escultor, sou apenas "eu", como já expliquei. Não tenho um centavo no meu nome, e qualquer coisa que ganhar no futuro será fruto destas mãos.

Ele a encarou, mas Bel não disse nada. O que poderia dizer quando sua vida inteira era baseada nos valores que ele acabara de ridicularizar?

— Talvez esteja surpresa, mas lhe garanto que, em Paris, há quem pense assim. Pelo menos meu pai não precisou lidar com a infâmia de ter um filho homossexual, como muitos pais de conhecidos meus tiveram.

Bel olhou fixamente para o rapaz, horrorizada por ele ter dado voz a tal pensamento.

— Mas isso é ilegal! — não conseguiu evitar observar.

Ele tombou a cabeça para um lado e a estudou.

— É errado apenas porque que os regimes intolerantes dizem que é?

— Eu... não sei — Bel titubeou, ficando em silêncio e tentando se recompor.

— Perdoe-me, mademoiselle. Devo tê-la chocado.

Bel notou um brilho nos olhos do jovem e concluiu que ele se divertia com a conversa.

Outro gole de vinho a encorajou.

— Então, monsieur Brouilly. Você deixou claro que não liga para dinheiro e bens materiais. Está feliz por viver de ar?

— Sim, pelo menos por enquanto, enquanto sou jovem e forte e estou no centro do mundo aqui em Paris. Entretanto, entendo que, quando estiver velho e doente, se não tiver ganhado dinheiro suficiente com minhas esculturas, então, sim, poderei me arrepender. Muitos de meus amigos artistas têm benfeitores que os ajudam quando estão em dificuldades. Porém, uma vez que esses benfeitores são viúvas desagradáveis que esperam que os jovens artistas a quem sustentam as paguem de uma forma bem específica, não é um caminho que pretendo seguir. É pouco melhor do que se prostituir, e eu não farei isso.

Mais uma vez, Bel ficou chocada com a franqueza. Ela já havia ouvido sobre os bordéis na Lapa, onde homens iam para satisfazer seus apetites físicos, mas isso jamais seria mencionado em público. E, certamente, não por um homem conversando com uma mulher respeitável.

— Acho que a assusto, mademoiselle — Laurent sorriu com simpatia.

— Acho que tenho muito a aprender sobre Paris — ela admitiu.

— Tenho certeza de que é verdade. Então, talvez possa me considerar seu instrutor no estilo de vida *avant-garde*. Ah, vejo que os dois sumidos retornam — declarou, olhando através da janela atrás de Bel. — O professor está sorrindo; sempre um bom sinal.

Bel viu os dois homens entrarem no estúdio, ainda discutindo. Laurent se ocupou em retirar as sobras do almoço da mesa e empilhá-las sobre a bandeja, enquanto Bel se apressava em adicionar sua taça de vinho ao monte, preocupada com a desaprovação de Heitor.

— Senhorita — Heitor disse ao vê-la —, lamento a demora, mas o professor Landowski e eu tínhamos muito que discutir.

— De modo algum — Bel respondeu rapidamente. — Monsieur Brouilly estava me explicando os... princípios da escultura.

— Bom, bom — Bel podia notar que Heitor estava distraído porque imediatamente voltou sua atenção para Landowski. — Visitarei Florença semana que vem e, depois, viajo a Munique. Retornarei a Paris no dia 25. Entrarei em contato logo em seguida.

— Claro — Landowski concordou. — Pude concluir que minhas ideias e estilos não são adequados às suas necessidades. Mas, seja qual for sua decisão, admiro sua coragem e determinação em executar um projeto tão difícil. Certamente apreciaria o desafio de fazer parte dele.

Os dois homens apertaram as mãos e Heitor se virou para deixar o ateliê, com Bel logo atrás.

— Monsieur Da Silva Costa, antes de partir, gostaria de lhe pedir um favor — Laurent declarou de repente.

— E o que seria? — Heitor perguntou, virando-se em sua direção.

— Gostaria de esculpir sua convidada, mademoiselle Izabela. Ela possui feições únicas e eu gostaria de ver se consigo fazer justiça a elas.

Heitor considerou o pedido com hesitação.

— Admito que não sei o que dizer. É lisonjeiro, não é, Izabela? Se fosse minha filha ficaria mais que contente em permitir. Mas...

— Você já ouviu histórias sobre muitos artistas parisienses infames, e o que esperam de suas modelos — o professor Landowski aludiu com um sorriso. — Mas posso garantir, Monsieur Da Silva Costa, que Brouilly tem meu aval. Ele não é apenas um escultor de talento, que acredito ter a capacidade de ser um dos melhores, mas também está sob meu teto. Portanto, posso garantir pessoalmente a segurança da mademoiselle.

— Obrigada, professor. Vou falar com minha esposa e entrar em contato quando retornarmos de Florença — Heitor concordou.

— Ficarei ansioso por notícias — Laurent disse. — Ele se virou para Bel: — *Au revoir*, mademoiselle.

Bel e Heitor permaneceram em silêncio durante a volta para casa, imersos em seus próprios pensamentos. Quando o carro passou por Montparnasse, ela sentiu uma agitação percorrer suas veias. Ainda que seu almoço improvisado com Laurent Brouilly a tenha abalado de muitas formas, sentia-se verdadeiramente viva pela primeira vez na vida.

# 20

Contrariando suas expectativas de antes de partir para a Europa — quando a perspectiva de visitar a Itália, a terra de seus ancestrais, a enchia de entusiasmo —, ao arrumar as malas no dia seguinte para viajar para Florença, Bel estava detestando a ideia de partir.

Depois que chegou à cidade que sonhava visitar e viu o telhado espetacular do Duomo pela janela do seu quarto de hotel, sentindo o aroma de alho e ervas frescas emanando de restaurantes pitorescos na rua logo abaixo, seu pulso não vibrou tão forte como esperava.

Poucos dias depois, quando embarcou em um trem para Roma e ela e Maria Elisa jogaram moedas na Fontana di Trevi, antes de visitar o Coliseu, onde gladiadores valentes lutaram por suas vidas na arena, Bel ainda sentia uma vaga sensação de desinteresse.

Ela havia deixado seu coração em Paris.

Naquele domingo em Roma, Bel se uniu a milhares de católicos na Praça do Vaticano para assistir à missa celebrada pelo Papa. Ajoelhou-se, com um véu de renda negra cobrindo seu rosto, ergueu os olhos para a figura diminuta de branco na sacada e correu os olhos pelos santos colocados em seus pedestais ao redor da praça. Ao lado daqueles milhares de pessoas, que oravam e recitavam terços enquanto esperavam para receber a hóstia, Bel também pediu a Deus que abençoasse sua família e seus amigos. E, depois, fez uma prece para si mesma.

"Por favor, por favor, não deixe o senhor Heitor se esquecer de perguntar sobre minha escultura e, por favor, me permita encontrar Laurent Brouilly outra vez..."

***

De Roma, depois de se encontrar com os escultores e estudar muitas obras de arte famosas espalhadas pela cidade, Heitor deixou a Itália rumo a Munique. Seu objetivo era visitar a Estátua da Bavária, esculpida em bronze e construída com quatro partes de metal fundidas.

— Sinto que vai proporcionar inspiração para meu projeto, uma vez que os desafios de sua construção tiveram muitas semelhanças com aqueles que enfrento com o Cristo — ele contou a Bel durante o jantar certa noite.

Por motivos que Bel desconhecia ou não compreendia, Heitor havia decidido que o resto da família Da Silva Costa não o acompanharia na longa viagem a Munique. Em vez disso, eles retornariam a Paris, onde os dois meninos tinham um tutor a sua espera.

Ao embarcar no trem noturno em Roma Termini para começar sua viagem de volta a Paris, Bel respirou com alívio.

— Você parece mais contente esta noite — Maria Elisa comentou ao se deitar em sua cama de veludo vermelho na cabine que dividiam. — Estava tão quieta na Itália... Era como se estivesse em outro lugar.

— Estou ansiosa para regressar a Paris — Bel respondeu, com indiferença.

Ao se deitar em sua própria cama, viu a cabeça de Maria Elisa aparecer na beirada do beliche acima.

— Estou dizendo que você está diferente, Bel.

— Estou? Não acho. De que modo?

— Como se estivesse... Não sei... — Maria Elisa suspirou. — Sonhando acordada o tempo todo. De qualquer forma, estou ansiosa para ver Paris. Vamos nos divertir juntas, não vamos?

Bel pegou a mão que Maria Elisa oferecia e selou o acordo.

— Claro que vamos.

*Apartamento 4*
*Avenue de Marigny, 48*
*Paris*
*França*

*9 de abril*

*Meus queridos pais,*

*Estamos de volta a Paris depois de visitar a Itália. Espero que tenham recebido a carta que enviei de lá. Maria Elisa e a mãe dela se sentem muito melhor agora do que quando estiveram aqui antes, então passamos os últimos dias conhecendo os principais pontos da cidade. Fomos ao Louvre e vimos a* Mona Lisa, *fomos à Basílica Sacré-Cœur, em uma área chamada Montmartre, onde Monet, Cézanne e outros grandes pintores franceses viveram e trabalharam, caminhamos nos Jardin des Tuileries e subimos no topo do Arc de Triomphe. Ainda há muitos lugares para visitar, e a Torre Eiffel é um deles, por isso tenho certeza de que não vou ficar entediada.*

*Caminhar pelas ruas, por si só, é uma experiência incrível aqui. Mãe, a senhora adoraria as lojas! As ruas aqui perto exibem alguns dos maiores estilistas franceses, e tenho minha primeira prova do vestido de noiva marcada, como a Sra. Aires Cabral sugeriu, no estúdio de madame Lanvin, na Rue de Faubourg Saint-Honoré.*

*As mulheres aqui são tão elegantes... Mesmo que só tenham dinheiro para comprar em lojas, como a Le Bon Marché, ainda são muito chiques. E a comida... Pai, preciso contar que sua filha comeu escargots, pequenos caracóis cozidos com alho, manteiga e ervas. É preciso tirá-los das conchas com garfos minúsculos. Achei delicioso, mas admito que a perna de rã não agradou ao meu paladar.*

*À noite a cidade parece não dormir. Pela minha janela, posso ouvir o som de uma orquestra de jazz tocar no hotel do outro lado da rua. Esse tipo de música é tocado em muitos lugares em Paris, e o Sr. Da Silva Costa disse que podemos ir apreciá-lo alguma noite, em um estabelecimento apropriado.*

*Estou bem e muito feliz, tentando aprender o máximo possível com essa oportunidade maravilhosa que recebi. Os Da Silva Costa são muito gentis e, depois de estar na Alemanha nos últimos dez dias, o Sr. Da Silva Costa retorna amanhã.*

*Também conheci uma jovem brasileira do Rio de Janeiro, que veio tomar chá conosco há dois dias. Seu nome é Margarida Lopes de Almeida e talvez vocês reconheçam o nome da mãe dela, Júlia Lopes de Almeida, que ganhou fama como escritora no Brasil. Margarida está aqui com uma bolsa de estudos, oferecida pela Escola Nacional de Belas Artes do Rio, e atualmente está estudando a arte de esculpir. Ela me disse que há cursos oferecidos pela* École Nationale Supérieure des Beaux-Arts, *e eu pensei em fazer um. Estou muito interessada no assunto, devido à influência do Sr. Da Silva Costa.*

*Escreverei outra vez semana que vem, mas, por enquanto, mando meu amor e beijos através do oceano.*

*Sua filha que os ama,*

*Izabela*

Bel colocou a caneta sobre a escrivaninha, alongou-se e olhou pela janela. Nos últimos dias, as árvores na rua abaixo haviam florescido e estavam agora cobertas com delicadas flores cor-de-rosa. Quando a brisa soprava, elas caíam como uma chuva aromática sobre a calçada, cobrindo o chão com uma camada de pétalas.

Ela olhou para o relógio sobre a escrivaninha e viu que passava pouco das quatro da tarde. Já havia escrito a Loen contando sobre a Itália, e havia tempo de sobra para escrever uma terceira carta, para Gustavo, antes do jantar. Mas Bel não tinha vontade de fazer isso, pois achava muito difícil corresponder aos sentimentos amorosos das cartas que recebia dele com frequência.

Talvez escrevesse mais tarde, pensou ao se levantar e ir até a mesinha de centro, inconscientemente colocando um bombom na boca. O apartamento estava quieto, mas Bel podia ouvir o murmúrio dos meninos, ocupados com seus estudos na sala de jantar ao lado. Maria Georgiana e Maria Elisa estavam descansando, como faziam toda tarde.

Heitor, fora informada, voltaria de Munique a tempo para jantar com a família, e Bel ficaria contente com sua presença. Sabia que deveria conter sua ansiedade em lembrá-lo sobre Laurent e sua vontade de esculpi-la por um dia ou dois, mas, pelo menos, a visita de Margarida Lopes de Almeida ao apartamento a alegrava. Enquanto as mães conversavam, as meninas estreitavam os laços de amizade. E em Margarida Bel encontrou afinidade de espírito.

* * *

— Você já esteve em Montparnasse? — Bel perguntou baixinho enquanto tomavam chá.

— Sim, muitas vezes — Margarida havia confessado —, mas não conte a ninguém. Ambas sabemos que Montparnasse não é lugar para meninas de família.

Margarida havia prometido voltar logo para visitar e compartilhar detalhes do curso de escultura que fazia na escola *Beaux-Arts*.

— Com certeza o senhor Da Silva Costa não vai desaprovar, uma vez que o professor Landowski é um de nossos tutores — Margarida acrescentou antes de partir. — *À bientôt*, Izabela.

* * *

Heitor chegou em casa naquela noite com uma aparência doentia e exausto por causa da longa viagem. Bel ouviu enquanto ele enumerava os deleites da Bavária, a estátua que havia visitado na Alemanha. Mas o Sr. Da Silva Costa também narrou detalhes preocupantes sobre o crescimento do Partido Nacional Socialista dos Trabalhadores Alemães, sob o comando de um homem chamado Adolf Hitler.

— O senhor já decidiu quem vai escolher para esculpir o Cristo? — Bel perguntou enquanto a criada servia fatias generosas de tarte tatin.

— Não pensei em mais nada durante minha longa viagem de volta a Paris — Heitor frisou. — E ainda prefiro Landowski, uma vez que seu trabalho tem um equilíbrio artístico perfeito. É moderno, mas possui uma simplicidade e uma qualidade atemporal que acredito serem ideais para o projeto.

— Fico contente que se sinta assim — Bel arriscou. — Depois de conhecer seu ateliê, gostei de sua abordagem realista. E sua habilidade técnica é óbvia para qualquer pessoa.

— Bem, não é óbvia para alguém que nunca o viu — Maria Georgina resmungou ao lado de Heitor. — Talvez você permita que eu também conheça o homem que vai desenhar a imagem do seu precioso Cristo.

— Claro, querida — Heitor se apressou em concordar. — Se for essa a minha decisão.

— Também achei seu assistente muito talentoso — Bel expressou, tentando desesperadamente estimular a memória de Heitor.

— Sim, ele é — concordou. — Agora me deem licença. Estou exausto da viagem.

Decepcionada, Bel observou Heitor deixar a sala, notando a expressão severa no semblante de Maria Georgiana.

— Parece que seu pai, outra vez, passará a noite com o Cristo, não com sua família. Não importa — ela disse aos seus filhos, pegando a colher para terminar sua sobremesa. — Vamos jogar uma partida de baralho depois do jantar.

Mais tarde naquela noite, Bel pensou nas circunstâncias do casamento dos Da Silva Costa. E nas circunstâncias de seus próprios pais. Em poucos meses ela estaria na mesma posição. Tinha, cada vez mais, a impressão de que casamento era aceitação, tolerância com os defeitos um do outro. Maria Georgiana claramente sentia que fora deixada de lado e ignorada enquanto seu marido dedicava toda a atenção e energia ao seu projeto. E sua própria mãe, contra sua vontade, havia se mudado da fazenda que amava para o Rio de Janeiro a fim de suprir a ânsia de seu marido por escalar a escada social.

Bel se virou, inquieta, na cama, imaginando se isso era tudo o que tinha pela frente. Se fosse, seria ainda mais imperativo se encontrar com Laurent Brouilly mais uma vez assim que possível.

* * *

Quando Bel acordou na manhã seguinte, Heitor já havia partido para uma reunião. Ela suspirou, frustrada por ter perdido a oportunidade de lembrá-lo do pedido de Laurent.

Sua crescente apreensão não passou despercebida por Maria Elisa naquele dia, enquanto almoçavam no Ritz com Maria Georgiana, passeavam pela Champs-Élysées e, mais tarde, compareceram para fazer a prova do vestido de Bel no elegante estúdio de Jeanne Lanvin.

— O que você tem, Bel? Está se comportando como se fosse um tigre preso em uma armadilha — ela reclamou. — Você nem demonstrou interesse pelos desenhos e os tecidos para o seu vestido de noiva, quando a maioria das jovens faria qualquer coisa para que madame Lanvin em pessoa desenhasse para elas! Não está gostando de Paris?

— Sim, estou, mas...

— Mas o quê? — Maria Elisa indagou.

— Sinto apenas que... — Bel caminhou até a janela da sala de visitas para tentar explicar. — Tem um mundo lá fora que não estamos conhecendo.

— Mas, Bel, já vimos tudo o que há para ver em Paris! O que mais pode haver?

Bel fez o possível para conter sua irritação. Se Maria Elisa não sabia, Bel não podia contar. Com um suspiro, virou-se para a amiga.

— Nada, nada... Como você disse, já vimos tudo em Paris. E sua família tem sido muito generosa comigo. Me desculpe. Talvez esteja com saudade de casa — Bel mentiu, adotando a explicação mais simples.

— Certamente que está! — Imediatamente, a personalidade gentil de Maria Elisa a fez correr para sua amiga. — Como sou egoísta. Estou com minha família quando a sua está a milhares de quilômetros de distância. E há o Gustavo.

Bel permitiu o abraço reconfortante de Maria Elisa.

— Tenho certeza de que, se desejar, pode voltar para casa mais cedo — acrescentou.

Bel, apoiando o queixo sobre o ombro coberto de renda da amiga, negou com a cabeça.

— Obrigada pela compreensão, querida Maria Elisa, mas estarei melhor amanhã.

— Bem, minha mãe sugeriu contratar um tutor francês para me visitar toda manhã enquanto os meninos estudam. Meu francês é péssimo, e, como papai mencionou que podemos ficar aqui por um ano, eu gostaria de melhorar. Seu francês é bem melhor que o meu, Bel, mas talvez queira se juntar a mim nas aulas. Pelo menos preencheria algumas horas do dia.

A ideia de alguém acreditar que uma hora em Paris era entediante e precisava ser preenchida deprimiu Bel ainda mais.

— Obrigada, Maria Elisa. Vou pensar em sua oferta.

* * *

Depois de passar uma noite insone tentando aceitar que sua estadia em Paris continuaria a ser um cárcere e que nunca conheceria os deleites da cidade, algo aconteceu para reanimar seu espírito.

Margarida Lopes de Almeida chegou para o chá naquela tarde, acompanhada de sua mãe. Ela descreveu suas aulas de arte na *Beaux-Arts* e informou que havia indagado se Bel poderia se juntar a ela.

— Ter uma conterrânea nas aulas seria muito mais agradável para mim — Margarida disse a Maria Georgiana, cutucando Bel sutilmente debaixo da mesa enquanto falava.

— Não sabia sobre seu interesse em esculturas, Izabela. Pensei que apenas gostasse de apreciá-las — Maria Georgiana comentou.

— Ah, amei esculpir quando fiz um curso breve no Rio — Bel confirmou, notando o olhar de aprovação de Margarida. — Adoraria ter a chance de aprender com alguns dos melhores mestres do mundo.

— Ah, sim, mãe — Maria Elisa interrompeu. — Bel costumava me cansar com suas conversas sobre as aulas de arte. E, uma vez que o francês dela é melhor que o meu, talvez fosse melhor assistir a essas aulas, como a senhorita Margarida sugere, em vez de ficar ao meu lado enquanto destruo o idioma.

Bel poderia tê-la beijado.

— E — Margarida olhou para sua mãe — isso significa que você não precisaria mais me acompanhar até a escola e, depois, me pegar toda tarde. Eu teria companhia e nosso motorista poderia nos levar. Você contaria com mais tempo para escrever seu livro, mãe — ela encorajou. — Cuidaríamos uma da outra, não cuidaríamos, Izabela? — Margarida se voltou para Bel.

— Sim, claro que sim — Bel concordou logo.

— Bem, contanto que a senhora Da Silva Costa concorde, acho que é uma ideia razoável — a mãe de Margarida assentiu.

Maria Georgiana, admirada com a mulher, que era tão famosa na sociedade brasileira, consentiu.

— Se você acha apropriado, senhora, seguirei sua orientação.

— Então... — Margarida beijou Bel em ambas as faces, como era o costume francês, enquanto se preparava para deixar o apartamento. — Venho te buscar na próxima segunda-feira e vamos juntas para a escola.

— Obrigada — Bel sussurrou com gratidão, enquanto Margarida e sua mãe se despediam.

— Posso jurar, Izabela, que será tão bom para mim quanto para você — Margarida devolveu o sussurro. — *Ciao, chérie* — finalmente disse, misturando seus idiomas. O que, na opinião de Bel, apenas aumentava seu ar de sofisticação.

Heitor chegou em casa triunfante naquela noite.

— Pedi à criada para servir champanhe na sala de visitas. Tenho notícias excelentes para comemorar com minha família.

Assim que o champanhe foi servido, Heitor se levantou com sua taça erguida.

— Depois de muitas reuniões com o senhor Levy, o senhor Oswald e o senhor Caquot, fui visitar o professor Landowski hoje. E lhe ofereci a incumbência de esculpir o Cristo. Assinarei o contrato semana que vem.

— Pai, que notícia maravilhosa! — Maria Elisa bradou. — Estou feliz que finalmente tenha decidido.

— E eu estou feliz porque sei, do fundo do coração, que Landowski é a escolha certa. Minha querida — Heitor se dirigiu a Maria Georgiana —, devemos convidar a ele e sua esposa para jantar conosco em breve para que possa conhecê-los. Ele será uma presença constante em minha vida nos próximos meses.

— Parabéns, senhor Da Silva Costa — Bel exclamou, desejando dar voz ao seu apoio. — Acredito que seja uma decisão excelente.

— Aprecio seu entusiasmo — Heitor sorriu.

# 21

Às dez da manhã de segunda-feira, Bel, que já estava pronta havia mais de uma hora esperando na janela, viu o Delage lustroso estacionar na entrada do prédio de apartamentos.

— A senhorita Margarida chegou — anunciou a Maria Georgiana e aos meninos na sala de visitas.

— Izabela, esteja de volta às quatro horas em ponto — Maria Georgiana advertiu enquanto que deixava rapidamente a sala, incapaz de controlar sua ansiedade para escapar.

— Prometo que não me atrasarei, senhora Da Silva Costa — respondeu, e Maria Elisa a interceptou no corredor.

— Aproveite sua manhã e tome cuidado.

— Claro que sim. Terei Margarida comigo.

— Ah, sim. Tenho a impressão de que será como abrir a jaula de dois leões famintos. — Maria Elisa ergueu as sobrancelhas. — Divirta-se, querida Bel.

Bel tomou o elevador até o térreo e encontrou Margarida esperando no saguão.

— Vamos. Já estamos atrasadas. Deveremos sair mais cedo amanhã. O professor Paquet nos usará como exemplo se chegarmos depois dele. — Margarida informou enquanto deixavam o prédio e entravam no Delage.

Assim que partiram, Bel estudou Margarida, que vestia uma saia azul-marinho e uma blusa simples de popelina, enquanto Bel estava vestida para tomar chá no Ritz.

— Perdoe-me. Deveria ter avisado — Margarida disse, notando as roupas de Bel. — A *Beaux-Arts* é cheia de artistas pobres, que não apreciam garotas ricas como nós nas aulas. Mesmo tendo certeza de que estamos entre as poucas que pagam o salário do professor — ela sorriu, colocando uma mecha do cabelo lustroso atrás da orelha.

— Compreendo — Bel suspirou. — Mas é importante que a senhora Da Silva Costa fique com a impressão de que a classe é composta apenas de jovens moças de boa família.

Margarida tombou a cabeça para trás e caiu na risada.

— Bem, preciso avisar. Somos as únicas mulheres na sala, além de uma solteirona idosa e outra... *pessoa* que acredito ser do sexo feminino, mas que tem o cabelo tão curto quanto o de um homem e, juro, um bigode para combinar!

— Sua mãe não se importa? Imagino que ela saiba disso.

— Talvez não *completamente* — Margarida confessou. — Mas, como você sabe, ela defende direitos iguais para homens e mulheres. Ela acha que é saudável que eu aprenda a lutar em minhas próprias batalhas em um ambiente dominado por homens. Além disso, sou uma aluna com bolsa de estudos paga pelo governo brasileiro. Devo frequentar a melhor escola que existe — argumentou.

Assim que o carro entrou na Avenue Montaigne e começou a travessia sobre a Ponte de l'Alma, Margarida estudou Bel.

— Minha mãe me disse que você está noiva de Gustavo Aires Cabral. Estou surpresa que ele tenha permitido que viesse sozinha para Paris.

— Sim, estamos noivos, mas Gustavo quer que eu conheça a Europa antes do nosso casamento. Ele esteve aqui há oito anos.

— Então, devemos aproveitar o máximo possível o pouco tempo que você tem aqui. E, Izabela, confio que você não vai repetir nada do que vir e ouvir hoje para ninguém. Minha mãe acredita que tenho aulas na *Beaux-Arts* até as quatro da tarde. Isso... não é totalmente verdade — admitiu.

— Entendo. E aonde você vai depois? — Bel indagou.

— Para Montparnasse almoçar com meus amigos, mas você precisa jurar que não vai dizer nada.

— Claro — Bel prometeu, quase extasiada com a confissão de Margarida.

— E as pessoas que conheço... bem — suspirou —, são um tanto quanto exageradas. Você pode ficar chocada.

— Já fui alertada por alguém que conhece o ambiente — Bel admitiu, olhando pela janela enquanto cruzavam o Sena.

— Não pela senhora Da Silva Costa, com certeza — ambas riram.

— Não. Foi um jovem escultor que conheci no ateliê do professor Landowski quando o visitei com o senhor Da Silva Costa.

— Qual o nome dele?

— Laurent Brouilly.

— Verdade? — Margarida espantou-se, erguendo uma sobrancelha. — Eu o conheço, ou melhor, encontrei-o algumas vezes em Montparnasse. Às vezes ele vai à escola nos ensinar quando o professor Landowski tem outros compromissos. É um homem bonito.

Bel respirou fundo.

— Ele pediu permissão para me esculpir — segredou, aliviada por compartilhar sua excitação com o elogio.

— Mesmo? Você deveria se sentir honrada. Ouvi dizer que monsieur Brouilly é minucioso ao escolher suas modelos. Foi o melhor aluno da *Beaux-Arts*, e grandes feitos são esperados dele. — Margarida olhou para Bel com respeito renovado. — Bem, Izabela, você é cheia de surpresas — sorriu e o carro entrou em uma rua vicinal.

— Onde fica a escola? — Bel perguntou, olhando ao redor.

— A duas ruas daqui, mas não gosto que os outros alunos me vejam chegar neste carro de luxo quando muitos precisam caminhar por quilômetros para chegar e, provavelmente, sem tomar café da manhã — Margarida explicou. — Vamos.

A entrada da escola *Beaux-Arts* ficava atrás de bustos de grandes artistas franceses, como Pierre Paul Puget e Nicolas Poussin, e era acessada através de um portão de ferro rebuscado. As jovens atravessaram o portão e o pátio simétrico, cercado por edifícios elegantes de pedras pálidas. As altas janelas arqueadas em toda a extensão do andar térreo lembravam os mosteiros que, acreditava-se, haviam existido ali.

Assim que passaram pela porta principal, caminharam por um saguão ressonante com o som de jovens conversando. Uma mulher jovem e esbelta passou por elas.

— Margarida, ela está usando uma calça! — Bel exclamou.

— Sim, muitas alunas aqui usam — Margarida confirmou. — Você pode imaginar uma de nós tomando chá no Copacabana Palace vestindo uma calça? Estamos nesta sala hoje.

Entraram em uma sala de aula arejada, as janelas enormes lançando feixes de luz sobre as fileiras de bancos de madeira. Outros alunos entravam e se sentavam com cadernos e lápis.

Bel ficou confusa.

— Onde faremos as esculturas? Ninguém está usando avental.

— Esta aula não é sobre esculturas, é... — Margarida abriu um caderno e verificou sua agenda — sobre técnicas para esculpir em pedra. Em outras palavras, estamos aprendendo a teoria, mas teremos oportunidade de pôr isso em prática no futuro.

Um homem de meia-idade — que parecia ter acabado de sair da cama e entrado na sala de aula, a julgar pelo cabelo despenteado, olhos vermelhos e barba por fazer — se posicionou na frente da sala.

— *Bon matin, mesdames et messieurs*. Hoje vou apresentar as ferramentas necessárias para criar uma escultura em pedra — anunciou à classe. O homem abriu uma caixa de madeira e começou a alinhar o que parecia, para Bel, instrumentos de tortura sobre a mesa. — Isto é um cinzel redondo, usado para entalhar a pedra, arrancando grandes pedaços. Assim que estiverem satisfeitos com a forma geral, vocês usarão algo assim, um cinzel com dentes. Observem que os dentes criam linhas paralelas. Fazemos isso para atribuir textura à pedra.

Bel ouvia com atenção conforme o professor continuava a explicar cada uma das ferramentas e suas funções. Apesar de seu francês ser excelente, ele falava tão rápido que Bel tinha dificuldade para acompanhar. Muitas das palavras eram expressões técnicas que ela não entendia.

No fim, Bel desistiu e se divertiu observando seus colegas de classe. Nunca havia visto um grupo tão variado, com roupas estranhas, bigodes longos demais e, o que deveria ser a nova moda entre artistas, cabelos e barbas longos e extravagantes. Bel arriscou olhar para seu vizinho. Sob todo aquele pelo na face, não era muito mais velho que ela. Um cheiro rançoso de corpos e roupas não lavados emanava da sala e Bel permaneceu sentada, chamando a atenção em seus trajes finos.

Ela pensou na ironia de, no Rio, se considerar rebelde, por apoiar discretamente, porém com fervor, a luta pelos diretos das mulheres, e por sua falta de interesse pelos bens materiais. Sobretudo, por sua repulsa quando ela própria precisou tecer uma rede para apanhar um bom marido.

Mas ali... Bel se sentia uma princesa, de uma era esquecida, transplantada para um mundo que havia abandonado as regras sociais. Era óbvio que ninguém naquela sala se importava com os costumes — na verdade, pensou, talvez sentissem que fosse sua obrigação fazer o possível para lutar contra eles.

Assim que o professor anunciou o fim da aula, os alunos recolheram seus cadernos e começaram a sair, mas Bel se sentia fora do contexto.

— Você está pálida — Margarida observou. — Está se sentindo bem, Izabela?

— Acho que a sala está abafada — mentiu, seguindo Margarida até o corredor.

— E cheira mal, não é mesmo? — Margarida riu. — Não se assuste, você acaba se acostumando. Desculpe se a aula não foi uma boa introdução para você. Juro que as aulas práticas são mais empolgantes. Agora, que tal dar uma volta e encontrar um lugar para almoçar?

Bel ficou contente por sair à rua. Enquanto caminhavam pela Rue Bonaparte em direção a Montparnasse, ela ouviu Margarida descrever sua estadia na Europa.

— Estou em Paris apenas há seis meses, mas já é minha casa. Estive na Itália por três anos e ficarei aqui mais dois. Acho que será difícil voltar ao Brasil depois de cinco anos na Europa.

— Tenho certeza que sim — Bel concordou com honestidade. As ruas começavam a ficar mais estreitas e os cafés, lotados com clientes sentados em mesas de madeira ao ar livre, protegidos do sol forte do verão por sombrinhas coloridas. O ar estava pesado com os aromas pungentes de café, tabaco e álcool.

— O que é aquele líquido em taças pequenas que todos parecem estar tomando? — ela perguntou a Margarida.

— Ah, é absinto. Todos os artistas tomam porque é barato e muito forte. Pessoalmente, acho que tem um gosto horrível.

Enquanto alguns homens olhavam com admiração, a condição de passear sem um acompanhante mais velho não causou nem mesmo um murmúrio de desaprovação. Ninguém se importava, Bel pensou, seu humor melhorando com a realidade de estar em Montparnasse pela primeira vez.

— Vamos para La Closerie des Lilas — Margarida anunciou — e, se tivermos sorte, você pode encontrar alguns rostos familiares por lá.

Margarida indicou um café similar àqueles que haviam acabado de passar e, depois de serpentear entre as mesas a céu aberto que se apertavam na calçada, levou Bel para o interior. Falando em francês rápido com o garçom, Margarida foi levada a uma mesa de canto, perto da janela.

— Este — disse enquanto se sentavam em bancos forrados de couro — é o melhor ponto para observar os residentes de Montparnasse. Veremos quanto tempo vão demorar para notar você — acrescentou.

— Por que eu? — Bel indagou.

— Porque, *chérie*, você é absolutamente maravilhosa. E, como mulher, não há melhor moeda para fazer negócio em Montparnasse. Dou dez minutos para que alguém se aproxime, ansioso para conhecê-la.

— Você conhece muitos deles? — Bel perguntou, admirada.

— Ah, sim, é uma comunidade bem pequena.

Sua atenção foi atraída por um homem com cabelos grisalhos, penteados para trás, que se movia em direção a um piano, encorajado pela mesa onde estava sentado. Ele se sentou à frente do instrumento e começou a tocar. O café inteiro ficou em silêncio e Bel ouviu com atenção enquanto a música maravilhosa chegava a um crescendo. Quando a última nota se perdeu no ar, uma explosão de apreciação foi ouvida e o homem foi aplaudido enquanto regressava à sua mesa.

— Nunca ouvi nada assim — Bel elogiou, sem fôlego e com emoção. — Quem era o pianista? Ele é muito talentoso.

— Querida, aquele era Ravel em pessoa, e a música que tocou se chama *Bolero*. Ainda não foi oficialmente apresentada, portanto somos privilegiadas por ouvir — Margarida explicou, extasiada. — Mudando de assunto, o que vamos pedir?

Margarida estava correta por presumir que não ficariam sozinhas por muito tempo. Uma série de homens, jovens e velhos, se aproximou da mesa para cumprimentá-la. E, logo em seguida, perguntavam quem era sua bela companheira.

— Ah, outra donzela de olhos escuros e sangue quente daquela sua terra exótica — um senhor, que Bel tinha certeza que usava batom, comentou. Depois, paravam e a olhavam fixamente até que seu rosto enrubescia como os rabanetes intocados da sua salada. Ela estava satisfeita demais para comer.

— Sim, posso pintá-la — alguns diziam — e imortalizar sua beleza para sempre. Margarida sabe onde fica o meu estúdio. — Então, o artista em questão fazia uma pequena reverência e se afastava. A cada poucos minutos, um garçom aparecia com uma taça contendo algum líquido de cor estranha e declarava: — Com os cumprimentos do cavalheiro na mesa seis...

— Naturalmente, você não vai posar para nenhum deles — Margarida advertiu. — São todos surrealistas, o que significa que vão apenas capturar sua essência, não sua forma física. Existe grande probabilidade de sua imagem se tornar uma chama vermelha de paixão, com o seio em um canto e o olho em outro! — ela riu. — Experimente este, é licor de romã. Eu gosto — Margarida ofereceu uma taça com um líquido vermelho, e então disse de repente: — Izabela, rápido! Olhe para a porta.

Bel olhou com incerteza da taça para a entrada do café.

— Você sabe quem é?

— Sim — Bel respondeu, notando a figura magra de cabelos ondulados que Margarida apontava. — É Jean Cocteau.

— Isso mesmo, o príncipe da vanguarda. Ele é um homem fascinante, embora sensível.

— Você o conhece? — Bel entusiasmou-se.

— Um pouco, acho — Margarida respondeu com indiferença. — Às vezes ele me pede para tocar piano aqui.

Enquanto prestava atenção em Cocteau, Bel não notou um jovem surgir dos fundos do café e se aproximar de sua mesa.

— Mademoiselle Margarida, senti sua falta por muito tempo. E Mademoiselle Izabela... não é?

Bel arrancou a atenção da mesa de Cocteau e seu olhar encontrou diretamente os olhos de Laurent Brouilly. O coração começou a bater mais forte em seu peito.

— Sim. Desculpe-me, senhor Brouilly. Eu estava a quilômetros de distância.

— Mademoiselle Izabela, você estava admirando um personagem mais fascinante que eu — ele disse, sorrindo. — Não sabia que as senhoritas se conheciam.

— Apenas começamos a nos conhecer — Margarida explicou. — Estou ajudando Izabela a compreender os deleites de Montparnasse.

— O que, suponho, ela aprecia. — Laurent olhou para Bel de um modo que dizia que se lembrava de cada palavra de sua última conversa.

— Como pode imaginar, todo artista no café implorou para retratá-la — Margarida continuou. — Mas avisei que ela deve ter cuidado.

— Ah, devo agradecer-lhe por isso. Como mademoiselle Izabela sabe, ela foi prometida a mim primeiro. Fico contente que tenha preservado sua virtude artística — Lauren sorriu.

Talvez fosse o álcool, ou a excitação por simplesmente fazer parte daquele mundo incrível, mas Bel estremeceu de prazer ao ouvir suas palavras.

Um rapaz bronzeado havia se aproximado ao mesmo tempo que Laurent e agora se adiantava para fazer um pedido.

— Mademoiselle Margarida, monsieur Cocteau e seus convidados solicitam que a senhorita nos entretenha com suas habilidades ao piano. Ele pede que toque sua favorita. Sabe qual é?

— Sim. — Com um olhar rápido para o relógio pendurado sobre o bar, Margarida aceitou. — Ficaria honrada, mas jamais poderia igualar a técnica soberba de monsieur Ravel — ela declarou ao se levantar e fazer uma reverência com a cabeça na direção de Ravel.

Bel assistiu a Margarida caminhar entre a multidão e se sentar no banquinho que Ravel havia deixado fazia pouco tempo. Um aplauso soou ao redor da sala.

— Posso me sentar e apreciar a música? — Laurent perguntou a Bel.

— Claro — Bel respondeu, e Laurent se sentou no banco estreito, seu quadril tocando o dela enquanto se ajeitava a seu lado. Mais uma vez, Bel se espantou com o conforto dessas pessoas com a intimidade de um contato físico.

Ao passo que os primeiros acordes de *Rapsódia em Azul*, de Gershwin, soaram pelo café, seus ocupantes fizeram silêncio. Bel notou que Laurent observou as inúmeras taças sobre a mesa, muitas ainda intocadas, escolheu uma e a pegou com seus dedos longos e fortes.

Debaixo da mesa, Laurent colocou sua outra mão casualmente sobre a perna, como qualquer homem faria. Mas, conforme os minutos passavam, ele a moveu de modo a apoiá-la no espaço deixado entre suas coxas. Bel prendeu a respiração, quase convencida de que o toque foi acidental, mas certa de que podia sentir seus dedos gentilmente acariciando-a através do vestido...

Seu corpo todo formigava e o sangue começou a correr rapidamente por suas veias no ritmo da música, que chegava ao clímax.

— Mademoiselle Margarida é talentosa, não é? — Bel sentiu o hálito quente de Laurent em seu ouvido e concordou com a cabeça.

— Não sabia que tinha talento para música — ela disse quando o café, mais uma vez, explodiu em aplausos. — Mas parece que tem e muito. — Sua voz soava estranha; abafada, como se estivesse debaixo d'água.

— Acredito piamente que, quando alguém nasce com criatividade — Laurent comentou —, é como se sua alma fosse um céu repleto de estrelas cadentes que vão sempre em direção da musa que captura sua imaginação. Muitas pessoas aqui podem não saber desenhar ou esculpir, mas escrevem poesia, produzem sons maravilhosos em seus instrumentos, fazem a plateia chorar com suas habilidades teatrais ou cantam como pássaros em uma árvore. Ah, mademoiselle — Laurent se levantou e fez uma reverência para Margarida, que retornava à mesa. — Você foi espetacular.

— Monsieur, é muita gentileza — Margarida respondeu com modéstia ao se sentar.

— E acredito que logo vamos compartilhar um ateliê. O professor Landowski me disse que você fará um estágio conosco por algumas semanas.

— Ele sugeriu, mas eu não pretendia contar a ninguém até estar confirmado — Margarida disse, pedindo a conta para o garçom. — Ficarei honrada se ele me aceitar.

— Ele acredita que você tem habilidade. Isto é, para uma mulher — Laurent brincou.

— Vou considerar isso como um elogio — Margarida sorriu, enquanto a conta era entregue e ela colocava algumas notas sobre a mesa.

— Se estiver no estúdio, talvez eu possa atuar como acompanhante enquanto dedico meu tempo a esculpir mademoiselle Izabela? — Laurent propôs.

— É possível; vamos ver — Margarida disse, seus olhos saltando de Laurent para Bel e para o relógio no bar. — Precisamos ir. *À bientôt*, monsieur Brouilly — ela o beijou em ambas as faces enquanto Bel se levantava.

— Mademoiselle Izabela, parece que o destino conspirou para nos encontrarmos. Espero que tenhamos mais tempo da próxima vez.

Laurent beijou sua mão, olhando para ela através de seus cílios semicerrados. Mesmo inocente como era, Bel compreendeu o que aquele olhar continha.

***

Por sorte, quando Bel chegou ao apartamento, Maria Georgiana dormia. Maria Elisa lia na sala de visitas.

— Como foi? — perguntou assim que Bel entrou.

— Foi — Bel se jogou sobre uma cadeira, exausta com a emoção e o nervosismo, mas ainda extasiada depois do encontro com Laurent — maravilhoso!

— Que bom. O que você aprendeu?

— Ah, tudo sobre as ferramentas necessárias para esculpir em pedra — ela respondeu, distraída, sua mente entorpecida pelo álcool não permitindo que seus lábios se movessem como de costume.

— Você ouviu sobre as ferramentas necessárias para esculpir por seis horas? — Maria Elisa questionou, encarando-a com suspeita.

— Sim, a maior parte do tempo, depois fomos almoçar e... — Bel se levantou de repente. — Acho que o dia me esgotou. Vou descansar um pouco antes do jantar.

— Bel?

— Sim?

— Você bebeu?

— Não... Bem, talvez uma taça de vinho com o almoço. Todo mundo em Paris faz isso.

Bel caminhou em direção à porta, prometendo a si mesma que recusaria o que quer que lhe oferecessem, no futuro, entre as mesas rústicas de La Closerie des Lilas.

# 22

*Apartamento 4*
*Avenue de Marigny, 28*
*Paris*
*27 de junho de 1928*

*Queridos pais,*

*Não consigo acreditar que estou longe do Rio há quatro meses. O tempo passou muito rápido. Ainda estou apaixonada pelas aulas que faço com Margarida Lopes de Almeida na escola de artes* Beaux-Arts. *Embora saiba que nunca serei uma grande artista como alguns dos meus colegas de classe, minhas aulas têm proporcionado melhor apreciação de pinturas e esculturas, e acredito que isso vai me beneficiar no futuro, como esposa de Gustavo.*

*O verão chegou finalmente, e a cidade ganhou ainda mais vida com a mudança de estação. Começo a me sentir como uma verdadeira parisiense!*

*Espero que algum dia vocês possam ver pessoalmente a mágica que tenho a sorte de admirar todos os dias.*

*Fiquem com meu amor,*
*Izabela*

Bel dobrou a carta com cuidado e a colocou dentro de um envelope para ser postada. Sentou-se na cadeira, desejando poder compartilhar com os pais seus verdadeiros sentimentos sobre a cidade que amava mais a cada dia, a nova liberdade que sentia e as pessoas que conhecia. Porém, ela sabia que eles não entenderiam. Mais do que isso, ficariam preocupados por talvez terem tomado a decisão errada ao permitir que ela viajasse.

A única pessoa em quem podia confiar de verdade era Loen. Pegando outra folha de papel, escreveu para ela uma carta diferente, expressando suas verdadeiras emoções, falando sobre Montparnasse e, claro, Laurent Brouilly, o jovem assistente que gostaria de esculpi-la...

***

Graças a Margarida, Bel acordava com uma sensação de ansiedade toda manhã. As aulas que frequentava eram informativas, mas eram os almoços na La Closerie des Lilas que mais lhe enchiam de expectativa.

Todos os dias eram diferentes lá, um banquete para os sentidos artísticos, uma vez que músicos, escritores e artistas ocupavam as mesas. Na semana anterior, ela havia visto James Joyce sentado na varanda, tomando vinho e lendo uma pilha de papéis.

— Espiei sobre o ombro dele — Arnaud, um aspirante a escritor que Margarida conhecia, exclamou, empolgado. — O manuscrito era intitulado *Finnegans Wake*. É o livro que está escrevendo há seis anos!

Apesar de saber que deveria estar contente pelo simples fato de estar presente e respirar o mesmo ar daqueles indivíduos notáveis, ela e Margarida passavam a maior parte do percurso da escola a Montparnasse inventando planos inúteis para escapar durante a noite, quando a margem ocidental ganhava vida.

— Claro que é impossível, mas posso sonhar — Bel contemplava.

— Bem, suponho que devemos agradecer por ter a liberdade de vir aqui durante o dia — Margarida suspirava.

* * *

Bel olhou para o relógio, notando que o carro de Margarida chegaria a qualquer instante para pegá-la. Em um vestido azul-marinho de gabardine, que ganhou o hábito de usar por ser a peça mais simples que possuía, Bel penteou o cabelo, passou um batom leve e gritou um adeus do corredor quando fechou a porta atrás de si.

— Você está bem hoje? — Margarida indagou assim que Bel entrou no carro.

— Sim, muito bem, obrigada.

— Izabela, tenho más notícias para você. O professor Landowski confirmou que está preparado para me oferecer um estágio em seu ateliê em Boulogne-Billancourt. Portanto, não frequentarei mais as aulas em *Beaux Arts*.

— Parabéns, você deve estar muito feliz — Bel fez o possível para sorrir com a boa sorte da amiga.

— Sim, estou muito contente — Margarida admitiu. — Mas entendo que isso a coloca em uma posição difícil. Não creio que a senhora Da Silva Costa vai permitir que continue frequentando as aulas sozinha.

— Não vai. Simples assim. — Os olhos de Bel se encheram de lágrimas involuntárias.

— Bel, não se desespere. — Margarida tocou sua mão de modo reconfortante. — Vamos encontrar uma solução, prometo.

* * *

Ironicamente, seu professor naquela manhã era Landowski em pessoa, cujas raras palestras encantavam Bel quando discursava sobre sua teoria de linhas simples e a dificuldade técnica para alcançar a perfeição. Mas, naquele dia, Bel não o ouviu.

O pior era que, desde o primeiro almoço em La Closerie des Lilas, havia quase um mês, Bel não havia mais encontrado Laurent Brouilly. Quando perguntou por ele, tão indiferente quanto possível, Margarida disse que estava muito ocupado ajudando Landowski a produzir o primeiro protótipo do Cristo de Heitor.

— Acredito que o monsieur Brouilly tenha dormido no ateliê todas as noites. O senhor Da Silva Costa está ansioso para receber alguma coisa com que possa começar seus cálculos matemáticos.

Depois da aula, Landowski chamou Margarida.

— Então, mademoiselle, estará conosco no ateliê na próxima semana?

— Sim, professor Landowski, me sinto honrada com a oportunidade.

— E vejo que está com sua compatriota, a menina das mãos maravilhosas — Landowski disse, cumprimentando Bel. — Brouilly ainda menciona que deseja esculpi-la. Quando esta semana chegar ao fim e minha primeira escultura for entregue a seu guardião, talvez possa acompanhar mademoiselle Lopes de Almeida a meu ateliê para que Brouilly possa realizar seu desejo. Sua presença será uma recompensa pelas longas horas que trabalhou nestas três últimas semanas. Será bom para ele estudar a forma de uma mulher, depois de olhar para Nosso Senhor por tanto tempo.

— Tenho certeza de que Izabela ficaria muito feliz — Margarida respondeu rapidamente. Landowski fez um gesto com a cabeça e deixou a sala de aula.

— Você viu, Izabela? — Margarida ressaltou enquanto começavam sua caminhada diária rumo a Montparnasse — Deus, ou melhor, o Cristo parece estar do nosso lado!

— Sim — Bel concordou, o coração repleto de esperança renovada —, parece que Ele está.

* * *

— Bel, gostaria de conversar com você — Maria Elisa declarou inesperadamente naquela noite, enquanto se preparavam para dormir. — E queria saber sua opinião.

— Sim, claro — Bel se sentou, contente com a oportunidade de emprestar o ombro à amiga, com quem sentia que passava menos tempo a cada dia.

— Decidi que gostaria de estudar para ser enfermeira.

— Minha nossa, que ótima notícia! — Bel exclamou, com um sorriso.

— Você acha? Estou preocupada que minha mãe não concorde. Nenhuma das mulheres de nossa família seguiu essa carreira antes. Mas é uma coisa em que pensei por muito tempo e preciso encontrar coragem para contar a ela. — Maria Elisa mordeu o lábio. — O que você acha que ele vai dizer?

— Espero que diga que está orgulhosa pelo fato de a filha desejar fazer algo útil com sua vida. Tenho certeza de que seu pai ficará feliz com sua decisão.

— Bem, espero que esteja certa — Maria Elisa concordou com veemência. — Estive pensando que, enquanto estiver em Paris, poderia ser voluntária em um hospital em vez de passar tanto tempo sem fazer nada de útil. Existe um a poucos minutos de caminhada do apartamento.

Bel pegou as mãos de Maria Elisa e as apertou com força.

— Você é uma pessoa tão boa, Maria Elisa, sempre pensando nos outros. Acredito que tem as qualidades perfeitas para ser enfermeira. O mundo está mudando para as mulheres, então não há motivo para não fazer alguma coisa com nossa vida.

— Bem, já que não penso em me casar ainda, por que não? Para você é diferente, Bel. Quando voltar para casa, em seis semanas, se tornará esposa de Gustavo, vai administrar sua casa e, logo depois, será mãe dos filhos dele. Mas eu preciso de outro propósito para minha vida. Obrigada pelo apoio. Vou falar com minha mãe amanhã.

Assim que se deitaram e Maria Elisa apagou a luz, Bel permaneceu acordada, insone outra vez.

Seis semanas... Era todo o tempo que ainda tinha em Paris antes de retornar para a vida que sua amiga descrevera de modo tão sucinto.

Tentou o quanto pôde pensar em coisas positivas sobre o futuro, mas nenhuma veio à mente.

* * *

Margarida havia prometido entrar em contato, assim que completasse alguns dias no ateliê de Landowski, para informar quando o professor considerava conveniente para Bel se juntar a ela. Mas não havia nem uma palavra até aquele momento.

Mais uma vez, Bel estava confinada no apartamento, sozinha agora que Maria Elisa saía às nove toda manhã, tendo recebido permissão de sua mãe e assegurado uma posição como voluntária no hospital mais próximo. Maria Georgiana passava a maior parte das manhãs cuidando de afazeres domésticos ou escrevendo cartas.

— É aniversário de minha mãe no mês que vem e eu gostaria de comprar alguma coisa de Paris para enviar a ela. Algum problema se eu sair para dar uma volta, senhora? — ela pediu a Maria Georgiana certa manhã durante o café.

— Izabela, tenho certeza de que seus pais não aprovariam você perambulando por Paris desacompanhada. E tenho muita coisa para fazer hoje.

— Bem — Heitor interrompeu, depois de ouvir a conversa —, por que Izabela não me acompanha pela Champs-Élysées até meu escritório? Talvez possa escolher alguma coisa nas galerias pelo caminho. Tenho certeza de que não haveria mal algum em caminhar alguns metros atrás de mim, querida.

— Como desejar — Maria Georgiana disse, com irritação, por ser contrariada.

***

— Até os brasileiros diriam que o clima está quente nestes últimos dias — Heitor comentou ao deixarem o apartamento, vinte minutos mais tarde, e caminharem em direção à Champs-Élysées. — E então, está gostando de Paris? — perguntou.

— Estou adorando — Bel respondeu, com emoção.

— Ouvi dizer que você andou investigando as partes mais... como diria, boêmias da cidade.

Bel olhou para Heitor, envergonhada.

— Eu...

— Encontrei sua amiga Margarida no ateliê de Landowski ontem e ouvi uma conversa entre ela e aquele jovem assistente sobre seus almoços na La Closerie des Lilas.

Bel estremeceu com a observação, mas Heitor viu sua expressão e tocou seu braço.

— Não se preocupe, seu segredo está seguro comigo. Além disso, Margarida é uma jovem muito sensata. Sabe viver em Paris. Ela também me pediu para dizer que vai pegá-la amanhã às dez horas no caminho para o ateliê. Como você sabe, monsieur Brouilly gostaria de esculpi-la. Pelo menos isso vai mantê-la longe de problemas e saberemos onde você está.

Bel notou Heitor erguer uma sobrancelha, mas sabia que ele zombava.

— Obrigada por me avisar — ela respondeu com respeito, não querendo revelar a intensidade de sua alegria. E rapidamente mudou de assunto. — O senhor está feliz com o trabalho do professor Landowski no Cristo?

— Até agora, tenho absoluta certeza que tomei a decisão correta, e Landowski e eu temos a mesma ideia. Entretanto, ainda tenho um longo caminho a percorrer antes que possa afirmar que temos o modelo final. E há inúmeros problemas que devo considerar no momento. O primeiro e o mais importante é o material para revestir nosso Cristo. Ponderei muitas alternativas, mas nenhuma me agrada, tanto em estética quanto em praticidade. Agora, que tal tentar encontrar um presente para sua mãe nesta galeria? Comprei uma echarpe de seda muito bonita para Maria Georgiana em uma das butiques daqui.

Os dois entraram na galeria e Heitor apontou a boutique a que se referia.

— Espero por você aqui — acrescentou enquanto ela entrava.

Bel escolheu uma echarpe cor de pêssego e um lenço que sabia que combinaria muito bem com a tez de sua mãe. Depois de pagar por suas compras, deixou a loja e encontrou Heitor ao lado de uma pequena fonte no centro da galeria. Ele olhava para o fundo da peça intensamente.

Foi até ele, e, ao notar sua presença, Heitor apontou para o mosaico de ladrilhos que decorava o fundo da fonte.

— O que você acha disso? — ele perguntou.

— Perdoe-me, senhor, mas o que quer dizer?

— O que você acha de revestir o Cristo com um mosaico? Assim, a camada externa não ficará suscetível a rachaduras, uma vez que cada ladrilho seria uma peça individual. Eu teria que pesquisar sobre a melhor pedra a usar, alguma coisa porosa, durável... como a pedra-sabão, que é encontrada em Minas Gerais, talvez. Ela é clara e pode ser ideal. Preciso trazer o senhor Levy para ver isto imediatamente. Ele parte para o Rio amanhã, e precisamos tomar uma decisão.

Bel examinou a expressão animada de Heitor e o seguiu enquanto deixava a galeria com pressa.

— Está contente por voltar para casa, Izabela?

— Muito — ela respondeu. Heitor assentiu com um movimento de cabeça e partiu a passos rápidos.

# 23

— *Bienvenue*, mademoiselle Izabela. — Laurent caminhou em sua direção e a beijou em ambas as faces assim que Bel entrou no ateliê com Margarida. — Primeiro, deveremos fazer um café juntos. E, mademoiselle Margarida — chamou quando a jovem passou por eles para vestir seu avental —, o professor disse que o cotovelo esquerdo de sua escultura precisa melhorar, mas, no geral, foi uma boa tentativa.

— Obrigada — Margarida respondeu. — Vindo do professor, é um elogio.

— Izabela — Laurent continuou —, venha me mostrar como você faz café no seu país. Forte e encorpado, tenho certeza — ele disse, pegando sua mão e seguindo até a pequena cozinha. Retirou uma sacola de papel marrom de uma das prateleiras, abriu-a e cheirou o conteúdo. — Grãos brasileiros moídos esta manhã em uma loja que conheço em Montparnasse. Comprei especialmente para ajudar você a relaxar e se lembrar de casa.

Bel inspirou o aroma e foi enviada a mais de oito mil quilômetros de distância através do oceano.

— Então, me mostre como você gosta do seu café — Laurent insistiu e lhe entregou uma colher antes de se afastar para que Bel pudesse continuar.

Bel esperou a água ferver no pequeno fogão, recusando-se a admitir que nunca houvesse feito uma xícara de café na vida. Os criados cuidavam disso em sua casa.

— Você tem xícaras? — arriscou.

— Claro — ele respondeu, retirando duas canecas esmaltadas do armário. — Minhas desculpas por não serem de porcelana fina. Mas o café vai ter o mesmo sabor.

— Imagine, não há problema — ela concordou, apreensiva, colocando uma colher de café nas canecas e acrescentando água, rezando para que ficasse aceitável.

— Na verdade, mademoiselle — ele disse, com um sorriso gentil, enquanto pegava de uma prateleira um pequeno bule de prata —, aqui nós usamos isto para fazer café.

Bel ficou vermelha de vergonha pela gafe. Laurent despejou no bule o pó de café que estava nas canecas e despejou água quente por cima.

— Agora, enquanto esperamos o nosso café ficar pronto, podemos nos sentar um pouco e conversar.

Poucos minutos depois, Laurent a levou de volta ao estúdio, onde Margarida já estava sentada em um banco, trabalhando em uma escultura. Pegando um bloco de desenho, ele a levou até a mesa de madeira com banquinhos onde almoçaram antes e fechou a cortina.

— Por favor, sente-se aqui — indicou que ela deveria se sentar à sua frente. — Agora — levantou sua caneca — me conte sobre sua vida no Brasil.

Bel olhou surpresa para ele.

— Por que quer que eu fale sobre o Brasil?

— Porque, mademoiselle, neste momento você está sentada diante de mim como um pedaço de madeira, rígida com o esforço de sustentar um telhado há cem anos. Quero que relaxe, para que eu possa ver os músculos em seu rosto suavizarem, para que seus lábios percam a apreensão e seus olhos brilhem. Senão, a escultura será prejudicada. Você entende?

— Acho... que sim — Bel respondeu.

— Você não parece convencida. Vou tentar explicar — ele chacoalhou os ombros. — Muitas pessoas acreditaram que a arte de esculpir se resume à camada externa, física, de um ser humano. Certamente em termos de técnica, elas têm razão. Mas qualquer escultor talentoso sabe que a arte de produzir uma imagem real depende da interpretação da essência do objeto que estão retratando.

Bel o fitou, incerta.

— Compreendo.

— Para usar um exemplo simples — continuou o rapaz —, se eu fosse esculpir uma jovem e visse em seus olhos que possuía um coração bom, que sofria pelos outros, talvez eu colocasse um animal, como uma pomba, em suas mãos. Eu a retrataria segurando a ave com carinho. Por outro lado, se notasse a ganância de uma mulher, talvez colocasse uma pulseira ostensiva em seu pulso ou um anel grande em seu dedo. Portanto — Laurent abriu o bloco de desenho e posicionou o lápis —, você fala e eu a desenho, como você é, enquanto isso. Diga: onde cresceu?

— Passei a maior parte da infância em uma fazenda nas montanhas — Bel respondeu, e a lembrança da fazenda que amava imediatamente colocou um sorriso em seus lábios. — Tínhamos cavalos, e, pela manhã, eu costumava cavalgar pelas colinas ou nadar no lago.

— Parece perfeito — Laurent interrompeu, mas seu lápis dançava sobre a folha de papel.

— E era — Bel concordou —, mas então nos mudamos para o Rio de Janeiro, para uma casa aos pés do Corcovado. O Cristo será construído no topo dessa montanha um dia. Apesar de ser muito bonito, e muito mais impressionante do que nossa fazenda, a montanha atrás da casa significa deixar o local ensombreado. Às vezes, quando estou lá, sinto que... — pausou tentando encontrar as palavras certas — ... não consigo respirar.

— E como você se sente aqui em Paris? — ele indagou. — Também é uma cidade grande. Presa, como no Rio?

— Ah, não. — Bel balançou a cabeça, a expressão severa que havia manchado seu semblante desaparecendo completamente. — Amo esta cidade, especialmente as ruas de Montparnasse.

— Hmm, então suponho que não seja o lugar que a afete, mas seu estado de espírito. Paris também pode ser claustrofóbica, mas você a ama mesmo assim.

— Você está certo — admitiu ela. — É mais por causa da vida que tenho no Rio do que pela cidade em si.

Laurent continuou a desenhar enquanto estudava sua expressão.

— E o que está errado com aquela vida?

— Nada. Quero dizer... — Bel se esforçou para explicar. — Tenho muita sorte. Uma vida privilegiada. A esta altura, no ano que vem, estarei casada. Vou morar em uma casa maravilhosa e ter tudo o que uma mulher poderia querer.

— Então por que vejo tristeza em seus olhos quando fala do futuro? Poderia ser, como você sugeriu na primeira vez em que nos encontramos, porque seu casamento é um desígnio da razão, não do coração?

Bel ficou em silêncio e o rubor corou sua face, revelando a verdade que Laurent acabara de anunciar.

— Monsieur Brouilly, o senhor não entende — disse finalmente. — As coisas são diferentes no Rio. É desejo do meu pai que eu tenha um bom casamento. Meu noivo é de uma das famílias mais importantes do Brasil. Além disso — acrescentou, resignada —, não tenho talentos com que ganhar a vida. Sou completamente dependente do meu pai, e em breve serei do meu marido, para tudo.

— Sim, mademoiselle, entendo e me compadeço de sua condição. Mas, infelizmente — suspirou —, você é a única pessoa que pode fazer alguma coisa para mudar. — Ele abaixou o lápis e contemplou seus esboços por vários minutos enquanto Bel continuava tensa, abalada e frustrada com a conversa.

Finalmente, Laurent ergueu os olhos.

— Bem, vendo estes desenhos, garanto que poderia ganhar a vida como modelo de artistas em Montparnasse. Você não tem apenas um rosto bonito, mas, sob as camadas que veste sobre seu corpo, tenho certeza de que é a epítome da feminilidade.

Seus olhos percorreram o corpo de Bel, que, mais uma vez, sentiu um calor estranho se expandir do seu peito ao rosto.

— Por que está envergonhada? — ele perguntou. — Em Paris nós veneramos a beleza da forma feminina. Afinal, todos nascemos nus e é apenas a sociedade que dita que devemos usar roupas. E, claro, o clima de Paris no inverno — ele riu, olhando para o relógio. — Não se preocupe — acrescentou, estudando-a mais uma vez. — Vou esculpi-la usando exatamente o que está vestindo hoje. Está perfeito.

Bel concordou em silêncio, aliviada.

— Então, agora que a obriguei a revelar sua alma, já é meio-dia. Vou preparar uma porção de pão e queijo e servir um pouco de vinho como recompensa.

Laurent recolheu as canecas de café e atravessou o estúdio em direção à cozinha, parando para perguntar a Margarida se gostaria de almoçar com eles.

— Obrigada — ela respondeu, deixando sua escultura para lavar a argila das mãos. Bel ficou sentada sozinha, olhando pela janela para os canteiros de lavanda, sentindo-se abalada e vulnerável. De alguma forma, Laurent conseguiu que revelasse seus verdadeiros sentimentos sobre o futuro.

— Você está bem, Izabela? — Margarida se sentou a seu lado e colocou uma mão em seu ombro, sua expressão preocupada. — Ouvi trechos da sua conversa. Espero que monsieur Brouilly não a tenha pressionado demais nesta tentativa de retratá-la com honestidade. E espero — abaixou seu tom de voz — que realmente tenha sido por motivos profissionais.

— O que você quer dizer?

Margarida não teve tempo de responder, uma vez que Laurent chegou com a bandeja.

Bel ficou em silêncio durante o almoço, ouvindo Margarida e Laurent conversarem sobre seus amigos mútuos e comentarem sobre as últimas peripécias dos personagens pitorescos que conheciam.

— Cocteau montou um quarto nos fundos de um prédio na Rue de Château e convida seus colegas para tomar coquetéis que ele próprio cria e batiza. Ouvi dizer que são letais — Laurent comentou, tomando um gole de vinho. — Dizem que seu novo modismo são os *séances*.

— O que é isso? — Bel perguntou, fascinada.

— É quando você tenta falar com os mortos — Margarida esclareceu. — Não é algo que me interesse — estremeceu.

— Ele também está participando de sessões de hipnose em grupo, para ver se é possível alcançar o inconsciente. *Nisso* eu estaria interessado. A mente humana me fascina tanto quanto sua forma física. — Laurent olhou para Bel. — Como você pode ter notado esta manhã, mademoiselle. Hora de voltar ao trabalho. Enquanto coloco uma cadeira no canto do ateliê com a melhor iluminação, sugiro que dê uma volta no jardim. Assim que começar, vou insistir para que fique imóvel, como a pedra com que vou trabalhar.

— Vou acompanhá-la, monsieur Brouilly. Também preciso de um pouco de ar fresco — Margarida disse. — Venha, Izabela.

As duas jovens se levantaram, saíram do ateliê e foram para o jardim, onde passearam ao lado dos canteiros de lavanda com seu aroma sensual.

— O único som que posso ouvir é o zunido das abelhas que roubam o néctar. — Margarida suspirou com prazer, entrelaçando seu braço com o de Bel. — Tem certeza de que está bem, Izabela? — perguntou.

— Sim — Bel confirmou, o nervosismo aliviado pelo vinho do almoço.

— Bem, apenas me prometa que não permitirá que ele a deixe desconfortável.

— Não vou — Bel garantiu.

— Não é estranho? — Margarida disse, enquanto caminhavam devagar pelo jardim, rodeado por uma cerca viva de ciprestes podados. — Ainda que o Brasil tenha a mesma beleza, com sua riqueza de flora e fauna, a energia e o ambiente na França são tão diferentes. Em casa, raramente consigo me sentir contemplativa, em paz comigo mesma. Mas aqui, mesmo no coração de Montparnasse, sou capaz de me sentir assim. De ver a mim mesma claramente... — Margarida chacoalhou os ombros. — Devemos voltar ao ateliê para que monsieur Brouilly possa começar sua obra de arte.

***

Três horas depois, no carro a caminho de casa, Bel estava exausta. Durante o que pareceu uma eternidade, havia ficado em uma cadeira, com as mãos sobre os joelhos, seus dedos na posição exata que Laurent os arrumou.

Em vez de se sentir sensual, sentiu-se como uma tia solteirona, cuja imagem estava prestes a ser capturada em sépia por uma câmera. Agora, suas costas doíam de tanto ficar sentada e seu pescoço estava rijo. Se ousasse mover um dos dedos para uma posição mais confortável, Laurent notava. Ele se levantava de seu lugar atrás do pedaço de pedra em que trabalhava e se aproximava para voltar a mão dela à posição exata em que estava originalmente.

— Izabela, acorde, querida. Chegamos ao seu apartamento.

Ela saltou, envergonhada por Margarida a ter flagrado cochilando.

— Desculpe — disse, levantando-se quando o chofer abriu a porta. — Não imaginei que seria tão cansativo.

— Foi um dia longo e difícil para você, em todos os sentidos. Tudo é novo, e isso apenas já é exaustivo. Está disposta a ir ao ateliê amanhã?

— Claro — Bel assegurou, saindo do carro. — Boa noite, Margarida, te vejo às dez.

Naquela noite, ao pedir licença para se ausentar da costumeira partida de baralho depois do jantar e deitar a cabeça no travesseiro, Bel decidiu que a sugestão de Laurent, de que ela poderia ganhar o sustento posando para artistas, não era tão fácil como presumiu inicialmente.

# 24

Pelas três semanas seguintes, Bel foi com Margarida toda manhã ao ateliê de Landowski em Boulogne-Billancourt. Em duas ocasiões Heitor da Silva Costa as acompanhou, pegando uma carona com um novo conjunto de desenhos e esboços para o Cristo.

— Landowski está esculpindo ainda mais um modelo enquanto tentamos aperfeiçoar o desenho — ele disse, e se apressou em deixar o carro assim que chegaram, ansioso para ver se Landowski havia completado a nova versão.

Landowski, depois de receber uma lista de pequenas alterações que geravam ainda outro modelo, sentava-se, resmungando, a sua mesa de trabalho.

— Esse brasileiro louco. Queria não ter aceitado um papel em seu sonho impossível.

Mas isso era dito com afeição e com admiração irrestrita, pelo tamanho do projeto.

Lentamente, o projeto pessoal de Bel começou a progredir, ao passo que sua escultura ganhava forma sob os dedos sensíveis de Laurent. Ela se tornou adepta de mergulhar em sua imaginação enquanto posava, imóvel. A maioria de seus devaneios era com Laurent, a quem observava constantemente com o canto dos olhos, concentrado enquanto talhava a pedra com um martelo e uma lima.

Em uma manhã de julho particularmente quente, a mão de Landowski pousou sobre o ombro de Laurent.

— Acabo de deixar minha versão mais recente do Cristo no escritório de monsieur Da Silva Costa em Paris — grunhiu. — E, agora, o brasileiro louco me pediu para fazer um esboço do Cristo em uma escala de quatro metros, e quer que eu comece imediatamente. Preciso de sua ajuda, Brouilly, então chega de brincar com sua escultura da bela senhorita. Você tem mais um dia para terminar.

— Sim, professor, naturalmente — ele respondeu, olhando para Bel com uma expressão de resignação.

Bel tentou não demonstrar o desespero que sentiu diante dessas palavras. Landowski se moveu em sua direção e Bel sentiu seus olhos críticos.

— E — finalmente disse — pode começar com um molde dos longos e belos dedos da senhorita. Precisarei de um modelo para as mãos do Cristo, e os dedos devem ser sensíveis e elegantes como os dela. Essas mãos vão abençoar e proteger Seus filhos a Seus pés e não podem ser as mãos calejadas de um homem.

— Sim, professor — Laurent respondeu, obediente.

Landowski pegou a mão de Bel e a ajudou a levantar-se da cadeira. Então a conduziu até uma mesa e colocou sua mão de lado, com o dedo mindinho tocando a superfície de madeira. Depois esticou seus dedos e os juntou, colocando o polegar sobre a lateral superior de sua palma.

— Assim. Você deve fazer um molde das mãos da senhorita nesta posição. Sabe de que esboço estou falando, Brouilly. Tente deixar o mais parecido possível. Faça também um molde das mãos de mademoiselle Margarida. Ela também tem dedos elegantes. Vou comparar como ficarão no Cristo.

— Claro — Laurent respondeu —, mas podemos começar amanhã de manhã? Mademoiselle Izabela deve estar cansada depois de um longo dia posando para mim.

— Se a senhorita puder suportar, gostaria que fizesse agora. Os moldes devem estar secos amanhã de manhã, e assim terei algo com que trabalhar. Tenho certeza de que não se importa, mademoiselle — Landowski olhou para ela como se sua resposta fosse irrelevante.

Ela moveu a cabeça.

— Eu ficaria honrada, professor.

* * *

— Preste atenção — Laurent instruiu depois de cobrir as mãos dela com uma pasta branca. — Você tem que prometer que não moverá nem uma cutícula até que esteja pronto. Ou teremos que começar tudo de novo.

Bel ficou imóvel, tentando ignorar a coceira irritante em sua mão esquerda, e observou Laurent repetir o processo com Margarida. Quando terminou com ela também, olhou para o relógio e bateu suavemente no gesso que se ajustava às mãos de Bel.

— Mais quinze minutos serão o bastante — ele disse, depois sorriu. — Quem dera eu tivesse uma câmera para fotografar vocês duas sentadas aí com as mãos cobertas de gesso. É uma imagem estranha, com certeza. — Ele limpou as próprias mãos com um pano. — Com licença. Vou tomar um copo de água. Não se preocupem, mesdemoiselles. Voltarei logo, talvez antes do anoitecer. — Piscou para elas antes de se dirigir à cozinha.

As duas meninas se olharam, seus lábios se contraindo com vontade de rir da imagem ridícula que formavam, mas tentando se controlar, uma vez que sabiam que qualquer movimento poderia reverberar em suas mãos.

— Talvez um dia olhemos para o alto do Corcovado e iremos lembrar deste momento — Margarida comentou, com um sorriso.

— Eu vou, com certeza — Bel respondeu, pensativa.

Depois de poucos minutos, Laurent fez pequenos cortes ao longo de suas mãos com uma faca afiada para, cuidadosamente, remover o molde de seus dedos pré-lubrificados. Quando terminou, olhou com satisfação para os modelos sobre a mesa.

— Perfeito — disse. — O professor ficará contente. Que acha de suas mãos de gesso? — perguntou ao começar o mesmo processo de remoção nas mãos de Margarida.

— Nada parecidas com as minhas — Bel disse, estudando as formas brancas. — Posso lavar?

— Sim, o sabão e a escova estão ao lado da pia — Laurent informou.

Quando Bel retornou, sentindo-se melhor com as mãos limpas do óleo e do pó de gesso, Laurent franzia o cenho diante de um dedo que havia se partido ao remover o molde de Margarida.

— Tenho certeza de que pode ser recuperado — disse. — Uma linha fina como um fio de cabelo ficará visível na junta, mas estará bom o bastante.

Margarida foi lavar as mãos e Laurent começou a limpar o ateliê para encerrar o dia de trabalho.

— É um pena que o professor precise da minha ajuda com urgência. Ainda tenho muito a fazer em sua escultura, mas pelo menos tenho seus dedos — acrescentou, descontente.

— Precisamos ir. O motorista está esperando há horas, e a senhora Da Silva Costa ficará preocupada — Margarida anunciou quando voltou.

— Diga a ela que raptei sua protegida e não vou devolvê-la até que minha escultura esteja pronta — Laurent zombou enquanto as meninas recolhiam seus chapéus e se dirigiam para a porta. — Izabela, não está se esquecendo de nada? — Laurent chamou assim que Bel pisou do lado de fora. Ele segurava seu anel de noivado na ponta do dedo mindinho. — Talvez devêssemos devolvê-lo ao lugar a que pertence, ou podem suspeitar que você o removeu de propósito — explicou, enquanto ela entrava novamente no ateliê. — Aqui está, deixe-me colocá-lo em você. — Laurent pegou sua mão e deslizou o anel de volta em seu dedo, olhando fixamente em seus olhos. — Pronto, devolvido. *À bientôt*, mademoiselle. E não se preocupe: encontrarei um jeito de continuarmos com sua escultura.

As meninas deixaram o ateliê, subiram no carro e partiram rumo ao centro de Paris. Bel olhava pela janela, infeliz.

— Izabela?

Ela se virou e viu que Margarida a encarava, pensativa.

— Posso fazer uma pergunta pessoal?

— Creio que sim — respondeu, com cautela.

— Bem, é uma pergunta com duas partes. Você se lembra de que ouvi parte de sua conversa, quando Laurent desenhou seu esboço e você mencionou o receio de voltar ao Rio e se casar?

— Sim. Por favor, Margarida, que isso não chegue aos ouvidos de ninguém além de você e Laurent — Bel acrescentou logo, com medo de que a informação se espalhasse entre os brasileiros em Paris.

— Entendo o que você quis dizer. Mas não posso evitar perguntar: sua relutância em se casar com seu noivo aumentou nas últimas semanas?

Bel esticou o dedo e estudou seu anel de noivado distraidamente enquanto pensava na pergunta de Margarida.

— Quando deixei o Rio, me sentia grata por Gustavo me permitir vir à Europa com os Da Silva Costa antes de nos casarmos. Nunca esperei que ele permitisse, e senti que recebi um presente. Mas, agora que o presente está chegando ao fim e devo voltar para casa em menos de três semanas, a verdade é que... sinto-me diferente quanto a ele. Sim, Paris mudou minha perspectiva sobre muitas coisas — suspirou.

— Entendo que você ame a liberdade que Paris oferece — Margarida supôs. — Assim como eu.

— Sim — Bel disse com fervor, mas com um tremor na voz. — E o pior de tudo é que, agora que provei um modo de vida diferente, pensar no futuro é ainda mais difícil. Parte de mim deseja que nunca tivesse vindo e experimentado o que poderia ter, mas nunca terei.

— E, portanto, chego à segunda parte da minha pergunta — Margarida continuou. — Andei observando você e Laurent enquanto a esculpe. Serei honesta e confesso que pensei, no começo, que todo elogio e insinuação de Laurent não eram nada mais do que ele diria a qualquer mulher bonita que escolhesse como modelo. Mas, nos últimos dias, notei como ele a olha, o modo carinhoso como toca a pedra que esculpe, como se estivesse sonhando tocar você de verdade. Perdoe-me, Izabela — Margarida balançou a cabeça. — Geralmente sou pragmática quando o assunto é romance. Compreendo muito bem a natureza dos homens, especialmente aqui em Paris, e devo alertá-la. Temo que ele possa esquecer que é comprometida, diante da paixão que sente por você e do fato de seu tempo juntos estar acabando.

— Um fato de que, certamente, eu o lembraria imediatamente — Bel afirmou, respondendo a Margarida do modo adequado.

— Você faria isso? Não tenho certeza — Margarida disse, pensativa. — Do mesmo modo que vejo o que Laurent sente por você, vejo como você age com ele. Na verdade, eu soube no momento em que ele se aproximou da nossa mesa na La Closerie des Lilas durante nosso primeiro almoço juntas em Montparnasse. Para ser honesta, fiquei preocupada desde o início. Pensei, na época, que ele talvez estivesse brincando com você, percebendo sua ingenuidade. Existem muitos homens sem escrúpulos entre a fraternidade criativa em Paris. Eles veem o amor como diversão, e o coração de uma mulher não é nada mais que um brinquedo. Depois que seduzem a vítima com palavras suaves e ela está pronta para ceder, eles conseguem o que querem. Quando atingem seu objetivo, o jogo já não possui mais atrativos e eles partem para outra, procurando um novo desafio.

Bel percebeu que as feições de Margarida ficaram tensas de sofrimento à medida que fazia seu discurso e notou que seus olhos estavam úmidos.

— Sim, Izabela — Margarida a encarou —, é exatamente o que você pensa. Quando estive na Itália, me apaixonei por esse homem gentil que acabei de descrever. Tendo acabado de sair da vida protegida do Rio, eu era tão inocente quanto você. E, sim, ele me seduziu. Em *todos* os sentidos do termo. Mas, quando parti para Paris, não tive mais notícias dele.

Bel processou em silêncio o que Margarida dizia.

— Dividi meu maior segredo com você — Margarida respirou fundo. — E fiz isso esperando apenas que alguma coisa de bom possa surgir do desespero e da tristeza profunda que sofri. Sou um pouco mais velha que você, e, infelizmente, depois do que aconteceu comigo, mais sábia. Não consigo evitar enxergá-la como fui um dia; uma jovem apaixonada pela primeira vez.

Bel estava prestes a explodir de amor por Laurent. Até aquele momento, pôde apenas colocar seus sentimentos no papel para Loen. Decidiu confiar em Margarida, depois do segredo que ela própria lhe confiara.

— Sim — disse. — Eu o amo. Eu o amo de todo o meu coração. Não consigo suportar imaginar viver o resto da minha vida sem ele.

E, então, ela se desmanchou em lágrimas, aliviada por finalmente revelar seus verdadeiros sentimentos para alguém e destruir sua compostura.

— Bel, sinto muito, não quis deixá-la angustiada. Ouça — Margarida olhou pela janela —, estamos perto do seu apartamento e você não pode chegar em casa assim. Vamos procurar um lugar tranquilo para nos sentarmos. Já estamos tão atrasadas que alguns minutos a mais não farão diferença.

Margarida falou com o motorista, indicando uma direção. Poucos segundos mais tarde, o carro parou na Avenue de Marigny, ao lado de um pequeno parque cercado por grades de ferro.

Elas saíram do Delage e Margarida a conduziu até um banco. Bel assistiu ao sol poente se escondendo atrás das árvores na extremidade do parque, o que agraciava todos os bulevares que havia visitado em Paris.

— Por favor, me desculpe a franqueza — Margarida implorou. — As questões do seu coração não são da minha conta, eu sei. Mas ver vocês dois repletos de paixão um pelo outro me obrigou a dizer alguma coisa.

— Margarida, com certeza minha posição é diferente da que você viveu na Itália — Bel arriscou. — Você mesma disse, no carro, que acredita que Laurent sente algo por mim. Que talvez ele me ame.

— Na época, eu tinha certeza de que Marcello me amava. Ou, pelo menos, queria acreditar que era verdade. Não importa o que Laurent lhe diga, Izabela. Caso ele a convença, lembre-se de que, mesmo acreditando que tenham um futuro juntos, vocês não têm. Laurent não pode lhe dar nada; nem uma casa ou segurança e, acredite, a última coisa que ele quer é ficar preso a uma esposa e filhos. O problema com os artistas é que eles são apaixonados apenas pela ideia de estar apaixonados. E isso nunca leva a lugar nenhum, não importa o tamanho de sua paixão. Você entende?

Bel olhou indiferente para uma babá com duas crianças, os únicos visitantes do jardim.

— Sim. Mas também serei franca e confessarei que, ainda que meus ouvidos ouçam suas palavras e meu cérebro compreenda sua advertência, não é fácil convencer meu coração.

— Não, claro que não — Margarida concedeu. — Mas, por favor, pelo menos pense no que eu disse. Eu não gostaria de ver você destruir sua vida em alguns instantes por permitir que seu coração domine sua razão. Uma vez que seu noivo permitiu que viesse, se ele descobrisse seu segredo, seria uma traição imperdoável.

— Eu sei. — Bel mordeu o lábio, sentindo-se culpada. — Obrigada, Margarida. Sou grata por seu conselho. Mas agora preciso ir, ou a senhora Maria Georgiana nunca vai permitir que eu fique longe da vista dela outra vez.

* * *

Margarida subiu até o apartamento dos Da Silva Costa com Bel e explicou para uma Maria Georgiana inflexível que Landowski em pessoa havia retido ambas enquanto seu assistente fazia moldes de suas mãos.

— Bem, você deve saber que imaginei todo tipo de coisas terríveis acontecendo com vocês. Certifiquem-se de que isso não se repita.

— Prometo — Bel concordou, então deixou a sala de visitas para acompanhar Margarida até a porta. As duas se abraçaram afetuosamente.

— Boa noite, Izabela. Até amanhã.

Na cama, em vez de contemplar o destino terrível que poderia sofrer, segundo Margarida, se cedesse ao charme de Laurent, tudo o que Bel sentia era felicidade.

"Ela acha que Laurent me ama. Ele me ama..."

E, naquela noite, ela adormeceu facilmente, com um sorriso no rosto.

# 25

— Conversei com o professor — Laurent disse quando Bel chegou com Margarida ao ateliê, na manhã seguinte — e expliquei que não conseguiria terminar a escultura em um dia. Concordamos que, de agora em diante, você pode vir no fim da tarde, quando encerrarmos o trabalho com o Cristo. Posso falar com o senhor Da Silva Costa e explicar as circunstâncias, se isso ajudar.

Bel, que estava apreensiva e agoniada, sentiu-se tão aliviada ao ouvir suas palavras que concordou fervorosamente.

— Monsieur Brouilly, não poderei acompanhar Izabela nessa hora do dia. Devo voltar para casa toda noite às seis para jantar com minha mãe — Margarida apontou, preocupada.

— Certamente, mademoiselle, não há nada inapropriado com esse arranjo — Laurent perguntou. — O professor em pessoa estará presente, e sua esposa e filhos estarão a poucos passos de distância, na casa.

Naquele momento, ao lançar um olhar de súplica para Margarida, Bel viu a resignação nos olhos da amiga.

— Não, claro que não — assentiu. — Com licença, preciso me trocar.

— Agora, portanto, começamos a trabalhar — Laurent sorriu com triunfo para Bel.

* * *

Naquela noite, Heitor anunciou durante o jantar que Laurent Brouilly havia telefonado a seu escritório e explicado as circunstâncias que exigiam a presença de Bel no ateliê todo fim de tarde.

— Considerando que a urgência do meu projeto forçou o seu a ser colocado de lado, devo concordar — Heitor concluiu. — Izabela, meu motorista vai levá-la ao ateliê às cinco horas todos os dias e buscá-la às nove.

— Talvez haja um ônibus que possa me levar. Não quero causar problemas, senhor Da Silva Costa — Bel sugeriu.

— Ônibus? — Maria Georgiana escandalizou-se. — Não creio que seus pais aceitariam que você usasse transporte público sozinha em Paris durante a noite. Naturalmente que o motorista deve levá-la e pegá-la.

— Obrigada. Pagarei pelas despesas geradas — Bel ofereceu, disfarçando quanto realmente estava aliviada e contente.

— Na verdade, Izabela — Heitor continuou —, é do meu interesse tê-la no ateliê de Landowski. Você pode espiar o trabalho e me relatar o progresso do novo modelo de quatro metros do Cristo — sorriu.

***

— Talvez eu possa ir ao ateliê com você qualquer dia para observar enquanto você é esculpida — Maria Elisa arriscou quando se deitavam naquela noite.

— Perguntarei a monsieur Brouilly se ele se importa — Bel respondeu. — Você está gostando de trabalhar no hospital? — perguntou, mudando de assunto e esperando que Maria Elisa se esquecesse de seu pedido.

— Muito — Maria Elisa afirmou. — Falei com meus pais alguns dias atrás sobre seguir a carreira de enfermeira no futuro. Minha mãe não ficou feliz, como você pode imaginar, mas meu pai me incentivou e a repreendeu por ser tão antiquada. — Maria Elisa sorriu. — Não é culpa dela — justificou rapidamente, sempre preparada para perdoar. — Cresceu em outra época. Por isso, agora estou ansiosa para voltar ao Rio e começar meu curso. Infelizmente, meu pai acha que levará pelo menos um ano para terminar seu trabalho aqui. Você tem sorte por retornar ao Rio em duas semanas, Bel. Durma bem.

— Você também — Bel respondeu.

Ela continuou acordada, ponderando a ironia do comentário de Maria Elisa. "Se pudéssemos trocar de lugar", pensou, sonolenta, ciente de que venderia a própria alma para estar no lugar da amiga e passar mais um ano em Paris.

* * *

Dois dias depois, Bel se encontrava no ateliê enquanto a noite caía. Com o canto dos olhos, notou a escultura de quatro metros do Cristo tomando forma e dominando o estúdio. Margarida já havia encerrado seu dia, e Landowski estava a caminho de casa para jantar com sua esposa e seus filhos, quando Bel chegara. Sem o som de pessoas no ateliê, Bel ouvia o silêncio.

— Em que está pensando? — Laurent perguntou de repente.

Bel viu que as mãos dele trabalhavam em seu tronco superior, concentradas em moldar a forma de seu seio sob o vestido de gola alta que vestia.

— Em como as coisas são diferentes aqui durante a noite — respondeu.

— É verdade, há certa tranquilidade quando o sol se põe. Geralmente trabalho sozinho à noite, gosto da paz. Landowski precisa dar atenção à sua família e, além disso, não consegue esculpir depois que a luz diminui.

— Você consegue?

— Izabela, mesmo se você não estivesse diante de mim, eu seria capaz de esculpi-la com perfeição. Como a admirei por tanto tempo, os detalhes exatos de sua forma estão gravados em minha memória.

— Então, talvez não precise de mim, afinal.

— Talvez esteja certa. — Ele sorriu. — Mas esta é a desculpa perfeita para estar com você. Não concorda?

Foi a primeira vez que Laurent fez um comentário direto, que confirmava sua vontade de estar com ela por motivos que não eram artísticos.

Bel baixou os olhos.

— Concordo — respondeu.

Laurent não disse mais nada e trabalhou em silêncio durante a hora seguinte. Então se alongou e sugeriu um intervalo.

Quando foi para a cozinha, Bel se levantou e caminhou pelo ateliê para relaxar suas costas tensas. Olhou para a sua escultura inacabada e admirou as linhas simples.

— Reconhece a si mesma? — Laurent perguntou ao retornar com uma jarra de vinho e uma tigela com azeitonas. Bel o seguiu até a mesa.

— Na verdade, não — respondeu honestamente, examinando a escultura enquanto ele servia o vinho em duas taças. — Talvez, depois que terminar meu rosto, eu reconheça. Pareço muito jovem até agora, quase como uma garotinha, a julgar pela minha pose.

— Excelente! — Laurent declarou. — Tenho em mente a imagem de um botão de rosa fechado, pouco antes de começar a desabrochar em uma flor perfeita. O momento entre a infância e a maturidade; às portas da vida adulta e contemplando os deleites que estão por vir.

— Não sou uma criança — Bel retrucou, sentindo-se diminuída pela explicação de Laurent.

— Mas também não é uma mulher ainda — ele apontou, observando-a enquanto tomava seu vinho.

Bel não soube como responder. Tomou outro gole de vinho enquanto seu coração batia mais rápido.

— Bem, de volta ao trabalho — ele disse, revigorado — antes que a luz vá embora completamente.

* * *

Duas horas depois, Bel se levantou para partir. Laurent a seguiu até a porta do ateliê.

— Volte para casa em segurança, Izabela. E me perdoe se eu disse alguma coisa inapropriada. Você mal falou comigo desde então.

— Eu...

— Shh. –- Laurent colocou um dedo suavemente sobre seus lábios. — Eu compreendo. Sei quais são suas circunstâncias, mas não consigo evitar desejar que as coisas fossem diferentes. Boa noite, minha querida Bel.

Enquanto era levada para casa, Bel reconheceu que, de um jeito todo seu, Laurent havia confessado que, se ela estivesse livre, gostaria de tê-la para si. Mas também compreendia a situação e, como um cavalheiro, jamais agiria de modo inapropriado.

— Mesmo que eu queira... — sussurrou consigo mesma, extasiada.

* * *

Ao longo das noites seguintes no ateliê, Laurent não fez mais nenhum comentário como esse. Quando falava, discutia a escultura ou algum rumor sobre Montparnasse e seus habitantes. Ironicamente, quanto mais neutra era sua conversa, maior era a tensão física e emocional que Bel sentia. Foi *ela* quem começou a fazer colocações curiosas, destacando a camisa nova que ele vestia e como lhe caía bem, ou elogiando seu talento como escultor.

A cada dia que passava, a frustração de Bel atingia grandes alturas. Considerando que Laurent havia parado completamente de flertar com ela, ela não tinha o que fazer. Além disso, perguntava a si mesma, repetidamente, o que ela *queria* fazer?

Toda vez que refletia sobre isso, sua razão lhe dizia que, quanto mais rápido estivesse em um navio voltando ao Brasil, melhor. Enquanto se sentava por horas diante dele, o fato de estar tão perto e tão longe era uma tortura deliciosa para sua alma.

Certa noite, ao dizer um inocente "boa-noite" para Laurent e pausar no jardim para se recompor antes de entrar no carro e voltar para casa, ela notou um monte de farrapos sob os ciprestes da cerca viva. Tinha certeza de que, quando dera uma volta ao ar livre durante o intervalo, aquilo não estava ali. Aproximando-se com cuidado, estendeu um pé e cutucou os farrapos com a ponta do sapato. O monte de trapos se moveu e Bel saltou para trás, assustada.

Mantendo certa distância, observou uma pessoa pequena e imunda surgir em uma das extremidades dos farrapos e, então, na outra extremidade, uma cabeça com cabelos sujos e embaraçados. Conforme a figura começava a se revelar, Bel viu que era um garotinho, com sete ou oito anos, talvez. Um par de olhos, que Bel notou estarem entorpecidos de exaustão, se abriu por alguns segundos. Logo se fecharam outra vez, e ela percebeu que a criança havia adormecido novamente.

— Meu Deus — suspirou, comovida com a imagem do garoto. Ponderando o que fazer, aproximou-se, hesitante, e, silenciosamente, ajoelhou-se ao seu lado, evitando sobressaltá-lo. Estendeu os dedos em sua direção, mas, desta vez, seu toque acordou o menino e ele se sentou apavorado, imediatamente alerta.

— Por favor, não tenha medo. Não vou te machucar. *Parlez-vous Français?*

O menino, cujo rosto imundo era o retrato do medo, colocou seus braços de maneira protetora diante de si e se afastou para debaixo da cerca viva.

— De onde você é? — Bel tentou outra vez, desta vez em inglês. Novamente, ele apenas olhou para ela assustado, como um animal encurralado, e Bel notou um corte profundo em sua canela, coberto com sangue seco. Enquanto o garoto se encolhia à sua frente, com seus grandes olhos apavorados trazendo mais lágrimas aos seus próprios, ela esticou uma mão e tocou suavemente seu rosto. E sorriu para ele, sabendo que não deveria assustá-lo, mas sim conquistar sua confiança. Conforme seus dedos cobriram gentilmente sua face, sentiu o garoto relaxar.

— O que aconteceu com você? — murmurou, estudando seus olhos. — Seja o que for que tenha visto, você é jovem demais para sofrer assim.

De repente, a cabeça do menino desabou sobre sua mão, mas se ergueu outra vez, assustado, logo em seguida. Finalmente, quando notou que não fora privado daquele toque reconfortante, voltou a dormir.

Deixando sua mão onde estava, para não perturbá-lo, Bel conseguiu engatinhar para junto dele, sussurrando palavras de carinho nos três idiomas que conhecia e posicionando seu outro braço ao redor do corpo dele. Finalmente, puxou-o dos arbustos para junto de si. Ele começou a chorar, mas não parecia estar assustado ainda, apenas desconfortável com a dor quando Bel moveu sua perna direita, aquela com a canela machucada, para que pudesse colocar seu corpo esquelético sobre seus joelhos.

Mais uma vez, o menino suspirou e virou a cabeça para apoiá-la contra Bel. Fazendo o possível para engolir a bílis que subiu por sua garganta por causa do mau cheiro que ele emanava, Bel se sentou, embalando-o, abraçando-o contra o peito.

— Izabela — disse uma voz atrás dela. — O que está fazendo sentada na grama?

— Shh! — ela silenciou Laurent enquanto acariciava o rosto do menino para tranquilizá lo. Vai acordá lo.

— Onde você encontrou essa criança? — Laurent respondeu com um sussurro.

— Debaixo da cerca viva. Não deve ter mais que sete ou oito anos, mas está tão magro que é mais leve que um bebê. O que faremos? — Ela ergueu os olhos angustiados para Laurent. — Não podemos deixá-lo aqui. Ele tem um ferimento na perna que precisa de atenção. Pode infeccionar, e o veneno pode penetrar no sangue e matá-lo.

Laurent olhou para Bel e para a criança imunda, e balançou a cabeça.

— Izabela, você sabe que há muitas crianças como esta nas ruas da França, não sabe? A maioria atravessa as fronteiras ilegalmente, vindo da Rússia ou da Polônia...

— Claro — ela resmungou. — Acontece no Brasil também. Mas este menino está aqui conosco agora, e fui *eu* quem o encontrou. Como poderia deixá-lo para morrer, abandonado na sarjeta do lado de fora da propriedade de Landowski? Seria um peso em minha consciência pelo resto da vida.

Laurent viu as lágrimas que corriam pelo rosto de Bel, seus olhos iluminados com dor e paixão. Ele se abaixou ao lado dela, estendendo uma mão para acariciar o cabelo do menino adormecido.

— Perdoe-me — suspirou. — Talvez o que vejo nas ruas de Paris todos os dias me deixe imune ao sofrimento. Deus colocou esta criança em seu caminho e deve fazer o que puder para ajudar — Laurent concordou. — É muito tarde para perturbar os Landowski. Por hoje, ele pode dormir no colchão de palha, na cozinha. Tenho uma chave e posso trancá-lo com segurança longe do precioso Cristo de Landowski. Infelizmente ninguém sabe o estado de espírito de uma criança como esta. Dormirei aqui no ateliê e ficarei de olho. Você consegue carregá-lo para dentro?

— Sim — Bel disse, com gratidão. — Obrigada, Laurent.

— Vou avisar seu motorista que ainda vai demorar um pouco. — Laurent ajudou Bel a se levantar, o menino ainda adormecido em seus braços.

— Ele é leve como uma pena — Bel sussurrou, olhando para aquele rosto inocente e jovem, que confiou naquela desconhecida para tomar conta dele apenas porque não tinha escolha.

Laurent a observou enquanto carregava a criança com cuidado e afeição para o ateliê. Quando foi falar com o motorista de Bel, seus próprios olhos brilharam momentaneamente com lágrimas.

Ela o esperava na cadeira onde se sentava todos os dias enquanto Laurent a esculpia, com o menino ainda nos braços.

— Vou arrumar o colchão para ele na cozinha — Laurent disse, imaginando o que Landowski diria quando chegasse no dia seguinte e encontrasse aquela criança imunda em seu ateliê. Ainda assim, queria ajudar.

Poucos minutos depois, Bel carregou o menino para a cozinha e o deitou com cuidado.

— Devo pelo menos lavar seu rosto e tentar limpar seu ferimento. Você tem um pedaço de pano e um antisséptico?

— Em algum lugar — Laurent disse, antes de procurar nos armários até encontrar o antisséptico. Depois de desaparecer por um instante, retornou com um pedaço de gaze de algodão, geralmente usado no ateliê para fazer moldes de gesso, para que Bel pudesse limpar a ferida.

— Você tem uma atadura? — Bel perguntou e, depois de dizer que não havia nenhuma nos armários, Laurent observou enquanto ela gentilmente cobria a ferida com a gaze para protegê-la. O garoto se retraiu, mas continuou dormindo.

— Mesmo com a noite quente, ele está tremendo de febre. Precisamos de um cobertor — ela ordenou, e Laurent obedientemente trouxe aquele que aqueceria seus próprios ombros naquela noite.

— Vou me sentar aqui um pouco, banhá-lo com água fria para baixar sua febre e garantir que se sinta seguro — ela comentou, enquanto Laurent permanecia de pé na cozinha minúscula. Concordando com a cabeça, ele a deixou para improvisar sua própria cama no cômodo ao lado.

— Doce criança — suspirou, enquanto passava um pedaço de pano ensopado em sua testa e acariciava seu cabelo. — Quando acordar amanhã, não estarei aqui, mas não tenha medo. Prometo que, quando voltar, vou garantir que fique seguro. Agora preciso deixá-lo. Durma bem.

Quando Bel começou a se levantar, uma mão saiu subitamente de debaixo do cobertor e segurou sua saia. Os olhos do menino estavam abertos e ele a olhava fixamente.

Em um francês perfeito, ele disse:

— Nunca vou me esquecer do que fez por mim, mademoiselle. — Então, com um suspiro de satisfação, a criança se virou e fechou os olhos mais uma vez.

— Preciso ir — Bel disse para Laurent quando saiu da cozinha. — Onde está a chave para trancar a porta da prisão? — acrescentou com sarcasmo.

— Izabela, você sabe que faço isso apenas para proteger o professor e sua família. Esta é a casa deles, e aquela é sua maior obra de arte — ele lembrou, indicando a escultura semipronta do Cristo.

— Claro — ela concordou —, mas você tem que me prometer que, quando o garoto acordar amanhã, vai dizer a ele que está seguro aqui. Eu mesma falarei com o professor para explicar que fui a causadora desse transtorno. Agora, preciso ir. Só Deus sabe a fúria que vou enfrentar com a senhora Da Silva Costa pela manhã.

— Izabela, Bel... — Laurent agarrou seu braço quando ela tentou se mover em direção à porta. Ele a puxou para junto de si de repente, e a envolveu em seus braços. — Você é verdadeiramente bela, por dentro e por fora. E não posso suportar mais um minuto desta charada, desta farsa entre nós. Sinta-se à vontade para exigir que eu a solte de meus braços, mas, que Deus me ajude, depois de ver sua compaixão esta noite... — Ele balançou a cabeça. — Quero, pelo menos, sentir o toque de seus lábios nos meus.

Bel o encarou, sabendo que estava na borda de um penhasco e que nenhuma parte dela se importaria se pulasse.

— Sou sua — murmurou. E os lábios dele tocaram os seus.

Enquanto isso, na cozinha ao lado, o menino dormia tranquilamente pela primeira vez em muitos meses.

# 26

Quando Bel chegou ao ateliê, às cinco da tarde no dia seguinte, transbordava apreensão. Não apenas por causa do destino do garoto, mas também porque descobriria se a declaração de Laurent e seu beijo haviam sido apenas uma reação às emoções da noite anterior.

— Ora! — Landowski, que estava se limpando após o dia de trabalho, exclamou. — É a Santa Izabela em pessoa.

— Como ele está, professor? — Bel perguntou, enrubescendo com o comentário.

— Seu menino está jantando com meus filhos no momento — Landowski informou. — Como você, quando chamei minha esposa para vê-lo dormindo como um rato no chão da cozinha, ela imediatamente ficou com pena dele. Insistiu que tomasse um banho de mangueira no jardim e o esfregou da cabeça aos pés com sabão carbólico, com medo de piolhos. Então ela o cobriu com um cobertor e o colocou em uma cama em nossa casa.

— Obrigada, professor. Sinto muito pelo transtorno.

— Bem, se tivesse sido eu, o teria mandado de volta para as ruas, que é o seu lugar, mas vocês, mulheres, têm o coração mole. E nós, homens, somos gratos por isso — acrescentou com bondade.

— Ele disse de onde é?

— Não, porque não disse uma palavra sequer desde que minha esposa assumiu o controle. Ela acha que é mudo.

— Monsieur, sei que não é. Ele falou comigo pouco antes de deixá-lo, ontem à noite.

— Falou, é? Interessante. — Landowski moveu a cabeça, pensativo. — Bem, até agora preferiu não compartilhar seu dom da fala com mais ninguém. Ele também tem um saquinho de couro ao redor do corpo, que minha esposa encontrou quando removeu aqueles trapos imundos dele. E rugiu como um cachorro louco quando ela tentou tirar o objeto antes do banho, recusando-se a permitir. Bem, veremos. Minha aposta é que, julgando por sua aparência, ele veio da Polônia. Os iguais se reconhecem — concluiu com seriedade. — Boa noite.

Quando Landowski deixou o ateliê, Bel se virou e viu Laurent sorrindo para ela com os braços cruzados.

— Está contente agora, que seu pequeno vira-lata está sendo bem cuidado?

— Sim, e agradeço pelo papel que desempenhou em ajudá-lo também.

— Como está hoje, minha Bel?

— Estou bem, senhor — ela sussurrou, desviando o olhar.

— Não se arrepende do que aconteceu entre nós ontem à noite? — Ele estendeu suas mãos para ela. E, timidamente, ela ergueu as suas para encontrá-las.

— Nem por um instante.

— Graças a Deus por isso — ele suspirou, conduzindo-a para a cozinha, onde não poderiam ser vistos através de janelas, e a beijou apaixonadamente outra vez.

* * *

E assim começou o caso de amor, inocente exceto pelo toque de seus lábios, ambos cientes do risco que corriam de serem pegos por Landowski, que começava a voltar para o ateliê a qualquer momento para estudar seu Cristo. As mãos de Laurent trabalhavam mais rápido em sua escultura, apressadas em moldar o rosto para que, depois, tivessem alguns minutos roubados juntos.

— Meu Deus, Izabela, tão pouco tempo nos resta. A esta hora, na semana que vem, você navegará para longe da minha vida — ele disse certa noite com ela em seus braços, a cabeça descansando em seu ombro enquanto ele a abraçava. — Como serei capaz de suportar?

— E eu?

— Quando a vi pela primeira vez, lembro-me de admirar sua beleza e admito que flertei com você — ele declarou, levantando a cabeça para olhar nos olhos dela. — Enquanto você posava para mim, dia após dia, e começou a revelar sua alma, me vi pensando em você por muito tempo depois que ia embora. E, finalmente, naquela noite, quando vi sua compaixão pelo garoto, soube que a amava. — Laurent suspirou e balançou a cabeça. — Isso nunca aconteceu comigo antes. Nunca acreditei que sentiria isso por uma mulher. E quis o destino que essa mulher estivesse prometida a outro, que nunca mais a verei outra vez. É uma situação trágica, que muitos dos meus amigos escritores colocariam em seus livros e poemas. Infelizmente, é real para mim.

— Sim, é real — Bel suspirou em agonia.

— Então, *ma chérie*, devemos aproveitar ao máximo o tempo que nos resta.

* * *

Bel passou sua última semana em Paris em transe, incapaz de contemplar sua partida iminente. Viu a criada trazer seu baú para o quarto e começar a organizar seus pertences nele como se fossem de outra pessoa. Discussões sobre sua passagem de volta para casa e o temor de Maria Georgiana diante do fato de Bel viajar sozinha passaram despercebidas por ela.

— Não há como evitar. Você deve voltar e se preparar para seu casamento, mas deve prometer que não deixará o navio quando aportar em algum lugar, especialmente na África.

— Prometo — Bel respondeu automaticamente. — Tenho certeza de que estarei segura.

— Entrei em contato com a empresa de navegação e me disseram que o comissário vai procurar uma mulher mais velha que possa acompanhá-la durante a viagem.

— Obrigada, senhora — Bel finalizou, categoricamente.

— Heitor me disse que sua escultura está quase terminada. Portanto, esta será sua última noite no estúdio de Landowski. Amanhã, nossa família vai dar um jantar de despedida em sua homenagem — Maria Georgiana sorriu.

Bel olhou para ela com espanto evidente, então percebeu que devia parecer ingrata:

— Obrigada, senhora. É muita gentileza sua.

No carro, a caminho do ateliê, a compreensão de que aquela seria a última noite em que veria Laurent a dominou como uma onda de pavor.

Quando chegou, Laurent parecia contente e orgulhoso.

— Depois que você foi embora ontem, fiquei acordado até o amanhecer para terminar — disse, indicando a escultura que estava escondida debaixo de um lençol. — Você gostaria de ver?

— Sim, muito — ela murmurou, não querendo que sua tristeza corrompesse a alegria de Laurent. Ele levantou o lençol com um floreio para revelar a escultura.

Bel olhou fixamente para sua imagem, como com qualquer outro objeto de estudo visual, incerta de sua reação. Podia ver que ele havia retratado sua forma perfeitamente, o rosto que a olhava de volta era o seu. Mas o que a impressionou mais na escultura era a tranquilidade que evocava, como se houvesse sido capturada em um momento de contemplação profunda.

— Pareço... tão só. E triste — acrescentou. — É... singelo, não há nada frívolo nela.

— Não. E esse é, como você sabe, o estilo que Landowski ensina e o motivo de eu estar em seu ateliê. Ele a viu antes de partir esta noite e me disse que é o melhor trabalho que já fiz.

— Fico feliz por você, Laurent — Bel respondeu.

— Bem, talvez, no futuro, você a veja em uma exposição de meus trabalhos e saiba que é você. E ela fará com que se recorde de mim, desse maravilhoso interlúdio que passamos juntos em Paris, há muito, muito tempo.

— Não, por favor, não — ela se lamuriou ao perder o controle e colocou as mãos na cabeça. — Não consigo suportar.

— Izabela, por favor, não chore. — Ele foi imediatamente para o seu lado, um braço ao redor dos seus ombros, consolando-a. — Se pudesse mudar as coisas, eu mudaria, juro. Lembre-se: sou livre para te amar. É *você* quem não é livre para me amar.

— Eu sei — ela disse —, e esta será nossa última noite juntos, pois, quando deixava o apartamento, Maria Georgiana me informou que a família Da Silva Costa faz questão de dar um jantar em minha homenagem amanhã à noite. No dia seguinte, embarco em um navio para o Rio. Além disso, você não precisa mais de mim agora. — Bel indicou a escultura com pesar.

— Bel, garanto que estou apenas começando a precisar de você.

Ela apoiou a cabeça mais uma vez sobre o ombro dele.

— O que podemos fazer? O que pode ser feito?

Houve uma pausa antes de Laurent conjecturar:

— Não volte para o Brasil, Izabela. Fique em Paris comigo.

Bel respirou fundo, incapaz de acreditar nas palavras que ouvia.

— Ouça — ele continuou, pegando sua mão e levando-a até um banco, onde se sentou ao lado dela. — Você sabe que não posso lhe dar nada, comparado ao que seu noivo rico pode dar. Tenho apenas um quarto em um sótão em Montparnasse, que é frio como o gelo no inverno e um forno no verão. E estas mãos com as quais trabalho para mudar minhas circunstâncias. Mas juro que posso te amar, Izabela, como nenhum outro homem poderia.

Bel, aconchegada contra o corpo dele, ouvia suas palavras como se fossem gotas de água em sua boca sedenta. Ficou sentada ali, com aqueles braços ao seu redor, e vislumbrou um futuro ao lado dele pela primeira vez... e era tão perfeito que, apesar de tudo o que ele havia dito, precisava apagar aquela imagem de sua mente.

— Laurent, você sabe que não posso. Isso destruiria minha família. Meu casamento com Gustavo é o auge da realização dos sonhos de meu pai, algo que ele trabalhou a vida inteira para conseguir. Como eu poderia fazer isso com ele e com minha querida mãe?

— Entendo que você não pode, mas preciso que compreenda que eu gostaria que pudesse. Antes de ir embora — ele acrescentou.

— Não sou como você. — Ela balançou a cabeça. — Talvez seja porque nossos mundos são muito diferentes, ou apenas porque você é um homem e eu sou uma mulher. Só sei que, no meu país, a família é tudo.

— Respeito isso — ele disse —, apensar de acreditar que haja um limite, quando uma pessoa precisa parar de pensar nos outros e pensar em si mesma. Casar-se com um homem a quem não ama e viver uma vida que não deseja, em resumo, sacrificar sua própria felicidade, parece demais, mesmo para a mais devota das filhas.

— Não tenho escolha — Bel contestou, agoniada.

— Entendo por que acredita nisso, mas, como você sabe, todo ser humano é dotado de livre-arbítrio; é o que nos torna diferentes dos animais. E... — Laurent pausou enquanto formulava a próxima frase. — E o seu noivo? Você me disse que ele está apaixonado por você.

— Sim, acredito que esteja.

— Então, como vai enfrentar um casamento com uma mulher que nunca poderá sentir o mesmo por ele? Sua indiferença e a ciência de que você se casou com ele por obrigação não vão, com o tempo, corroer sua alma?

— Minha mãe me disse que vou amá-lo com o tempo, e eu preciso acreditar nela.

— Bem, então é isso. — Os braços de Laurent abandonaram seus ombros. — Desejo a você muita sorte e uma vida feliz. Acho que terminamos por aqui. — Ele se levantou abruptamente e se afastou dela, em direção ao ateliê.

— Por favor, Laurent, não faça isso. Estes são os últimos momentos que passaremos juntos — ela implorou.

— Izabela, eu disse tudo o que podia dizer. Declarei meu amor e minha devoção a você. Pedi que não voltasse para casa, e ficasse aqui comigo. — Ele moveu os ombros com tristeza. — Não há mais nada que eu possa fazer. Perdoe-me se não consigo suportar ouvi-la dizer que, um dia, pode amar seu marido.

A mente de Bel era uma confusão de contradições. Seu coração batia forte, e ela se sentia doente. Observou Laurent cobrir a escultura com o lençol, escondendo-a, como alguém que cobria um ente querido que acabara de deixar este mundo. Se o gesto era simbólico ou prático, Bel não sabia nem se importava, mas isso fez com que se levantasse do banco e fosse até ele.

— Laurent, por favor, você precisa me dar um tempo para pensar... Preciso pensar — ela chorou, levando os dedos às têmporas.

Laurent parou, aparentemente hesitando por um momento antes de dizer:

— Sei que não pode voltar ao ateliê mais uma vez. Mas, por favor, ainda que seja a última coisa que eu lhe peça, me encontre amanhã à tarde em Paris.

Para quê?

— Imploro, Izabela. Apenas diga onde e a que horas.

Ela olhou em seus olhos e sabia que não teria forças para resistir.

— Ao lado da entrada sul do parque na Avenue de Marigny com a Avenue Gabriel. Me encontre lá às três.

Ele a fitou e concordou.

— Estarei lá. Boa noite, minha Bel.

Bel deixou o ateliê, pois não havia mais nada a dizer. Atravessando o jardim, viu um garoto parado, sozinho, olhando as estrelas. Seguiu em sua direção e, quando a viu, ele sorriu.

— Olá — ela disse. — Você parece bem melhor. Como se sente?

Ele fez um movimento afirmativo com a cabeça e ela soube que a entendia.

— Deixo a França depois de amanhã e volto para minha casa, no Brasil. — Bel pegou um caderninho e um lápis na bolsa que carregava e escreveu alguma coisa. — Se você precisar de qualquer coisa, entre em contato comigo. Aqui está meu nome e o endereço dos meus pais. — Ela rasgou a página do caderno e a entregou para o menino, observando enquanto ele lia, movendo os lábios para formar as palavras. Mais uma vez mexendo na bolsa, ela pegou uma nota de vinte francos. Colocou o dinheiro nas pequeninas mãos do menino e se abaixou para beijar sua cabeça.

— Adeus, querido, e boa sorte.

* * *

No futuro, quando Bel recordasse os meses que passara em Paris, uma das coisas de que se lembraria nitidamente seriam as longas noites sem dormir. Enquanto Maria Elisa sonhava tranquila em sua cama, Bel abria uma fração das cortinas e se sentava à janela, observando as ruas abaixo, sonhando com os prazeres lá fora.

Aquela noite em particular, sentada com sua testa quente pressionada contra o vidro fresco, foi a mais longa de todas. As perguntas que fazia a si mesma eram aquelas que determinariam seu futuro.

Quando a noite escura acabou e sua decisão estava tomada, voltou desolada para a cama enquanto uma alvorada cinzenta surgia no espaço aberto entre as cortinas, ecoando seu estado de espírito.

* * *

— Vim dizer adeus — ela disse, e o olhar esperançoso de Laurent se desintegrou e caiu como poeira no chão de pedra sob seus pés. — Não posso trair meus pais. Você precisa entender meus motivos.

Ele fitou seus próprios pés. Com esforço, respondeu:

— Eu entendo.

— Melhor eu ir agora. Obrigada por vir me encontrar. Desejo toda a alegria e felicidade que a vida pode lhe dar. Tenho certeza de que, um dia, vou ouvir sobre você e suas esculturas. E tenho certeza de que serão tratadas com reverência.

Bel se levantou e, com todos os músculos do corpo tensos com o esforço para controlar as emoções, estendeu-se para beijar o rosto dele.

— Adeus, Laurent. Que Deus o abençoe.

E começou a se afastar dele.

Poucos segundos depois, sentiu uma mão em seu ombro.

— Bel, por favor, se algum dia mudar de ideia, saiba que estarei esperando por você. *Au revoir,* meu amor. — E, então, ele se virou e correu rapidamente pela grama na direção oposta.

# 27

De algum modo, Bel sobreviveu às vinte e quatro horas seguintes e ao jantar especial que havia sido preparado pelos Da Silva Costa.

— Infelizmente não estaremos presentes para comemorar o dia do seu casamento — Heitor disse quando a família brindava com champanhe —, mas gostaríamos de desejar toda a felicidade do mundo a você e a seu noivo.

Depois do jantar, eles a presentearam com um lindo conjunto de chá de porcelana Limoges, como lembrança do tempo que passou na França. Enquanto a família deixava a mesa, Heitor sorriu para Bel.

— Está contente por voltar para casa, Izabela?

— Estou ansiosa para ver minha família. E meu noivo, naturalmente — acrescentou logo. — Mas vou sentir muita falta de Paris.

— Talvez um dia, quando vir o monumento do Cristo no topo do Corcovado, poderá contar a seus filhos que esteve presente durante sua criação.

— Sim, eu me sinto honrada por isso — Bel concordou. — O projeto está progredindo?

— Como você sabe, Landowski quase terminou o modelo de quatro metros e agora preciso encontrar um lugar onde haja espaço suficiente para que eu e meus desenhistas possamos ampliar a escala para trinta metros. Landowski começará a trabalhar na cabeça e nas mãos em tamanho real na próxima semana. Ele me disse, quando o vi pela última vez, que pediu ao senhor Brouilly para fazer moldes das suas mãos e das mãos da senhorita Lopes de Almeida como possíveis modelos. Quem sabe? Um dia estes seus dedos elegantes podem acabar abençoando o Rio do topo do Corcovado.

* * *

Maria Georgiana insistiu em acompanhar Maria Elisa para ver Bel embarcar com segurança no navio. Felizmente, assim que Bel estava acomodada em sua cabine, ela deixou as meninas a sós por alguns minutos e saiu em busca do comissário para verificar os arranjos.

— Seja feliz, querida Izabela — Maria Elisa disse ao dar um beijo de despedida em sua amiga.

— Vou tentar — Bel concordou enquanto a amiga a examinava atentamente.

— Há algo errado?

— Não, eu... acho que estou nervosa com meu casamento — ela respondeu.

— Bem, escreva me contando tudo sobre ele. Vejo você quando voltar para o Rio. Bel, eu...

— O que foi?

O navio soou o aviso de que restavam trinta minutos para partir.

— Lembre-se desses meses em Paris, mas, por favor, tente abraçar seu futuro com Gustavo também.

Bel estudou Maria Elisa e soube o que sua amiga tentava dizer.

— Eu vou tentar, prometo.

Maria Georgiana reapareceu na cabine.

— O comissário está com uma multidão de convidados, portanto não pude falar com ele pessoalmente, mas lembre-se de se apresentar a ele. Já está ciente de que você é uma moça viajando sozinha e tenho certeza de que vai providenciar uma acompanhante adequada.

— Vou falar com ele, prometo. Adeus, senhora Da Silva Costa. Obrigada por tudo.

— E você deve prometer que não deixará este navio até aportar com segurança no Píer Mauá — acrescentou. — Agradeceria um telegrama assim que estiver em segurança com seus pais.

— Vou providenciar, prometo.

Bel as seguiu até o convés para uma última despedida. Assim que partiram, ela se apoiou na amurada. Olhou para o porto de Le Havre sabendo que seria sua última imagem da França.

Em algum lugar ao sul ficava Paris, e em algum lugar em Paris estava Laurent. O navio começou a se mover suavemente, e Bel continuou parada ali, fitando o litoral até que, finalmente, a costa se misturou com o horizonte.

— Adeus, meu amor, adeus — sussurrou. Consumida por uma angústia devastadora, ela voltou para sua cabine.

* * *

Bel comeu em seu quarto naquela noite, incapaz de suportar a atmosfera de alegria da sala de jantar, repleta de passageiros felizes e ansiosos pela viagem. Deitou-se na cama, sentindo o balanço suave do navio, e, enquanto a noite caía, sua pequena janela ficava tão negra quanto seu coração.

Ela imaginou se, ao deixar a terra firme enquanto o navio e sua vida rumavam de volta para casa, aquela dor insuportável em seu coração começaria a abrandar. Afinal, veria seus queridos pais e estaria de volta à familiaridade de seu país.

Os planos para o casamento já estavam em andamento, e Antônio havia escrito com muita empolgação, dizendo que a cerimônia seria na bela catedral do Rio, uma honra raramente concedida.

Ainda assim, enquanto o navio se afastava mais e mais de Laurent, o coração de Bel ficava pesado, como as pedras no quintal do ateliê de Landowski.

— Abençoada Virgem — orou, com lágrimas correndo por sua face e caindo no travesseiro. — Me dê forças para viver sem ele, pois, neste instante, não sei como poderei suportar.

MAIA
30 DE JUNHO DE 2007

LUA CHEIA
13; 49; 44

# 28

Quando terminei de ler a última carta, vi que era quase meia-noite. Izabela Bonifácio estava a bordo de um navio a vapor, retornando para um homem que não amava e deixando Laurent Brouilly para trás.

***L a u…***

Com o entusiasmo correndo em minhas veias, percebi que tinha em mãos a origem das três primeiras letras gravadas atrás do ladrilho; Laurent, o amor secreto de Bel. E a escultura da mulher sentada no jardim da *Casa* deve, certamente, ser a mesma para a qual Bel posou durante aqueles dias intoxicantes em Paris. Mas eu ainda não sabia como a peça atravessou o mar para chegar ao Brasil.

Amanhã, eu não apenas leria as cartas outra vez — estava tão ansiosa para descobrir tudo que não absorvi os detalhes — como faria uma pesquisa sobre monsieur Laurent Brouilly na internet. Seu nome certamente soava familiar. Mas, por enquanto, exausta, removi minhas roupas, me cobri com o lençol e adormeci com uma das mãos ainda descansando sobre minha história.

* * *

Fui despertada por um barulho estridente, e meus sentidos desorientados demoraram alguns segundos para registrar que era o telefone ao lado da cama. Estendendo a mão até a mesa, coloquei o fone no ouvido e murmurei:

— Alô?

— Maia, é Floriano. Como se sente?

— Estou... melhor — respondi, sentindo-me imediatamente culpada pela mentira que contara na noite anterior.

— Que bom. Você está disposta a me encontrar hoje? Tenho muito para contar.

"Eu também", pensei, mas não disse.

— Claro que estou.

— Está um lindo dia. Vamos dar uma volta na praia. Posso te encontrar às onze no saguão?

— Sim, mas, por favor, Floriano, se tiver outras coisas para fazer, eu...

— Maia, sou escritor, e qualquer distração que me dê uma desculpa para não ficar sentado escrevendo é bem-vinda. Vejo você em uma hora.

Depois de pedir café ao serviço de quarto, reli as primeiras cartas para lembrar-me delas com mais precisão. Então, conferindo o horário, tomei um banho rápido e desci para o saguão pontualmente às onze horas.

Floriano já estava esperando por mim, lendo uma página de uma pasta plástica grossa que descansava em seu colo.

— Bom dia — cumprimentei.

— Bom dia — ele respondeu, erguendo os olhos para me ver. — Você parece bem.

— Sim, estou bem — disse, sentando-me ao lado dele, decidida a confessar a verdade imediatamente. — Floriano, não foi meu estômago que não me permitiu sair do quarto ontem à noite. Yara, a criada, me entregou um pacote antes de deixarmos a *Casa* — revelei. — E me fez prometer segredo.

— Entendo — Floriano ergueu uma sobrancelha diante da informação. — E o que esse pacote continha?

— Cartas escritas por Izabela Bonifácio para sua criada na época. Uma mulher chamada Loen Fagundes. Mãe de Yara.

— Certo.

— Desculpe não ter dito nada sobre as cartas ontem. Eu queria lê-las antes de contar. E me prometa que não dirá uma palavra sobre elas a ninguém. Yara tem medo de que a senhora Carvalho descubra que me entregou as cartas.

— Não tem problema. Eu compreendo — ele concordou sabiamente. Afinal, é a história da sua família, não da minha. E acho que você é uma pessoa que tem dificuldade para confiar em alguém. Tenho certeza de que guarda muitos outros segredos. Quer compartilhar o conteúdo das cartas comigo ou não? A decisão é sua; não ficarei ofendido se disser que não.

— Sim, claro que ficarei contente em compartilhar — confirmei, envergonhada com sua conclusão precisa sobre mim, refletindo a essência do que Pa havia dito em sua carta.

— Então vamos conversar e caminhar ao mesmo tempo.

Segui Floriano para fora do hotel e, juntos, atravessamos a avenida e pisamos no calçadão em frente à praia. Os muitos quiosques que vendiam água de coco, cerveja e petiscos para os frequentadores da praia já estavam abertos.

— Vamos caminhar até Copacabana. Vou lhe mostrar onde sua bisavó celebrou seu casamento.

— E onde festejou seu aniversário de dezoito anos — acrescentei.

— Sim, tenho algumas fotos disso também, de jornais nos arquivos da biblioteca. Então — sugeriu —, se não se importar, Maia, me diga o que descobriu.

Enquanto caminhávamos pela praia de Ipanema, narrei, tão detalhadamente quanto pude, o que descobri nas cartas.

Quando chegamos à praia de Copacabana, como Floriano explicou, caminhamos até o famoso Hotel Copacabana Palace. Recém-restaurado e impossível de não ser notado, reluzia um branco brilhante sob o sol, uma das joias mais icônicas da coroa arquitetural do Rio de Janeiro.

— É realmente impressionante — eu disse, admirando a fachada. — Posso ver por que esta seria a escolha óbvia para o casamento de Bel e Gustavo. Imagino Izabela parada ali, em seu lindo vestido de noiva, sendo reverenciada por grandes e importantes personagens do Rio.

O sol estava forte naquele momento, então nos sentamos em dois banquinhos sob a sombra de um guarda-sol em um dos quiosques da praia. Floriano pediu uma cerveja para ele e uma água de coco para mim.

— A primeira coisa que devo dizer é que meu amigo do departamento de imagens UV no Museu da República confirmou os dois nomes no verso do ladrilho. Ele ainda está trabalhando na data e na inscrição, mas os nomes são “Izabela Aires Cabral” e “Laurent Brouilly”. Agora sabemos que suas cartas são a prova irrefutável de quem foi o amor de Bel em Paris. Ele se tornou um escultor muito conhecido na França. Aqui. — Floriano retirou duas páginas de sua pasta plástica e as entregou a mim. — Estes são alguns de seus trabalhos.

Olhei para os retratos granulados das esculturas de Laurent Brouilly. Eram, em sua maioria, formas humanas simples, similares à que eu havia visto na *Casa das Orquídeas*. E um grande número de homens vestidos com uniformes de soldados.

— Ele ganhou fama como escultor durante a Segunda Guerra Mundial, e lutou na Resistência — Floriano explicou. — Sua página na Wikipédia menciona que recebeu honras militares pela coragem. Definitivamente, um homem interessante. Aqui, uma fotografia dele. Você pode notar que era atraente — acrescentou.

Estudei o rosto bonito de Laurent. Com traços fortes e aquilinos, mandíbula bem definida e faces elegantes, parecia tipicamente francês.

— E aqui estão Gustavo e Izabela no dia do seu casamento.

Estudei a fotografia, ignorando Izabela para examinar Gustavo primeiro. O contraste com Laurent não poderia ser mais evidente. Seu físico insubstancial, em conjunto com seus membros diminutos e agudos, me fez compreender por que Bel e Maria Elisa o haviam comparado a uma fuinha. Mas pude ver que havia bondade em seus olhos.

Então olhei para Izabela, suas feições tão parecidas com as minhas. Estava prestes a devolver a foto quando notei o colar que ela usava.

— Minha nossa!

— O quê?

— Veja. — Indiquei onde Floriano deveria se concentrar na fotografia, meus dedos instintivamente segurando a selenita ao redor de meu pescoço.

Ele examinou a foto e a mim com atenção.

— Sim, Maia. Parece que é a mesma joia.

— E o motivo de Yara ter me entregado as cartas. Ela disse que reconheceu o colar.

— Então, agora você finalmente acredita que é descendente dos Aires Cabral? — Ele sorriu para mim.

— Sim, acredito — reconheci, verdadeiramente convencida pela primeira vez. — É uma prova irrefutável.

— Você deve estar feliz.

— Estou, mas... — Coloquei as páginas sobre o colo e suspirei. Floriano acendeu um cigarro e olhou para mim.

— O que foi?

— Ela deixou o homem que amava na França para se casar com Gustavo Aires Cabral, a quem não amava. É muito triste.

— Você é romântica, Maia?

— Não, mas, se você lesse as cartas que Izabela escreveu para sua criada, sobre seu amor por Laurent Brouilly, não conseguiria evitar se comover com a história.

— Bem, espero que permita que eu as leia em breve.

— Claro — assenti. — Além disso, talvez os sentimentos de Izabela por Laurent fossem apenas um primeiro amor e nada mais.

— Verdade — ele concordou. — Mas, se for isso, por que seu pai lhe deu aquele ladrilho como uma pista sobre sua história? Não seria mais simples incluir uma fotografia de Izabela com seu marido?

— Não sei — suspirei —, e talvez nunca saiba. Quero dizer, não tenho nenhuma carta posterior a outubro de 1928, quando ela deixou Paris e voltou ao Rio. Portanto, devo supor que se casou com Gustavo e construiu uma vida com ele aqui.

— Na verdade, não creio que a história acabe aí — Floriano disse, pegando outra fotografia e a passando para mim. — Esta foto foi tirada em janeiro de 1929. Mostra o molde de gesso da cabeça do Cristo, assim que foi retirado do navio que o trouxe da França. Aquele objeto estranho ao lado é a palma de uma mão em tamanho gigante. Há dois homens nesta foto. Um deles reconheço como Heitor Levy, o gerente do projeto de construção do Cristo. Agora olhe para o outro homem. — Floriano apontou com um dedo.

Olhei fixamente para as feições do homem apoiado contra mão do Cristo. Comparei com a imagem que Floriano havia me mostrado poucos minutos antes.

— Meu Deus! É Laurent Brouilly!

— Sim, é.

— Então ele esteve no Rio?

— Parece que sim. Suponho que não seja preciso ser um gênio para concluir que veio da França por causa do projeto do Cristo.

— E, talvez, para ver Izabela — arrisquei.

— Como historiador, eu não deveria presumir nada, especialmente se você leu apenas sobre os sentimentos de Izabela por Laurent. Não temos certeza do que ele sentia por ela — Floriano censurou.

— Verdade. Mas, em suas cartas, ela fala sobre se sentar no estúdio de Paul Landowski para posar para a escultura que agora se encontra no jardim da *Casa das Orquídeas*. Ela também disse a Loen, sua criada, que Laurent havia implorado para que ficasse na França em vez de retornar ao Brasil. Imagino que ele a tenha seguido até aqui. Mas como podemos descobrir se eles *realmente* se encontraram depois que ele chegou ao Rio?

— Podemos perguntar para sua amiga Yara, a criada — Floriano retrucou. — Se ela lhe entregou aquelas cartas, acredito que seja seguro afirmar que, por algum motivo, quer que você descubra a verdade.

— Mas ela morre de medo de sua patroa. Me dar as cartas é uma coisa, mas conversar comigo sobre mais coisas, sobre minha origem, é outra.

— Maia — repreendeu —, deixe de ser derrotista. Ela já confiou em você o bastante para lhe dar as cartas. Agora, que tal voltarmos para o hotel para lê-las?

— Tudo bem — concordei.

* * *

Enquanto Floriano ficou em minha suíte para ler as cartas de Bel, atravessei a avenida até a praia de Ipanema para dar um mergulho nas ondas vorazes do Oceano Atlântico. Secando-me ao sol, decidi que Floriano estava certo e que eu não deveria temer buscar a história que atravessei meio mundo para descobrir.

Deitada na areia quente, ponderei se minha relutância estava relacionada ao fato de que, a cada passo que dava, estava mais próxima de descobrir a verdade sobre meus pais biológicos. Não fazia ideia se estavam vivos ou mortos ou, na verdade, por que Pa Salt havia deixado uma pista que me levava a um passado mais distante do que, pela lógica, eu precisava conhecer.

E por que a senhora Carvalho estava tão determinada a recusar que sua filha até mesmo desse à luz uma criança; uma mulher jovem, que definitivamente tinha a idade apropriada para ser minha mãe, bem...

Mais uma vez, me lembrei das palavras de Pa Salt gravadas na esfera armilar.

Eu não podia e não deveria fugir.

* * *

— Você gostaria de visitar mais uma vez a *Casa das Orquídeas* comigo e ver se Yara nos diz mais alguma coisa? — perguntei a Floriano assim que retornei à suíte do hotel.

— Naturalmente — ele respondeu, sem tirar os olhos da carta que lia. — Faltam apenas duas cartas para eu terminar.

— Vou tomar um banho enquanto isso.

— Tudo bem.

Depois de fechar a porta do banheiro e me despir, entrei debaixo do chuveiro sensível à presença de Floriano no cômodo ao lado. Considerando que ele era um completo estranho havia dois dias, sua atitude despreocupada e relaxada me fazia sentir que o conhecia por muito mais tempo.

Ainda assim, o livro de sua autoria que traduzi era filosófico, comovente e repleto de aflições humanas. Eu esperava alguém muito mais sério que o homem que estava sentado a alguns metros na sala ao lado. Saindo do banheiro, vi que Floriano havia arrumado as cartas com esmero em uma pilha e olhava pela janela, em direção à praia.

— Quer guardá-las no cofre? — ele perguntou.

— Sim.

Ele me entregou as cartas e eu abri o cofre.

— Obrigado, Maia — disse de repente.

— Pelo quê? — perguntei, digitando o código de segurança.

— Por me confiar o conteúdo destas cartas. Tenho certeza de que muitos dos meus colegas gostariam de ter o mesmo privilégio. O fato de sua bisavó estar presente quando nosso Cristo estava em processo de construção, viver sob o mesmo teto que Heitor da Silva Costa e sua família, e ainda se sentar no ateliê de Landowski enquanto ele trabalhava nos moldes, é algo impressionante. Estou honrado, de verdade — ele disse, oferecendo uma reverência.

— É você quem merece agradecimentos. Me ajudou muito a montar esse quebra-cabeça.

— Bem, vamos até a *Casa* ver se podemos acrescentar mais algumas peças.

— Você vai ter que esperar do lado de fora, Floriano. Prometi a Yara que não contaria a ninguém sobre as cartas. Não quero desmerecer sua confiança.

— Então simplesmente ofereço meus serviços como chofer para a senhorita — ele sorriu. — Vamos?

Deixamos a suíte, seguimos para o elevador e Floriano apertou o botão para chamá-lo. Quando as portas se abriram e nós entramos, ele estudou meu reflexo nas paredes espelhadas.

— O bronzeado combina com você. Agora — acrescentou quando as portas se abriram e atravessamos a recepção, decididos — vamos prosseguir em nossa busca.

***

Vinte minutos depois, estávamos estacionados do outro lado da rua, em frente à *Casa*. Havíamos passado pelos portões de ferro e notado que estavam trancados com cadeados pesados, que não estavam ali durante nossa visita no dia anterior.

— O que aconteceu? — indaguei quando saíamos do carro. — Você acha que é porque a senhora Carvalho pensou que voltaríamos?

— Seu palpite é tão bom quanto o meu — Floriano respondeu, afastando-se ao longo da cerca viva. — Vou investigar se há outra entrada, legal ou ilegal.

Olhei para a casa do outro lado das barras de ferro, decepção e frustração correndo em minhas veias. Talvez nossa visita fosse apenas uma coincidência e houvesse um plano para a velha e Yara deixarem a casa — para visitar parentes, talvez. Naquele momento, percebi o quanto ansiava por conhecer o passado que estava, então, convencida de que era meu.

Floriano apareceu ao meu lado.

— Este lugar parece uma fortaleza. Dei a volta por todo o perímetro e não há como entrar, exceto abrindo caminho com uma serra elétrica pela cerca viva. Quando espiei os fundos da casa através da folhagem, vi que até mesmo as janelas do fundo estão lacradas. Parece que o lugar foi fechado completamente e não tem ninguém em casa.

— E se não voltarem? — perguntei, ouvindo a frustração em minha voz.

— Não há por que não voltarem, Maia. Pode ser apenas uma hora ruim. Veja, há uma caixa de correio. Que tal deixar um recado para Yara, com o endereço do seu hotel e um número de contato?

— Mas e se a velha encontrar o bilhete?

— Posso garantir que a senhora Carvalho não checa o conteúdo de sua caixa de correio assim que chega em casa. Ela é de outra era, e esse é o trabalho da criada. Provavelmente recebe a correspondência em uma bandeja de prata — zombou.

— Certo — concordei com relutância, pegando um bloco de anotações e uma caneta em minha bolsa e escrevendo um bilhete para Yara, como Floriano sugeriu.

— Não há mais nada para fazer aqui. Vamos — ele disse enquanto eu abria a aba de metal e deixava o bilhete cair do lado de dentro.

Inicialmente, permaneci em silêncio durante a viagem de volta ao hotel, desiludida depois da empolgação ao ler as cartas e desejar saber mais.

— Espero que não esteja pensando em desistir. — Floriano leu meus pensamentos enquanto corríamos em paralelo à praia de Ipanema.

— Claro que não. Mas não sei o que devo fazer agora.

— O segredo é a paciência, Maia. Vamos esperar para ver se Yara responde ao bilhete. E devemos continuar a passar pela *Casa* para ver se reaparecem. Normalmente, nessas circunstâncias, não há mistério algum, apenas uma explicação racional. Enquanto isso, sugiro pensar em qual explicação seria essa.

— Foram visitar parentes? — dei voz ao meu palpite.

— Uma possibilidade, mas, considerando o quanto a velha parecia debilitada, duvido que estivesse disposta a longas viagens. Ou qualquer bate-papo agradável ao chegar.

— Talvez tenham partido porque ficaram assustadas com nossa segunda visita.

— Outra possibilidade, mas improvável. A senhora Carvalho morou naquela casa a vida inteira e, mesmo que não estivesse disposta a discutir seu possível parentesco com ela, não estávamos portando armas nem facas — ele explicou enquanto dirigia. — Pessoalmente, acho que há apenas um motivo para que nem criada nem patroa estejam em casa no momento.

— E qual seria?

— O estado da senhora Carvalho piorou e ela foi levada para o hospital. Acho que vou telefonar para os hospitais locais e ver se minha querida “tia-avó” foi internada em algum deles nas últimas vinte e quatro horas.

Olhei para Floriano impressionada.

— Você pode estar certo.

— Vamos para o meu apartamento e eu procuro os números dos hospitais locais, então telefonamos — ele disse, pegando uma rua à direita da Avenida Vieira Souto em vez de continuar ao longo da orla até meu hotel.

— Por favor, Floriano, não quero incomodar. Posso fazer isso no meu laptop.

— Maia, por favor cale a boca. As cartas que li esta manhã são a coisa mais interessante que já vi como historiador. Também incluem algo que ainda não mencionei a você, o que as torna ainda mais fascinantes. E talvez até solucionem um dos maiores mistérios sobre o Cristo. Sendo assim, acredite, estamos ajudando um ao outro. Deixe-me avisá-la, contudo, que minha casa não é o Copacabana Palace — alertou enquanto continuávamos nos afastando da praia de Ipanema.

Pouco depois, Floriano fez uma curva fechada para a direita e estacionou em frente a um prédio de apartamentos caindo aos pedaços. Era uma caminhada de uns cinco ou dez minutos do hotel, mas ainda assim parecia outro mundo.

— Então — ele disse enquanto saíamos do carro e subíamos os degraus até a porta de entrada —, seja bem-vinda a *chez moi*. Não tem elevador, lamento. — Ele abriu a porta e começou a subir uma escada estreita, dois degraus de cada vez.

Eu o segui escada acima, até que chegamos a uma pequena plataforma e ele destrancou uma porta.

— Não sou o melhor dono de casa do mundo, mas este é o meu lar — avisou outra vez. — Entre, por favor.

Floriano entrou, mas eu continuei na soleira da porta, vivendo um momento rápido de apreensão por estar prestes a entrar no apartamento de um homem que era, de modo geral, um estranho. Ignorei aquela ideia e o segui, lembrando-me do dia em que nos conhecemos, quando voltou para casa à noite para abrir a porta para a garota com quem morava.

A sala de estar era como Floriano havia descrito: uma confusão de objetos variados, usados e nunca devolvidos a seu lugar. O sofá de couro desgastado e uma poltrona formavam uma área de visitas, e uma mesinha de centro estava coberta por livros, papéis, uma tigela suja de comida e um cinzeiro transbordando.

— Vou levá-la para o andar de cima. É bem mais agradável que aqui, juro — disse, seguindo por um corredor.

Segui-o por mais um lance de escadas e chegamos a uma plataforma com duas portas. Floriano abriu uma delas para revelar uma varanda, em sua maior parte protegida por um telhado em declive. Havia um sofá, uma mesa e cadeiras, além de uma escrivaninha com um laptop em um dos cantos e uma prateleira de livros. A frente da varanda, longe da protuberância do telhado, estava à mercê da paisagem e, ao longo da sacada, vasos cheios de flores acrescentavam cor e vitalidade ao ambiente.

— É aqui que eu vivo e trabalho. Fique à vontade — ele disse, caminhando até a escrivaninha, abrindo o laptop e se sentando.

Caminhei até a borda da sacada e imediatamente senti o sol ardente no meu rosto. Inclinando-me sobre os cotovelos, olhei para cima e vi uma pequena cidade com edifícios construídos na encosta de uma colina. Era possível ver pipas voando acima do topo dos edifícios e ouvir sons abafados.

Depois da esterilidade do meu quarto de hotel, senti subitamente que estava com um pé no verdadeiro coração da cidade.

— É tão bonito aqui — murmurei. — Aquilo é uma favela? — Apontei para o ar, para as casas na encosta ao longe.

— É e, até alguns anos atrás, era muito perigosa, controlada por narcotraficantes, mas agora está pacificada.

— O Brasil tem prosperado muito — afirmei.

— Sim, mas, como qualquer economia que cresce rápido, apenas uma parcela da população lucra com a riqueza, e a situação demora a mudar para a maioria da população. É o mesmo que acontece na Índia e na Rússia no momento. De qualquer forma — Floriano respirou fundo —, não vamos começar a falar sobre essa questão. É o meu assunto preferido, mas temos outras coisas para discutir. — Ele voltou sua atenção para o computador. — Suponho que a senhora Carvalho tenha acesso aos melhores serviços médicos. Portanto, estou procurando por uma lista de hospitais particulares para telefonar. Aqui está. — Caminhei em sua direção e me inclinei sobre seu ombro para ver a tela. — Temos cerca de dez. Vou imprimir uma lista com os números.

— Por que não dividimos meio a meio? — sugeri.

— Tudo bem — concordou. — Mas se apresente como uma parente próxima para a telefonista, talvez uma neta — Floriano me enviou um olhar irônico —, ou não passarão nenhuma informação.

Pelos quinze minutos seguintes, Floriano desapareceu no andar inferior com seu telefone celular e eu continuei na varanda com o meu. Nenhum telefonema trouxe novidade, já que uma telefonista após outra confirmava que nenhuma Sra. Carvalho havia sido internada nas últimas vinte e quatro horas. Quando Floriano finalmente reapareceu, carregando uma bandeja, tinha um relato similar.

— Não fique desanimada, Maia — ele disse, colocando uma tábua com diferentes tipos de queijo, salame e pão fresco sobre a mesa. — Vamos comer e beber.

Comi com apetite, percebendo que já passava das seis da tarde e eu não havia comido nada desde o café da manhã.

— Que mistério você acha que resolveu depois de ler as cartas de Bel? — perguntei assim que ele acabou de comer e atravessou a varanda para acender um cigarro na área aberta.

— Bem — disse, apoiando-se contra a sacada e fitando o crepúsculo que chegava. — Acreditava-se que a jovem que Bel menciona nas cartas, Margarida Lopes de Almeida, foi a modelo usada por Landowski para esculpir as mãos do Cristo. Nas cartas, Bel confirma que Margarida realmente esteve no ateliê de Landowski e que também era uma exímia pianista. Durante toda a vida, Margarida nunca negou os rumores de que eram suas mãos refletidas na escultura. E, então, em seu leito de morte, há alguns anos, confessou que não eram suas mãos que Landowski havia usado.

Floriano me olhou como se eu pudesse adivinhar aonde ele queria chegar.

— Bel escreve que *também* emprestou suas mãos para um molde, ao mesmo tempo em que Margarida — respondi.

— Exatamente. Claro, é possível que nenhum dos moldes tenha sido usado por Landowski na escultura final, mas talvez Margarida soubesse que havia dúvidas. Quem sabe? Em vez disso, são as mãos de Izabela, a jovem que a acompanhava ao ateliê na época.

— Meu Deus — exclamei, mal conseguindo absorver a enormidade do que Floriano sugeria. Poderiam ser as mãos da minha bisavó se estendendo de modo tão icônico, amando e protegendo o mundo sob elas?

— Para ser honesto, não acredito que descobriremos a verdade da questão, mas você entende agora por que as cartas me deixaram tão empolgado? — Floriano explicou. — Como deixariam muitos outros, se Yara concordasse em compartilhar o conteúdo com o mundo. Portanto, não apenas para conhecer sua origem, Maia, mas também parte da história do Brasil, não podemos desistir de tentar descobrir mais.

— Não, não podemos — concordei. — Chegamos a um beco sem saída?

— De onde devemos dar ré e traçar outro caminho para seguir adiante.

— Bem, pensei em uma coisa — eu disse.

— E o que seria? — Floriano incentivou.

— Yara deixou claro que sua patroa estava muito doente. Que a senhora Carvalho estava morrendo. Naquele momento, pensei que Yara usava isso como desculpa para se livrar de nós. Mas a Sra. Carvalho realmente parecia frágil, e havia muitos remédios sobre a mesa a seu lado. O que estou tentando dizer é que, na Suíça, se alguém está próximo do fim da vida e sente muita dor, é levado a uma espécie de asilo. Vocês têm isso no Brasil?

— Para os ricos, sim, temos. Na verdade, existe um bem na saída do Rio, administrado por freiras. E os Aires Cabral sempre foram uma família católica devota. Sabe, Maia, você pode estar certa. — Floriano se levantou e estava voltando para o computador quando a porta se abriu de repente. Uma menina de olhos escuros, vestindo uma camiseta da "Hello Kitty", atravessou a sala correndo e se jogou em seus braços.

— Papai!

— Olá, minha pequena. Como foi o seu dia? — ele sorriu para ela.

— Foi bom, mas senti saudade.

Meus olhos se voltaram para a porta aberta, onde uma jovem esbelta estava. Os olhos dela me estudaram brevemente, e a garota sorriu um "oi" antes de chamar a criança.

— Venha, Valentina, seu pai está ocupado e você precisa de um banho. Fomos à praia depois da aula, já que está tão quente — a mulher acrescentou para ninguém em especial.

— Posso ficar um pouco aqui com você, papai? — Valentina fez biquinho quando seu pai a colocou de volta no chão.

— Vá tomar seu banho e, quando estiver pronta para dormir, traga seu livro para eu ler o próximo capítulo. — Ele a beijou com carinho, no topo de uma cabeça coberta por cabelos negros, antes de empurrá-la gentilmente na direção da mulher. — Vejo você depois, querida.

— Preciso ir — eu disse ao me levantar assim que a porta se fechou atrás delas. — Já tomei muito do seu tempo hoje.

— Não antes de entrarmos em contato com o convento que mencionei — Floriano declarou, sentando-se diante do laptop.

— Sua filha é linda. Se parece com você — comentei. — Quantos anos ela tem?

— Seis — ele respondeu enquanto digitava. — Certo, aqui está. Há um número de telefone, mas duvido que haja uma recepcionista a esta hora da noite. Vou tentar do mesmo jeito.

Observei enquanto ele digitava o número exibido na tela em seu celular e o levava ao ouvido. Poucos segundos depois, desligou.

— Como pensei, há um número para emergências fora do horário comercial, mas acho que chamaria muita atenção se usássemos. Um parente preocupado telefonando para um hospital quando não consegue encontrar um ente querido é uma coisa, mas é improvável que membros próximos da família não estivessem cientes de um parente internado em um asilo. Portanto, sugiro comparecermos pessoalmente amanhã.

— Pode ser outro beco sem saída.

— Sim, pode, mas meus instintos dizem que é a única coisa que faz sentido. Parabéns, Maia — ele disse, com um sorriso de aprovação. — Ainda transformo você em uma investigadora de história.

— Nós nos vemos amanhã. Por enquanto, vou deixar você em paz — respondi, levantando-me.

— Te dou uma carona até o hotel. — Floriano também se levantou.

— Não precisa. Posso caminhar — eu disse com veemência.

— Tudo bem. Podemos nos encontrar ao meio-dia amanhã? Tenho reunião de pais na escola às nove e meia. Estão achando que Valentina pode ter dislexia — ele explicou, com um suspiro.

— Sinto muito por isso. Electra, uma das minhas irmãs, é disléxica. E é uma das pessoas mais inteligentes que conheço — confortei-o. — Boa noite, Floriano.

# 29

Quando acordei na manhã seguinte, retirei as cartas do cofre e reli aquelas que Bel havia enviado de Paris para Loen. Em vez de procurar desesperadamente por pistas sobre minha descendência, analisei-as como Floriano fez. E compreendi por que ficou tão empolgado com elas. Deixei as cartas de lado e deitei novamente sobre meus travesseiros, pensando nele, em sua linda filha e na mãe, que, em minha opinião, parecia não ter mais que vinte e poucos anos.

Por algum motivo, fiquei surpresa que Floriano houvesse escolhido dividir a vida com uma mulher tão jovem. Para ser honesta, senti uma pontada de ciúme quando mãe e filha apareceram no apartamento. Às vezes parecia que o mundo todo estava apaixonado, menos eu.

Tomei banho, me vesti e desci para esperar Floriano na recepção. Pela primeira vez ele não estava lá quando cheguei, então me sentei para esperar. Ele chegou quinze minutos depois, com uma aparência atipicamente perturbada.

— Mil desculpas, Maia. A reunião demorou mais do que imaginei.

— Sem problemas — assegurei enquanto entrávamos em seu Fiat. — Foi tudo bem?

— Se "tudo bem" for possível quando você é informado de que sua filha tem um problema... — suspirou. — Pelo menos a dislexia foi identificada em um estágio inicial. Espero que Valentina possa conseguir o apoio de que precisa. Mas, como escritor, é triste e irônico que minha filha vá lutar contra as palavras a vida inteira.

— Deve ser doloroso. Sinto muito — falei, sem ter nada melhor para dizer.

— Ela é uma boa menina, e não teve uma vida fácil até agora.

— Bem, pelo que vi, ela tem pais que a amam, pelo menos.

— Apenas o pai — Floriano me contradisse. — Infelizmente, minha esposa faleceu quando Valentina era um bebê. Foi internada para fazer uma cirurgia simples e voltou dois dias depois, mas o corte infeccionou. Claro que procuramos imediatamente um médico, mas ele disse que cicatrizaria com o tempo. Duas semanas depois, Andrea morreu de septicemia. Você pode compreender, portanto, por que tenho pouca consideração pelo sistema de saúde brasileiro.

— Sinto muito, Floriano. Ontem à noite pensei que...

— Que Petra fosse a mãe dela? — Floriano sorriu para mim, e seus traços relaxaram um pouco. — Maia, ela não tem nem vinte anos. De qualquer forma, estou lisonjeado que você ache que um velho como eu pode atrair uma mulher jovem e atraente.

— Ah — resmunguei, enrubescendo. — Desculpe.

— Petra é uma estudante universitária que tem um quarto em troca de algumas horas como babá, especialmente nas férias escolares. Felizmente os avós de Valentina não moram longe e ela passa muito tempo com eles, especialmente quando estou escrevendo. Eles se ofereceram para cuidar dela de modo permanente quando minha esposa faleceu, mas eu recusei. Às vezes é complicado, mas conseguimos nos virar. Ajuda muito o fato de ela ser uma criança tranquila.

Olhei para Floriano com novos olhos. E percebi que aquele homem nunca deixava de me surpreender. Isso também me fez refletir sobre como minha própria vida era vazia comparada à complexidade da vida dele.

— Você tem filhos, Maia? — ele perguntou.

— Não — respondi bruscamente.

— Planos de ter algum no futuro?

— Duvido. Não conheço ninguém especial para me dar um.

— Já esteve apaixonada, Maia?

— Uma vez, sim, mas não deu certo.

— Tenho certeza de que encontrará alguém. É difícil ficar sozinho. Mesmo com Valentina, às vezes ainda me esforço.

— Pelo menos é seguro — murmurei antes que pudesse me controlar.

Seguro?! — ele exclamou e me olhou de modo estranho. — Meu Deus, Maia! A vida me trouxe momentos de sofrimento profundo, especialmente quando minha esposa morreu. Mas "seguro" não é algo que eu tenha desejado alguma vez.

— Não quis dizer isso — tentei me redimir, vermelha de vergonha.

— Sabe, acredito que você *quis*, sim, e acho que é muito triste. Além disso, esconder-se do mundo não funciona, porque você ainda precisa enfrentar a si mesma diante do espelho toda manhã. Você deve ser uma péssima apostadora — ele sorriu de repente, notando minha tensão e querendo aliviá-la. — Agora, qual o plano para quando chegarmos ao convento?

— O que você recomenda? — perguntei, abalada com nossa conversa.

— Perguntamos se sua avó foi internada, creio. E vemos onde isso nos leva.

— Tudo bem.

O resto da viagem se passou em silêncio, eu arrependida do comentário descuidado e magoada com a reação de Floriano. Fitei a paisagem pela janela enquanto deixávamos a cidade e a estrada começou a ficar íngreme.

Finalmente, pegamos uma trilha de pedregulhos sinuosa e paramos em frente a um edifício austero de pedra cinzenta. O convento de São Sebastião, o santo padroeiro do Rio de Janeiro, havia sido construído duzentos anos atrás e, pela aparência, não fora restaurado desde então.

— Vamos? — ele perguntou, então sua mão apertou a minha para me tranquilizar.

— Sim — respondi. Saímos do carro e seguimos até a porta.

Passamos pela porta de entrada e nos encontramos em um corredor amplo e ressoante. Estava completamente deserto, e eu olhei para Floriano descrente.

— Considerando que é um convento, não um asilo, provavelmente tem apenas uma ala hospitalar. Ah, aqui estamos — ele disse e nós paramos em frente a uma campainha antiquada na parede ao lado da porta. Ele apertou e um sino alto ecoou em algum lugar dentro do prédio. Poucos segundos depois, uma freira apareceu na recepção e veio em nossa direção.

— Posso ajudar?

— Sim, acreditamos que a avó da minha esposa tenha se internado no convento — Floriano disse. — Não esperávamos que viesse para cá tão rápido, e estamos preocupados com seu estado de saúde.

— Qual o nome da paciente?

— Senhora Beatriz Carvalho — Floriano respondeu. — Ela provavelmente trouxe sua criada, Yara, como acompanhante.

A freira nos examinou e finalmente declarou.

— Sim, ela e sua criada estão aqui. Mas não é hora de visitas no momento, e a senhora Carvalho pediu para não ser incomodada. Vocês compreendem.

— Claro — Floriano concordou. — Não queremos perturbar a senhora Carvalho, mas talvez possamos conversar com Yara, a criada, para perguntar se precisam de alguma coisa de casa.

— Esperem aqui e verei se encontro a senhora Canterino.

A freira se virou, afastando-se de nós, e olhei para Floriano, admirada.

— Muito bom — elogiei.

— Bem, vamos ver se Yara fala conosco, porque é melhor avisar agora: prefiro enfrentar uma gangue de bandidos armados a um grupo de freiras protegendo um membro do seu rebanho em seus últimos dias.

— Pelo menos sabemos onde ela está.

— Sim. Está vendo, Maia? — ele me encorajou. — Você precisa confiar nos seus instintos; geralmente estão certos.

Para me distrair enquanto esperávamos, caminhei até o lado de fora e me sentei em um banco com uma vista esplêndida do Rio. Suas ruas frenéticas pareciam um sonho diante daquela distância, pensei, enquanto o Ângelus batia ao meio-dia, convocando as freiras para a oração. Senti a atmosfera tranquila me acalmar e pensei que também ficaria feliz em passar meus últimos dias ali. Era como se o convento estivesse suspenso em algum lugar entre a terra e o céu.

Uma mão tocou meu ombro, despertando-me abruptamente do devaneio. Virei-me e vi Floriano com Yara a seu lado, claramente perturbada.

— Vou deixar as senhoritas conversarem a sós — Floriano anunciou e se afastou em direção aos jardins.

Eu me levantei.

— Olá. Obrigada por vir me ver.

— Como você nos encontrou? — Yara sussurrou, como se sua patroa, em algum lugar do outro lado das paredes espessas do convento, pudesse ouvi-la. — A senhora Carvalho ficará muito abalada se souber que você esteve aqui.

— Não quer se sentar? — Indiquei o banco.

— Posso ficar apenas alguns minutos. Se a senhora Carvalho descobrir que falei com você...

— Prometo que as deixarei em paz assim que possível. Yara, depois de ler as cartas que você me deu, fiquei desesperada para falar com você outra vez.

Finalmente, ela se sentou no banco.

— Sim — disse com um suspiro. — Me arrependi de entregá-las.

— Então por que entregou?

— Porque... — Yara chacoalhou seus ombros magros. — Alguma coisa me disse que deveria. O que você precisa entender é que a senhora Carvalho sabe muito pouco sobre o passado da mãe. Seu pai a protegeu depois que... — Ela alisou a saia com as mãos, apreensiva.

— Depois do quê? — insisti.

Ela balançou a cabeça.

— Não posso falar com você aqui. Por favor, você não entende. A senhora Carvalho veio aqui para morrer. Está muito doente e tem pouco tempo. Precisa de paz.

— Compreendo. Mas, Yara, por favor, me diga se sabe o que aconteceu depois que Izabela Bonifácio voltou de Paris.

— Ela se casou com seu bisavô, Gustavo Aires Cabral.

— Isso eu sei, mas o que aconteceu com Laurent Brouilly? Sei com certeza que ele esteve no Brasil. Vi uma fotografia dele no Rio, com o Cristo. Eu...

— Shh! — Yara me silenciou, olhando ao redor, preocupada. — Por favor. Não podemos falar sobre isso aqui.

— Então onde? E quando? — Resisti, notando que ela estava dividida entre a lealdade à sua patroa e o desejo de falar. — Por favor, Yara, juro que não estou aqui para causar problemas. Só quero saber de onde vim. Com certeza é um direito de todo ser humano, concorda? Se você sabe, imploro que me diga. E prometo que vou embora.

Observei enquanto seus olhos fitavam o horizonte, encontrando o Cristo, sua cabeça e suas mãos encobertas por uma nuvem.

— Tudo bem. Mas não aqui. Preciso retornar à *Casa* amanhã para pegar alguns pertences que a senhora Carvalho pediu. Encontre-me lá às duas horas. Agora, por favor, vá embora!

Yara já estava de pé e eu a imitei.

— Obrigada — agradeci enquanto ela se afastava rapidamente e desaparecia convento adentro. Vi Floriano encostado em seu carro e fui a seu encontro.

— Sucesso? — ele perguntou.

— Ela vai me encontrar na *Casa* amanhã à tarde — respondi, enquanto ele abria a porta do carro para eu entrar.

— É uma ótima notícia, Maia — ele disse, dando a partida e acelerando.

Ao nos aproximarmos da cidade, percebi que estava prestes a chorar.

— Você está bem? — Floriano perguntou assim que paramos em frente ao hotel.

— Sim, obrigada — respondi abruptamente, não confiando em dizer mais nada depois de ouvir o tremor em minha voz.

— Você gostaria de ir a minha casa esta noite? Ao que parece, Valentina vai cozinhar para mim. Você é bem-vinda para se juntar a nós.

— Não, eu não poderia me intrometer.

— Não vai, sério. Na verdade, hoje é meu aniversário — ele anunciou, com indiferença. — De qualquer forma, como eu disse, você é bem-vinda.

— Feliz aniversário — cumprimentei, sentindo-me culpada por não saber ou magoada por ele não me dizer antes.

— Obrigado. Bem, se não se juntar a nós esta noite, pego você amanhã para leva-la até a *Casa*.

— Sério, Floriano, você já fez o suficiente. Posso pegar um táxi.

— Maia, por favor, seria um prazer — ele reafirmou. — Posso perceber que está aborrecida. Não quer conversar?

— Não. Estarei bem amanhã, depois de uma boa noite de sono. Comecei a abrir a porta, mas, assim que me mexi, ele colocou uma mão gentil sobre meu pulso.

— Lembre-se de que está de luto. Você perdeu seu pai há duas semanas apenas e essa... odisseia rumo ao passado deve ser emocionalmente desgastante. Tente ser gentil com você mesma, Maia — acrescentou. — Se precisar de mim, sabe onde estou.

— Obrigada. — Saí do carro e atravessei o saguão do hotel a passos rápidos para tomar o elevador até meu andar. Assim que entrei no santuário do meu quarto, deixei as lágrimas caírem. Pelo que chorava, precisamente, eu não sabia.

* * *

Finalmente, adormeci e acordei me sentindo mais calma. Passava das quatro, então fui à praia e mergulhei nas estimulantes ondas do Atlântico. Quando voltei para o hotel, pensei em Floriano e no fato de ser seu aniversário. Havia sido tão gentil comigo que talvez eu devesse pelo menos levar uma garrafa de vinho de presente.

Enquanto enxaguava a areia do meu corpo, imaginei Valentina fazendo o jantar. A imagem era tão forte que eu mal pude suportar.

Floriano a criava sozinho, mesmo quando poderia ter facilmente deixado a menina aos cuidados dos avós, como havia admitido aquela manhã...

Eu sabia que presenciar pai e filha juntos, e o amor que compartilhavam, foi o motivo de eu ter ficado desestabilizada mais cedo. Sem mencionar os comentários incisivos de Floriano sobre mim enquanto íamos para o convento.

— Maia, você precisa parar com isso — aconselhei a mim mesma, sabendo que tudo o que havia acontecido, e ainda acontecia, estava lentamente destruindo minha casca protetora, revelando minha vulnerabilidade interior. E eu *precisava* começar a lidar com isso.

Depois de me vestir, ouvi as mensagens em meu telefone pela primeira vez em três dias. Tiggy e Ally obviamente souberam por Ma de minha viagem súbita e pediam que eu retornasse a ligação, desejosas de saber onde eu estava. Decidi que entraria em contato depois de me encontrar com Yara no dia seguinte e, talvez, revelar por que estava ali.

Enviei uma mensagem para ambas, dizendo que estava bem e que enviaria um e-mail em breve, depois deixei o hotel, pondo minha ideia em prática, e caminhei até o coração de Ipanema. Encontrei um supermercado e comprei duas garrafas do melhor vinho tinto que achei e alguns chocolates para Valentina. Atravessei uma praça movimentada, onde uma feira noturna atraía moradores locais, e fui em direção à rua onde Floriano morava.

Subindo as escadas, parei diante de cinco interfones. Pressionei o primeiro e não fui atendida. O mesmo aconteceu quando pressionei o segundo e o terceiro. Depois de pressionar o último e ser atendida pelo silêncio, estava prestes a voltar e refazer meus passos ao hotel quando ouvi um grito vindo de cima.

— Ei, Maia! Aperte o último para eu deixar você entrar.

— Certo — respondi. Alguns segundos depois, estava diante da porta aberta do seu apartamento.

— Estamos na cozinha — bradou quando entrei. — Vá para a varanda no telhado que encontro você lá.

Fiz como ele pediu, notando um aroma forte de comida queimada nos cômodos do andar inferior. Fiquei na sacada da varanda, admirando o sol se pondo atrás da colina que abrigava a favela. Finalmente, Floriano apareceu, transpirando um pouco.

— Desculpe. Valentina insistiu em esquentar o prato que Petra a ajudou a fazer mais cedo para me servir esta noite. Infelizmente ela ligou o forno no máximo e temo que meu jantar de aniversário esteja queimado. Ela ficou na cozinha para servir, mas quer saber se você também quer um pouco. Acho que preciso de ajuda para comer aquilo tudo — ele admitiu.

— Se você tem certeza que tem o suficiente, sim, adoraria ficar.

— Ah, sim, é mais que suficiente — ele disse, notando as duas garrafas de vinho e os chocolates.

— Para desejar um feliz aniversário — expliquei. — Mas também como agradecimento por toda a sua ajuda.

— É gentileza sua, Maia, agradeço. Vou pegar mais uma taça e checar como a cozinheira está se virando lá embaixo. Além de informar que temos mais uma convidada para o jantar. Por favor, sente-se.

Ele indicou a mesa à esquerda e vi que estava coberta com uma toalha de renda e arrumada para duas pessoas. No centro, no lugar de honra, havia um cartão de aniversário artesanal, com o desenho de um homem, seus braços e pernas, nada mais que alguns riscos, e a inscrição "Feliz Aniversário, Papai!"

Floriano finalmente retornou, carregando uma bandeja com uma taça de vinho, talheres e dois pratos de comida.

— Valentina disse para começarmos a comer — ele falou ao colocar o conteúdo da bandeja sobre a mesa e abrir uma das garrafas que levei.

— Obrigada — respondi quando ele colocou mais uma cadeira ao lado da mesa e arrumou outro lugar para si. — Espero não estar incomodando. E que Valentina não fique chateada por eu ter invadido seu jantar especial com o pai.

— Ao contrário, ela adorou. Mas devo avisar que se refere a você como minha namorada. Ignore. Ela está sempre tentando arrumar alguém para seu pobre e velho papai. *Saúde!* — Ele levantou sua taça de vinho.

— *Saúde!* E feliz aniversário — brindei com ele.

Valentina apareceu na porta e trouxe outro prato para a mesa, colocando-o com timidez diante de mim.

— Olá — ela começou. — Papai disse que seu nome é Maia. É um nome bonito. E você também é bonita, não acha, papai? — Ela se virou para seu pai ao se sentar entre nós.

— Acho que Maia é muito bonita — Floriano concordou, cortês. — E este jantar parece delicioso. Obrigado, querida.

— Papai, sabemos que está queimado e vai ter um gosto horrível, e não vou me importar se quiser jogar fora e a gente comer chocolate. — Valentina respondeu de modo pragmático, olhando para o presente que eu havia trazido. — Ainda não sou uma boa cozinheira — observou, seus olhos negros voltados para mim. — Você é casada? — perguntou assim que levantamos nossos garfos para começar a comer.

— Não, não sou, Valentina. — Contive o sorriso diante de sua tática de interrogatório.

— Você tem namorado? — ela continuou.

— Não, não no momento.

— Então talvez o papai possa ser seu namorado — sugeriu, colocando um garfo de comida na boca, mastigando por alguns segundos e cuspindo no prato sem cerimônia.

— Valentina! Isso foi nojento! — Floriano repreendeu.

— Isso também é. — Ela apontou para o prato.

— Bem, eu gosto. Sempre gostei de churrasco — pisquei para ela.

— Sinto muito, você não precisa comer, nenhum de vocês. Mas pelo menos tem uma coisa gostosa de sobremesa. Por que você está aqui, Maia? — perguntou, mudando de assunto sem tomar fôlego. — Você está ajudando papai a trabalhar?

— Sim. Traduzi o livro do seu pai para o francês.

— Você não parece francesa. Parece brasileira. Não parece, papai?

— Sim, você está certa. Parece — Floriano concordou.

— Você mora em Paris? — Valentina perguntou.

— Não, moro na Suíça, perto de um lago bem grande.

Valentina colocou as palmas das mãos sob seu queixo.

— Nunca estive fora do Brasil. Você pode me contar sobre o lugar onde mora?

Fiz o que pude para descrever a Suíça. Quando mencionei a neve que caía no inverno, os olhos de Valentina se iluminaram.

— Nunca vi neve, só em fotografias. Talvez eu possa visitar você um dia e fazer anjos de neve como você falou que costumava fazer com suas irmãs quando era pequena.

— Valentina, é falta de educação se convidar para ficar na casa das pessoas. Acho que é hora de tirar a mesa. — Floriano indicou os pratos inacabados.

— Sim, papai. Não se preocupe, eu faço isso. Você fica aqui e conversa com sua namorada.

Ela piscou de modo ousado para nós dois antes de colocar os pratos na bandeja e sair com os objetos perigosamente balançando escada abaixo.

— Desculpe — Floriano disse, afastando-se da mesa e se apoiando na sacada para acender um cigarro. — Às vezes ela é precoce, infelizmente. Talvez por ser filha única.

— Não tem por que pedir desculpas. Faz perguntas porque é inteligente e interessada no mundo ao seu redor. Além disso — acrescentei —, sei por experiência que não são apenas filhos únicos que são precoces. Tenho cinco irmãs e a mais nova é assim. Achei sua filha um encanto.

— Sempre me preocupo em mimá-la demais, dou muita atenção para compensar o fato de que não tem uma mãe. — Floriano suspirou. — Seja qual for o *etos* moderno sobre essas coisas, os homens não nasceram com os mesmos instintos maternos que as mulheres. Mas fiz o possível para aprender — acrescentou.

— Acho que não faz diferença se a pessoa que cria é homem ou mulher, pais biológicos ou adotivos, contanto que a criança seja amada. Mas isso é algo que eu diria, não é? — Dei de ombros.

— Sim, suponho que sim. Você certamente teve uma criação incomum, Maia, a julgar pelo que disse a Valentina. Deve haver complicações, assim como privilégios.

— E como — sorri com melancolia.

— No momento, eu gostaria de saber mais. Especialmente sobre seu pai. Ele parece ter sido um homem muito interessante.

— Ele era.

— Então, me diga, está mais calma agora do que pela manhã? — Floriano questionou delicadamente.

— Sim. E você está certo. Estou começando a absorver o choque de perder a pessoa que mais amava neste mundo. É mais fácil estando aqui, porque ainda posso imaginar Pa em casa. Mas, para ser honesta, a ideia de voltar àquela realidade sem ele, quando deixar o Rio, me faz mal.

— Então fique um pouco mais — encorajou.

— Bem, vamos ver o que acontece amanhã, quando eu me encontrar com Yara — respondi, ignorando seu comentário. — Se isso não me levar a lugar algum, decidi que não vou mais lutar para descobrir a verdade. Afinal, a senhora Carvalho deixou claro que não deseja me conhecer, mesmo que eu seja sua neta.

— Entendo que você veja as coisas desse jeito. Mas, Maia, você ainda não sabe o que aconteceu no passado para provocar essa reação dela ao te ver — Floriano argumentou. — Ou como foi a infância *dela*.

— Maia — a cabeça de Valentina apareceu na porta —, você pode me ajudar, por favor? — ela pediu com um sussurro alto.

— Pode deixar — respondi, deixando a mesa e seguindo-a até a cozinha, onde, entre o caos de panelas queimadas, havia um bolo com velas no topo.

— Você pode acender para mim? Papai não me deixa usar fósforos. Coloquei vinte e duas velas porque não sei quantos anos ele tem.

— Acho que vinte e duas está muito bom — sorri. — Vamos acendê-las no topo da escada para que não apaguem no caminho.

No último degrau, nós nos agachamos ao lado da porta da varanda e eu acendi as velas com cuidado, sentindo os olhos de Valentina grudados em mim. Eles exibiam a mesma perspicácia do seu pai.

— Obrigada, Maia — ela disse quando acendi a última vela. Entreguei o bolo para que carregasse e ela sorriu para mim. — Estou contente que você esteja aqui.

— Eu também — respondi. E percebi que era verdade.

* * *

Deixei a casa deles cerca de meia hora depois, ao notar que Valentina bocejava e pedia para Floriano ler uma história.

— Então, pego você amanhã ou prefere ir à *Casa* sozinha? — ele perguntou ao abrir a porta do apartamento.

— Gostaria que você fosse comigo — admiti, honestamente. — Acho que preciso do seu apoio.

— Que bom. Então vejo você à uma hora. — Floriano me beijou formalmente em ambas as faces. — Boa noite, Maia.

# 30

Dormi tranquila naquela noite, meu corpo finalmente adaptado ao novo fuso horário. Acordei às nove e atravessei a rua até a praia de Ipanema, para o que estava se tornando meu mergulho diário habitual. Depois retornei a minha suíte para reler as cartas, anotando perguntas que talvez quisesse fazer a Yara. No terraço do hotel, tomei uma taça de vinho com o almoço, uma tentativa de acalmar meus nervos. Sabia que, se Yara se recusasse a colaborar ou, pior, não soubesse como acabei sendo adotada por Pa Salt, eu não teria mais para onde ir.

* * *

— Esperançosa? — Floriano perguntou assim que entrei no carro.

— Sim. Ou, pelo menos, tentando.

— Boa menina. Você precisa acreditar que Yara pode ajudar, até saber com certeza.

— O problema é que — disse — eu percebi, de repente, quanto isso é importante para mim.

— Eu sei — ele concordou. — Posso ver.

Quando chegamos à *Casa*, notamos com alívio que, ainda que os portões continuassem fechados, o cadeado havia sido removido.

— Até agora, tudo bem — Floriano disse. — Espero aqui até terminar.

— Tem certeza? Sem problemas se vier comigo.

— Com certeza. Sinto que é melhor que isso seja de mulher para mulher. Boa sorte — desejou, apertando minha mão, e eu saí do carro.

— Obrigada. — Respirando fundo, atravessei a rua e parei diante dos portões altos. Empurrei e eles se abriram com um gemido de abandono. Do outro lado das grades, olhei para Floriano, que me observava de dentro do carro. Com um aceno, virei-me e subi os degraus da entrada.

Imediatamente, a porta foi aberta por Yara, que parecia estar me esperando. Ela me apressou a entrar, então trancou a porta atrás de nós.

— Não tenho muito tempo — ela disse nervosa, guiando-me por um corredor escuro até a mesma sala onde Floriano e eu vimos a Sra. Carvalho anteriormente.

Desta vez as janelas permaneceram lacradas e apenas uma lâmpada fraca iluminava a sala com uma luz fantasmagórica.

— Por favor, sente-se — Yara pediu.

— Obrigada. — Obedeci e observei enquanto Yara se sentava, apreensiva, em uma cadeira à minha frente. — Sinto muito se minha presença repentina causou preocupações a você e à senhora Carvalho — comecei. — Mas acredito que me deu aquelas cartas por um motivo. Você deve saber que, assim que as li, quis saber mais.

— Sim, sim... — Yara esfregou o rosto. — A senhorita precisa entender que sua avó está morrendo. Assim que ela partir, não sei o que acontecerá comigo. Se vai me deixar alguma coisa com que viver.

Imediatamente me perguntei se Yara me oferecia informações em troca de dinheiro. E, se fosse o caso, se essas informações seriam válidas. Yara deve ter notado minha expressão e tentou me confortar.

— Não, não estou pedindo dinheiro. O que estou dizendo é que, se ela descobrir que estou falando com você agora, pode decidir revogar qualquer pensão que considerasse me dar.

— Mas por quê? O que ela não quer que eu descubra?

— Senhorita Maia, tem a ver com sua mãe, Cristina. Ela deixou esta casa há mais de trinta anos. Não quero que a senhora Carvalho se aborreça em seus últimos dias na terra. Entende?

— Não, na verdade não — respondi, cada nervo do meu corpo formigando com a menção da minha *mãe*... — Por que você me deu aquelas cartas? Foram escritas há oitenta anos por minha bisavó, três gerações antes de eu nascer!

— Porque, para entender o que aconteceu com você, é necessário entender o que aconteceu antes — Yara explicou. — Apesar de poder apenas repetir o que minha mãe, Loen, me contou, eu mesma havia acabado de nascer quando a senhora Izabela deu à luz a senhora Carvalho.

— Por favor, imploro, Yara, me diga tudo o que sabe — insisti, sentindo que cada segundo era precioso antes que sua coragem a abandonasse. — Juro que não vou comprometê-la revelando à senhora Carvalho que falou comigo.

— Nem mesmo se soubesse que pode herdar esta casa? — Yara me examinou.

— Fui adotada por um homem extremamente rico, e não me falta nada financeiramente. *Por favor,* Yara.

Ela me encarou por alguns segundos, então soltou um suspiro de resignação.

— As cartas que você leu foram escritas para minha mãe e terminam quando a senhora Izabela voltou ao Rio, certo?

— Isso mesmo. A última foi postada do navio, quando ele aportou na África, retornando da França — confirmei. — Sei que Bel voltou para casa no Rio. Vi fotos de seu casamento com Gustavo Aires Cabral nos arquivos.

— Sim. Então vou contar o que minha mãe disse que aconteceu com Izabela nos dezoito meses seguintes...

## IZABELA

RIO DE JANEIRO
NOVEMBRO DE 1928

# 31

— Izabela! Minha querida filha, você voltou sã e salva para nós! — Antônio bradou assim que Bel desceu a prancha e seguiu na direção de seus braços abertos. Ele a abraçou forte, então se afastou para olhar para ela. — Ora, mas o que é isso? Você está tão frágil quanto um pardal. Não anda comendo e está tão pálida, princesa, mas suponho que isso aconteça no clima norte-europeu. Você precisa do sol quente do nosso país para colocar um pouco de cor no rosto. Venha, já estão carregando suas coisas para o carro, que não está estacionado muito longe do cais.

— Onde está minha mãe? — Bel perguntou, caminhando ao lado dele. O céu estava cinza e sombrio naquele dia de outubro, mas ela desejava que o sol saísse; talvez isso, pelo menos, melhorasse seu humor.

— Está em casa, descansando — seu pai respondeu. — Ela não está muito bem.

— O senhor não disse nada em suas cartas — Bel reclamou, preocupada.

— Tenho certeza de que sua presença vai acelerar a recuperação dela. — Seu pai parou ao lado de um carro prateado impressionante e o chofer abriu a porta de trás para que Bel pudesse entrar.

— O que você acha? — Antônio perguntou ao se sentar ao lado dela no assento de camurça cinza. — Mandei vir da América. É um Rolls-Royce, um "Phantom", e acredito que seja o primeiro do Rio de

Janeiro. Terei orgulho de conduzir minha princesa para a catedral no dia do seu casamento.

— É muito bonito — Bel respondeu automaticamente, os pensamentos ainda em sua mãe.

— Vamos pegar o caminho ao longo da praia, para lembrar minha filha do que ela perdeu — Antônio instruiu o motorista. — Temos tanto para contar um ao outro... Vai ser difícil decidir por onde começar — ele disse. — Em termos de negócios, está tudo bem por aqui. O preço do café aumenta diariamente e, graças à demanda da América, comprei mais duas fazendas. E meu nome foi indicado para uma possível candidatura ao Senado federal — ele anunciou, orgulhoso. — O pai de Gustavo me recomendou. Acabaram de erguer um edifício maravilhoso na Rua Moncorvo Filho, onde até o chão e as cornijas são decorados com grãos de café. Esse é o poder do nosso grão aqui no Brasil.

— Estou feliz por você, pai — Bel respondeu automaticamente enquanto passavam por ruas familiares.

— Não tenho dúvida de que o seu casamento será o maior que o Rio já viu. Estive falando com Gustavo e Maurício sobre a necessidade de restaurar a casa da família, já que você vai morar lá depois que se casar. Como você sabe, é um prédio antigo e gracioso, mas a estrutura e o interior estão envelhecidos. Concordamos, como parte do seu dote, que vou financiar a restauração, e a reforma já começou. Minha princesa, quando estiver terminado, você vai morar em um palácio!

— Obrigada, pai — Bel respondeu com um sorriso, tentando convencê-lo e a si mesma de que estava grata.

— Estamos planejando o casamento para o Ano-Novo, pouco antes do Carnaval. Você e sua nova casa terão três meses para se preparar. Você terá muito trabalho, querida.

Bel esperava ser escoltada até o altar assim que chegasse ao Rio de Janeiro. Essa pequena demora não era insignificante, pensou enquanto passavam pelo Hotel Copacabana Palace e ela fitava o mar agitado, suas ondas quebrando na areia.

— Quando se recuperar de sua viagem, vamos dar um jantar para que você possa compartilhar todas as experiências maravilhosas e a cultura que aprendeu no Velho Mundo. Vai impressionar nossos amigos com seu conhecimento.

— Adorei Paris — arriscou. — É uma cidade linda, e o professor Landowski, que está esculpindo a camada externa do Cristo para o senhor Da Silva Costa, tem um assistente que fez uma escultura minha.

— Bem, se for boa, devemos entrar em contato com ele. Eu a compro e trago ao Brasil — Antônio comentou.

— Duvido que esteja à venda — disse, pesarosa.

— Querida, tudo está à venda quando se oferece o preço certo — Antônio declarou. — Estamos quase em casa e tenho certeza de que sua mãe deve ter se levantado para recebê-la.

O modo como Antônio expressou preocupação ao ver a aparência frágil e pálida de sua filha não foi nada comparado ao choque de Bel quando sua mãe apareceu para cumprimentá-la. Carla, sempre voluptuosa, havia perdido metade do peso nos oito meses e meio, desde que Bel a tinha visto pela última vez.

— Mãe — Bel exclamou ao correr para abraçá-la. — O que aconteceu com a senhora? Está fazendo dieta?

Carla fez o possível para sorrir, e Bel notou que seus olhos castanhos pareciam enormes em seu rosto magro.

— Quero ficar elegante para o casamento da minha filha — brincou. — Você não acha que a perda de peso me fez bem?

Acostumada aos seios volumosos da mãe, que a confortaram em muitas ocasiões quando criança, Bel olhou para Carla e concluiu que seu novo corpo a deixava muitos anos mais velha.

— Sim, mãe, acho que sim — mentiu.

— Bom, bom. Agora — a mãe disse, colocando os braços ao redor da filha e entrando na casa — tenho tanta coisa para contar, mas acho que prefere descansar primeiro.

Considerando que Bel havia passado muitos dias a bordo de um navio com poucas coisas a fazer exceto descansar, não se sentia nem um pouco esgotada. Mas, quando sua mãe exibiu uma expressão de dor repentina, Bel percebeu que era por ela, não por sua filha, que havia feito tal sugestão.

— Claro, nós duas podemos dormir um pouco e conversar depois — disse, notando um vislumbre de alívio passar pelo semblante de sua mãe. — É a senhora quem parece exausta, mãe — Bel disse quando chegaram à porta do quarto de seus pais. — Quer que eu a ajude se deitar?

— Não — Carla respondeu com veemência. — Gabriela já está lá dentro para me ajudar. Vejo você depois. — Ela fez um gesto com a cabeça antes de entrar no quarto e fechar a porta.

— Pai — Bel procurou seu pai imediatamente, encontrando-o em seu escritório —, por favor, me diga. O que a mamãe tem?

Antônio, que havia começado a usar óculos desde que ela o tinha visto pela última vez, levantou os olhos e removeu o acessório do nariz.

— Querida, sua mãe não queria que se preocupasse enquanto estivesse longe, mas ela passou por uma cirurgia há um mês para remover um tumor do seio. A cirurgia foi um sucesso e os médicos acreditam em uma recuperação completa. O procedimento a esgotou, só isso. Assim que recuperar as forças, estará bem outra vez.

— Pai, ela parece péssima! Por favor, me diga a verdade. Não esconda a gravidade de sua doença.

— Juro, Izabela, não estou escondendo nada. Pergunte aos médicos se não acredita em mim. Tudo de que ela precisa é repouso e uma boa alimentação. Seu apetite não anda bem desde a cirurgia.

— Tem certeza de que ela vai melhorar?

— Sim, tenho.

— Então, agora que estou em casa, vou cuidar dela.

***

Ironicamente, o fato de Bel se concentrar no bem-estar da mãe a ajudou muito nos dias seguintes. Ela tinha um objetivo, algo em que pensar além de seu próprio sofrimento. Cuidava pessoalmente da preparação das refeições de Carla, certificando-se que as cozinheiras elaborassem pratos nutritivos, mas fáceis de engolir e digerir. Sentava-se com ela pela manhã, falando sobre o que havia visto no Velho Mundo, sobre Landowski e a escola *Beaux-Arts* e os planos incríveis do Sr. Da Silva Costa para o Cristo.

— Começaram a cavar as fundações no topo do Corcovado — Carla informou. — Eu adoraria visitar o lugar um dia.

— Eu levo você lá — Bel disse, ansiosa para que sua mãe melhorasse e isso fosse possível.

— E temos que falar sobre os arranjos para o seu casamento — Carla comentou, depois de comunicar que estava bem o bastante para se sentar na varanda do quarto. — Há tanta coisa para decidir.

— Tudo a seu tempo, mãe, quando você estiver mais forte — Bel insistiu, com determinação.

Durante o jantar, três noites depois que Bel voltou para casa, Antônio disse que havia recebido um telefonema de Gustavo.

— Ele deseja saber quando pode vir vê-la.

— Talvez quando mamãe estiver melhor — sugeriu.

— Izabela, ele não a vê há nove meses. Recomendei que viesse amanhã à tarde. Gabriela pode se sentar com sua mãe enquanto você o recebe. Eu não gostaria que pensasse que você não quer vê-lo.

— Sim, pai — Bel concordou, obedientemente.

— Certamente você deve estar ansiosa para vê-lo também.

— Claro.

* * *

Gustavo chegou prontamente às três na tarde do dia seguinte. Carla insistiu que Bel vestisse um dos seus novos vestidos trazidos de Paris.

— Você precisa estar ainda mais bonita do que ele se lembra — Carla enfatizou. — Depois de tanto tempo separados, não gostaríamos que ele mudasse de ideia. Especialmente porque você está muito magra — zombou da filha.

Loen a ajudou a se vestir, depois arrumou seu cabelo em um coque elegante.

— Como você se sente ao rever Gustavo? — Loen perguntou, com hesitação.

— Não sei — Bel admitiu. — Nervosa, acho.

— E o... outro homem, o que você mencionou, de Paris? Conseguiu esquecê-lo?

Bel olhou para seu reflexo no espelho.

— Nunca, Loen. Nunca.

No andar inferior, pronta e esperando por Gustavo na sala de visitas, Bel ouviu a campainha com certo receio, e Gabriela foi atender à porta. Ao ouvir a voz dele, enquanto apreciava os poucos segundos de hiato antes que ele entrasse na sala e a visse, Bel rogou aos céus que Gustavo não notasse o tumulto em seu coração.

— Izabela — ele disse ao entrar e caminhar até ela, de braços abertos.

— Gustavo. — Ela ergueu as mãos e ele as pegou, enquanto a examinava.

— Minha nossa, acho que a Europa combina com você. Está mais radiante do que me lembro. Você se tornou uma mulher linda — declarou, sentindo como se ele absorvesse cada centímetro dela. — Foi bom?

— Absolutamente — respondeu, fazendo sinal para Gabriela servir suco e indicando que Gustavo deveria se sentar. — Especialmente Paris.

— Ah, sim, a cidade do amor — ele comentou. — Fico muito triste por não ter estado lá com você. Talvez um dia, se Deus quiser, iremos juntos. Mas me conte sobre sua viagem.

Enquanto Bel falava sobre tudo o que havia visto nos últimos meses, decidiu que Gustavo parecia ainda mais insubstancial do que se lembrava. Mas se obrigou a se concentrar em seus olhos castanhos acolhedores e na bondade que continham.

— Bem — ele disse, tomando um gole de suco —, parece que você realmente se divertiu muito. Com tão poucos detalhes em suas cartas, eu não tinha certeza se estava gostando. Por exemplo, você não mencionou que um escultor havia solicitado que posasse para ele em Paris.

— Quem contou? — Bel perguntou, abalada por ele saber disso.

— Seu pai, obviamente, quando falei com ele ao telefone ontem. Deve ter sido uma experiência interessante.

— Foi — Bel concordou debilmente.

— Sabe — continuou, sorrindo para ela —, umas seis semanas atrás, quando estava prestes a deixar Paris, tive a estranha sensação de que você não voltaria para mim. Até entrei em contato com seu pai para me certificar de que havia embarcado como planejado. Naturalmente eram apenas meus temores vencendo a razão. Porque você está aqui, Izabela. — Ele buscou suas mãos. — Sentiu minha falta como eu senti a sua?

— Sim, muito.

— É uma pena que não possamos nos casar logo, mas devemos permitir que sua mãe se recupere. Como ela está?

— Fraca, mas melhorando aos poucos — Bel informou. — Ainda estou muito zangada por meus pais não terem me avisado enquanto estava viajando. Eu teria retornado mais cedo.

— Bem, Izabela, certas coisas não devem ser compartilhadas em uma carta, concorda?

Bel sentiu o rosto enrubescer sob o olhar de Gustavo. Cada palavra dita por ele sugeria que conhecia o seu segredo.

— Mesmo que tivessem boas intenções para me proteger, deveriam ter me contado — retrucou.

— Bem — Gustavo baixou a cabeça —, você está em casa comigo, e sua mãe está melhorando. Isso é o que importa, não é? Ouça — mudou de assunto —, minha mãe está ansiosa para vê-la e começar a discutir alguns dos arranjos para nosso casamento. Ela não quer perturbar a senhora Carla, mas alguns detalhes precisam ser finalizados em breve. A data, por exemplo. Você tem preferência por algum dia de janeiro?

— Prefiro no fim do mês, para dar mais tempo para minha mãe se recuperar.

— Perfeito. Talvez, nos próximos dias, você possa visitar minha mãe na *Casa* para discutir os planos do casamento. E, também, dar uma olhada nos meus planos, e de seu pai, para a renovação dos ambientes. O trabalho estrutural já está em andamento, e seu pai encontrou um arquiteto com ideias bem modernas. Ele sugeriu reformar os andares superiores, para instalar banheiros nos quartos principais. Tenho certeza de que você gostaria de dar sua opinião sobre a decoração da nossa suíte. Sei que vocês mulheres têm mais jeito para a decoração do que nós homens.

A simples ideia de um quarto, e uma *cama*, compartilhados com Gustavo a fez estremecer de medo.

— Eu ficaria feliz por visitar sua mãe quando for conveniente para ela — respondeu.

— Bem, posso sugerir a próxima quarta-feira?

— Tenho certeza de que não haverá problemas.

— Que bom. Espero que me permita desfrutar de sua companhia enquanto isso. Talvez possa visitá-la amanhã à tarde?

— Estarei aqui — Bel disse enquanto Gustavo se levantava, e ela fez o mesmo.

— Até amanhã, Izabela — ele murmurou, beijando sua mão. — Anseio pelo dia em que não será mais necessário agendar um horário para vê-la.

Quando Gustavo deixou a casa, Bel foi para seu quarto se recompor antes de ver como sua mãe estava. Ao lado da janela, repreendeu a si mesma com um sermão. Gustavo era doce, gentil e bondoso, e ela deveria se lembrar de que ele não tinha culpa se ela jamais poderia amá-lo como ele a amava. Ou que amasse a outro...

Lembrando-se com um arrepio das palavras de aviso de Laurent, de que um dia seus verdadeiros sentimentos seriam revelados, Bel lavou o rosto com água fria antes de ir ao quarto de sua mãe.

***

Uma semana depois, Bel ficou contente por ver que Carla, mesmo fraca e magra, estava definitivamente melhor.

— Ah — Carla suspirou certa tarde, depois de ouvir Bel ler *Madame Bovary*, de Gustave Flaubert, traduzindo do francês para o português para que sua mãe pudesse entender as palavras. — Tenho uma filha tão inteligente! Quem poderia imaginar? — Carla olhou para Bel com amor e acariciou seu rosto. — Você me deixa muito orgulhosa.

— E a senhora vai me deixar orgulhosa se comer todo o jantar — Bel respondeu.

Carla olhou a tarde ensolarada pela janela, observando as sombras que dançavam entre a flora e a fauna no jardim.

— A claridade me faz ansiar por minha amada fazenda — disse. — Sempre achei o ar da montanha revigorante e a atmosfera tão tranquila.

— Gostaria de ir até lá, mãe?

— Você sabe que amo aquele lugar, Izabela. Mas seu pai está ocupado no escritório e não gostaria de deixar o Rio.

— O que importa é a sua saúde. Deixe comigo — Bel assegurou.

Durante o jantar naquela noite, Bel mencionou a ideia de acompanhar Carla à fazenda.

— Acho que alegraria seu espírito e, além disso, faria bem a sua saúde. O senhor nos deixaria ir, pai, só por algumas semanas? É tão quente no Rio nesta época.

— Izabela — Antônio disse, descontente —, você acabou de chegar de uma viagem e já fala em partir outra vez. Qualquer pessoa pensaria que não gosta de estar aqui.

— O senhor sabe que isso não é verdade, pai. Até ter certeza de que minha mãe está se recuperando, não me sinto confortável em decidir uma data para meu casamento. E o senhor sabe como estou ansiosa por isso. Portanto, se passar um tempo na fazenda apressar sua recuperação, eu ficaria feliz em acompanhá-la.

— E vão me deixar sozinho aqui, sem esposa nem filha para me receber quando chego em casa do trabalho? — Antônio reclamou.

— Tenho certeza de que o senhor poderia nos visitar nos fins de semana.

— Talvez. Mas não é a mim que você deve convencer. É o seu noivo que não gostaria de ver você desaparecer outra vez.

— Falarei com Gustavo — Bel concordou.

* * *

— Claro — Gustavo assentiu, depois que Bel explicou seus planos na tarde seguinte. — Sou a favor de qualquer coisa que apresse nosso casamento. E — acrescentou — será excelente para a saúde da sua mãe. Contudo, antes de ir, precisamos tomar algumas decisões.

Bel informou a uma Carla empolgada que partiriam para a fazenda na semana seguinte. Ela não era a única pessoa na casa dos Bonifácio a ficar contente com a notícia. O rosto de Loen se iluminou quando Bel lhe perguntou se queria acompanhar mãe e filha às montanhas. Apesar de sua presença não ser, tecnicamente, necessária, uma vez que Fabiana e Sandro, que cuidavam da fazenda, eram capazes de atender às suas necessidades, Bel sabia que isso daria a Loen a oportunidade de passar algum tempo com seu jovem pretendente.

— Ah, senhorita Bel — Loen disse, seus olhos iluminados de prazer. — Não acredito que vou vê-lo outra vez. Ele não sabe ler nem escrever, então não nos falamos desde que nos vimos pela última vez. — Obrigada! Obrigada!

Depois de dar um abraço espontâneo em Bel, Loen deixou o quarto praticamente saltitando. E Bel decidiu que, mesmo que ela mesma jamais estivesse novamente com o homem que amava, conheceria a felicidade através de Loen.

Na manhã seguinte, Bel cumpriu sua obrigação e se encontrou com Gustavo e sua mãe para discutir os planos para o casamento.

— É uma pena que o estado de saúde da senhora Bonifácio a impossibilite de contribuir com a organização neste momento crucial — Luiza Aires Cabral pronunciou. — Devemos fazer o possível para dar continuidade ao planejamento enquanto isso.

Bel sentiu vontade de estender a mão e esbofetear o rosto arrogante de Luiza, mas conseguiu se controlar.

— Tenho certeza de que ela estará bem logo, especialmente com uma dose do ar fresco nas montanhas — respondeu.

— Bem, se pudermos pelo menos definir a data, a sociedade não pensará que haverá mais delongas, considerando que você já passou muito tempo no exterior. — Luiza colocou os óculos e estudou sua agenda. — O Arcebispo nos informou as datas em que estará disponível. Como você pode imaginar, sua agenda é preenchida com meses de antecedência. Gustavo me disse que você prefere que o casamento aconteça no fim de janeiro. Em uma sexta-feira, naturalmente. Casamentos no fim de semana são tão vulgares.

— Como achar melhor — Bel assentiu, com modéstia.

— Quanto à recepção, seu pai está determinado a dar a festa no Copacabana Palace. Particularmente, acredito que o local é superestimado por uma parcela muito simplória da sociedade, e prefiro um evento mais íntimo aqui na *Casa*, conforme a tradição da família. Mas, como seu pai decidiu renovar o que acredito ser um edifício mais que adequado, isso não será possível. A *Casa* já está infestada com comerciantes, e não posso arriscar que não terminem o trabalho até janeiro. Portanto, devemos escolher outro lugar.

— Estou contente com o que decidir — Bel repetiu.

— Sua mãe citou uma série de nomes de primas suas de São Paulo como possíveis damas de honra e pajens. Oito ao todo — Luiza relatou. — Também temos pelo menos doze pessoas do nosso lado a considerar, uma vez que são afilhados e, naturalmente, esperam desempenhar um papel de honra na cerimônia. Oito é o número máximo de padrinhos para não parecer esnobe. Você tem alguém em especial que gostaria de incluir na lista final?

Bel mencionou duas filhas de uma prima de sua mãe e um garoto da família do seu pai.

— Fico contente que os demais padrinhos sejam da família de Gustavo.

Ela olhou para seu noivo e ele lhe enviou um sorriso doce de compreensão.

Durante as duas horas seguintes, Luiza interrogou Bel sobre cada detalhe ínfimo do casamento. A cada vez que arriscava uma sugestão, suas ideias eram rapidamente rejeitadas diante da determinação de sua futura sogra em fazer tudo do seu jeito.

Entretanto, houve um aspecto em que Bel estava decidida a não ceder: que, depois do casamento, Loen a acompanhasse para a nova casa como sua criada pessoal.

Quando ousou tocar no assunto, Luiza a olhou com frieza antes de acenar com a mão em desprezo.

— Isso é ridículo — disse. — Temos criadas mais que adequadas para cuidar de suas necessidades.

— Mas...

— Mãe — Gustavo interrompeu, finalmente defendendo Bel —, se Izabela deseja trazer sua criada, que sabemos que a conhece desde a infância, não vejo por que seria um problema.

Luiza o encarou com irritação e ergueu as sobrancelhas.

— Entendo. Bem, então, que seja — disse, assentindo secamente antes de continuar. — Pelo menos o que discutimos hoje me dá algo com que trabalhar enquanto você debanda para as montanhas na próxima semana. Considerando que esteve um longo tempo longe do meu filho, qualquer pessoa pode pensar que não deseja a companhia do seu futuro marido.

Mais uma vez, Gustavo interferiu.

— Ora, mãe, isso não é justo. Izabela apenas deseja que a saúde de sua mãe melhore.

— Sim, e pedirei por ela em minhas orações quando for à missa amanhã. Enquanto isso, cumprirei minhas obrigações e assumirei o controle da organização até que você e a senhora Bonifácio retornem ao Rio para dividir a responsabilidade. — Luiza olhou para o relógio sobre o consolo da lareira. — Com licença, tenho uma reunião em menos de uma hora com as Irmãs de Misericórdia. Gustavo, tenho certeza de que você pode acompanhar Izabela até o jardim para respirar ar fresco e ver as restaurações que estão em andamento. Bom dia.

Bel observou enquanto Luiza deixava a sala, sentindo-se como uma chaleira deixada por muito tempo sobre o fogão, prestes a explodir.

— Não ligue para ela — Gustavo caminhou até Bel e colocou uma mão pacificadora sobre seu ombro, percebendo sua irritação. — Minha mãe pode reclamar, mas está adorando cada segundo disso.

Não falou de mais nada nos últimos nove meses. Agora, deixe-me acompanhá-la até o jardim.

— Gustavo — Bel começou assim que saíram da casa —, onde seus pais irão morar depois que nos casarmos e eu vir morar com você?

— Bem — ele disse, erguendo uma sobrancelha, surpreso com a pergunta —, viverão aqui conosco, naturalmente. Onde mais poderiam morar?

* * *

Na manhã seguinte, Bel acomodou Carla de modo confortável no banco de trás do Rolls-Royce antes de se sentar ao seu lado. Loen sentou-se na frente com o motorista e começaram a viagem de cinco horas rumo ao ar fresco da região montanhosa de Paty do Alferes. A Fazenda Santa Tereza pertencera por duzentos anos à família do barão Paty do Alferes, um nobre português que, como Antônio havia destacado antes de partirem naquela manhã, era um primo distante dos Aires Cabral.

As estradas que levavam à região eram surpreendentemente boas, devido ao fato de que os proprietários de terras precisavam transportar seus grãos de café até o Rio e, portanto, financiarem pessoalmente a construção. Carla conseguiu dormir a maior parte do caminho sem ser incomodada.

Bel olhava pela janela quando começaram a subir as montanhas, com suas encostas que mergulhavam suavemente nos vales e nos riachos que carregavam água pura e fresca nas fendas entre elas.

— Mãe, chegamos — Bel disse enquanto o carro seguia aos solavancos pela estrada de terra que levava à casa principal.

Carla se mexeu quando o carro parou, e Bel saiu imediatamente para respirar o ar limpo e maravilhoso pelo qual a área era famosa. Como já era quase noite, as cigarras cantavam com toda a força. Baunilha e Donna — duas vira-latas que Bel havia implorado a seus pais para adotar quando apareceram, ainda filhotes, na porta da cozinha, sete anos antes — latiam animadas ao redor das pernas de sua dona.

— Lar — Bel suspirou com prazer, e logo viu Fabiana e Sandro, que cuidavam da fazenda, se aproximando logo atrás dos cachorros.

— Senhorita Izabela. — Fabiana a envolveu em um abraço aconchegante. — Ora, acho que está mais bonita do que na última vez em que a vi. Como está?

— Estou bem — respondeu, depois abaixou o tom de voz —, mas acho que ficará chocada quando vir minha mãe. Tente não demonstrar — avisou.

Fabiana concordou e assistiu enquanto o motorista ajudava Carla a sair do carro. Ela tocou o braço de Bel e então foi receber sua senhora. Se alguém pudesse restaurar a saúde de sua mãe, Bel pensou, esse alguém era Fabiana. Ela não ofereceria apenas suas orações na pequena capela que ficava em um nicho na sala de visitas, mas também cuidaria de Carla com todo tipo de medicamento de passiflora: misturas de diferentes plantas e flores que cresciam em abundância na região e eram reconhecidas por suas qualidades medicinais.

Com o canto dos olhos, Izabela notou Bruno — o filho de Fabiana e Sandro — pairando por perto. Assim que se aproximaram da entrada da casa, viu Loen olhar para ele com um sorriso tímido. E viu Bruno retribuir.

Bel seguiu Fabiana e Carla para dentro da casa, percebendo que a governanta tinha um braço maternal ao redor dos ombros de Carla, e respirou aliviada. Depois de se preocupar com sua mãe sozinha, sabia que Fabiana assumiria a responsabilidade. Assim que Fabiana levou Carla para o quarto para desfazer as malas e se acomodar, Bel atravessou o chão de madeira da sala de estar, cheia de móveis de mogno e jacarandá, e abriu a porta de seu quarto de infância.

Os vidros estavam fechados, mas as janelas estavam abertas. Uma brisa fresca e maravilhosa soprava do lado de fora, e Bel apoiou os braços no parapeito para admirar sua vista preferida. Logo abaixo, em um cercado, estavam Loty, seu cavalo, e Luppa, o garanhão de seu pai, pastando tranquilamente. Uma colina baixa se erguia do outro lado, ainda salpicada com pés de café que, de algum modo, conseguiram sobreviver mesmo depois de anos sem cuidados. Um rebanho de bois brancos sarapintava a encosta, trechos áridos aqui e ali revelavam o vermelho do solo sob a grama fina.

Voltou à sala de visitas e parou diante da porta da frente, flanqueada por duas palmeiras-imperiais antigas que davam nome à região. Sentando-se em um banco de pedra na varanda, sentindo o aroma doce dos hibiscos que cresciam em abundância por ali, olhou para além do jardim, para o lago de água doce onde havia nadado todos os dias quando era criança. Enquanto ouvia o zunido constante das libélulas voando sobre os canteiros floridos e observava duas borboletas dançando diante de seus olhos, Bel sentiu um pouco de sua tensão desaparecer.

"Laurent amaria este lugar", pensou e, apesar de sua determinação em não pensar nele, lágrimas brotaram em seus olhos. Ainda que soubesse, quando tomou a decisão de deixar ele e Paris para trás, que aquele era o fim, parte de si se perguntava se ele tentaria entrar em contato. Toda manhã, quando via a correspondência sobre uma tigela de prata em cima da mesa do café, imaginava receber uma carta implorando que retornasse para ele, dizendo que não podia viver sem ela.

Obviamente, isso nunca aconteceu. E, conforme as semanas passavam, começou a imaginar se suas declarações de amor foram apenas o que Margarida imaginava: parte de um plano para seduzi-la. Perguntava-se se Laurent ainda pensava nela, ou se o pouco tempo que ficaram juntos apenas passava por sua lembrança como destroços de um naufrágio já esquecido.

Importava qual era a verdadeira resposta? Foi ela quem traçou a linha sobre a areia, quem escolheu voltar ao Brasil e ao seu casamento iminente. O ambiente na La Closerie des Lilas e a sensação dos lábios de Laurent contra os seus eram apenas uma lembrança agora, uma dança breve que decidiu abandonar em outro mundo. E não importava o quanto desejasse e esperasse mudar o curso da vida que ela mesma escolheu.

# 32

*Paris*
*Novembro de 1928*

— Finalmente a estátua está terminada. — O professor Landowski esmurrou a mesa de trabalho, aliviado. — Mas, agora, o brasileiro louco precisa que eu faça um modelo em escala da cabeça e das mãos do Cristo. A cabeça terá quase quatro metros de altura, por pouco não caberá no estúdio. Os dedos também vão alcançar o telhado. Todos aqui no ateliê vamos, no sentido literal do termo, sentir as mãos de Cristo sobre nós — Landowski brincou. — E, conforme Da Silva Costa informou, assim que terminar isto, ele fatiará minha criação como pedaços de carne para transportá-la ao Rio de Janeiro. Jamais trabalhei assim antes. Mas — suspirou — talvez deva confiar em sua loucura.

— Talvez não tenha escolha — Laurent concordou.

— Paga as contas, Brouilly, mas não posso aceitar mais encomendas até que a cabeça e as mãos de Nosso Senhor sejam levadas do ateliê. Não haveria espaço. Bem, vamos começar. Traga os modelos que você fez das mãos das senhoritas há algumas semanas. Preciso de alguma coisa com que trabalhar.

Laurent foi buscar os moldes no depósito e os colocou em frente a Landowski. Ambos estudaram os modelos intensamente.

— As duas têm dedos belos, sensíveis, mas devo pensar em como vão parecer quando a mão se alongar por mais de três metros — Landowski comentou. — Brouilly, você não deveria ir para casa?

Esse era um sinal de que Landowski queria ficar sozinho.

— Claro, professor, até amanhã.

Saindo do ateliê, Laurent encontrou o menino sentado sobre um banco de pedra na varanda. A noite estava fria, mas clara, e as estrelas formavam um abóbada perfeita sobre eles. Laurent se sentou ao lado dele, observando o garoto, que fitava o céu.

— Você gosta de olhar as estrelas? — Laurent arriscou, mesmo depois de ter aceitado, há muito tempo, que não receberia uma resposta.

O garotou esboçou um pequeno sorriso e assentiu com a cabeça.

— Aquele é o cinturão de Órion. — Laurent apontou. — E ao lado está a constelação das Sete Irmãs. Com seus pais, Atlas e Plêione, cuidando delas.

Laurent viu que o garoto seguia seu dedo e ouvia intensamente.

— Meu pai era interessado em astronomia e tinha um telescópio em um dos quartos no sótão, no último andar do nosso château. Às vezes ele me levava ao telhado em noites claras e me ensinava sobre as estrelas. Vi uma estrela cadente certa vez e achei que era a coisa mais mágica que já havia visto. — Ele olhou para o garoto. — Você tem pais?

O menino fingiu não ouvir e, simplesmente, continuou a fitar o céu.

— Ah, muito bem, preciso ir. — Deu um tapinha na cabeça do garoto. — Boa noite.

Laurent conseguiu uma carona em parte do caminho de volta a Montparnasse, na garupa de uma motocicleta. Quando chegou a seu quarto, viu uma forma encolhida sobre sua cama. Outro corpo dormia em um colchão no chão. Isso não era incomum, especialmente nos últimos dias, quando ficava no ateliê de Landowski com tanta frequência.

Normalmente, ele deixaria o dorminhoco sozinho por mais algumas horas enquanto se juntava a seus amigos nos bares de Montparnasse, voltando mais tarde para remover o corpo de sua cama para ele mesmo se deitar. Mas, naquela noite, estava atipicamente cansado e sem disposição para socializar.

Na verdade, sua *joie de vivre* parecia tê-lo abandonado completamente desde que Izabela Bonifácio embarcara de volta para o Brasil.

Até mesmo Landowski havia notado que estava mais quieto que o normal e comentado a respeito.

— Você está doente, Brouilly? Ou talvez tenha o coração partido — ele disse, com um brilho sagaz nos olhos.

— Nem um nem outro — Laurent respondeu, na defensiva.

— Bem, seja qual for seu tipo de doença, lembre-se de que essas coisas passam.

Laurent se consolou com as palavras perceptivas e compreensivas de Landowski. Geralmente pensava que o professor vivia em seu próprio mundo e raramente notava a presença de Laurent, muito menos seu humor. Atualmente, sentia como se alguém tivesse arrancado seu coração e pisoteado sobre ele.

Caminhou em direção a sua cama e chacoalhou o corpo sobre ela, mas o homem apenas gemeu, abriu a boca e soltou um assobio cheirando a álcool antes de virar para o outro lado. Laurent sabia que não havia como despertá-lo, portanto, com um suspiro resignado, decidiu esperar mais algumas horas até o homem curar a bebedeira e foi procurar seu jantar.

As ruas estreitas de Montparnasse estavam vibrantes como sempre, com o som de bate-papo alegre entre pessoas contentes por estarem vivas. Ainda que fosse uma noite fria, as mesas nas calçadas dos cafés estavam lotadas e uma cacofonia de músicas diferentes agredia os sentidos de Laurent. Normalmente, Montparnasse e sua vivacidade o alegravam, mas, nos últimos dias, o irritavam. Como alguém poderia estar tão feliz quando ele mesmo parecia incapaz de escapar do torpor e do sofrimento que o afligiam?

Evitando La Closerie des Lilas, uma vez que estava repleta de conhecidos que o arrastariam para conversas sem sentido, Laurent caminhou até um estabelecimento mais calmo, sentou-se em um banquinho no bar e pediu um absinto, consumindo a bebida em um único gole. Olhou para as mesas a seu redor e imediatamente notou uma morena que o fez pensar em Izabela. Quando olhou mais de perto, viu que as feições da garota não eram tão delicadas e seus olhos eram cruéis. Mas, naqueles dias, parecia que ele a via aonde quer que fosse.

Pedindo outro absinto, Laurent pensou em sua situação; no passado, fora conhecido como um Casanova, homem atraente e charmoso, invejado por seus amigos, uma vez que parecia ser capaz de ter qualquer mulher que escolhesse aquecendo sua cama em um piscar de olhos. E, sim, aproveitou ao máximo, pois gostava de mulheres. Não apenas por seus corpos, mas também suas mentes.

Mas o amor... pensou, em certas ocasiões, que talvez houvesse vivido que os grandes escritores e artistas passaram suas vidas descrevendo. Em ambas as vezes o sentimento passou tão rápido que Laurent começou a acreditar que jamais saberia, de fato, como era amar.

Até Izabela...

Quando a encontrou pela primeira vez, usou todos os seus truques para seduzi-la, e se divertiu notando seu rubor enquanto era lentamente envolvida por seu encanto. Era um jogo em que se destacou no passado. Mas, geralmente, assim que o peixe estava fisgado e pendurado no anzol para que fizesse com ele o que bem entendesse, a novidade acabava, ele ficava entediado e seguia em frente.

E, então, quando percebeu que Izabela estava partindo e que seus sentimentos eram genuínos pela primeira vez, fez sua primeira declaração de amor sincera e pediu que ficasse em Paris.

E ela recusou.

Naqueles primeiros dias depois que ela partiu, Laurent justificou sua tristeza por ser a primeira vez em que uma mulher não se entregou a ele. Talvez o fato de ser inacessível a tenha tornado ainda mais provocativa e a ideia de que estava atravessando o oceano para ser acorrentada a um homem que não amava pelo resto da vida aumentasse o drama da situação.

Mas, não... parecia não ser nada disso. Depois de oito semanas, mesmo levando outras mulheres para a cama, o que não ajudou, e se embebedando tanto que uma vez conseguiu dormir um dia inteiro — o que causou a fúria de Landowski —, não se sentia diferente.

Ainda pensava em Izabela a todo momento. No ateliê, encontrava-se fitando o nada, lembrando-se de quando ela se sentara tão serenamente à sua frente e ele pôde banquetear seus olhos dia após dia, por horas seguidas... Por que ele não apreciou mais o que tinha? Era tão diferente das mulheres que conhecia, tão inocente, tão boa... e, ainda assim, como descobriu quando a questionou naquele primeiro dia em que a esboçou, tão cheia de paixão e ansiosa para descobrir o que a vida podia guardar.

E sua bondade naquela noite, quando carregou o menino em seus braços, não aceitando críticas sobre o certo e o errado em suas ações... Ao entornar o copo e pedir mais um, Laurent decidiu que ela era uma verdadeira deusa.

À noite, na cama, revisitava suas conversas, mentalmente se repreendendo por brincar com seus sentimentos, desejando não ter feito as insinuações inadequadas que a deixaram envergonhada no começo. Ela não as merecia.

E agora... Ela se fora para sempre. Era tarde demais.

Além disso, pensou, ressentido, o que poderia dar a uma mulher como ela? Um quarto sujo e compartilhado onde até mesmo a cama era alugada por hora, nenhuma renda fixa e uma reputação com as mulheres que certamente ela conheceu em algum momento em que visitou Montparnasse. Ele notou Margarida Lopes de Almeida o observando intensamente, e Laurent tinha certeza de que ela dissera a Izabela o que achava dele.

Pedindo uma sopa antes que o absinto sobrepujasse suas células cerebrais e ele caísse do banco, Laurent ponderou pela milésima vez se deveria enviar a carta que havia escrito mentalmente a cada instante desde que ela partiu. Ele sabia que, se enviasse, poderia cair em mãos erradas e comprometê-la.

Ele se torturava constantemente, imaginando se já estava casada e se tudo estava perdido. Queria perguntar a Margarida, mas ela não visitava mais o ateliê desde que seu estágio de dois meses chegara ao fim. Ouviu na rede de informações de Montparnasse que ela e sua mãe haviam se mudando para Saint Paul de Vence, por causa do clima mais ameno.

— Brouilly.

— Sentiu uma mão em seu ombro e voltou seus olhos vermelhos em direção à voz.

— Como você está?

— Estou bem, Marius — respondeu. — E você?

— O mesmo de sempre; pobre, bêbado e precisando de uma mulher. Mas, em vez disso, terei que me contentar com você. Bebida?

Laurent observou Marius colocar um banco a seu lado. Mais um artista desconhecido em Montparnasse sobrevivendo com álcool barato, sexo e o sonho de um futuro brilhante. Pensou no corpo que habitava sua cama no sótão imundo e decidiu deixar o bar ao raiar do dia para dormir onde caísse.

— Sim — concordou —, outro absinto.

***

Aquela noite foi o início de um fim de semana em que Laurent afogou sua tristeza. E de que, ao entrar cambaleando e com os olhos inchados no ateliê de Landowski, não se lembrava.

— Olha o que o gato trouxe para dentro — Landowski disse para o garoto, que estava sentado em um banco, observando com atenção enquanto o professor trabalhava.

— *Mon Dieu*, professor, você já está adiantado! — Laurent olhou fixamente para a mão enorme do Cristo e concluiu que Landowski havia passado as últimas quarenta e oito horas trabalhando sem parar na estrutura.

— Bem, você esteve longe por cinco dias, então alguém teve que continuar o trabalho. Eu e o menino estávamos prestes a mandar uma equipe de busca atrás de você nas sarjetas de Montparnasse — acrescentou.

— Está me dizendo que é quarta-feira? — Laurent perguntou, em choque.

— Correto — Landowski respondeu, voltando sua atenção para a enorme forma branca e usando uma escápula para moldar o gesso ainda úmido. — Agora, vou dar forma às unhas de Nosso Senhor — disse, falando com o menino e ignorando Laurent.

Quando Laurent retornou da cozinha depois de lavar o rosto e tomar dois copos de água em uma tentativa de aliviar a dor de cabeça, Landowski o fitou.

— Como pode ver, encontrei um novo assistente — piscou para o garoto. — *Ele*, pelo menos, não desaparece por cinco dias e volta ainda bêbado da noite anterior.

— Minhas desculpas, professor, eu...

— Chega! Saiba que não vou tolerar mais atitudes como esta, Brouilly. Precisei de você para me ajudar com isto e não estava aqui. Agora, antes que ouse pôr as mãos no meu Cristo, vá procurar minha esposa e diga a ela que ordenei que durma até a ressaca passar.

— Sim, professor.

Com o rosto vermelho, Laurent deixou o ateliê, repreendendo-se por permitir que isso acontecesse, e Amélie, a esposa compreensiva de Landowski, o colocou para dormir.

Acordou quatro horas depois, tomou um banho frio e um prato de sopa oferecido por Amélie antes de voltar ao ateliê, reconstituído.

— Assim é melhor — o professor comentou, correndo os olhos por Laurent. — Agora, se está bem para trabalhar...

A mão gigante agora tinha um dedo indicador, e o garoto, ainda sentado onde Laurent o havia visto antes, observava Landowski intensamente.

— Então, vamos começar o dedo anular. Este é o modelo com que estou trabalhando. Landowski apontou para um dos moldes que Laurent havia feito das mãos de Izabela e Margarida.

Caminhando na direção indicada, Laurent perguntou:

— Quais as mãos que decidiu usar, afinal?

— Não faço ideia, pois estão sem nome. Como deveriam estar. Afinal, são as mãos de Cristo e Dele apenas.

Laurent estudou o molde, procurando pela rachadura no dedo mindinho, onde havia colado com cuidado depois de remover das mãos da Srta. Margarida. Não havia nenhuma marca.

Com um sobressalto de prazer, Laurent sabia, sem sombra de dúvida, que Landowski havia escolhido as mãos de Izabela para serem as mãos do Cristo.

# 33

*Paty do Alferes*
*Brasil*
*Novembro de 1928*

Durante as duas semanas em que ficou na fazenda, Bel observou a saúde de sua mãe começar a voltar. Se era o ar limpo das montanhas, a beleza e a serenidade do lugar, ou os cuidados de Fabiana, Bel não sabia. Mas Carla ganhara um pouco de peso e fora capaz de encontrar energia para caminhadas curtas pelo jardim glorioso sem ajuda.

Tudo o que comiam era produzido na fazenda ou nas propriedades vizinhas; carne de seu próprio gado, queijo e leite das cabras das terras mais baixas e legumes das fazendas locais. A região era famosa pela produção de tomate, e Fabiana depositava total confiança nas qualidades medicinais desse alimento, que era utilizado em todas as refeições.

Bel sentia que também se curava. Acordar toda manhã, vestir sua roupa de banho e dar um mergulho refrescante no lago antes de se sentar para o café, que incluía o delicioso bolo caseiro de Fabiana, era terapêutico. Havia uma cachoeira na propriedade, onde a água fresca caía como uma cascata das montanhas acima. Bel geralmente se sentava sob ela, fitando as montanhas, sentindo a água gelada massagear suas costas.

Durante o dia, se sua mãe estava descansando, Bel se deitava na varanda fresca para ler livros sobre filosofia e a arte de estar em paz consigo mesma — em vez das narrativas românticas que preferia quando era mais nova. Ela entendia agora que eram ficção e que, na vida real, amar nem sempre significava um final feliz.

Na maioria das tardes, Izabela selava Loty e cavalgava pelas trilhas acidentadas e pelas encostas, descansando sobre uma colina, onde cavalo e cavaleiro paravam para apreciar uma paisagem maravilhosa.

À noite, mãe e filha jogavam baralho antes de se recolherem, tranquilas e sonolentas. Antes de fechar os olhos, Bel fazia suas orações, pedindo a Deus para devolver a saúde de sua mãe, garantir sucesso nos negócios de seu pai e proporcionar a Laurent — tão longe dela fisicamente, mas ainda tão perto, guardado em seu coração — toda a felicidade no futuro.

Era o único presente que poderia dar a ele, e tentava oferecê-lo irrestritamente e sem arrependimento.

Não ajudava encontrar, com frequência, Loen e Bruno passeando juntos à noite, completamente envolvidos um com o outro. Uma vez Bel os viu se beijando sorrateiramente perto do lago. Seu coração ardeu de inveja.

Naquele lugar, Bel pensou uma noite, ao se deitar e se lembrar do toque de Laurent, tudo parecia tão distante. Era a mesma sensação que tinha em Paris quando o casamento com Gustavo e a vida que levaria no Rio pareciam surreais; assim pareciam, agora, os labirintos que formavam Montparnasse, onde frequentemente ela imaginava Laurent caminhando.

* * *

Quando já estavam na fazenda havia vinte dias, Antônio veio passar o fim de semana com elas. A atmosfera mudou imediatamente. Fabiana começou a faxinar com vigor e pediu para seu marido cortar a grama, já aparada, e polir os ornamentos eternamente reluzentes pendurados na parede da sala de jantar.

— Como ela está? — Antônio perguntou assim que chegou, no meio da tarde. Carla estava deitada.

— Melhorou bastante, pai. Acho que em poucas semanas estará bem o bastante para voltar ao Rio. Fabiana cuida muito bem dela.

— Bem, verei por mim mesmo quando ela acordar. Izabela, é quase dezembro — Antônio disse. — Seu casamento é no final de janeiro e muita coisa ainda precisa ser feita. Se, como você afirma, sua mãe está melhorando sob os cuidados de Fabiana, sinto que você deve voltar para o Rio comigo.

— Mas, pai, tenho certeza de que minha mãe gostaria de ficar perto da sua filha.

— E eu tenho certeza de que sua mãe compreende que uma noiva precisa de tempo para organizar seu casamento — Antônio retrucou. — Sem contar que Gustavo tem sido muito paciente diante das circunstâncias. Ele deve achar que sua noiva foge dele sempre que tem oportunidade. Eu sei que os pais dele estão ansiosos com a cerimônia. Eu também estou. Portanto, você volta para o Rio comigo e ponto-final.

Quando seu pai deixou a sala para ver sua esposa, Bel sabia que havia perdido a batalha.

* * *

— Mãe — Bel disse, ao dar um beijo de despedida em Carla, dois dias depois —, por favor, se precisar de mim, voltarei imediatamente. Fabiana vai usar o telefone da vila para me informar como a senhora está.

— Não se preocupe comigo, *piccolina* — Carla disse, acariciando o rosto da filha. — Estou me recuperando. Dê minhas desculpas à senhora Aires Cabral e diga que espero voltar em breve. Venha me dar um abraço.

Bel fez o que a mãe pediu, e Carla ficou na porta, acenando para o marido e a filha. Antônio mandou um beijo para sua esposa e colocou o carro em movimento rumo à estrada pedregosa.

— Estou aliviado por ela estar melhor — disse de repente. — Porque não sei o que faria sem ela.

Bel ficou surpresa com o raro vislumbre de vulnerabilidade nos olhos do pai. Na maior parte do tempo, parecia que Antônio mal notava a esposa.

***

O mês seguinte foi preenchido com inúmeras visitas à *Casa das Orquídeas* para se encontrar com Luiza e finalizar os detalhes do casamento. Ainda que Bel estivesse determinada a não deixar que a mulher a tirasse do sério, a atitude arrogante da sogra a fez morder a língua muitas vezes.

Luiza recomendou seus cânticos preferidos, um modelo para o vestido das damas de honra que complementasse o seu e o possível cardápio da recepção. Toda vez que Bel fazia uma sugestão, Luiza encontrava um motivo para considerar suas ideias inadequadas. Finalmente, optando por agir do modo menos doloroso, Bel apenas concordava com o que Luiza sugeria.

Gustavo, que às vezes se juntava a elas na sala de visitas durante as discussões, sempre apertava sua mão quando era hora de partir.

— Obrigado por ser tão boa com minha mãe. Sei o quanto ela é dominadora.

Bel chegava em casa exausta, com dores de cabeça. Ela imaginava como seria capaz de se controlar quando estivessem vivendo sob o mesmo teto.

Como era o auge do verão carioca, Bel descobriu que, sem sua mãe em casa e com seu pai no escritório o dia todo, tinha mais liberdade do que nunca. Loen, que estava desanimada desde que deixara Bruno para voltar ao Rio, acompanhava Bel até a pequena estação para tomar o trem que subia a montanha, a fim de ver como o projeto do Cristo progredia. Ambas podiam ver, a julgar pela plataforma de observação, que o lugar se tornava cada vez mais movimentado; grandes barras de ferro haviam sido colocadas na fundação, e era possível distinguir a forma da cruz.

Observar esse progresso consolava Bel. Desde que estivera na fazenda, ela se sentia mais em paz e não importava com o que Laurent pensava, se a amava de verdade. Ela sempre o amaria. Havia compreendido que era impossível lutar, portanto se rendeu e se resignou, sabendo que guardaria o amor por Laurent em seu coração pelo resto da vida.

# 34

*Paris*
*Dezembro de 1928*

— Tudo pronto e preparado para ser fatiado e enviado àquela grande fábrica de café do outro lado do oceano — Landowski declarou ao estudar a cabeça e as mãos do Cristo, que agora ocupavam todo o espaço do ateliê.

Landowski se aproximou da cabeça, estudando-a, pensativo.

— O queixo ainda me preocupa. Olhando daqui, sai do resto do rosto Dele como se fosse um escorregador gigante, mas o brasileiro louco me disse que é assim que ele quer.

— Será visto de longe, lembre-se, professor — Laurent comentou.

— Só o Pai sabe se a minha obra de arte chegará com segurança ao Rio de Janeiro — Landowski resmungou. — O brasileiro está cuidando dos arranjos em um navio cargueiro. Vamos esperar que as águas estejam calmas e que outros contêineres não se choquem contra a minha criação. Eu gostaria de viajar com Ele se pudesse, para garantir o transporte e observar os primeiros estágios de Sua construção, mas não posso. Esse projeto já levou o dobro do tempo que deveria e ainda tenho a encomenda de Sun Yat-Sen, que já está muito atrasada, para completar. Bem — suspirou —, fiz o que pude e agora está fora do meu controle.

Enquanto Laurent ouvia Landowski, a semente minúscula de uma ideia começou a germinar em sua mente. Ele a guardou consigo, para estudá-la melhor antes de fazer uma sugestão.

No dia seguinte, Heitor da Silva Costa visitou o ateliê e discutiu com Landowski onde e como a cabeça deveria ser cortada. Laurent ouviu enquanto Landowski descrevia suas preocupações com a segurança dos moldes da escultura durante a viagem.

— Você está certo — Heitor assentiu —, deveria haver alguém para verificar os moldes regularmente, mas não posso abrir mão de qualquer pessoa da minha equipe. Meus desenhistas aqui ainda não terminaram o trabalho.

— Eu posso ir — Laurent declarou de repente, dando voz à ideia que crescia em sua mente desde o dia anterior.

Ambos os homens o encararam, surpresos.

— Você, Brouilly? Pensei que fosse casado com as ruas de Montparnasse e com a vida social deste lugar — Landowski observou.

— Infelizmente, nunca tive uma oportunidade para sair da França, professor. Talvez alguns meses em um país exótico ajudem a expandir meus horizontes artísticos e me inspire.

— E depois você retornará para fazer a escultura impressionante de um grão de café, sem dúvida — Landowski ironizou.

— Senhor Brouilly — Heitor interrompeu —, se está falando sério, acredito ser uma ideia excelente. O senhor esteve presente desde o primeiro esboço da escultura. Na verdade, suas próprias mãos contribuíram com partes dela. Se o professor puder dispor de sua presença, você poderia ser os olhos dele no Rio de Janeiro enquanto a construímos.

— E garantir que um dedo não acabe enfiado no nariz do Nosso Senhor depois que montarem as peças — Landowski resmungou em voz baixa.

— Ficarei feliz em ir se o senhor permitir, professor — Laurent confirmou. — Quando partiríamos, monsieur da Silva Costa?

— Tenho uma passagem reservada para a semana que vem, o que nos daria tempo para cortar e embalar os moldes com segurança em caixotes. Quanto mais cedo chegarem ao Rio de Janeiro, com todas as partes intactas, melhor. Você pode viajar em prazo tão curto, monsieur Brouilly? — Heitor indagou.

— Tenho certeza de que ele precisará verificar em sua agenda se é possível adiar a entrega de algumas de suas encomendas — Landowski interferiu, enviando a Laurent um olhar que exigia seu silêncio. — Suponho que haverá algum tipo de compensação financeira por sua viagem e perda de tempo. Por exemplo, moradia e alimentação.

— Claro — Heitor concordou rapidamente. — Na verdade, isso me lembra... Recebi um telefonema há alguns dias de Gustavo Aires Cabral, noivo de Izabela Bonifácio. Ele soube que o senhor a esculpiu, senhor Brouilly, e gostaria de presentear sua futura esposa com a peça, como presente de casamento. Prometi que iria perguntar se está disposto a vendê-la.

— Eu...

Laurent estava prestes a dizer que jamais venderia a escultura de sua preciosa Izabela para o noivo dela quando Landowski o interrompeu.

— Que pena... Logo quando você encontrou um comprador aqui, Brouilly. Já aceitou a oferta?

Confuso, Laurent respondeu:

— Não, eu...

— Então talvez o noivo de mademoiselle Bonifácio faça uma oferta melhor e você possa decidir a quem vender. Você disse que ofereceram dois mil francos, certo? — Landowski o encarou mais uma vez de modo incisivo, indicando que deveria cooperar.

— Sim.

— Portanto, Heitor, diga a esse monsieur Aires Cabral que, se estiver preparado para oferecer mais e cobrir os custos de transporte até o Rio de Janeiro, a escultura é dele.

— Direi — Heitor concordou, sua expressão dizendo que não estava nem um pouco interessado em discutir o preço da escultura de outra pessoa quando tinha sua própria com que se preocupar. — Tenho certeza de que não haverá problema. Sendo assim, volto amanhã para ver como está o nosso quebra-cabeça gigante. Tenham um bom dia. — Heitor fez um gesto com a cabeça e deixou o ateliê.

— Professor, o que foi isso? — Laurent perguntou. — Não tenho comprador para a escultura de mademoiselle Izabela. E, na verdade, não tinha a intenção de vendê-la.

— Brouilly, não vê que lhe fiz um favor atuando como seu agente? — Landowski o censurou. — Você deveria me agradecer. Não pense que não sei o verdadeiro motivo dessa sua vontade repentina de viajar meio mundo com as peças do Cristo. Se decidir ficar no Brasil, vai precisar de dinheiro para sobreviver. Por que precisa da sua preciosa escultura quando estará perto da pessoa que a inspirou em carne e osso? Deixe que o noivo a tenha imortalizada em pedra e idolatre sua beleza exterior. Minha aposta é que ele nunca conhecerá sua alma, como você obviamente conheceu. Pessoalmente, acho que será uma excelente troca — Landowski riu. — Agora, vamos ao trabalho.

Naquela noite, ao se deitar no colchão de palha no ateliê, espremido entre a cabeça e um dedo gigantesco do Senhor, Laurent refletiu sobre o que estava prestes a fazer.

Izabela havia deixado claro qual era seu futuro. O casamento era iminente e, com toda a probabilidade, já teria sido oficializado quando ele chegasse ao Rio. O que, exatamente, esperava alcançar viajando para lá, não tinha certeza.

Mas Laurent, como todos os apaixonados, acreditava piamente no destino. E, ao olhar para aquela palma gigante antes de fechar os olhos, esperava apenas receber ajuda Dele.

# 35

*Rio de Janeiro*
*Janeiro de 1929*

O dia do casamento de Gustavo Aires Cabral e Izabela Bonifácio amanheceu quente e claro, com quase nenhuma nuvem no céu. Relutantemente, Bel deixou sua cama de solteiro pela última vez. Era cedo, e, ao sair do banheiro, o único som que podia ouvir era o barulho distante de panelas na cozinha.

Descendo as escadas descalça, ela foi até a sala de visitas e ao nicho que abrigava a capela. Acendeu uma vela sobre o altar, ajoelhou-se sobre o oratório, fechou os olhos e uniu as mãos.

— Por favor, Nossa Senhora, me dê forças e coragem para começar meu casamento de coração aberto e ser uma esposa boa e amorosa. E uma nora paciente e carinhosa com seus pais — acrescentou, com ênfase. — Garanta que eu tenha filhos saudáveis, que possa agradecer pelas bênçãos e não ser cegada por problemas. Traga prosperidade para meu pai e restaure a saúde da minha querida mãe. Amém.

Abrindo os olhos, Bel olhou para o rosto desbotado da Virgem e enxugou suas lágrimas.

— A senhora é uma mulher, portanto espero que perdoe os sentimentos que ainda carrego no coração — sussurrou.

Poucos minutos depois, Bel se levantou e, inspirando profundamente, deixou a capela para começar aquele que seria, supostamente, o dia mais feliz de sua vida.

* * *

Tecnicamente, nada poderia estar melhor. Uma multidão esperava na rua para ver Izabela e seu pai chegarem à catedral e aplaudir quando ela saiu do Rolls-Royce no esplendoroso vestido de renda chantilly que Jeanne Lanvin havia desenhado em Paris. A catedral estava lotada. Ao entrar na igreja com seu pai orgulhoso e caminhar em direção ao altar, Bel viu por detrás do véu muitos dos rostos mais importantes do país.

Uma hora depois, os sinos tocaram e Gustavo conduziu sua noiva pela nave até os degraus da catedral. A multidão aplaudiu outra vez quando ele a colocou em uma carruagem e ambos desfilaram pelas ruas até o Copacabana Palace. Bel, ao lado de seu marido, recebeu os trezentos convidados que entraram no salão.

Depois do jantar de muitos pratos, Bel e Gustavo se recolheram para sua suíte a fim de descansar antes do grande baile, que aconteceria mais tarde naquela noite.

Assim que a porta se fechou atrás deles, Gustavo a tomou nos braços.

— Finalmente — murmurou, enterrando a cabeça em seu pescoço. — Estou livre para te beijar. Venha aqui. — Ele a puxou em sua direção e a beijou ferozmente, como um homem faminto. Suas mãos tocaram a camada fina de renda que cobria seus seios e os apertaram bruscamente.

— Ai! — ela exclamou. — Está me machucando.

— Perdoe-me, Bel — Gustavo disse, soltando-a e recuperando a compostura com esforço. — Você precisa compreender que esperei muito tempo por isso. Não tem importância — ele disse, com uma piscadela. — São só algumas horas até eu poder finalmente tê-la nua em meus braços. Quer tomar alguma coisa? — Gustavo perguntou, virando-se, e Bel estremeceu.

Ela observou Gustavo ir até o bar montado em um bufê lateral e se servir de uma dose grande de conhaque.

— Não, obrigada.

— Talvez seja melhor assim. Eu não gostaria que seus sentidos estivessem perturbados esta noite. — Ele sorriu e levantou o copo. — Para minha esposa, minha linda esposa — acrescentou, virando o copo de um só gole.

Bel havia notado, nas poucas vezes que acompanhara Gustavo em eventos sociais, que ele parecia gostar de consumir álcool. Certa ocasião, ela chegou a pensar que seu então noivo estava um pouco bêbado antes de a noite acabar.

— Devo confessar que lhe comprei um presente de casamento muito especial — ele continuou. — Infelizmente ainda não chegou, mas estará aqui ao retornarmos de nossa lua de mel. E, então — Gustavo perguntou —, quer que eu a ajude a remover o vestido para descansar?

Bel olhou apreensiva para a cama de casal. Seus pés, presos em um par de sapatos de cetim de salto alto — o que significava que sua tiara e seu cabelo haviam ficado cerca de sete centímetros mais altos que seu noivo —, doíam. Sem mencionar o espartilho desconfortável, que fora amarrado apertado por Loen naquela manhã, sob a renda. Mas a ideia de Gustavo a despir com seus dedos pálidos e magros não era uma opção atraente.

— Vou ao banheiro — ela declarou, vermelha de vergonha.

Gustavo concordou com a cabeça e se serviu de mais conhaque.

Bel entrou no banheiro luxuoso e se sentou graciosamente em uma cadeira. Fechou os olhos e pensou em como era ridículo que um anel em seu dedo e algumas frases curtas pudessem mudar sua vida tão profundamente.

O contraste entre a Bel feminina e solteira — cuja virtude deveria ser protegida a todo custo dos machos predadores — e a mulher que agora, a poucas horas de entrar em um quarto sozinha com um homem para o mais íntimo dos atos, beirava o ridículo. Ela ergueu os olhos para seu reflexo no espelho e suspirou.

— Ele é um estranho — sussurrou, relembrando a conversa que tivera com a mãe no dia anterior.

Carla, muito melhor depois do tempo que passou na fazenda, foi ao seu quarto pouco antes de Bel apagar a luz. E pegou as mãos de sua filha.

— Querida, vou falar com você sobre o que vai acontecer amanhã à noite — sua mãe começou.

— Mãe — Bel respondeu, tão envergonhada quanto Carla —, acho que eu já sei.

Sua mãe parecia vagamente mais aliviada, mas insistiu.

— Então você sabe que a primeira vez pode ser um pouco... desconfortável? E que pode sangrar? Mas dizem que, se você costuma cavalgar, o tecido delicado que marca uma mulher como pura pode já estar rompido. E você cavalgou muito na fazenda.

— Eu não sabia — Bel admitiu, honestamente.

— Demora um pouco para se acostumar ao... processo, mas imagino que Gustavo tenha experiência e que será gentil com você.

— Mãe, é... é apropriado uma mulher gostar? — Bel perguntou, incerta.

Carla soltou uma gargalhada.

— Claro, querida. Você será uma mulher casada e não há nada que um marido queira mais que uma esposa feliz ao explorar os prazeres do quarto. É assim que se conserva um marido e é dessa maneira que eu conservo o meu. — Um toque de vermelho tingiu suas faces. — E lembre-se que é por um propósito divino: gerar filhos. É um contrato sagrado entre marido e mulher. Boa noite, Izabela, durma bem e não tenha medo. Será melhor do que espera, prometo.

Enquanto Bel se lembrava daquela conversa, também pensou na repulsa que sentiu ao imaginar Gustavo tocando-a do modo como sua mãe descrevera sutilmente. Levantando-se para retornar ao quarto, esperava que fosse apenas nervosismo por ser sua primeira vez e que, depois daquela noite, seria como sua mãe havia dito.

* * *

Um silêncio estarrecido tomou conta do salão de baile quando Izabela entrou vestindo um Patou espetacular, branco translúcido, confeccionado em um tecido que abraçava suas curvas e cascateava em uma calda.

Quando Gustavo a abraçou, os convidados aplaudiram.

— Você está linda, minha querida, todos os homens aqui presentes estão com inveja, pois serei eu quem se deitará com você esta noite — ele sussurrou em seu ouvido.

Exceto durante a primeira dança, Bel quase não viu Gustavo nas três horas seguintes. Eles celebraram com suas próprias famílias, e Bel dançou com inúmeros homens sem nome que lhe diziam que Gustavo tinha sorte por tê-la pescado. Ela bebeu muito pouco, já enjoada por causa do nervosismo diante do que aconteceria em breve, uma sensação que retornou com força quando os convidados começaram a se reunir nas proximidades da escadaria principal para aplaudir enquanto ela e Gustavo subiam para a suíte.

— Está na hora — Gustavo disse, aparecendo a seu lado. Os dois caminharam juntos, parando em frente à multidão.

Gustavo pediu silêncio.

— Senhores, senhoras, amigos. Agradeço por terem vindo celebrar este grande dia conosco. Agora minha esposa e eu nos despedimos, mas por favor aproveitem a festa.

Houve uma chuva de assovios e insinuações após essa declaração.

— Desejo a todos uma boa noite. Vamos, Izabela. — Ele lhe ofereceu seu braço e ela aceitou. Virando-se, subiram as escadas.

Desta vez, assim que a porta de sua suíte se fechou, Gustavo não foi tão sutil. Sem protelar, empurrou-a para a cama e prendeu seus pulsos contra o colchão, cobrindo seu rosto e seu pescoço com beijos frenéticos, tentando remover seu vestido.

— Espere — ela sussurrou —, deixe-me virar para você desabotoar — Bel disse, aliviada por conseguir se desviar do fedor de álcool no hálito de Gustavo.

Ela sentiu aquelas mãos desajeitadas tentando soltar as pequenas pérolas que fechavam seu vestido e percebeu a frustração dele quando, finalmente, agarrou e rasgou o tecido.

Afastando o vestido do seu corpo, ele desabotoou seu sutiã e a virou, seu lábios imediatamente mergulhando em seus seios. Uma mão subiu por sua perna até sua coxa e, então, afundou no triângulo de seda que cobria sua parte mais íntima.

Depois de alguns segundos tateando, ele rasgou a seda, ajoelhou-se para abrir sua calça e se libertar. Ainda completamente vestido, ele empurrou seu membro rígido contra sua pele macia, gemendo com frustração por não encontrar seu centro. Finalmente, usando a própria mão, ele se posicionou diante da abertura que procurava e a penetrou.

Bel ficou deitada sob ele, mordendo o lábio por causa da dor. O mundo era de escuridão quando ela fechou os olhos, respirando fundo para evitar o pânico. Felizmente, depois de poucos segundos, ele emitiu um grito afeminado e caiu sobre ela.

Bel continuou imóvel, ouvindo a respiração pesada. Ele estava deitado de cabeça para baixo no travesseiro ao lado, seu peso todo sobre ela, de modo que ela estava presa sob ele, com os joelhos dobrados na beirada da cama. Finalmente, quando ela tentou se libertar, ele levantou a cabeça e a encarou.

— Até que enfim você é minha. — Ele sorriu e tocou seu rosto. — Agora, vá se lavar. Você sabe que na primeira vez...

— Eu sei — ela interrompeu rapidamente, apressando-se em direção ao banheiro antes que ele conseguisse formular a frase por completo.

Bel estava contente por ter conversado com sua mãe na véspera do casamento. Ainda que doesse por dentro, a toalha que usou permaneceu limpa. Soltando o cabelo, Izabela vestiu a camisola e o penhoar que a camareira havia pendurado atrás da porta. Quando ela retornou ao quarto, Gustavo já estava deitado, nu, sobre a cama. Seu rosto exibia uma expressão confusa.

— Não há sangue nos lençóis. — Ele olhou para ela. — Como isso é possível?

— Minha mãe disse que, quando isso acontece, tem a ver com o fato de se cavalgar muito na infância — ela respondeu, escandalizada com a acusação implícita.

— Ah. Então talvez esteja explicado. Você era virgem, não era?

— Gustavo, isso é um insulto! — Bel sentiu a raiva surgir.

— Certo, certo. — Ele indicou o espaço a seu lado na cama. — Então venha se deitar com seu marido.

Bel fez como foi pedido, ainda aborrecida com a acusação.

Um braço a envolveu, puxando-a para junto de Gustavo, que se virava para apagar a luz.

— Acho que concordamos que agora estamos casados de verdade.

— Sim.

— Eu te amo, Izabela. Esta é a noite mais feliz da minha vida.

— E da minha — ela conseguiu balbuciar as palavras certas, apesar da objeção silenciosa que ecoava em sua alma.

* * *

Enquanto Bel ficou deitada, insone, ao lado de seu marido, o navio cargueiro que transportava a cabeça e as mãos do Cristo, e Laurent Brouilly, aportava em algum lugar do Rio de Janeiro.

# 36

Quando Laurent acordou de sua primeira noite de sono em terra firme depois de seis semanas, notou que seu corpo e os lençóis estavam encharcados de suor. Mesmo nos dias mais quentes em Montparnasse, nunca havia sentido um calor tão intenso quanto o do Rio de Janeiro.

Cambaleando até a mesa onde a criada havia deixado uma jarra de água, pegou um copo e bebeu com vontade, aliviando a sede. No pequeno banheiro ao lado, abriu a torneira da pia e colocou a cabeça sob ela. Embrulhando sua nudez em uma toalha, e se sentindo um pouco melhor, Laurent voltou para o quarto e abriu as janelas.

Quando chegara ao hotel que Heitor havia sugerido enquanto procurava por acomodações mais permanentes, já passava da meia-noite e estava escuro demais para ver onde estava. Mas, ao se deitar na cama, ouviu o som das ondas quebrando na praia e soube que estava perto do mar.

Esta manhã... que vista o saudou! Logo abaixo, do outro lado da rua, a mais bela praia que já havia visto se estendia até onde seu olhar alcançava. Quilômetros de areia branca e limpa, deserta devido à hora matinal, e ondas que chegavam a dois metros de altura quebravam sem parar, em uma visão dramática de cristas brancas.

Seu sangue gelou só de olhar. Laurent sempre gostara de nadar no Mediterrâneo quando sua família ficava na casa de verão perto de Saint-Raphael, e agora ansiava por deixar o hotel, atravessar a rua correndo e entrar na água. Mas primeiro deveria perguntar se o mar era seguro ali. Pelo que sabia, poderia haver tubarões ou outros peixes carnívoros. Ele fora alertado antes de deixar Paris de que ninguém era cauteloso demais nos trópicos.

Mesmo o cheiro do ar era novo e exótico. Como muitos de seus compatriotas franceses, o fato de seu país possuir características de todas as estações — desde as encostas cobertas por neve nos Alpes até a gloriosa região sul, com sua paisagem e clima magníficos — significava que Laurent nunca fora tentado a viajar para o exterior.

Mas agora, parado ali, Laurent se sentia envergonhado por nunca ter pensado que outro lugar teria algo mais a oferecer.

Ele queria explorar o Rio, mas, antes disso, precisava se encontrar com o gerente de projeto do Sr. Da Silva Costa, Heitor Levy, que havia deixado um recado no hotel dizendo que o pegaria às onze horas. A cabeça e as mãos do Cristo haviam sido retiradas do navio na tarde anterior, antes de aportar no cais principal, e colocadas em um campo aberto ao lado do píer, onde o Sr. Levy era proprietário de uma pequena fazenda. Laurent esperava que os moldes delicados tivessem sobrevivido intactos à viagem. Ele os verificou quatro vezes por dia durante a viagem, mas agora podia apenas rezar para que tivessem passado inteiros pelo desembarque.

Laurent começou a se vestir, notando que sua perna estava coberta por picadas. Ele as coçou e vestiu a calça, sabendo que algum mosquito brasileiro faminto deveria ter se banqueteado com seu sangue na noite passada.

Descendo as escadas para tomar café da manhã, entrou na sala de jantar e viu uma miríade de frutas exóticas servidas aos hóspedes em uma mesa longa. Não fazendo ideia do que fosse, pegou uma amostra de cada, determinado a abraçar a nova cultura, além de uma fatia de bolo que parecia deliciosa, ainda quente do forno. Uma garçonete o serviu com café forte e quente, que ele tomou aliviado, reconfortado pelo fato de algumas coisas continuarem as mesmas.

Às onze horas, ele se dirigiu à recepção e viu um homem esperando ao lado do balcão, verificando o relógio. Supondo corretamente que fosse o Sr. Levy, aproximou-se e se apresentou.

— Seja bem-vindo ao Rio de Janeiro, senhor Brouilly. Como foi a viagem? — o homem perguntou em um francês passável.

— Muito confortável, obrigado. Aprendi todo tipo de jogo de baralho e piadas sujas com meus colegas marinheiros — Laurent disse, com um sorriso.

— Que bom. O carro está aguardando para nos levar à minha fazenda.

Enquanto passavam pelas ruas da cidade, Laurent ficou surpreso com sua modernidade. Landowski obviamente zombava quando dizia que os moradores eram índios nativos, correndo nus pelas ruas, arremessando lanças e comendo bebês. A cidade parecia tão civilizada e evoluída como muitas da própria França.

Laurent não pôde deixar de estranhar, contudo, a pele morena dos habitantes locais vestindo cópias da moda de seu próprio país. Enquanto andavam de carro pelo subúrbio, ele viu um grande vilarejo aparecer à direita.

— Chamamos de favela — Levy explicou quando notou Laurent olhando para a região. — Infelizmente, é muito populosa.

Laurent pensou em Paris, onde os pobres eram praticamente invisíveis. Aqui, riqueza e miséria parecem ter se separado completamente uma da outra.

— Sim, senhor Brouilly — Levy ecoou. — Aqui no Brasil, os ricos são muito ricos e os pobres... estão morrendo de fome — ele deu de ombros.

— O senhor é português?

— Não, mas tenho ascendência europeia. Minha mãe era italiana e meu pai era alemão. E eu sou judeu! O senhor verá que há uma mistura muito grande de nacionalidades aqui no Brasil, mas os portugueses se consideram os verdadeiros brasileiros. Temos imigrantes da Itália, da Espanha e também os africanos, que foram trazidos para cá como escravos pelos portugueses. E, atualmente, o Rio recebe muitos japoneses.

Todos vêm em busca de sucesso e prosperidade. Alguns encontram, mas outros, infelizmente, acabam nas favelas.

— É muito diferente da França. A maioria dos nossos habitantes nasceu e foi criada lá — Laurent comentou.

— Este é o Novo Mundo, senhor Brouilly — Levy disse —, e todos fazemos assim, não importa onde tenhamos nascido.

***

Pelo resto de sua vida, Laurent não conseguiria esquecer o espetáculo bizarro apresentado pela cabeça do Cristo, no meio de um campo, cercada por galinhas ciscando e um grande galo se aprumando sobre Seu nariz.

— O senhor Da Silva Costa me ligou cinco vezes esta manhã, ansioso para saber se o seu precioso Cristo chegou com segurança. Por isso, decidi montar as peças para me certificar de que não houve estrago. Até agora, parece tudo bem — Levy confirmou.

A imagem da cabeça, vista inteira pela última vez no ateliê de Landowski e agora a quilômetros de distância, no Rio, provocou um nó na garganta de Laurent.

— Parece que Ele ficou em segurança durante a viagem. Talvez protegido pelo Espírito Santo — Levy disse, também comovido. — Não vou arriscar montar as mãos ainda, mas dei uma olhada e parecem não ter nem um arranhão. Um dos trabalhadores vai fazer uma fotografia para celebrar a ocasião por nós. Também enviarei uma cópia ao senhor Da Silva Costa e a Landowski, naturalmente.

A fotografia foi tirada e, depois de inspecionar a cabeça e as mãos com atenção antes de escrever para Landowski, Laurent esperava que a escultura de Bel, atualmente viajando em um caixote em algum lugar no porto principal, tivesse a mesma sorte.

Depois de se angustiar com a venda, Laurent aceitara o conselho de Landowski e concordara com a oferta de dois mil e quinhentos francos feita pelo Sr. Aires Cabral. Landowski estava certo; ele poderia esculpir outra e não devia recusar a sorte inesperada, independentemente de qual fosse seu futuro.

— Então, nossa primeira missão foi completada com sucesso, mas tenho certeza de que está ansioso para conhecer o local de sua construção no Corcovado — Levy continuou. — É espetacular. Estou morando lá com os trabalhadores, já que temos tão pouco tempo para completar o projeto.

— Eu adoraria ver — Laurent confirmou com entusiasmo. — Não consigo imaginar como é possível construir um monumento assim no topo de uma montanha.

— Todos nós já passamos por isso — Levy observou de modo apático —, mas fique tranquilo, será construído. O senhor Da Silva Costa me disse que você precisa de um lugar para morar enquanto estiver aqui. Ele me perguntou se eu podia ajudá-lo a procurar, uma vez que não fala nem uma palavra em português.

— Não, senhor, não falo.

— Por sorte, tenho um apartamento vazio. Fica em uma área chamada Ipanema, não muito longe da praia de Copacabana, onde você está hospedado atualmente. Comprei o imóvel quando era solteiro e nunca tive coragem de me desfazer dele. Ficaria contente em permitir que o usasse enquanto estiver aqui. O senhor Da Silva Costa, claro, vai pagar a conta, como vocês combinaram na França. Acredito que o senhor vai gostar, pois tem uma vista espetacular e é bem iluminado. Perfeito para um escultor — acrescentou Levy.

— Obrigado, monsieur Levy. Sou grato por sua generosidade.

— Bem, vamos visitar o apartamento. Se você aprovar, pode se mudar ainda hoje.

No fim da tarde, Laurent era o orgulhoso morador de um apartamento espaçoso e arejado no terceiro andar de um belo prédio próximo à praia de Ipanema. Os cômodos de pé-direito alto eram decorados de modo elegante, e, quando se abria a porta da sacada sombreada, era possível ver a praia ao longe. O vento quente trazia consigo o cheiro inconfundível do oceano.

Levy o deixou sozinho para se estabelecer depois que retiraram suas malas do hotel, dizendo que voltaria mais tarde para apresentá-lo à empregada que cuidaria da faxina e das refeições durante sua estadia.

Laurent foi de quarto em quarto, boquiaberto com o luxo de ter aquele espaço todo para si depois de morar em um quarto esquálido em Montparnasse. Ter uma empregada para fazer tudo parecia ainda mais surpreendente. Ele se sentou na enorme cama de mogno, depois se deitou, apreciando a brisa do ventilador de teto, que acariciava seu rosto com suas asas pequenas. Com um suspiro de contentamento, adormeceu imediatamente.

Naquela noite, como prometido, Levy trouxe Mônica, uma mulher africana de meia-idade, para conhecê-lo.

— Avisei que você não fala português, mas se concordar, monsieur Brouilly, ela vai limpar o apartamento, comprar mantimentos e preparar seu jantar. Se precisar de mais alguma coisa, há um telefone na sala de visitas. Por favor, telefone a qualquer hora.

— Não sei como agradecer pela gentileza, monsieur Levy — Laurent respondeu.

— Você é um hóspede de honra aqui no Brasil, e não podemos permitir que diga ao senhor Landowski e ao resto de Paris que não somos civilizados — Levy sorriu.

— Certamente que não, monsieur. Pelo que vi até agora, acho que vocês são mais civilizados do que nós, parisienses.

— A propósito, sua escultura chegou em segurança? — Levy indagou.

— Sim, está no cais e as autoridades disseram que vão notificar o comprador e providenciar a entrega.

— Os Aires Cabral estão em lua de mel. Casaram-se ontem.

Laurent olhou para Levy em choque.

— Mademoiselle Izabela se casou ontem?

— Sim, a fotografia está na primeira página de todos os jornais de hoje. Ela estava maravilhosa. Foi o evento do ano para a alta sociedade carioca. Parece que o objeto de sua escultura se saiu muito bem.

Laurent sentiu uma vertigem. A ironia de chegar ao Rio na mesma noite em que Izabela se casou era quase insuportável.

— Bem, preciso ir. Boa noite, senhor Brouilly.

Levy o lembrou de que o pegaria às duas horas na segunda-feira para levá-lo ao topo do Corcovado. Mônica batia panelas na cozinha, de onde emanava um aroma delicioso.

Precisando de uma bebida, Laurent retirou uma garrafa de vinho francês de sua mala, removeu a rolha e foi para a sacada. Colocando os pés sobre a mesa, serviu uma taça e tomou um gole, o sabor imediatamente fazendo-o pensar em Paris. Viu o sol se pôr atrás das montanhas com o coração pesado.

— Izabela — sussurrou no ar —, estou aqui, neste seu belo país. Viajei toda essa distância para encontrá-la, mas parece que cheguei tarde demais.

# 37

Uma semana depois da festa de casamento, Bel retornou da lua de mel exausta e tensa. O casal havia se hospedado em Minas Gerais, em uma casa antiga, que um dia fora bela, dos tios-avôs de Gustavo. O clima estava sufocante, e, sem a brisa do mar e a altitude para diminuir as temperaturas, o ar estava tão quente que parecia queimar suas narinas.

Izabela precisara suportar inúmeros jantares, onde fora apresentada aos membros idosos da família de Gustavo, frágeis demais para comparecer ao casamento. Ela poderia lidar com tudo isso se não fossem as noites.

Uma coisa que sua mãe não havia dito era a frequência com que seu marido poderia fazer amor com ela. Ela havia pensado que seria uma vez por semana, talvez, mas o apetite de Gustavo parecia insaciável. Mesmo quando ela se esforçava para relaxar e tentar desfrutar dos atos íntimos — coisas que ninguém havia explicado e que ainda a faziam enrubescer só de pensar —, não conseguia.

Toda noite, assim que a porta do quarto se fechava, ele a atacava, rasgando suas roupas ao tentar removê-las — em algumas ocasiões, nem sequer se incomodava com isso. Ela ficava deitada debaixo dele, enquanto seu interior era golpeado, machucado e dolorido, esperando que terminasse logo.

Finalmente, quando acabava, ele adormecia imediatamente, e às vezes ela acordava pela manhã com ele a procurando, e, em questão de segundos, o peso do seu corpo estava outra vez sobre o dela.

Na noite anterior, ele tentara penetrar sua boca. Ela engasgara, mas ele apenas rira, dizendo que se acostumaria com aquilo, algo que todas as esposas faziam por seus maridos para lhes dar prazer, e que não precisava ter vergonha.

Bel estava desesperada para pedir conselhos a alguém, alguém que pudesse lhe dizer se aquilo *realmente* era normal e que deveria ser suportado pelo resto da vida. Onde estavam a ternura e o carinho que sua mãe havia descrito, ela se perguntava ao entrar em sua suíte recém-redecorada na *Casa das Orquídeas*. Atualmente, pensou, ao desabar em uma cadeira, sentia-se como uma boneca de pano, rasgada e tratada com violência.

Em casa, seu pai tinha um quarto de vestir com uma cama, onde geralmente adormecia. Não havia tal luxo ali, ela concluiu desesperadamente ao entrar no banheiro recém-construído. Talvez, se ela gerasse um filho, ele a deixasse em paz.

Bel tentava se consolar com o fato de que, durante o dia, Gustavo não poderia ser mais amoroso. Constantemente pegava sua mão, colocava um braço ao redor do seu ombro enquanto caminhavam, declarava a qualquer pessoa que lhe desse atenção como estava feliz. Se pelo menos os horrores noturnos cessassem, ela poderia ser capaz de viver nessas novas circunstâncias. Mas, até que esse dia chegasse, sabia que acordaria toda manhã com medo no coração.

— Você está pálida, querida — Luiza disse durante o jantar naquela noite. — Talvez um filho já esteja a caminho. — Olhou orgulhosa para Gustavo.

— Talvez, mãe, vamos ver — ele respondeu.

— Queria visitar minha mãe no Cosme Velho amanhã — Bel arriscou em um momento de silêncio. — Gostaria de ver como ela está.

— Claro, Izabela — Gustavo concordou. — Pensei em visitar meu clube, então posso pedir ao motorista que a deixe lá e a pegue mais tarde.

— Obrigada — ela disse, enquanto seguiam para a sala de visitas para tomar café. Quando conversava com Maurício, Bel viu seu marido se servir de uma dose grande de conhaque.

— Amanhã de manhã, Izabela — Luiza interrompeu —, eu gostaria que viesse me ver na biblioteca para discutirmos os gastos da casa. Tenho certeza de que não há necessidade disso na casa dos seus pais, mas aqui, na *Casa*, não gostamos de desperdício.

— Sim, senhora Luiza.

Bel se controlou para não ressaltar que era seu pai quem pagava pela reforma da casa. Além de, Bel estava ciente, presentear Gustavo com uma quantia generosa na ocasião de seu casamento, destinada a cobrir coisas como suas despesas pessoais e guarda-roupa.

— Hora de ir para a cama, meu amor — Gustavo anunciou, e seu coração começou a bater em ritmo rápido e desconfortável. A refeição pesada e salgada que o velho cozinheiro havia preparado revirou seu estômago quando Gustavo sinalizou para que se levantasse.

— Boa noite, pai e mãe — Gustavo curvou-se ligeiramente diante deles. — Vejo vocês pela manhã.

Ele a conduziu pela mão escada acima, Bel respirou fundo e seguiu seu marido para dentro do quarto.

***

— Querida — Carla disse ao receber a filha na porta de casa. — Senti sua falta. Entre e me conte sobre sua lua de mel.

A imagem reconfortante de sua mãe fez Bel sentir vontade de se jogar em seus braços e chorar sobre seu ombro.

— Foi maravilhosa — murmurou, enquanto Carla a conduzia até a sala de visitas. — Os parentes do Gustavo foram muito gentis comigo.

— Que bom — Carla disse quando Gabriela serviu o café. — E Gustavo? Ele está feliz?

— Sim, ele foi ao clube. Para ser honesta, não faço ideia do que ele faz lá.

— Negócios de cavalheiros — Carla respondeu. — Provavelmente verificando suas ações. Que, se forem como as do seu pai, estão muito bem no momento. O comércio de café continua a crescer. Na semana passada, por exemplo, seu pai comprou mais duas fazendas. Que você e, consequentemente, Gustavo vão herdar um dia. Então, me conte. Como está a vida de casada?

— Estou... me adaptando.

— "Adaptando"? — Carla preocupou-se. — Izabela, o que essa palavra significa? Você não está feliz em sua nova vida?

— Mama — Bel reverteu ao termo carinhoso de sua infância —, eu...

— Por favor, Izabela, continue.

— Eu... preciso saber se, bem, Gustavo vai querer ter... relações... no quarto toda noite.

Carla estudou sua filha, depois riu.

— Agora entendo. Você tem um marido de sangue quente, que deseja desfrutar de sua bela esposa. Izabela, isso é bom. Significa que ele a ama e a deseja. Com certeza você percebe isso.

Bel estava desesperada para perguntar sobre outras coisas que Gustavo fazia e queria que ela também fizesse, mas não conseguia formar as palavras.

— Mãe, estou cansada.

— Você não está dormindo muito, isso é de esperar — Carla disse, ou se recusando a admitir a preocupação da filha ou genuinamente cega para o que acontecia. — Lembro que eu e seu pai éramos assim nos primeiros dias do nosso casamento. É natural, querida, e, sim, depois de certo tempo, vai acalmar. Talvez quando estiver grávida, o que, pelo que ouço, será em breve — acrescentou, com um sorriso. — Eu sempre quis ser avó.

— E eu sempre quis ser mãe.

— Como é morar em sua nova casa? A senhora Aires Cabral é gentil com você?

— Tem sido receptiva — Bel respondeu, impaciente. — Esta manhã discutimos as despesas da casa. Eles vivem de modo muito mais frugal que nós.

— Com certeza, agora que seu pai deu a Gustavo uma grande importância, isso vai mudar. Na verdade, temos algo a lhe dizer. Mas vou esperar até que seu pai esteja conosco — Carla acrescentou.

— Você está bem, mãe? — Bel mudou de assunto, percebendo que Carla não queria saber ou ouvir sobre seus problemas. Ela achou sua mãe muito magra e pálida.

— Estou muito bem — sua mae respondeu alegremente. — Mas é tão estranho não ter você em casa. Enquanto estava na Europa, eu sabia que você retornaria para casa um dia. Agora sei que nunca mais voltará. Ainda assim, você não está longe e espero que possamos nos ver com frequência.

— Certamente nós vamos. — Bel ficou deprimida com a estranha distância que parecia ter surgido de repente entre elas. Era como se Carla houvesse aceitado que sua filha não lhe pertencia mais, mas sim ao marido de Bel e à família *dele*.

— Ah, aí está o seu pai. Mencionei que você viria me visitar e ele prometeu voltar para casa mais cedo para te ver.

Antônio chegou, transbordando sua bonomia natural. Assim que abraçou a filha, sentou-se a seu lado e pegou suas mãos.

— Queria esperar até que voltasse de sua lua de mel para anunciar nosso presente de casamento. Ontem, Izabela, transferi a escritura da *Fazenda Santa Tereza* para seu nome.

— Pai! — Bel olhou para seu pai. — Você quer dizer que a fazenda é minha? Só minha?

— Sim, Izabela... mas — seu pai continuou — há um pequeno detalhe que precisa saber. — Antônio pausou e coçou o queixo pensativo por um momento. — Você pode não saber que, atualmente no Brasil, o marido ganha os direitos legais sobre qualquer propriedade que sua esposa possua. Portanto, uma vez que sua mãe insistiu que a fazenda deveria ser apenas sua, tive que ser um pouco... criativo. Estabeleci um fundo em seu nome, que será administrado pelo meu advogado, e incluí a fazenda e seu direito a qualquer renda que as terras produzam. Além do direito de morar nela para o resto da vida. Esperamos que, antes que isso aconteça, nossas leis antiquadas relativas à mulher e à propriedade tenham mudado e você possa ser proprietária direta da fazenda. Há também uma cláusula que permite que o fundo seja transferido automaticamente para qualquer filho que você venha a ter.

— Compreendo. Obrigada a vocês dois — Bel sussurrou, tão comovida que mal podia falar. — Nada poderia ter me deixado mais feliz. — Bel se levantou para abraçar sua mãe, que era a principal responsável por esse presente maravilhoso.

— Achei que seu pai foi mais que generoso com a família do seu marido — Carla explicou. — Mesmo se Gustavo soubesse disso, e ele não sabe, não poderia reclamar por Antônio desejar ser igualmente generoso com sua filha. Especialmente quando trabalhou duro a vida inteira por ela.

Bel notou um vislumbre de desaprovação nos olhos da mãe e percebeu que parte de Carla se ressentia da benevolência financeira de Antônio a uma família que nunca trabalhara um dia na vida.

— Agora — Antônio removeu uma série de documentos de um envelope que havia trazido consigo — venha aqui e assine a escritura comigo. Gabriela e sua mãe serão testemunhas.

Bel colocou seu nome nos documentos, abaixo da assinatura de seu pai, depois Carla e Gabriela assinaram. Seu humor melhorou muito ao pensar em uma casa que era verdadeiramente sua. Considerando os receios atuais com seu casamento, isso lhe proporcionava uma sensação de segurança.

— Pronto — Antônio sorriu, feliz. — Vou enviar isto ao meu advogado assim que possível — ele disse, guardando os documentos na gaveta de uma escrivaninha.

* * *

Gustavo chegou uma hora depois para levá-la para casa. Depois dos cumprimentos obrigatórios, anunciou que precisavam ir para chegar a tempo de jantar com seus pais.

— Venho te ver outra vez assim que possível, mãe. E talvez possamos dar aquele passeio de trem até o Corcovado para ver como está a construção da estátua do Cristo — Bel sugeriu.

— Eu adoraria, Izabela — Carla concordou. — Que tal na quinta?

— Certo, até quinta. — Izabela seguiu Gustavo até o carro.

Quando o motorista tomou o caminho de casa, Bel decidiu não mencionar ao marido o presente que seus pais haviam lhe dado. Era um segredo maravilhoso e ela queria que fosse apenas seu. Ao passarem pela Estação de Ferro do Corcovado, Bel viu os passageiros descendo do trem na pequena plataforma. E lá, caminhando em sua direção por uma passarela estreita, estava... O coração de Bel parou de bater, mas ele virou uma rua muito depressa e ela não teve certeza.

Bel fechou os olhos e balançou a cabeça. Claro que não era Laurent, e sim alguém que se parecia com ele. Afinal, o que ele poderia estar fazendo no Brasil?

— Seu presente de casamento será entregue amanhã — Gustavo disse, interrompendo os pensamentos de Bel e pegando suas mãos. — Já vi e achei lindo. Espero que também goste.

— Estou ansiosa — ela respondeu, com todo o entusiasmo que conseguiu reunir.

Depois do jantar, Bel estava exausta. A imagem do fantasma de Laurent a abalou e a fez sentir náuseas. Quando entrou com Gustavo no quarto, foi rapidamente para o banheiro e trancou a porta. Vestiu sua camisola, escovou os dentes e penteou o cabelo. Destrancou a porta e foi ao quarto, onde Gustavo já estava nu na cama, à sua espera. Quando ele fez menção de tocá-la, Bel se afastou e balançou a cabeça.

— Sinto muito, mas não podemos hoje. Estou naquele período do mês.

Gustavo então se levantou e vestiu um roupão.

— Então vou dormir no meu antigo quarto e deixá-la descansar. Boa noite, querida.

Quando a porta se fechou atrás dele, Bel se sentou na cama e deixou escapar uma risada com a saída rápida de Gustavo. Pelo menos, pensou, teria alguns dias todo mês para dormir sozinha e em paz.

***

Na data combinada, Bel chegou a sua antiga casa para pegar sua mãe e levá-la de trem até o topo do Corcovado. Ao embarcar em um dos carros e começar a subida, Carla agarrou o braço da filha, com medo.

— É seguro? A encosta é muito íngreme. Como podemos chegar ao topo?

— Não tenha medo, mãe. Valerá a pena quando chegarmos lá e você vir a paisagem linda do Rio.

No topo, subiram as escadas juntas e Carla precisou parar várias vezes para recuperar o fôlego. Bel a conduziu até a plataforma de observação.

— Não é lindo? — Ela sorriu. — Estão construindo a estrutura para o Cristo ali. É tão estranho pensar que vi a escultura sendo criada com meus próprios olhos no estúdio do professor Landowski. Ele até fez um molde das minhas mãos para talvez usar como modelo para as mãos do Cristo...

Ao voltar sua atenção da vista da cidade para a estrutura do Cristo, Bel viu dois homens se afastando, concentrados em sua conversa. Ela os encarou descrente, seu coração quase parando quando um deles ergueu os olhos e a viu.

Olharam-se por alguns segundos, então ele sorriu e voltou sua atenção para os degraus. Seguindo seu companheiro escada abaixo, desapareceu de vista.

— Quem era?

Carla observava sua filha com interesse.

— Eu... Era o senhor Levy, gerente de projeto de Heitor da Silva Costa.

— Sim, eu o reconheço de sua fotografia no jornal. Mas e o outro homem?

— Não sei com certeza, mas acredito que era o assistente do professor Landowski.

— Entendo. Ele certamente parecia reconhecê-la.

— Nós nos conhecemos em Paris, é verdade — Bel disse, tentando desesperadamente se recompor. Cada músculo do seu corpo lhe dizia para fugir da plataforma, descer as escadas correndo e se atirar nos braços de Laurent. Foi necessário todo o resquício de autocontrole para não seguir seu instinto.

Quinze minutos depois, quando Carla anunciou que não suportava mais o calor, as duas desceram as escadas devagar e foram até a plataforma esperar pelo trem, mas os dois homens não estavam em lugar algum.

Quando chegaram em casa, Carla perguntou se ela gostaria de entrar para comer alguma coisa, mas Bel recusou e disse ao motorista para levá-la direto para casa. Precisava de tempo sozinha para se recompor. Se ficasse com sua mãe, poderia revelar seus sentimentos.

*Como ele pode estar aqui? Por que veio?*

Laurent estava, obviamente, com o Sr. Levy, portanto era lógico presumir que havia sido enviado por Landowski como seu representante para inspecionar o projeto do Cristo.

"Sim", Bel pensou saindo do carro e subindo as escadas da *Casa* com relutância, "deve ser isso". Não havia grande mistério quanto à presença de Laurent no Rio. Ela foi para o quarto, sabendo que Gustavo não voltaria do clube por pelo menos duas horas, e agradeceu por isso.

Deitada na cama, Bel respirou fundo e tentou raciocinar. Havia grandes chances de que não se encontrassem. Era improvável que seus caminhos se cruzassem no Rio de Janeiro, uma vez que o engenheiro Levy não era parte de seu círculo social, e Heitor da Silva Costa ainda estava em Paris. Tê-lo visto hoje foi apenas uma jogada cruel do destino. E, do fundo do seu coração, ao se lembrar do sorriso doce que havia lhe dado quando se olharam naquele segundo, Bel queria não tê-lo encontrado.

* * *

Na noite seguinte, Gustavo chegou em casa mais cedo do clube e anunciou que ela não deveria entrar na sala de visitas antes de ser chamada. Ela pôde ver em sua expressão que, o que quer que ele tivesse comprado como seu presente de casamento, ele estava satisfeito. Bel se preparou para demonstrar agradecimento, não importava pelo quê.

— Seus pais jantarão conosco esta noite, e também temos um convidado especial, portanto vista seu vestido mais bonito — seu marido sugeriu.

* * *

Laurent também ficou comovido e abalado por ver Izabela na plataforma de observação. O sol brilhava atrás dela, e sua aparência era quase angelical, com o corpo todo iluminado. Desde que fora informado pelo Sr. Levy de seu casamento, a empolgação que sentia por estar no Rio foi temperada com tristeza. Ele decidiu que a melhor coisa a fazer era garantir que o projeto fosse construído o mais rápido possível e, então, poderia dizer a Landowski que tudo estava bem com sua escultura. Assim, Laurent poderia conhecer um pouco mais daquela terra longínqua antes de voltar para sua casa na França. Agora que sabia com certeza que Izabela nunca poderia ser sua, não havia por que ficar. Ele se repreendeu pela decisão precipitada, para começar, de embarcar para o Brasil. Contudo, ficou e durante aquele primeiro mês — depois de chegar tão longe — foi motivado pela crença cega de que, em algum momento, Izabela retornaria ao Rio e os dois se encontrariam por acaso.

E, então, ontem, monsieur Levy informou que monsieur Da Silva Costa havia entrado em contato, pedindo o número do telefone de Laurent.

— Parece que Gustavo Aires Cabral gostaria de conhecer o escultor de sua esposa em pessoa. Ele o convidou para jantar em sua bela casa amanhã à noite. Acredito que também deseje efetuar o pagamento — Levy acrescentou. — Ele vai telefonar para combinar os detalhes.

— Obrigado.

Laurent decidiu, inicialmente, que deveria recusar o convite e encontrar o homem em seu clube para receber pela escultura. O marido de Izabela não era uma pessoa com quem ele gostaria de se familiarizar.

Mas, depois da tarde de ontem, quando ele a havia visto...

Laurent decidiu se permitir o prazer de contemplar o rosto dela por mais uma noite — com seu marido ao lado ou não. Portanto, quando monsieur Aires Cabral telefonou, Laurent aceitou o convite para o jantar.

Enquanto o táxi atravessava as ruas de Ipanema e deixava o caos da cidade, ele se perguntava o que estava fazendo. Com certeza, passar horas na presença de Bel era um suicídio para seu coração. Apenas reacenderia sua paixão. Entretanto, pensou enquanto o carro atravessava o portão de uma elegante casa em estilo colonial, ele estava ali e teria de tirar proveito da situação.

Laurent deixou o táxi, pagou ao motorista e admirou maravilhado a fachada da casa, uma das mais impressionantes que havia visto até agora no Rio. Subiu os amplos degraus de mármore até a porta e tocou a campainha.

Foi atendido por uma criada e imediatamente levado à sala de visitas, onde dois casais de meia-idade aguardavam. No canto da sala, coberta por um lençol, estava o que reconhecia como a forma de sua escultura.

— Ah, você chegou! — Um homem magro, com feições que o lembravam de algum tipo de roedor, disse ao entrar na sala logo depois de Laurent. — O escultor em pessoa. — Ele sorriu e estendeu uma mão pálida. — Gustavo Aires Cabral. E você deve ser o senhor Laurent Brouilly.

— Sim, é um prazer conhecê-lo, senhor — Laurent respondeu, notando que o aperto de mão do homem era fraco e que era pelo menos dez centímetros mais baixo que ele. Certamente, pensou enquanto Gustavo o apresentava aos demais ocupantes da sala, esse homem mirrado e deselegante não poderia ser o marido de Izabela.

— Champanhe, senhor? — a criada perguntou, oferecendo uma taça em uma bandeja.

— *Merci* — ele respondeu, enquanto cumprimentava os pais de Gustavo antes de ser apresentado aos pais de Izabela.

Antônio Bonifácio, alto e atraente, com pitadas de grisalho no cabelo negro, apertou sua mão com entusiasmo e Carla lhe deu um sorriso. Era uma mulher bonita. Laurent pôde ver de quem Izabela havia herdado sua aparência atraente. Nenhum deles falava francês, portanto Gustavo serviu de intérprete para ambos.

— O senhor Bonifácio está dizendo que Izabela falou muito sobre o professor Landowski e o tempo que passou no ateliê enquanto você a esculpia. Ele está ansioso para ver como você capturou sua beleza — Gustavo disse.

— Espero apenas ter feito jus à sua filha, senhor — Laurent respondeu, sentindo os olhos de Carla examinando-o enquanto falava. Ele a reconheceu como a mulher que estava com Izabela no topo do Corcovado no dia anterior.

— A senhora Carla está dizendo que Izabela não sabe sobre a escultura ou sua presença aqui — Gustavo explicou. — E que certamente ficará surpresa quando se juntar a nós.

— Acredito que sim — Laurent concordou, com ênfase.

***

— Está pronta? — Gustavo perguntou ao entrar no quarto e encontrar Bel sentada na cama, pensativa.

Ela o encarou e sorriu.

— Sim.

Gustavo estudou sua esposa, em um vestido de seda verde e com as esmeraldas que seu pai havia lhe dado no aniversário de dezoito anos ao redor do pescoço e nas orelhas.

— Você está radiante, querida — Gustavo elogiou, oferecendo-lhe o braço.

— Vamos?

— Não consigo imaginar o que merece uma ocasião como esta — Bel disse, descendo as escadas com ele.

— Você vai entender logo. — Gustavo tocou seu nariz e abriu a porta da sala de visitas. — Aqui está ela — disse para os convidados reunidos, e Bel sorriu quando seus pais vieram abraçá-la. Gustavo a conduziu então em direção a seus próprios pais, que conversavam com outro convidado.

— Esta é a primeira parte da surpresa, o que pode ajudar a adivinhar qual é o seu presente. Deixe-me apresentá-la ao senhor Laurent Brouilly, diretamente de Paris.

Bel observou enquanto Laurent se voltava em sua direção, Gustavo sorrindo contente entre eles, muito satisfeito com a surpresa que preparara.

Ela fitou Laurent estonteada, ciente de que todos os olhos na sala estavam voltados para os dois, interessados em sua reação. Não conseguia pensar em algo para dizer, tão profundo era seu choque. Sentia que seu silêncio era uma eternidade enquanto os segundos passavam.

— Madame Aires Cabral — Laurent disse, pegando sua mão e resolvendo o problema. — É um prazer encontrá-la outra vez. — Beijou sua mão, e então a examinou. — Seu pai perguntava, há poucos minutos, se retratei sua beleza com justiça, mas, ao vê-la novamente, temo que tenha fracassado.

— Eu... — Bel obrigou seu cérebro a abrir sua boca e falar em francês. — Senhor Brouilly, que surpresa inesperada. Não esperava vê-lo no Rio.

— Bem — Gustavo explicou —, é uma feliz coincidência que o senhor Brouilly esteja no Brasil por causa do Cristo. Certamente você já adivinhou qual é o seu presente.

A mente de Bel estava tão imersa em Laurent que não havia nem mesmo contemplado a relação entre sua presença e o presente do seu marido. Felizmente, antes que pudesse responder, Gustavo a conduziu até um objeto coberto por um lençol e todos se aproximaram.

— Posso remover? — Gustavo perguntou.

— Sim — Bel disse, engolindo um nó na garganta ao compreender a natureza do presente.

Houve uma série de expressões de prazer quando a escultura de Laurent foi revelada. Bel agradeceu a Deus por Laurent tê-la capturado como uma jovem pura. Ninguém que admirasse sua imagem poderia sugerir que a escultura fosse, de algum modo, imprópria.

— E então? — Os olhos de Gustavo varreram a sala, examinando a opinião de cada um.

Antônio foi o primeiro a falar.

— Minha nossa, a semelhança é impressionante. Você a capturou muito bem, senhor Brouilly.

— Sim, é verdade. É o retrato da minha filha — Carla aprovou.

Gustavo traduziu as reações positivas para Laurent e fez uma reverência de apreciação.

— Não tenho certeza se os lábios estão corretos — Luiza disse em francês, ansiosa para encontrar algo para criticar. — Não são tão grossos como deveriam.

— Bem, senhora — Laurent retrucou —, ao estudar sua nora depois do casamento, admito que realmente desabrochou desde a última vez em que a vi pessoalmente. A condição de esposa, e todos os seus benefícios, combinam com ela.

Bel quase gargalhou com a resposta de Laurent ao insulto de Luiza, extremamente graciosa, porém inundada com um duplo sentido que ninguém na sala poderia alegar não compreender. Luiza corou.

— E o que você achou de seu presente, Izabela? — Gustavo indagou, colocando um braço possessivo ao redor de sua cintura.

— Não creio que possa julgar os méritos desta escultura sem soar arrogante, mas é um presente de casamento muito atencioso, Gustavo. E você me deixou muito feliz. — Tão automaticamente quanto suas palavras, Bel beijou o rosto de seu marido. A cada milésimo de segundo, sentia — ou imaginava sentir — os olhos de Laurent consumindo-a.

O mordomo idoso entrou na sala e anunciou que o jantar estava servido. Na mesa, Bel se sentiu grata por Laurent estar entre Luiza e Carla, enquanto ela sentava entre o pai e o sogro e Gustavo, no lugar de honra da mesa. Por outro lado, Laurent estava diretamente a sua frente e, assim, toda vez que erguia os olhos, lá estava ele. Pensou que o arranjo dos lugares à mesa era uma paródia das horas em que haviam se sentado, de frente um para o outro, no ateliê na França.

Tomando, para acalmar os nervos, um grande gole do vinho que o mordomo acabara de servir, Bel se virou para a direita e começou a conversar com Maurício sobre qualquer coisa que viesse à mente. Antônio, ao notar que discutiam o preço do café, juntou-se à conversa e os dois homens começaram a expressar sua preocupação que, com o volume atual de produção no Brasil, havia um excedente que derrubava o preço do produto.

— Meus colegas no Senado falam sobre estocar — Maurício comentou.

— Sim, e planejo seguir seu exemplo em minhas fazendas — Antônio confirmou. — O preço já caiu em um mês, e o lucro não é tão saudável quanto antes.

Quando a conversa tomou um rumo que a excluía, Bel não teve escolha a não ser se sentar um pouco mais para trás na cadeira enquanto os homens a seu lado conversavam. O que significava olhar com frequência para Laurent.

Quando seus olhos se encontraram por alguns segundos, ambos sabiam que nada havia mudado.

Enquanto o café era servido na sala de visitas, Bel se viu em uma conversa com Gustavo e Laurent.

— Quando retorna a Paris? — Gustavo perguntou.

— Ainda não decidi. Depende de como as coisas se resolverem e das oportunidades que eu encontrar por aqui. — Laurent respondeu, olhando para Bel. — Sua mãe, monsieur, foi gentil e prometeu me apresentar a possíveis clientes cujos familiares possam ter um membro que deseja ser esculpido. Quem sabe? — Sorriu. — Posso me apaixonar por seu belo país e decidir ficar para sempre.

— Bem, se você já tem minha mãe a seu lado, isso pode realmente ser uma opção — Gustavo comentou. — Mais conhaque? — acrescentou, levantando-se do sofá, onde estava sentando ao lado de Bel.

— Não, obrigado, senhor — Laurent respondeu.

Gustavo se afastou, deixando Bel e Laurent a sós pela primeira vez.

— Como você está, Izabela? — ele perguntou.

Bel fitou a mesa, o chão, qualquer coisa para que seus olhos não encontrassem os de Laurent. Havia tantas coisas que queria dizer, mas não podia.

— Estou... casada — conseguiu falar finalmente.

Olhou para ele, esperando a resposta, e o viu checar a sala de modo furtivo, verificando se havia olhos voltados em sua direção.

— Bel — sussurrou, inclinando-se o mais próximo que ousou. — Você deve saber que vim procurar você. *Precisa* saber — reiterou. — Se desejar que eu embarque no primeiro navio de volta para a França, eu vou. Mas quero ouvir você me pedir. Agora — insistiu, quando viu que Gustavo ainda colocava conhaque em um copo — me diga: está feliz com seu marido?

Bel não conseguia encontrar as palavras para responder. Notou Gustavo fechando a garrafa.

— Não posso — disse, finalmente, ciente de que seu tempo acabava.

— Você ainda me ama?

— Sim.

Bel viu Gustavo se abaixar para sussurrar alguma coisa no ouvido de sua mãe.

— Então me encontre amanhã à tarde. Meu endereço é na Rua Visconde de Pirajá, número dezessete. É um prédio de apartamentos em Ipanema. Moro no número seis, último andar.

Bel gravou a informação na memória enquanto Gustavo cambaleava de volta em sua direção. E viu quando Laurent notou que ele estava bêbado, estremecendo quando seu marido se sentou a seu lado, colocando um braço firme a seu redor e beijando-a.

— Minha esposa não é linda? — perguntou a Laurent.

— Certamente que sim, monsieur.

— Às vezes, sinto que não a mereço — Gustavo disse, tomando mais um gole de seu conhaque. — Como você pode imaginar, estou desfrutando as primeiras semanas do nosso casamento.

— Sim, posso imaginar — Laurent afirmou. — Bem, perdoe-me, mas devo partir. — Ele se levantou abruptamente e foi se despedir dos demais convidados.

— Você já está bem? — Gustavo sussurrou no ouvido de Bel enquanto ela observava Laurent beijar a mão de Carla.

— Infelizmente, não. Talvez amanhã.

— Que pena — Gustavo comentou. — Queria amar minha linda esposa esta noite.

Laurent voltou e parou diante deles.

— Gostaria de me despedir e agradecer a vocês dois.

Gustavo e Bel se levantaram. Laurent apertou a mão dele e beijou brevemente a de Bel.

— *À bientôt*, madame Aires Cabral.

— *Bonne nuit*, senhor Brouilly.

Assim que Laurent partiu, o resto dos convidados começou a se dispersar.

— Boa noite, querida — Carla disse, na soleira da porta. — Venha nos visitar em breve — pediu, fitando sua filha com suspeita, antes de descer os degraus atrás de Antônio.

Em frente à porta de seu quarto, Gustavo a beijou intensamente.

— Mal posso esperar por amanhã à noite — ele disse.

Bel fechou a porta, despiu-se e deitou-se na cama, agradecendo a Deus por estar sozinha.

# 38

Bel acordou na manhã seguinte ciente de que bebera demais na noite anterior. Ou, pelo menos, tinha algo em excesso no sangue. Por que outro motivo concordaria em encontrar Laurent naquela tarde em seu apartamento?

Ela rolou na cama e gemeu. Havia se deitado revivendo com prazer cada olhar ardente que trocara com Laurent, mas agora ponderava as consequências de sua presença no Rio.

Estava casada com Gustavo havia menos de um mês. E, ainda assim, confessara a Laurent que, além de estar infeliz em seu casamento, ainda o amava...

Que insanidade a havia dominado?

A insanidade do amor...

Independentemente do que a afligia, se seu relacionamento com Laurent na França ou sua continuidade no futuro, a descoberta por Gustavo geraria ramificações terríveis demais para se contemplar.

Bel se levantou e foi ao banheiro. Estudou seu reflexo no espelho, perguntando o que deveria fazer. A opção mais segura era não visitar Laurent naquela tarde. Se permanecesse afastada, tinha certeza de que ele aceitaria sua decisão e não a incomodaria outra vez.

Os olhos de Laurent imediatamente substituíram os seus no espelho; cheios de amor, promessa e satisfação, e Bel estremeceu de prazer, apesar de tudo.

* * *

Loen estava em seu quarto quando ela saiu do banheiro.

— Como está, senhora Bel? — Loen perguntou enquanto pendurava o vestido de seda que Bel havia deixado no chão na noite passada.

— Estou... um pouco cansada — admitiu.

— Ele esteve aqui ontem à noite, não esteve? Seu escultor? — Loen disse, continuando a arrumar o quarto.

— Sim, esteve. Eu... Ah, Loen. — Bel se jogou na cama, colocou a cabeça sobre as mãos e chorou. Loen se sentou a seu lado e colocou um braço ao redor de sua senhora.

— Por favor, não chore. Não está nem um pouco feliz por ele ter vindo ao Brasil?

— Sim... Não... — Bel olhou para Loen. — Fiz uma coisa muito tola — admitiu. — Disse que o encontraria em seu apartamento em Ipanema esta tarde.

— Entendo — Loen afirmou com calma. — E a senhora vai?

— Como poderia? Estou casada e concordei em encontrar outro homem! O que você faria, Loen? Por favor, me diga.

— Não sei — Loen suspirou. — Queria dizer que seria errado encontrá-lo. Mas, se fosse Bruno, eu não conseguiria evitar. Especialmente se soubesse que seria apenas temporário.

— Você está me incentivando, Loen — Bel disse, observando sua criada —, quando preciso que me diga que é loucura.

— Não seria sensato — Loen concordou —, a senhora sabe. Talvez fosse melhor encontrá-lo uma vez e ressaltar que não pode vê-lo novamente. Uma despedida definitiva.

— E como eu faria isso? A senhora Aires Cabral vigia todos os meus passos.

— A senhora tem um compromisso com a senhora Duchaine em Ipanema às duas horas esta tarde para discutir seu guarda-roupa para a próxima estação — Loen respondeu. — Podemos comparecer e, talvez depois, a senhora pode alegar que não se sente bem e ir embora. Isso lhe dará tempo suficiente para encontrar seu escultor. Vocês teriam pelo menos duas horas juntos.

— Loen, o que você está fazendo comigo? — Bel indagou, desesperada, ciente de que era muito fácil executar o plano de sua criada.

— Estou sendo sua amiga, Bel, como você sempre foi para mim. Vejo a tristeza em seus olhos todos os dias desde o seu casamento. Quero que seja feliz. A vida é curta, e um casamento com alguém que não se ama é muito longo. Portanto — Loen disse, levantando-se da cama —, tome sua decisão e farei o que for preciso para ajudar.

— Obrigada. Vou pensar — Bel respondeu, por fim.

* * *

— Bom dia — Luiza cumprimentou quando Bel chegou à mesa. — Dormiu bem, minha querida?

— Sim, obrigada.

— Recebi um bilhete de uma amiga esta manhã. Estão procurando jovens para uma reunião na Igreja de Nossa Senhora da Glória do Outeiro, a igreja perto da casa de seus pais. O senhor Da Silva Costa, o engenheiro responsável pelo projeto do Cristo, decidiu que vai decorar a estátua com um mosaico de pedra-sabão. Por isso, procura por mãos dispostas a fixar as peças na rede, triângulo por triângulo. Será uma tarefa longa, mas, de acordo com o que minha amiga informou, será executada por mulheres das melhores famílias. Notei que você não tem muitas amigas adequadas no Rio. Seria a oportunidade perfeita para fazer mais amizades.

— Sim, claro, ficarei feliz em ajudar — Bel concordou. — Especialmente por uma causa tão nobre, e que é um projeto especial para mim.

— Então responderei dizendo que você se voluntariou. Talvez possa começar amanhã.

— Sim — Bel assentiu enquanto a empregada lhe servia uma xícara de café. Na pior das hipóteses, pelo menos seria um motivo para sair da *Casa* por algumas horas ao dia.

Depois do café, Bel caminhou pelos jardins, ainda sofrendo para tomar uma decisão sobre aquela tarde. Pelo menos o mosaico lhe daria algo positivo com o que passar o tempo, porque era óbvio que ela nunca seria a senhora de sua própria casa. Ainda que Luiza tivesse lhe oferecido algumas migalhas ao explicar como as despesas da casa eram controladas, continuava a organizar tudo sozinha. Se Bel fizesse uma recomendação para o cardápio do jantar, seria rejeitada; quando tentou perguntar, no dia anterior, se podiam usar o conjunto de jantar Limoges em vez do Wedgwood, foi informada de que o Limoges era usado apenas em comemorações familiares, como aniversários.

Gustavo desaparecia para o clube logo depois do almoço, o que significava passar horas intermináveis, sozinha, toda tarde. E o que ela faria *naquela* tarde?

Por volta do meio-dia, Bel estava em pânico. À uma e meia pediu o carro.

— Senhora Luiza — informou, encontrando sua sogra escrevendo cartas na sala de visitas —, estou indo visitar a senhora Duchaine. Loen irá comigo. Posso demorar, uma vez que estarei escolhendo meu guarda-roupa de inverno.

— Bem, ouvi dizer que ela cobra caro e que sua costura, às vezes, é malfeita. Posso indicar o nome de outra costureira que é menos dispendiosa e mais confiável.

— Para falar a verdade, madame Duchaine sempre fez um excelente trabalho para mim — Bel retrucou. — Vejo a senhora no jantar.

Sem esperar pelo olhar de surpresa de sua sogra, Bel foi até a porta e colocou o chapéu.

Loen já esperava por ela.

— E então? — sussurrou enquanto caminhavam até o carro.

— Não sei — Bel resmungou.

— Então vamos visitar madame Duchaine e, se você decidir que sente dor de cabeça, farei o que desejar — Loen disse ao entrarem no carro. O motorista partiu e Bel olhou pela janela sem notar a paisagem. Seu coração batia forte contra o peito e ela acreditava que poderia explodir.

Quando chegaram ao estúdio de madame Duchaine, Bel e Loen saíram do carro.

— Não precisa esperar, Jorge — Bel informou ao motorista. — Vou demorar. Por favor, venha me buscar às seis.

— Sim, senhora.

Ela observou enquanto ele se afastava, então entrou no salão com Loen.

Dez minutos depois, Bel olhava fixamente para seu reflexo em um espelho de corpo inteiro, sua mente tumultuada enquanto madame Duchaine se alvoroçava ao seu redor com uma fita métrica. Ainda sentia a agonia da indecisão, seu estômago dava cambalhotas. Se não se decidisse logo, seria tarde demais.

Madame Duchaine se levantou e se posicionou atrás de Bel, examinando seu trabalho no espelho. Quando seus olhos pequenos encontraram o rosto de Bel, ela franziu a testa.

— Minha nossa, a senhora não parece bem. Está muito pálida. Talvez esteja adoecendo.

— Estou me sentindo um pouco zonza — Bel concordou.

— Bem, talvez seja melhor continuar outro dia. Acho que seria melhor se fosse para casa e descansasse — a mulher disse, sutilmente examinando o estômago de sua cliente no espelho.

Naquele instante, Bel encontrou o olhar de Loen e soube que a decisão havia sido tomada por ela.

— Sim, talvez esteja certa. Telefonarei amanhã para marcar outro dia. Venha, Loen — acrescentou para sua criada. — Vamos embora.

Quando deixaram o estúdio e chegaram à rua, Bel se virou para Loen.

— Bem, é isso. Devo estar louca, mas vou encontrá-lo. Deseje-me sorte.

— Claro. Certifique-se de me encontrar aqui antes de o motorista chegar para nos pegar. E, senhora Bel — acrescentou em voz baixa —, mesmo que decidir que nunca o verá outra vez depois de hoje, acho que tomou a decisão certa.

— Obrigada.

Bel caminhou rapidamente pelas ruas de Ipanema em direção à Rua Visconde de Pirajá. Por duas vezes deu a volta, incerta, mas refez seus passos até estar diante do prédio em que Laurent morava.

— Sim — disse a si mesma. — Vou entrar e informá-lo pessoalmente de que não posso vê-lo outra vez, assim como fiz em Paris. Então, vou embora.

Entrando rapidamente, procurou as escadas e começou a subir, prestando atenção ao número na porta dos apartamentos.

Quando chegou ao número seis, hesitou, fechou os olhos e fez uma oração silenciosa, então bateu à porta.

Ouviu passos sobre o assoalho de madeira lá dentro. A porta se abriu e Laurent apareceu a sua frente.

— Bonjour, madame Aires Cabral. Entre, por favor.

Ele sorriu, abrindo a porta para que ela pudesse entrar. Fechando-a em seguida, Laurent a trancou com a chave e o trinco para o caso de Mônica, a empregada, fazer uma visita inesperada. Finalmente a sós com Bel, ele não queria ser incomodado.

— Que vista maravilhosa — ela disse, apreensiva, parada na sala e olhando para o mar.

— É verdade.

— Laurent...

— Izabela...

Trocaram sorrisos depois de falar ao mesmo tempo.

— Vamos nos sentar? — ela sugeriu, indo até uma cadeira e tentando, em vão, acalmar sua respiração acelerada.

Laurent colocou outra cadeira a sua frente, de modo que a olhava diretamente, e se sentou.

— E, então, sobre o que gostaria de conversar?

— Eu... — Ela balançou a cabeça e suspirou. — Não tem jeito. Eu não deveria estar aqui.

— Nem eu — ele concordou —, mas parece que, apesar de nossa determinação em não estar aqui, ambos estamos.

— Sim... — Bel respirou fundo. — Vim para informá-lo que não posso vê-lo outra vez.

— Foi isso o que você disse no parque, em Paris. E olhe onde estamos.

— Não pedi que viesse ao Rio.

— Não, não pediu. Lamenta que eu tenha vindo?

— Sim. Não... — Bel suspirou, desesperada.

— Você está casada — ele afirmou, sem emoção.

— Sim. Sei que a situação é impossível.

— Bel... — Ele se levantou e foi rapidamente até ela, ajoelhando-se a sua frente e pegando suas mãos. — Ontem à noite perguntei se estava feliz e você respondeu que não estava.

— Mas...

— Perguntei se ainda me ama e você disse que sim.

— Eu...

— Shhh. Deixe-me terminar. Entendo que, diante das circunstâncias, cheguei em uma hora ruim e inapropriada. Juro que, se me mandar embora, olhando em meus olhos, como fez em Paris, juro que deixo o Rio tão logo quanto possa comprar minha passagem. Você só precisa me dizer o que deseja. Porque acho que deixei claro o que eu quero.

— Ser meu amante? — Ela o fitou. — Porque isso é tudo o que posso oferecer. E não é isso que você merece — acrescentou.

— O que eu mereço não importa. Quis o destino que você fosse a mulher que desejo. Não importa quanto eu tente, não consigo viver sem você. Em um mundo ideal, sim, eu a raptaria neste instante, a esconderia em uma mala e a carregaria para a França para que pudéssemos viver juntos pelo resto de nossas vidas. Mas estou preparado para um acordo. E você? — O olhar profundo de Laurent examinava sua face, procurando pistas, absorvendo suas feições.

Bel o encarou, imaginando como poderia duvidar de seus sentimentos por ela. Ele havia deixado sua vida na França e a seguido por meio mundo até o Rio, mesmo sem garantia alguma de que a encontraria um dia. E, involuntariamente, seu pobre marido desempenhara um papel importante em seu reencontro. Pensar em Gustavo devolveu-lhe a razão.

— O que passou, passou — ela declarou, com toda a determinação que pôde reunir —, e não é justo que você simplesmente chegue aqui, fazendo com que eu me lembre, quando fiz o que pude para me despedir, para tentar te esquecer. Eu... — Lágrimas brotaram nos olhos de Izabela, e sua voz desapareceu.

— *Ma chérie*, me perdoe. A última coisa que desejo é fazê-la chorar. Você está certa — ele admitiu. — Você me disse que queria terminar tudo e eu não dei atenção. Portanto, a culpa é minha, não sua.

— Mas me diga como encontrar forças para dizer adeus outra vez. — Ela chorava angustiada, e os braços dele a abraçaram. — Você não sabe como fiquei da última vez. Passar por tudo outra vez...

— Então, *não* diga adeus. Apenas me peça para ficar e eu ficarei.

— Eu...

Laurent inclinou a cabeça devagar e começou a beijar o pescoço dela com tanta doçura que era como se asas de borboletas acariciassem sua pele. Bel gemeu. — Por favor, por favor, não torne tudo mais difícil ainda.

— Bel, pare de se torturar. Vamos apenas ficar juntos enquanto temos esta chance. Te amo, *chérie*, muito — ele murmurou, seus dedos enxugando as lágrimas do rosto de Izabela.

Ela buscou a mão dele e a segurou apertado.

— Você não imagina quanto senti saudade — chorou.

— Eu também. — Ele se inclinou em sua direção e colocou os lábios sobre os dela.

Bel se derreteu em seus braços, sua determinação destruída, ciente de que não podia mais lutar.

— *Chérie* — ele disse quando seus lábios finalmente se separaram —, deixe-me levá-la para a cama. Aceitarei se puder simplesmente me deitar a seu lado, mas quero te abraçar.

Sem esperar uma resposta, Laurent tirou Bel da cadeira e a carregou para o quarto, colocando-a gentilmente sobre o colchão.

Bel se preparou para um ataque enlouquecido, como esperava com Gustavo, mas nada aconteceu. Em vez disso, Laurent se deitou a seu lado e a envolveu nos braços. Ele a beijou outra vez, seus dedos traçando o contorno de seus seios e quadris através de suas roupas, até que ela mesma não conseguia pensar em mais nada exceto a promessa de seu corpo nu contra o dela.

— Devo despi-la ou você prefere fazer isso sozinha? — ele sussurrou em seu ouvido.

Ela rolou na cama, permitindo que ele abrisse os botões de seu vestido. Laurent o fez lentamente, parando para beijar a pele nua que cada botão desfeito revelava, antes de deslizar a manga por seus braços. Depois, removeu seu sutiã e, assim que suas roupas estavam todas no chão, ele gentilmente a moveu em sua direção e a admirou.

— Você é tão, tão linda — sussurrou, e ela se contorceu em sua direção, seu corpo implorando por seu toque. Quando seus lábios beijaram seus seios, ela soltou um gemido de prazer.

Laurent deslizou a mão sobre seu estômago perfeito e, ao remover a cabeça de seu seio para admirá-la, pediu permissão para ir mais longe. Ela consentiu e ele cuidadosamente desamarrou a liga e rolou suas meias, cada toque de seus dedos contra sua pele enviando uma corrente elétrica de desejo. Finalmente, ela estava completamente nua diante dele.

Respirando com dificuldade, ele pausou por um instante, estudando o corpo de Izabela.

— Perdoe-me, mas quero esculpir você agora.

— Não, eu...

Ele a silenciou com um beijo.

— Estou brincando, minha linda Bel.

Logo ele também estava nu, e ela arriscou um exame tímido, notando que ele tinha uma beleza magnífica. Os dois corpos se abraçaram e, depois de garantir que ela estava preparada, ele a penetrou. Enquanto o recebia com prazer e êxtase, Bel finalmente compreendeu o que sua mãe havia descrito.

* * *

Enquanto permaneciam saciados nos braços um do outro, Bel cedeu ao desejo de tocá-lo, acariciar cada centímetro de seu corpo, descobrir seu ser físico. E estava ansiosa para que ele fizesse o mesmo com ela.

Mesmo tentando evitar, enquanto Laurent cochilava a seu lado, Bel pensou no contraste com as relações que havia suportado com Gustavo. Como o mesmo ato podia trazer à tona uma reação tão diferente de sua mente e de seu corpo?

Entendeu, com certa claridade repentina, que Laurent estava certo quando disse que ela não deveria se casar com Gustavo. Nada poderia mudar o fato de que ela não o amava, e nunca o amaria, do mesmo modo que ele a amava.

Gustavo não tinha culpa de ela sentir tanta repulsa física por ele. Ele não era um homem mau, um tirano que não se importava com ela. Ele se importava demais e queria mostrar isso a ela do único modo que conhecia.

— O que foi? — Laurent estava acordado e a olhava intensamente.

— Estava pensando em Gustavo.

— Tente evitar, Bel. Nada de bom pode vir disso.

— Você não entende — suspirou e se afastou dele, deitando-se de lado. Bel sentiu sua mão acariciar o contorno de seu quadril, depois escorregar para o vale de sua cintura. Ele a puxou para junto de si, para que se deitassem um junto ao outro, como um único corpo.

— Eu sei, *ma chérie*, eu sei. É uma situação terrível. E devemos fazer o possível para proteger seu marido.

Quando suas mãos seguiam para abraçar seu seio, ela suspirou de prazer e insinuou-se contra o corpo dele. Todos os pensamentos sobre Gustavo foram esquecidos enquanto Laurent a amou outra vez e Bel era transportada para um mundo de prazer que nunca havia visitado antes.

Depois, Bel também cochilou satisfeita, até acordar assustada ao notar a hora.

— *Meu Deus!* Preciso ir. Meu motorista já deve estar esperando em frente ao estúdio da madame Duchaine — ela reagiu em pânico, levantando-se da cama. Pegou suas roupas, que estavam contorcidas entre os lençóis ou espalhadas pelo chão, e se vestiu o mais rápido que pôde. Enquanto isso, Laurent a observava em silêncio.

— Quando vou vê-la outra vez? — perguntou.

— Amanhã não será possível. Preciso ir à igreja, onde estou ajudando com o mosaico para o exterior do Cristo. Talvez na segunda? — sugeriu, apressadamente arrumando o cabelo e o prendendo sob o chapéu, antes de seguir em direção à porta.

Laurent apareceu imediatamente a seu lado, envolvendo-a em seus braços.

— Vou sentir sua falta. A cada segundo.

Bel estremeceu quando sentiu a nudez dele contra seu corpo.

— Eu também.

— Até segunda, *ma chérie*. Eu te amo.

Bel o fitou uma última vez antes de sair pela porta.

# 39

Durante os meses seguintes, Bel passou os dias em uma onda de sensações intensas. Era como se sua vida anterior àquela tarde de fevereiro no apartamento de Laurent tivesse sido cinzenta, uma existência sem brilho e sem significado. Agora, quando acordava pela manhã e continuava na cama, pensando em Laurent, cada nervo do seu corpo formigava de adrenalina. O azul do céu do outro lado da janela tinha um brilho quase ofuscante, e as flores no jardim explodiam diante de seus olhos em um caleidoscópio de cores exóticas.

Ao descer as escadas toda manhã para tomar café e se sentar diante da expressão contraída e desaprovativa de Luiza, pensava em Laurent e permitia que um sorriso secreto escapasse de seus lábios.

Nada podia tocá-la, ninguém mais podia machucá-la. Ela estava protegida pelo amor que compartilhavam.

Entretanto, quando não era possível visitá-lo em seu apartamento por vários dias, Bel mergulhava nas profundezas do desespero, torturando-se ao imaginar onde Laurent estava, o que fazia, com quem. Um medo gelado a dominava, congelando o sangue em suas veias, fazendo-a estremecer, mesmo com o sol ardente fazendo o suor escorrer por sua testa. A verdade era que ele estava livre para amar a quem escolhesse. Mas ela não estava.

— *Mon Dieu, chérie* — Laurent anunciou quando estavam deitados em sua cama de mogno alguns dias antes —, admito que fica cada vez mais difícil dividi-la. Imaginar que *ele* a toca me dá arrepios. E tocá-la como eu a toco... — acrescentou, os dedos acariciando seus seios nus. — Fuja comigo, Bel. Vamos voltar para Paris. Chega de se esconder. Vamos passar nossas horas com um bom vinho, boa comida, fazendo amor... — sua voz se tornou um sussurro e seus lábios cobriram os dela.

Sua sogra involuntariamente desempenhava um papel importante para manter seu amante por perto. Como havia prometido, Luiza apresentou Laurent a muitas de suas amigas da alta sociedade carioca, que viam a escultura de Bel e desejavam imortalizar os membros de sua família do mesmo modo. Laurent trabalhava, atualmente, em um cão da raça chihuahua, amado por seus donos abastados. Em essência, sua sogra havia se tornado uma patronesse de Laurent, e a ironia não passou despercebida por Bel.

— Não é exatamente o tipo de trabalho que eu quero fazer — Laurent havia confessado —, mas evita que eu arrume problemas quando você não está aqui.

Durante as tardes em que Bel não conseguia fugir, Laurent esculpia o bloco de pedra-sabão que Luiza havia adquirido para ele em uma das minas de um parente. A sugestão de Luiza, de que Bel deveria ser voluntária e ajudar a revestir o Cristo com milhares de malhas de pedra-sabão na Igreja da Glória, provou-se o álibi perfeito para que ela se ausentasse da *Casa*. Quando suas mãos se fechavam ao redor dos triângulos macios do mesmo material com que Laurent trabalhava, a textura confortava Bel.

Apenas Luiza notava suas idas e vindas à *Casa*, uma vez que Gustavo passava cada vez mais tempo no clube. Ele chegava em casa antes do jantar, cheirando a álcool. O marido raramente perguntava sobre sua rotina diária.

Na verdade, Bel pensou enquanto colocava o chapéu e Loen chamava Jorge, o motorista da família, ultimamente Gustavo quase não a notava. Nos últimos quatro meses, desde que seu caso com Laurent havia começado, a atenção que ele havia demonstrado no início do casamento desaparecera completamente. Ainda que à noite, ao se deitar hesitante com Gustavo na cama que dividiam, ele ainda tentasse fazer amor com ela, o ato acabava frequentemente porque ele era incapaz de desempenhar seu papel. Bel deduziu que o motivo era o fato de, na maior parte do tempo, ele mal conseguir parar de pé antes de se deitar. Em mais de uma ocasião, ele havia caído no sono enquanto tentava penetrá-la. Ela o rolava para o lado e ficada deitada, ouvindo seu ronco bêbado e sentindo o aroma fétido de seu hálito, que parecia permear todo o quarto. Na maioria das manhãs, ela estava de pé, vestida e tomando café antes de Gustavo acordar.

Se os pais notaram o problema de Gustavo com a bebida, não o mencionavam. A única vez em que Luiza interrogou sua nora sobre o casamento foi para perguntar se seu neto já estava a caminho. Ela bufou descontente quando Bel a informou que não havia nenhum bebê em seu ventre.

Considerando seu relacionamento físico ardente com Laurent, Bel vivia apreensiva de que seu corpo — que não respondeu às tentativas frenéticas de Gustavo gerar um herdeiro — pudesse sucumbir ao toque suave de Laurent. Na verdade, foi seu amante que, ao ver uma expressão preocupada marcando seu rosto certa tarde, a informou que era possível evitar conceber uma criança.

— Não é infalível, *chérie*, e é por isso que tantos católicos continuam a ter famílias grandes — Laurent sorriu, pesaroso. — Mas há meios de eu ajudá-la quando você estiver em um período perigoso.

Bel o encarou, admirada.

— Como você sabe tudo isso?

— Há muitos artistas como eu em Montparnasse que desejam se divertir um pouco sem acabarem perseguidos por mulheres que alegam carregar filhos deles. — Laurent notou sua expressão de choque e imediatamente colocou um braço a seu redor, puxando-a junto ao peito. — *Chérie*, infelizmente as coisas são como são no momento e eu não gostaria de vê-la exposta. Também não gostaria de ter um filho meu criado por aquele arremedo de homem que é o seu marido — acrescentou. — Portanto, por enquanto, devemos ter cuidado.

Bel deixou a *Casa* e entrou no carro, olhando pela janela enquanto Jorge dirigia pelo curto trajeto até a casa de seus pais no Cosme Velho. Uma vez que aproveitava qualquer oportunidade para roubar algumas horas, quando estava fora de casa, para passar com Laurent, Bel não via seus pais havia mais de um mês. No dia anterior, Loen havia perguntado quando ela visitaria sua mãe.

— Logo, logo — Bel havia respondido, com uma sensação de culpa.

— Sei que você está... ocupada, mas talvez deva visitá-la — Loen censurou enquanto ajudava Bel a se vestir. — Minha mãe está preocupada com ela.

— Ela está doente?

— Não... sei — Loen respondeu, relutante.

— Irei amanhã e verei por mim mesma.

Quando o carro chegou à Mansão da Princesa, Bel pediu a Jorge para pegá-la no Copacabana Palace às seis e meia.

Havia explicado a Luiza naquela manhã que, depois de ver a mãe, encontraria sua nova amiga Heloísa, que se sentava a seu lado na Igreja da Glória, para tomar um chá no Copacabana Palace. Bel sabia que Luiza aprovaria, uma vez que foi ela quem encorajara a nora a fazer amizade com jovens da mesma classe social, e Heloísa era de uma família antiga e aristocrática. Além disso, ciente de que Luiza considerava de mau gosto o *grandeur* do hotel, Bel deduziu corretamente que ela não se convidaria para ir junto.

Ao caminhar até a porta de sua velha casa, o estômago de Bel doía ao pensar que poderia ser pega na mentira, mas ela sabia que não tinha muita escolha. Infelizmente, nos últimos dois meses, havia se tornado uma mentirosa relutante, porém hábil.

Gabriela abriu a porta da frente e seu rosto se iluminou quando viu Bel.

— Senhora, é um prazer vê-la. Sua mãe está descansando no momento, mas me pediu para acordá-la quando chegasse.

— Ela não está bem? — Bel franziu o cenho, seguindo Gabriela até a sala de visitas. — Loen disse que você está preocupada com ela.

— Eu... — Gabriela hesitou. — Não sei se está doente, mas certamente anda muito cansada.

— Você não acha... — Bel se controlou antes de dizer aquelas palavras — que o problema voltou, acha?

— Senhora, não sei. Talvez deva perguntar a ela. E convencê-la a ver um médico. O que deseja beber?

Quando Gabriela deixou a sala para pegar um suco de laranja e acordar sua mãe, Bel se levantou e andou de um lado ao outro da sala familiar, preocupada. Finalmente, Carla entrou na sala e Bel notou que sua mãe não estava apenas pálida e cansada, mas sua pele tinha um tom amarelo e estranho desde a última vez em que a havia visto.

— Mãe, perdoe-me por não vê-la por tanto tempo. Como está? — perguntou, tentando suprimir o medo e a culpa por não ter vindo antes enquanto caminhava para cumprimentar Carla com um beijo.

— Estou bem. E você?

— Bem. Mãe...

— Vamos nos sentar? — Carla sugeriu, praticamente desabando em uma poltrona, como se suas pernas não conseguissem sustentá-la por mais tempo.

— Mãe, é obvio que você não está bem. Sente dor?

— Só um pouco. Tenho certeza de que não é nada. Eu...

— Por favor, você sabe que é *alguma coisa*. Com certeza meu pai notou que você não está bem.

— Seu pai tem outras coisas com que se preocupar no momento — Carla suspirou. — As fazendas de café não produzem como antes, e os planos de estocagem que o governo sugeriu parecem não estar ajudando.

— Não creio que os negócios de meu pai sejam mais importantes que a saúde de sua esposa — Bel retrucou.

— Querida, com seu pai tão cansado, não quero aumentar suas preocupações.

Lágrimas brotaram nos olhos de Bel.

— Pode ser um hora inconveniente, mas você não percebe que nada é mais importante que a sua saúde? Além disso, pode estar com medo do pior.

— É o meu corpo e eu vivo nele, entendo e sinto o que está acontecendo — Carla interrompeu bruscamente. — E não quero passar, ou fazer você e seu pai passarem por um processo que vai apenas nos levar ao mesmo fim.

— Mãe — Bel implorou, sua garganta constringida por um nó que havia se formado ali. — Por favor, pelo menos, me deixe marcar uma consulta com o médico que a tratou da última vez. Você confia nele, não confia?

— Sim, acho que ele é o melhor do Rio. Mas, garanto, Bel, que nem ele pode me ajudar.

— Não diga isso! Preciso de você aqui, e meu pai também.

— Talvez — Carla concordou com um sorriso triste. — Izabela, não sou um grão de café nem uma nota de mil réis. E posso garantir que estes são os verdadeiros amores de seu pai.

— Você está errada, mãe! Por favor, mesmo que não veja a verdade, sua filha vê. Você é tudo para ele, e sem você sua vida ficará vazia.

As duas mulheres permaneceram em silêncio por alguns minutos.

— Se isso a deixa feliz, Izabela, pode marcar uma consulta com meu médico e me acompanhar quando eu for vê-lo. Então, você vai perceber, tenho certeza, que cada palavra que acabei de dizer é verdade. Tenho apenas uma condição.

— E qual é?

— No momento, não diga nada a seu pai. Eu não poderia suportar vê-lo sofrer mais que o necessário.

***

Bel deixou a casa com o motorista de seus pais meia hora depois, assim que Carla admitiu precisar se deitar, e pediu que ele a levasse até Ipanema. Ainda se recuperava do choque. Com certeza, pensou, sua mãe exagerava porque tinha medo.

Bel saiu do carro a dois quarteirões do apartamento de Laurent e começou a caminhar a passos rápidos, correndo física e mentalmente para a única pessoa que poderia lhe confortar.

— *Chérie*! Pensei que não viesse mais. *Mon Dieu!* O que foi? O que aconteceu? — Laurent abriu a porta e a abraçou.

— Minha mãe... — Bel conseguir balbuciar entre soluços — Ela pensa que está morrendo! — Lamentou-se no ombro de Laurent.

— Como assim? Algum médico a informou sobre isso?

— Não, mas ela teve câncer há um ano e tem certeza de que o tumor voltou. Está convencida de que chegou sua hora. Mas não quer preocupar meu pai, que está com problemas nos negócios. Concordou em consultar um médico, mas... ela piorou tanto desde que a vi no mês passado. E — Bel encontrou o olhar de Laurent — tenho tanto medo que esteja certa.

— Bel — Laurent começou, pegando suas mãos e gentilmente a conduzindo até o sofá —, você deve levá-la a um médico para ouvir uma opinião profissional. É fácil imaginar que essas coisas voltam se você já passou por isso um dia, mas pode não ser o que parece. Sua mãe disse que os negócios do seu pai estão com problemas? — Laurent indagou. — Pensei que fosse tão rico quanto Creso.

— Ele é e tenho certeza de que, se há problemas, estão exagerando — Bel concordou. — Mas então... — Ela lutou para se controlar — Você está bem, Laurent?

— Sim, *chérie*, estou bem, mas acho que não precisamos mais desse tipo de formalidade. Senti muito sua falta nos últimos dias — admitiu.

— Também senti sua falta — ela respondeu, mergulhando a cabeça em seu peito, como se quisesse esquecer a dor das últimas horas.

Laurent acariciou seu cabelo gentilmente e tentou pensar em alguma coisa para distrair Bel, ainda que temporariamente.

— Estava aqui, esta manhã, imaginando o que farei em alguns dias, assim que a escultura do cachorro pavoroso estiver terminada. Fui surpreendido com uma visita da madame Silveira e sua filha, Alessandra. A mãe quer que eu faça uma escultura da filha, um presente por seu vigésimo primeiro aniversário.

— Alessandra Silveira? Eu a conheço — Bel disse, desconfortável. — São primos distantes dos Aires Cabral e ela esteve no meu casamento. Lembro-me de que é muito bonita.

— Bem, com certeza é mais atraente que o chihuahua — Laurent concordou, indiferente. — E a conversa certamente será melhor. Ela conversou comigo em bom francês hoje — acrescentou.

— E ela é solteira, creio — Bel observou, com mais um pedaço de seu coração nas garras do medo.

— Sim, ela é — Laurent continuou a acariciar os cabelos de Bel. — Talvez seus pais esperem que minha escultura possa anunciar sua beleza e sofisticação para um marido adequado.

— Ou talvez queiram ver um jovem e talentoso francês como seu pretendente — Bel retrucou, afastando-se dele e cruzando os braços instintivamente de modo protetor ao redor de si mesma.

— Izabela! — Laurent repreendeu, observando-a intensamente. — Por favor, não me diga que está com ciúme.

— Não, claro que não. — Bel mordeu o lábio. A imagem de outra mulher sentada na frente de Laurent, dia após dia, como ela havia feito em Boulogne-Billancourt, ressoou como onda após onda de inveja por seu corpo. — Mas você não pode negar que foi convidado para muitos saraus recentemente e se tornou notório na cidade.

— Certo, mas não creio que seja visto como um bom partido adequando para as jovens presentes. Sou apenas uma novidade.

— Laurent, o simples fato de você ser francês, nascido no Velho Mundo, e estando sob a patronagem da minha sogra, o torna mais que uma novidade — Bel argumentou.

Laurent jogou a cabeça para trás e caiu na gargalhada.

— Bem, se você estiver certa, fico feliz com isso — respondeu finalmente. — Já que, como você sabe, na França, eu e meus amigos artistas somos considerados a escória da sociedade. Como eu disse uma vez, as mães francesas preferem suas filhas mortas a vê-las casadas com um artista pobre.

— Bem, acho que você deveria entender que é visto de outra forma aqui. — Bel sabia que seu tom era grosseiro, mas não conseguiu evitar.

Laurent tombou a cabeça para um lado e a estudou.

— Entendo que esteja aborrecida, *chérie*, especialmente depois das notícias ruins que ouviu de sua mãe. Mas percebe que está sendo ridícula? Não sou *eu* quem precisa voltar correndo para um marido todas as tardes. Não sou *eu* quem divide a cama com outro. E não sou *eu* quem se recusa até mesmo a considerar mudar a situação em que estamos no momento. Não, mas sou *eu* quem deve suportar essas coisas. *Eu*, cujo estômago se revolta toda vez que penso em seu marido fazendo amor com você. *Sou eu* quem precisa estar disponível a qualquer momento em que você estalar os dedos e dizer que virá me ver. E sou *eu* quem precisa encontrar algo para fazer nas horas de solidão, pensando em você, sem ficar louco!

Bel colocou a cabeça sobre os joelhos. Era a primeira vez que Laurent descrevia sua situação com honestidade e raiva, e Bel queria ser capaz de impedir que suas palavras entrassem em sua mente e em seu coração. Ela sabia que cada uma delas era verdadeira.

Ambos ficaram em silêncio por algum tempo até que Bel sentiu uma mão sobre seu ombro.

— *Chérie*, sei que agora não é hora de discutir essas coisas. Mas, por favor, reconheça que ainda estou no Brasil, marcando passo da melhor maneira possível, por uma razão apenas. E essa razão é você.

— Perdoe-me, Laurent — ela murmurou para seus joelhos. — Como você pode ver, estou desolada hoje. O que faremos?

— Agora não é hora de discutir isso. Você precisa se concentrar na saúde de sua mãe. E, apesar de admitir que odeio lembrá-la disso, você precisa pegar um táxi até o Copacabana Palace, para deixar o restaurante como se estivesse tomando chá com sua amiga — ele observou. — Já passa das seis.

— *Meu Deus!* — Bel se levantou e imediatamente correu para a porta. Laurent a pegou por um braço e a trouxe de volta para junto dele.

— Bel — disse, acariciando seu rosto —, por favor, lembre-se de que é você que amo e quero. — Ele a beijou carinhosamente e seus olhos se encheram de lágrimas. — Agora corra antes que eu a prenda aqui.

# 40

Dois dias depois, Bel saiu do hospital sozinha. O médico havia insistido que Carla fosse internada imediatamente para exames e Bel a pegaria às seis daquela tarde.

Ainda que Luiza e Gustavo soubessem que ela estava no hospital e que era possível passar a tarde com Laurent enquanto esperava por Carla, Bel não conseguiu. A culpa por ter negligenciado sua mãe para ficar com Laurent a consumia. Enquanto Carla passava pelos exames necessários, Bel ficou sentada, entorpecida, assistindo a uma procissão de tragédias humanas entrando e saindo do hospital.

Às seis horas, retornou à ala em que sua mãe estava.

— O médico pediu para vê-la assim que chegasse — a enfermeira informou. — Siga-me.

— Como ela está? — Bel perguntou enquanto seguia a enfermeira por um corredor.

Sentada em uma cadeira e tomando chá — a enfermeira respondeu com vivacidade ao bater à porta de um consultório.

Bel entrou e o médico ofereceu uma cadeira à frente de sua mesa.

* * *

Quinze minutos depois, Bel deixou o médico e caminhou trêmula pelo corredor em busca de sua mãe. O médico havia confirmado que o câncer havia se espalhado até o fígado de Carla, talvez ainda mais. Os instintos de sua mãe estavam certos. Não havia esperança.

No carro, a caminho de casa, Carla parecia aliviada por deixar o hospital. Fez piadas que Bel não conseguiu achar engraçadas e falou que esperava que o cozinheiro se lembrasse de que Antônio havia pedido peixe para o jantar. Quando chegaram em casa, Carla se virou para a filha e pegou as suas mãos.

— Não se preocupe em entrar, querida. Sei que viu o médico e sei o que ele te disse, porque já havia falado comigo antes de chamar você. Apenas fui com você hoje porque precisava convencê-la. Agora que está convencida, não vamos falar sobre isso com ninguém. Especialmente com seu pai.

Bel sentiu o calor do olhar de sua mãe e o desespero que expressava.

— Mas...

— Quando for necessário, diremos a ele — Carla interrompeu, e Bel soube que esta era sua última palavra sobre o assunto.

Bel voltou para a *Casa* naquela noite sentindo que o mundo estava de ponta-cabeça. Pela primeira vez, era forçada a enfrentar a mortalidade de sua mãe. E, indiretamente, a sua própria. Sentou-se para jantar e olhou para Gustavo a seu lado, então seu olhar passou por Maurício, do outro lado da mesa, e Luiza. Tanto seu marido quanto sua sogra sabiam onde ela havia passado a tarde. Ainda assim, nenhum deles se importou em indagar sobre a saúde de Carla, em saber o que havia acontecido no hospital. Gustavo já estava embriagado e era incapaz de participar de uma conversa lúcida, enquanto Luiza provavelmente considerava que tocar em um assunto delicado prejudicaria sua digestão da carne, cuja textura era um desafio para o mais canibalístico dos dentes incisivos.

Depois do jantar, e um jogo infindável de baralho, acompanhado por seu marido ingerindo a mesma quantidade de conhaque, Bel o acompanhou até o quarto.

— Vem para a cama, querida? — Gustavo perguntou enquanto removia as próprias roupas e desabava sobre o colchão.

— Claro — ela respondeu, indo ao banheiro. — Em alguns minutos.

Fechando a porta atrás de si, Bel sentou-se na beirada da banheira e colocou a cabeça sobre as mãos, esperando que, quando deixasse o banheiro, Gustavo estivesse dormindo e roncando. Enquanto ficou lá, desolada, lembrou-se de Carla explicando que, antes de seu casamento, precisou se acostumar com Antônio e aprender a amá-lo.

Não importava quanto Bel houvesse zombado silenciosamente daquilo que compreendia como subserviência por parte de sua mãe no passado e se perguntasse como ela era capaz de tolerar a arrogância e o desejo infinito de Antônio pela aceitação social. Pela primeira vez, Bel entendeu a força do amor que Carla sentia por seu marido.

E Bel nunca a admirou mais.

* * *

— Como ela está?

A expressão preocupada de Laurent a recebeu na porta de seu apartamento alguns dias depois.

— Está morrendo, como disse que estava.

— Sinto muito, *chérie*. E o que acontece agora? — Laurent perguntou enquanto a conduzia até a sala.

— Eu... não sei. Ela ainda se recusa a contar ao meu pai — murmurou ao sentar-se abruptamente em uma cadeira.

— Ah, minha Bel, como as coisas estão difíceis para você. Você ainda é jovem, nem tem vinte anos ainda, e mesmo assim carrega o peso do mundo nos ombros. Essa notícia certamente a fez refletir sobre sua vida também.

Bel não tinha certeza se se sentia consolada ou ofendida pelo comentário.

— Sim — admitiu —, fez.

— Suponho que também sinta culpa por causa dessa notícia. Ponderando se isso significa que deve desempenhar suas obrigações como esposa fiel e filha e me esquecer. Ou se essa percepção repentina sobre a efemeridade da vida significa que deveria aproveitar o tempo que ainda lhe resta, vivendo de acordo com os desejos do seu coração.

Bel o encarou, surpresa.

— Como você sabe exatamente o que estou pensando?

— Porque também sou um ser humano — Laurent deu de ombros. — E acredito que os poderes superiores nos colocam certos obstáculos para nos obrigar a ficar completamente cientes de nossa situação. Cabe a *nós* tomar a decisão sobre o que fazer.

— Você é muito sábio — Bel comentou

— Como disse, sou apenas humano. E alguns anos mais velho que você, obrigado a tomar as mesmas decisões no passado, quando tive que refletir sobre as mesmas perguntas. Eu compreendo e não quero influenciá-la de forma alguma. Mas garanto que, se deseja que eu fique aqui no Brasil durante este período difícil, ficarei. Eu te amo e quero ficar aqui por você. Meu amor por você me transformou em uma pessoa melhor. Viu? Também aprendi uma lição! — Laurent sorriu com tristeza. — Mas... Não sou completamente altruísta. Portanto, se ficar, você deve me prometer que, quando a... situação com sua mãe estiver resolvida, eu e você tomaremos uma decisão sobre nosso futuro. Mas isso é para outro dia. Venha, deixe-me abraçá-la. — Laurent abriu os braços e Bel se levantou devagar para ir a seu encontro.

— Eu te amo, minha Bel — ele disse, acariciando seu cabelo afetuosamente. — E estarei aqui se precisar de mim.

— Obrigada — ela respondeu agarrada a ele. — Obrigada.

***

Quando junho se transformou em julho, Bel voltou para casa depois de uma tarde trabalhando no mosaico de pedra-sabão na Igreja da Glória e foi informada por Loen de que seu pai a aguardava na sala de visitas.

— Como ele está? — perguntou a Loen enquanto removia seu chapéu.

— Parece que perdeu peso — Loen respondeu com cautela. — Mas você deve ver com seus próprios olhos.

Respirando fundo, Bel abriu a porta da sala de visitas e viu seu pai andando de um lado para o outro da sala. Ele se virou quando ela entrou e Bel viu que Antônio havia realmente perdido alguns quilos. Pior do que isso, seu rosto atraente estava abatido, e pequenas linhas marcavam sua pele. Seu cabelo negro, que antes era apenas salpicado de cinza nas têmporas, agora estava grisalho. Bel sentiu que ele havia envelhecido uns dez anos desde a última vez que o vira.

— Princesa — ele disse, caminhando em sua direção para um abraço. — Faz tanto tempo que não nos vemos.

— Deve fazer uns três meses — Bel concordou.

— Você é uma mulher casada agora, com sua própria vida, sem tempo para o seu velho pai — ele tentou brincar.

— Visitei mamãe muitas vezes nas últimas semanas — Bel retrucou. — Você nunca estava em casa. Parece que é você quem está indisponível, pai.

— Concordo que ando ocupado. Como seus sogros devem ter mencionado, o comércio de café está com dificuldades no momento.

— Bem, fico contente em vê-lo hoje, pelo menos. Por favor — Bel indicou uma cadeira —, sente-se que vou pedir alguns petiscos.

— Não, não quero nada — Antônio respondeu, sentando-se como Bel havia pedido. — Izabela, o que sua mãe tem? Domingo ela passou quase o dia todo na cama. Ela disse que era uma enxaqueca, como alegou muitas vezes nos últimos meses.

— Pai, eu...

— Ela está doente outra vez, não está? Notei esta manhã, durante o café, que sua pele está com uma cor horrível e que não comeu nada.

Bel o fitou intensamente por alguns instantes.

— Pai, está me dizendo que não viu esses sintomas antes?

— Ando tão ocupado no escritório que geralmente saio de casa antes de sua mãe acordar e, quando volto, ela já está dormindo. Mas, sim... — Antônio abaixou a cabeça. — Talvez *devesse* ter visto antes, mas não queria. Portanto — disse com um suspiro de resignação —, você sabe o que ela tem?

— Sim, pai. Sei.

— É...? É...? — Antônio não conseguia formar as palavras.

— Sim, é — Bel confirmou.

Antônio se levantou e bateu na própria cabeça com a palma da mão, em agonia.

— Meu Deus! Eu deveria ter notado! Que tipo de homem eu sou? Que tipo de marido sou para minha esposa?

— Pai, entendo que se sinta culpado, mas mamãe estava determinada a não preocupá-lo, considerando que está com problemas no escritório. Ela também tem responsabilidade nisso.

— Como se o trabalho fosse mais importante que a saúde da minha esposa! Ela deve acreditar que sou um verdadeiro monstro para esconder isso de mim! Por que você não me disse nada, Izabela? — ele gritou, voltando-se para ela com raiva.

— Porque prometi a mamãe que não diria — Bel respondeu com firmeza. — Ela estava decidida a não contar até que fosse preciso.

— Bem, pelo menos agora eu sei — Antônio disse, acalmando-se um pouco. — Podemos encontrar os melhores médicos, cirurgiões, o que for necessário para que ela se recupere.

— Como eu disse, mamãe já foi ao médico e eu estava com ela. Ele confirmou que não há esperança. Sinto muito, pai, mas você precisa enfrentar a verdade.

Antônio a olhou com uma mistura de emoções. Negação, raiva e desolação marcaram suas feições.

— Você está me dizendo que ela está morrendo? — ele sussurrou finalmente.

— Sim. Sinto muito.

Antônio desabou sobre uma cadeira, colocou as mãos na cabeça e chorou como uma criança.

— Não, não... A minha Carla não, por favor.

Bel se levantou e foi confortá-lo. Colocou um braço ao redor de seus ombros enquanto eles tremiam com seu desespero.

— E pensar que ela carregou isso sozinha todo esse tempo e não confiou em mim o bastante para me contar.

— Pai, mesmo se tivesse contado, nada poderia ser feito — Bel ressaltou. — É desejo dela não passar pelo tratamento. Diz que está em paz, que aceitou seu destino e eu acredito nela. Por favor — Bel implorou —, por ela, respeite sua vontade. Você finalmente viu como ela está doente. Tudo o que ela precisa de nós é amor e apoio.

Os ombros de Antônio desabaram de repente, como se toda a sua energia o abandonasse. Apesar do horror que sentia por ele ter demorado tanto a notar a saúde debilitada de sua mãe, Bel também sentiu uma onda de piedade.

Ele a encarou, a angústia evidente em seus olhos.

— Não importa o que você ou ela pensem. Ela é tudo para mim e não consigo imaginar minha vida sem ela.

Bel observou, impotente, quando ele se levantou e deixou a sala.

# 41

— O que há de errado com você ultimamente? — Gustavo resmungou de modo indistinto quando Bel deixou o banheiro, usando camisola. — Não diz mais nada durante o jantar. E raramente fala comigo quando estamos a sós. — Ele a encarou enquanto ela se deitava a seu lado na cama.

Uma semana se passara desde que Antônio havia visitado a *Casa* e partido abruptamente, devastado com a notícia que recebera. Bel visitara sua mãe no dia seguinte e encontrara Antônio em uma cadeira ao lado da cama, segurando a mão de sua esposa e chorando em silêncio.

Carla esboçou um sorriso debilitado quando sua filha entrou no quarto e apontou seu marido.

— Falei para ele ir trabalhar, que não há nada que ele possa fazer que Grabriela não faça. Mas ele se recusa e continua a me rodear como uma galinha choca.

Bel notou que, apesar de suas palavras, Carla estava contente pela presença de Antônio. E, a julgar pela aparência de sua mãe naquela tarde, Bel soube que era a hora certa. Quando seu pai finalmente foi persuadido a deixá-las a sós e partiu para o escritório por algumas horas, Carla falou baixinho com Bel.

— Agora que ele sabe, quero confessar o que desejo fazer no tempo que me resta...

Desde então, Bel procurava coragem para dizer a Gustavo onde sua mãe gostaria de passar seus últimos dias. Ela deveria acompanhá-la e sabia que sua ausência não agradaria a seu marido.

Ela se sentou lentamente na beirada da cama e o fitou, notando seus olhos vermelhos e as pupilas dilatadas pelo álcool.

— Gustavo — começou —, minha mãe está morrendo.

— Quê? — Ele se virou em sua direção. — É a primeira vez que ouço sobre isso. Há quanto tempo você sabe?

— Algumas semanas, mas minha mãe insistiu que eu não contasse a ninguém.

— Nem mesmo ao seu marido?

— Não até que contasse ao dela.

— Entendo. O câncer voltou, suponho.

— Sim.

— Quanto tempo ela ainda tem? — ele perguntou.

— Não muito... — a voz de Bel vibrou diante de sua frieza. E se preparou para perguntar o que precisava. — Ela pediu para ir às montanhas. Quer passar seus últimos dias em sua querida fazenda. Gustavo, posso ir com ela?

Ele a encarou com olhos vítreos.

— Por quanto tempo?

— Eu não sei. Pode ser semanas ou, talvez, se Deus quiser, dois meses.

— Você estaria de volta para o começo da estação?

— Eu... — Era impossível para Bel colocar uma data final nos últimos dias que passaria com sua mãe apenas para agradar a seu marido. — Espero que sim.

— Bem, não tenho escolha, tenho? Logicamente eu preferia que você ficasse aqui comigo. Especialmente considerando que não há sinal de um herdeiro ainda e isso vai apenas adiar sua produção ainda mais. Minha mãe está preocupada que talvez você seja infértil — ele disse, com crueldade.

— Minhas desculpas. — Bel abaixou o olhar, querendo retrucar que isso não era culpa *dela*. Já fazia pelo menos dois meses que Gustavo não conseguia fazer amor adequadamente com ela, ainda que aceitasse que ele, provavelmente, não se recordava de sua inaptidão para o ato.

— Vamos tentar agora — ele disse, agarrando-a de repente e arremessando-a na cama. Com um movimento, ele se colocou sobre ela, desajeitadamente levantando sua camisola; ela sentiu sua rigidez cutucando e procurando onde entrar, mas fracassando em encontrar o alvo. Sua boca caiu sobre a dela e Bel sentiu que ele se movia como se a tivesse penetrado. Como sempre, sentiu o peso de Gustavo cair sobre seu corpo quando finalmente gemeu de prazer antes de se afastar. Bel sentiu a viscosidade em sua coxa e olhou para ele com uma mistura de repulsa e pena.

— Talvez finalmente tenhamos feito um filho hoje — ele disse, antes de ser consumido por roncos embriagados.

Bel se levantou e foi ao banheiro remover os traços de Gustavo de sua pele. Bel não ousava questionar como ele podia acreditar que aquela piada poderia resultar em um bebê. Qualquer aptidão que tivesse demonstrado como amante um dia estava perdida — junto com as memórias de tais eventos — em sua embriaguez.

Entretanto, pensou enquanto voltava para o quarto, se o que acabava de suportar era o preço para deixar o Rio e ficar com sua mãe até o fim, ela estava contente em pagar.

* * *

Na manhã seguinte, Bel deixou Gustavo dormindo e desceu para tomar café. Luiza e Maurício estavam à mesa.

— Bom dia, Izabela — Luiza disse.

— Bom dia, Luiza — Bel respondeu educadamente.

— Gustavo não se sentará conosco?

— Descerá em breve, tenho certeza — Bel frisou, imaginando por que precisava proteger seu marido de sua mãe.

— Você dormiu bem?

— Muito bem, obrigada.

Toda manhã, este era o começo e o fim da interação entre Bel e os demais moradores da casa. O restante da hora do café era pontuado por um gemido ou outro de satisfação ou desaprovação emitido por Maurício ao ler o jornal.

— Senhora Luiza, preciso informá-la de que minha mãe está muito mal — Bel anunciou, mexendo seu café. — Na verdade, é duvidoso que viva até o verão.

— Sinto muito, Izabela — Luiza respondeu. Uma elevação sutil de sua sobrancelha foi sua única reação à notícia. — Isso é muito repentino. Você tem certeza?

— Infelizmente, sim. Já sei há algum tempo, mas minha mãe não queria que eu mencionasse a ninguém até que fosse necessário. Essa hora chegou e ela me pediu para passar seus últimos dias em nossa fazenda. Que, como vocês sabem, fica a cinco horas daqui. Ela quer que eu vá ajudar a cuidar dela... até o fim. Falei com Gustavo ontem à noite e ele concordou que devo ir.

— Sério? — Os lábios finos de Luiza expressaram seu descontentamento. — É muito generoso da parte dele. Por quanto tempo, exatamente, ficará na fazenda? — perguntou, dando voz à mesma dúvida de seu filho.

— Eu... — Bel sentia as lágrimas começando a brotar em seus olhos.

— Com certeza, querida, quanto tempo for necessário — uma voz surgiu de trás do jornal. Maurício fez um gesto de compreensão. — Por favor, envie meus votos de melhoras a sua mãe.

— Obrigada — Bel sussurrou, tocada pela demonstração repentina de apoio e empatia de seu sogro. Ela pegou um lenço e delicadamente secou os olhos.

— Pode me dizer pelo menos quando viaja? — Luiza exigiu.

— No fim desta semana — Bel confirmou. — Meu pai vai nos acompanhar e ficar por alguns dias, mas depois deve voltar para o trabalho.

— Ah, sim — Maurício comentou com seriedade —, entendo que as coisas não devem estar fáceis para ele no momento. Estão difíceis para todos nós.

***

Duas tardes depois, Bel estava ao lado das outras voluntárias na Igreja da Glória. Fixando os pequenos triângulos de pedra-sabão na rede de malha, pensou que as horas que passava na igreja proporcionavam os momentos de contemplação solitária de que precisava. As mulheres — mesmo sendo *mulheres* e experientes na arte de tagarelar — não falavam mais que o necessário. Apenas se concentravam em sua tarefa. Havia uma sensação geral de harmonia e paz.

Heloísa, a amiga que uma vez fora usada como álibi para que Izabela pudesse ver Laurent, estava sentada a seu lado à mesa de madeira. Bel notou que ela escrevia algo no verso do triângulo de pedra-sabão. E se aproximou para examinar.

— O que você está fazendo? — quis saber.

— Escrevendo o nome dos membros da minha família. E do meu namorado. Eles ficarão no Corcovado como parte do Cristo para sempre. Muitas mulheres fazem isso, Izabela.

— Que ideia maravilhosa — Bel suspirou, olhando com tristeza para os nomes da mãe de Heloísa, seu pai, seus irmãos e irmãs... e depois o nome do seu namorado. Bel olhou para seu próprio triângulo, prestes a ser coberto por cola, e pensou que um membro de sua família não estaria por muito tempo neste mundo e não veria o Cristo terminado. Seus olhos se encheram de lágrimas.

— Quando terminar, pode me emprestar sua caneta? — perguntou a Heloísa.

— Claro.

Quando Heloísa lhe entregou a caneta, Bel escreveu o nome de sua amada mãe, então o de seu pai e o seu próprio. A caneta pairou sob aqueles nomes, mas, não importava quanto tentasse, não conseguia escrever o nome de seu marido.

Testando a tinta para ver se estava seca, Bel aplicou a cola e colocou o ladrilho na malha. Assim que fez isso, ouviu a coordenadora anunciar que era hora do intervalo e viu as outras voluntárias se levantarem.

Por instinto, pegou um triângulo de pedra-sabão da pilha no centro da mesa e o colocou sorrateiramente na pequena bolsa que estava a seus pés debaixo da mesa. Levantou-se e caminhou até um grupo de mulheres que tomavam café nos fundos da igreja.

Depois de recusar o café oferecido pela criada, voltou-se para a coordenadora.

— Senhora, perdoe-me, mas preciso ir.

— O comitê é grato por qualquer ajuda que possa oferecer, senhora Aires Cabral. Por favor escreva seu nome no registro, como sempre, e nos diga quando estará disponível para voltar.

— Senhora, temo que isso não seja possível por algum tempo. Minha mãe está seriamente doente e eu preciso ficar com ela durante o tempo que lhe resta — Bel explicou.

— Compreendo. Sinto muito. — A mulher estendeu uma mão e tocou seu ombro.

— Obrigada.

Bel deixou a igreja e encontrou Jorge, que a esperava no carro do lado de fora. Sentando-se no banco traseiro, pediu que a levasse ao estúdio da madame Duchaine em Ipanema.

Quinze minutos depois, quando chegaram, pediu que ele voltasse para pegá-la às seis. Caminhou até a porta de entrada e fingiu tocar a campainha até que, com a cabeça sutilmente tombada para a esquerda, viu Jorge se afastar. Esperou na soleira da porta por mais dois ou três minutos antes de partir, então se apressou em direção ao apartamento de Laurent.

Considerando que era a última vez que o veria por uns dois meses, não queria perder tempo discutindo vestidos para a próxima estação com sua costureira. Sabia que suas ações significavam que ela não tinha um álibi para aquelas horas, mas Bel subiu as escadas até o apartamento, pela primeira vez, sem se preocupar.

— *Chérie*, você está tão pálida! Entre e me deixe preparar alguma coisa para você beber — Laurent disse quando ela chegou, ofegante e trêmula. Bel permitiu que ele a conduzisse para dentro e se sentou.

— Água, por favor — murmurou, se sentindo tonta de repente. Assim que Laurent foi buscar a bebida, Bel abaixou a cabeça, tentando aliviar a náusea.

— Você está bem?

— Não. Mas ficarei bem — respondeu, pegando o copo e tomando a água rapidamente.

— Bel, o que aconteceu? — Ele se sentou ao seu lado e pegou suas mãos.

— Eu... preciso te dizer uma coisa.

— O que foi?

— Minha mãe me pediu para ficar com ela em nossa fazenda, nas montanhas, até o fim, então preciso ir — anunciou. Toda a tensão das últimas semanas explodiu dentro dela, e Bel começou a chorar. — Sinto muito, Laurent, mas não tenho escolha. Minha mãe precisa de mim. Espero que possa me perdoar e entender que preciso deixar o Rio por algum tempo.

— Bel, o que você pensa que sou? *Claro* que deve ficar com sua mãe. Por que achou que eu ficaria zangado? — ele perguntou delicadamente.

— Porque... Porque você me disse que estava no Rio por minha causa e agora estou deixando a cidade. — Ela o encarou, angustiada.

— Bem, isso não é o ideal, concordo. Mas, se quer saber a verdade, o fato de que não dividirá uma cama com seu marido, mesmo que *eu* não possa vê-la, por algum tempo é preferível. Posso imaginar que você é só minha. Podemos trocar cartas, certo? Posso enviar cartas à fazenda, talvez endereçadas a sua criada?

— Sim — Bel concordou, assoando o nariz em um lenço que ele lhe dera. — Perdoe-me, Laurent, mas Gustavo e Luiza foram tão insensíveis quando lhes contei que pensei que você também seria — confessou.

— Não vou criticar seu marido e sua sogra, mas garanto que há apenas empatia em meu coração. Além disso — seus olhos brilharam de repente e um sorriso surgiu em seus lábios —, tenho Alessandra Silveira para me fazer companhia até você voltar.

— Laurent...

— Izabel, estou apenas zombando de você. Ela pode ser atraente por fora, mas tem a mesma personalidade da pedra que estou moldando à sua imagem — ele riu.

— Vi uma fotografia sua no jornal outra dia, no Parque Lage, em um baile beneficente organizado pela famosa Gabriella Besanzoni — Bel observou.

— Sim, parece que sou a sensação do Rio de Janeiro no momento. Mas você sabe que não significa nada sem você, *chérie*. Assim como espero que sua vida seja vazia sem mim.

— E é — ela confirmou, com veemência.

— E seu pai? Como está?

— Aos cacos — Bel respondeu com tristeza. — Parte do motivo de minha mãe querer ir para a fazenda é para poupá-lo da dor de vê-la morrer aos poucos. Ele vai visitá-la quando puder. Se eu estivesse no lugar dela, faria a mesma coisa. Os homens não são bons nessas circunstâncias.

— A *maioria* dos homens, concordo. Mas não generalize — Laurent repreendeu. — Se você estivesse morrendo, eu gostaria de ficar ao seu lado. Vejo você outra vez antes de partir?

— Não. Me perdoe, mas não posso, Laurent. Tenho tantas coisas para fazer, incluindo uma consulta com o médico da minha mãe para que ele possa me dar os remédios necessários e um pouco de morfina para quando chegar a hora.

— Então, não vamos perder tempo. Vamos passar estas poucas horas apenas pensando um no outro. Laurent se levantou e a conduziu em direção ao quarto.

# 42

Bel teve uma terrível impressão de finitude quando seu pai ajudou uma Carla debilitada a entrar no Rolls-Royce. Quando Antônio se sentou atrás do volante e Loen, no assento do passageiro, Bel acomodou sua mãe a seu lado, com almofadas para apoiar seu corpo frágil. Assim que Antônio ligou o motor e começou a sair da garagem, Bel viu a mãe esticar o pescoço para olhar para sua casa. E entendeu que Carla sabia que era a última vez que a veria.

Ao chegarem à fazenda, Fabiana se esforçou para colocar um sorriso nos lábios ao ver sua senhora. Exausta da viagem, Carla cambaleou quando Antônio a ajudou a sair do carro. Imediatamente, ele a pegou nos braços e a carregou para dentro.

Durante os dias seguintes, Bel se sentiu um tanto inútil, uma vez que Antônio, que precisava partir em breve para cuidar de seus negócios no Rio, passava o tempo todo com Carla. Sua devoção fez Fabiana e Bel chorarem, sentadas na cozinha, juntas, dispensadas pela paciente e seu enfermeiro.

— Não achei que seu pai fosse capaz disso — Fabiana disse pela centésima vez enquanto enxugava os olhos. — Um amor assim... parte meu coração.

— É — Bel suspirou —, o meu também.

A única pessoa da casa que parecia estar feliz, mas tentava esconder por causa das circunstâncias, era Loen, outra vez na companhia de

Bruno. Bel havia lhe dado alguns dias de folga, ciente de que não havia muito para ela fazer diante da devoção de Antônio em cuidar de sua esposa. E também porque seria muito necessária conforme o tempo de Carla caminhava para o fim.

Bel observava com inveja enquanto Loen e Bruno passavam todo o tempo que podiam juntos, seu amor fazendo-a pensar em tudo o que havia mudado desde a última vez em que estivera na fazenda. Pelo menos o tempo que tinha lhe dava oportunidade para escrever longas cartas de amor para Laurent. Ela as entregava sorrateiramente para Loen postar quando ia com Bruno até o vilarejo próximo. Laurent respondia regularmente, endereçando as cartas para Loen, como haviam combinado. Ao lê-las e relê-las, Bel reconheceu que nunca sentiu tanta saudade dele antes.

Quanto a seu marido, Bel pensava nele o mínimo possível. Apesar das circunstâncias terríveis, estava aliviada por estar longe da atmosfera claustrofóbica e melancólica da *Casa*, além de perceber que estava casada com um homem que, agora, desprezava.

Dez dias depois da chegada à fazenda, Antônio, pálido e taciturno, se despediu. Abraçando Bel e prestes a chorar, ele a beijou no rosto.

— Voltarei na sexta à noite, mas, pelo amor de Deus, Bel, ligue todos os dias para me dizer como ela está. Se eu precisar vir antes, você deve me avisar. Chega de segredos, por favor.

— Farei o que pede, pai, mas pelo menos a mamãe parece confortável, por enquanto.

Com um gesto de angústia, Antônio subiu no carro e partiu em alta velocidade, deixando um rastro de poeira e pedrisco no ar sob os pneus.

* * *

Gustavo estava no clube, lendo o jornal, e notou que a biblioteca estava vazia naquela tarde. Aparentemente, o presidente Washington Luís havia convocado uma reunião de emergência com os maiores produtores de café para discutir os preços em queda. Durante o horário de almoço, o restaurante também estava deserto.

Ao terminar sua terceira dose de uísque, Gustavo pensou em sua esposa e em sua expressão pálida e cansada quando se despedira, três semanas antes. Desde que ela fora para a fazenda, ele sentia muito sua falta. A casa parecia menor com sua ausência, voltando a ser como era antes de seu casamento.

O fato de sua mãe continuar a tratá-lo como um menino irresponsável, condescendente o tempo todo, parecia se agravar sem Izabela a seu lado. E seu pai ainda presumia que ele era incompetente para administrar as finanças, ignorando suas indagações hesitantes sobre os cofres da família, como se Gustavo fosse uma nota de rodapé.

Pedindo mais um uísque, Gustavo franziu o cenho ao se lembrar de sua reação insensível quando Izabela lhe contou sobre sua mãe. Ele sempre tivera orgulho de sua natureza empática, algo pelo qual sua mãe sempre o repreendera quando era criança, quando chorava por um pássaro morto no jardim ou por uma surra do pai.

— Muito sensível — sua mãe dizia. — Você é um homenzinho, Gustavo, e não deve demonstrar as emoções.

Ele admitia: quando bebia, *não* era fácil ser sensível. Desde seu casamento com Izabela — uma mudança que, acreditou, o faria se sentir mais respeitável —, sua autoestima havia desmoronado, não aumentado. O que, consequentemente, o levava a beber com muito mais frequência.

Gustavo respirou fundo. Esperou que, mesmo ciente do fato de que Izabela não o amava, sua afeição por ele germinaria depois do casamento. Mas percebia sua resistência — especialmente quando faziam amor — desde o início. Mais recentemente, toda vez que ela olhava para ele, ele via algo parecido com piedade em seus olhos; outras vezes parecia pura repulsa. Esse sentimento oculto que o fazia se sentir como uma decepção para sua esposa, e para seus pais, apenas aumentava sua autorreprovação.

O fato de Izabela ainda não ter concebido uma criança exacerbava sua sensação de fracasso. A expressão nos olhos de sua mãe quando lhe repreendeu por não ser capaz de cumprir sua obrigação de homem. Apesar de *ele* ser, desde o casamento, o senhor da casa e Izabela a senhora,

Gustavo não havia feito quase nada para estabelecer sua autoridade, ou administrar a necessidade de sua mãe de controlar tudo.

O garçom passou com uma bandeja e pegou seu copo vazio.

— O mesmo, senhor? — perguntou automaticamente, esperando o gesto afirmativo de sempre e quase indo embora antes que Gustavo pudesse dizer: — Não, obrigado. Pode me trazer um café?

— Certamente, senhor.

Enquanto tomava o líquido quente e amargo, Gustavo refletiu sobre o tempo em que estava casado com Izabela e, pela primeira vez, admitiu honestamente que seu relacionamento havia deteriorado. Tinha chegado a um ponto em que, depois de apenas seis meses, viviam vidas separadas. Também reconheceu brutalmente quanto disso era responsabilidade sua e o fato de que passava tempo demais no clube, afogando suas emoções no álcool.

Gustavo percebeu, subitamente, que havia fracassado com sua esposa.

Não era à toa que ela parecia tão infeliz. Entre a frieza de sua mãe e sua derrota para o álcool e para a autopiedade, Izabela provavelmente sentia que cometera um erro terrível.

— Mas eu a amo — Gustavo sussurrou desesperadamente para o fundo de sua xícara de café.

Com certeza, pensou, não era tarde demais para consertar seu relacionamento. Retornar ao nível de afeição e comunicação que compartilhavam antes de se casar? Gustavo se lembrou de que Izabela parecia pelo menos gostar dele naquela época.

"Preciso assumir o controle", jurou, ao assinar a conta e sair em direção a seu carro, determinado a falar com seus pais assim que chegasse à *Casa*. Ele sabia que, se não fizesse isso, estaria destinado a perder a esposa para sempre.

* * *

Nas duas últimas semanas da vida de Carla, Fabiana, Bel e Loen se revezavam a seu lado para que nunca ficasse sozinha. Certa noite, em um momento de lucidez, Carla estendeu a mão com dificuldade para pegar a da filha.

— Querida, preciso te dizer uma coisa enquanto posso. — Sua voz era menos que um sussurro, e Bel teve que se aproximar para ouvir o que ela dizia. — Entendo que a vida de casada não tem sido fácil para você até aqui, e sinto que é minha obrigação lhe oferecer alguns conselhos...

— Mãe, por favor — Bel interrompeu. — Eu e Gustavo temos nossos problemas, como todo casal, mas não há nada com que se preocupar.

— Talvez não — Carla continuou —, mas você é minha filha e eu a conheço melhor do que imagina. Não pense que não notei que você tem um... uma ligação com certo homem que não é seu marido. Notei naquela noite, na *Casa,* quando ele veio revelar sua escultura.

— Mãe, acredite, não é nada. Ele é... apenas um amigo — Bel disse, chocada que sua mãe tivesse notado.

— Duvido — Carla respondeu com um sorriso. — Lembre-se de que também vi o olhar que vocês trocaram aquela dia no topo do Corcovado. Você fingiu que não o conhecia, mas pude perceber que não era verdade, você o conhecia muito bem. E devo avisá-la que seguir esse caminho pode resultar apenas em mágoa para todos os envolvidos. Eu lhe imploro, Izabela, você está casada há tão pouco tempo. Dê uma chance para Gustavo te fazer feliz.

Não querendo afligir sua mãe ainda mais, Bel concordou.

— Darei, prometo.

* * *

Dois dias depois, Fabiana foi ao quarto de Bel antes de o sol nascer.

— Senhora, creio que seja hora de chamar seu pai.

Antônio veio imediatamente e, nas últimas horas da vida de sua esposa, não saiu de seu lado. O fim chegou tranquilamente, e Antônio e Bel ficaram ao pé da cama, seus braços ao redor um do outro, chorando em silêncio.

Voltaram para o Rio depois do funeral — Carla havia insistido em ser sepultada no pequeno cemitério de Paty do Alferes —, ambos desolados.

— Pai, por favor — Bel disse quando chegaram à Mansão da Princesa e ela se preparava para voltar para a *Casa* —, se precisar de alguma coisa, me avise. Quer que eu venha visitá-lo amanhã? Para ver como está? Tenho certeza de que Gustavo não se importaria se eu ficasse com você por alguns dias.

— Não, não, querida. Você tem uma vida. Eu? — Antônio olhou ao redor, para a sala de visitas, onde passara muitas horas com sua esposa. — Eu não tenho mais nada.

— Pai, por favor não diga isso. Você sabe que o último desejo de mamãe era que tentasse encontrar um pouco de felicidade durante o tempo que lhe resta na terra.

— Eu sei, minha princesa, e prometo que vou tentar. Mas, perdoe-me, isso parece impossível aqui, neste momento, neste vazio.

Notando que Jorge acabava de chegar para pegá-la, Bel abraçou o pai apertado.

— Tente se lembrar de que ainda tem a mim. Eu te amo, pai.

Ao deixar a sala de visitas e se aproximar do corredor, ela viu Loen e Gabriela cochichando.

— Jorge já chegou, Loen, precisamos ir — anunciou, e depois disse a Gabriela: — Você pode ficar de olho no meu pai?

— Senhora, farei o possível para consolá-lo. Com a bênção de Deus, ele vai se recuperar. Lembre que o tempo é um grande remédio.

— Obrigada. Volto amanhã para vê-lo. Vamos, Loen.

Bel observou enquanto mãe e filha se despediram afetuosamente, o que apenas enfatizava a dor que sentia.

***

Durante o percurso até a *Casa*, Bel imaginou o que encontraria quando chegasse. Ela havia ignorado os telefonemas frequentes de Gustavo sempre que podia, pedindo a Fabiana para dizer que estava com sua mãe, e falava com ele apenas quando era necessário. Ainda assim, para sua surpresa, quando lhe contou sobre a morte de sua mãe, ele respondeu com compaixão. E parecia sóbrio. Quando lhe garantiu que não havia necessidade de comparecer ao funeral, que Carla queria apenas familiares próximos, Gustavo disse que compreendia e esperava ansioso por seu retorno.

Naquela região longínqua e estranha, onde a morte estava tão próxima, Bel teve pouco tempo para pensar em seu futuro, mas, ao se aproximar de sua casa, percebeu que precisava enfrentá-lo. Especialmente uma parte sobre a qual havia falado na semana anterior com Loen, que garantira que certas coisas poderiam ser apenas fruto da tensão recente. Ela se permitiu ser consolada pela teoria de sua criada, incapaz de começar a contemplar a complexidade da alternativa quando seu coração estava tão cheio de dor.

Bel entrou na casa, notando, como sempre, o contraste do calor lá de fora com as temperaturas baixas do interior. Estremeceu involuntariamente quando Loen ajudou a remover seu chapéu, perguntando-se se deveria apenas subir as escadas e ir direto para o quarto ou procurar por seu marido e sogros. Com certeza não havia nenhum comitê de boas-vindas esperando por ela.

— Vou levar sua mala para o quarto e preparar um banho para a senhora — Loen disse, percebendo seu desconforto e tocando seu ombro de modo compreensivo antes de subir as escadas.

— Olá? — Bel chamou do corredor vazio.

Não houve resposta. Chamou outra vez, e não recebeu resposta, antes de decidir seguir Loen para o quarto.

De repente, uma figura saiu da sala de visitas.

— Vejo que finalmente voltou para casa.

— Sim, senhora Luiza.

— Meus pêsames, e do meu marido.

— Obrigada.

— O jantar será no horário usual.

— Então vou subir e me preparar.

Recebendo apenas um gesto brusco de cabeça em resposta, Bel subiu as escadas, seus pés se arrastando automaticamente, um passo após o outro. Ao entrar no quarto, pensou que pelo menos Loen seria uma presença familiar e reconfortante. Bel deixou a criada despi-la, uma tarefa que não pediu que cumprisse na fazenda, uma vez que os rituais do dia a dia foram esquecidos diante da necessidade de se concentrar em Carla. Naquele momento, Bel notou uma expressão de surpresa nos olhos de Loen quando estava nua diante dela.

— O que foi?

Os olhos de Loen se moveram para sua barriga.

— Nada, eu... nada, senhora Bel. O banho está pronto. Por que não entra enquanto a água ainda está quente?

Bel fez como Loen sugeriu e se deitou na banheira. Ao olhar para si mesma, notou a mudança nos contornos familiares de seu corpo. Não havia banheiras na fazenda, apenas baldes de água aquecidos pelo sol e derramados sobre alguém, portanto ela mal havia se olhado no espelho por semanas.

— Meu Deus! — Bel exclamou, correndo os dedos hesitantemente sobre a forma arredondada e quase invisível de sua barriga, antes magra, mas que agora parecia um suflé crescido com água a seu redor. Seus seios também pareciam mais cheios e pesados.

— Estou grávida — sussurrou, o coração batendo forte.

Não houve tempo para contemplar o que acabara de notar, ou se repreender por aceitar os conselhos de Loen como se fossem um evangelho, pois ouviu a voz de Gustavo falando com Loen no quarto ao lado. Lavando-se rapidamente, saiu da banheira e vestiu um roupão, amarrando-o de modo frouxo para evitar que seu marido notasse a mudança sutil em sua forma, e foi para o quarto.

Gustavo estava parado, com uma expressão circunspecta e um pouco tímida.

— Obrigada, Loen, pode ir — ele disse.

Loen saiu do quarto e Bel permaneceu onde estava, esperando Gustavo falar primeiro.

— Sinto muito por sua perda, Izabela — ele disse.

— Obrigada. Não foi fácil.

— Também não tem sido fácil por aqui sem você.

— Imagino que não, me desculpe — Bel respondeu.

— Por favor, não peça desculpas — ele acrescentou rapidamente. — Estou muito feliz que esteja de volta. — Esboçou um sorriso. — Senti sua falta, Izabela.

— Obrigada, Gustavo. Agora, preciso me arrumar para o jantar, e você também.

Ele assentiu com a cabeça e entrou no banheiro, fechando a porta.

Bel se aproximou da janela, observando a qualidade da luz, que havia mudado suavemente com a mudança das estações. Passava das sete da noite, mas o sol estava apenas começando a se pôr. Bel percebeu que era meados de outubro, o começo do verão no Rio. De costas para a cama, ainda entorpecida pela descoberta durante o banho, notou que Loen havia separado um vestido que Bel raramente usava por ser um modelo mais largo — Gustavo preferia sua esposa com roupas que definissem sua forma graciosa —, e seus olhos se encheram de lágrimas com a consideração da criada. Depois de se vestir, deixou Gustavo no quarto e desceu para a sala de visitas, preferindo aquela alternativa a ficar a sós com seu marido. Quando chegou ao pé da escada, olhou para a porta de entrada, desejando do fundo do coração poder abri-la e correr para Laurent. Não havia dúvida de que o filho que carregava era dele.

Durante o jantar, Bel notou que pouca coisa havia mudado em sua ausência. Luiza ainda era fria e condescendente, nem sequer oferecendo uma palavra de consolo por sua perda. Maurício estava um pouco mais receptivo, mas passou a maior parte da noite discutindo as complexidades financeiras de Wall Street com Gustavo.

— Graças a Deus decidi vender minhas ações no mês passado. Espero que seu pai tenha feito o mesmo — Maurício comentou. — Felizmente, eu não tinha muitas. Nunca confiei naqueles ianques. Estão tentando manter o mercado de pé no momento, com a esperança de que tudo se ajeite no fim de semana, mas duvido que já tenhamos visto o pior. A longo prazo, contudo, se a bolsa realmente cair, causará um efeito devastador em nossa indústria de café. A exportação para a América, que é a maior parte do que produzimos, vai despencar como uma pedra. Especialmente com a superprodução em massa do Brasil nos últimos anos — acrescentou.

— Parece uma bênção que nossa família tenha deixado de investir na bolsa de valores americana — Luiza gabou-se, lançando um olhar para Bel. — Sempre acreditei que os gananciosos recebem sua recompensa mais cedo ou mais tarde.

Bel arriscou olhar para seu marido, que correspondeu com um sorriso atípico à inferência de sua mãe.

— Talvez não sejamos mais ricos, minha querida, mas pelo menos estamos em uma situação estável — seu sogro afirmou em resposta.

Ao subir a escada para o quarto naquela noite, Bel questionou Gustavo.

— A situação na América está muito ruim? Você sabe? Estou preocupada com meu pai. Ele esteve longe do Rio por uma semana, pode não saber sobre isso.

— Como você deve ter notado, eu não acompanhava o mercado de valores antes — Gustavo admitiu ao abrir a porta do quarto. — Mas, de acordo com meu pai, e com o que começo a compreender, é muito sério.

Bel foi ao banheiro, sua mente sobrecarregada com os eventos das últimas horas. Ela se despiu e, mais uma vez, não conseguiu evitar não olhar para o pequeno inchaço, ainda esperançosa de que estivesse errada. Ao vestir a camisola, não tinha ideia do que fazer. Mas uma coisa que *sabia* era que não suportaria que seu marido a tocasse naquela noite. Demorando o máximo que pôde com seu ritual noturno, saiu do banheiro esperando que Gustavo estivesse adormecido. Mas ele estava na cama, acordado, observando-a.

— Senti sua falta, Izabela. Venha para o seu marido.

Deitando-se com hesitação na cama, tantas desculpas passaram por sua cabeça. Mas nenhuma delas era boa o bastante para um marido que estivera privado de sua esposa por dois meses.

Ela percebeu que Gustavo ainda a olhava.

— Izabela, você parece aterrorizada. Eu a assusto tanto assim?

— Não, não... claro que não.

— Querida, compreendo que esteja de luto e talvez precise de algum tempo até ser capaz de relaxar outra vez. Mas me deixe abraçá-la.

As palavras de Gustavo a surpreenderam. Considerando sua condição, a dor de ver sua mãe morrer devagar e a notícia, durante o jantar, da situação na América, sua gentileza trouxe lágrimas aos seus olhos.

— Por favor, Izabela, não tenha medo de mim. Prometo que desejo apenas confortá-la esta noite — ele reiterou ao estender a mão para apagar a luz.

Ela permitiu que Gustavo a envolvesse em seus braços, e deitou sobre seu peito, fitando a escuridão. Sentiu sua mão acariciar seu cabelo e, ao pensar no pequeno coração que batia dentro dela, suas emoções penderam para a culpa.

— Enquanto você esteve ausente tive muito tempo para pensar — Gustavo disse suavemente. — Me lembrei de como éramos quando nos conhecemos, como costumávamos discutir arte e cultura e rir juntos. Desde que nos casamos, parece que ficamos distantes, e eu assumo a responsabilidade por isso. Sei que passei tempo demais no clube. Em parte, se for honesto, para sair desta casa. Ambos sabemos que a atmosfera aqui é... rígida.

Bel ficou deitada na escuridão, ouvindo o que ele tinha a dizer, mas decidiu não fazer comentário algum até que terminasse.

— Mas, novamente, a culpa é minha. Eu deveria ter sido mais firme com minha mãe quando me casei com você. Deveria ter dito a ela claramente que você administraria a casa e que ela deveria se aposentar graciosamente e permitir que você assumisse o controle. Perdoe-me, Izabela. Fui fraco e não defendi você, ou a mim mesmo, quando era preciso.

— Gustavo, não é sua culpa que sua mãe não goste de mim.

— Não creio que seja de *você* que ela não goste — ele respondeu, amargurado. — Ela não aceitaria ninguém que ameaçasse sua posição na casa. Chegou até mesmo a sugerir que, considerando o fato de você não ter gerado um filho desde que nos casamos, poderia falar com o

Bispo e anular nosso casamento, com base no fato de que, obviamente, não tivemos relações íntimas.

Bel não conseguiu evitar que uma expressão de horror atravessasse seus lábios considerando a criança que, secretamente, crescia em seu útero. Gustavo considerou sua reação como um choque diante da condenação de seu casamento por sua mãe e a abraçou mais apertado.

— Naturalmente fiquei furioso com ela e disse que, se alguma vez repetisse tal blasfêmia, colocaria *ela* na rua, não minha esposa. Depois disso — Gustavo continuou —, decidi que precisava agir. Pedi ao meu pai que transferisse a casa para o meu nome, algo que deveria ter exigido no momento em que nos casamos, uma vez que esse é o protocolo. Ele concordou, e também vai me passar o controle das finanças da família assim que eu me sentir pronto e souber o bastante para cuidar de tudo. Portanto, pelas próximas semanas, estarei com meu pai a maior parte do tempo, aprendendo com ele, em vez de desperdiçar meus dias no clube. Depois que tudo isso acontecer, passarei a responsabilidade doméstica para suas mãos. E minha mãe não terá escolha exceto aceitar a situação.

— Entendo. — Bel notou uma nova determinação em sua voz, e gostaria de encontrar consolo nisso.

— Portanto, mais tarde do que deveríamos, finalmente teremos o controle da nossa própria casa. Quanto ao meu hábito de beber, sei que exagerei recentemente, Izabela, e juro que, nas últimas semanas, tomei apenas um pouco de vinho no jantar e mais nada. Você pode perdoar seu marido por não ter tomado uma atitude antes? Entendo que os últimos meses devem ter sido difíceis para você. Mas, como acabei de dizer, estou determinado a começar de novo. Espero que você também, pois eu te amo muito.

— Claro que posso te perdoar — Bel gaguejou, incapaz de pensar em qualquer outra resposta para suas palavras sinceras.

— De agora em diante, não haverá mais... — Gustavo procurou uma frase apropriada — relações forçadas. Se me disser que não deseja fazer amor comigo, vou entender. Apesar de que no futuro, assim que você perceber que falo sério, vai desejar. Pronto, isso é tudo o que tenho a dizer. E, agora querida, depois das péssimas semanas que você teve, espero que me permita segurá-la em meus braços até adormecer.

Poucos minutos depois, Bel ouviu os roncos de Gustavo e deixou seus braços. Seu coração batia forte e seu estômago revirava ao contemplar sua situação. Havia alguma chance de aquela criança ser do seu marido? Pensou desesperadamente na última vez em que suas relações tornariam isso possível, e teve certeza de que não.

Enquanto as horas se arrastavam e ela revirava na cama, Bel sabia que precisava tomar uma decisão imediatamente. Afinal, Laurent poderia ficar horrorizado se ela lhe dissesse que estava grávida e que o filho era seu. Isso nunca fez parte de seus planos, e foi por isso Laurent tomara todo o cuidado possível para evitar que isso acontecesse. A mente de Bel relembrou a precaução de Margarida: homens como Laurent não queriam laços de natureza permanente.

Quando a alvorada começou a brilhar pelas frestas da janela, todas as inseguranças de Bel com Laurent voltaram com força. Havia apenas uma coisa a fazer: vê-lo assim que possível.

# 43

— Aonde você vai hoje, meu amor? — Gustavo perguntou, sorrindo para sua esposa enquanto se servia de mais uma xícara de café.

— Vou à minha última prova no estúdio de madame Duchaine antes do início da temporada — Bel sorriu. — Espero que as roupas estejam prontas até o fim da semana.

— Bom, bom — ele disse.

— Se não se importa, vou perder o almoço para visitar meu pai. Telefonei mais cedo e Gabriela me disse que ele nem se vestiu ainda e não planejava ir ao escritório hoje. — As feições de Bel se contorceram ao franzir a testa. — Estou muito preocupada com seu estado mental.

— Sim — Gustavo concordou. — Vou com meu pai à sede do Senado. O presidente Washington Luís convocou uma reunião de emergência com os fazendeiros para discutir a crise na América.

— Pensei que seu pai não tivesse mais interesse em cultivar café — Bel comentou.

— Tem muito pouco, mas, como membro sênior da comunidade carioca, o presidente pediu que comparecesse.

— Meu pai não deveria estar presente?

— Sim, naturalmente. A situação está pior a cada dia. Mas, por favor, diga que ficarei feliz em reportar a ele tudo o que for discutido.

Vejo você antes do jantar, querida. — Gustavo a beijou gentilmente e se levantou da mesa.

Assim que ele partiu com seu pai para o Senado e Bel se certificou de que Luiza estava na cozinha organizando o cardápio da próxima semana, Bel subiu para o quarto para procurar sua agenda. Correndo de volta, com as mãos tremendo, pegou o telefone e pediu para ser conectada ao número que Laurent havia lhe dado.

— Por favor, esteja em casa — sussurrou ao ouvir o tom de chamada.

— *Laurent Brouilly.*

O som daquela voz fez seu estômago dar cambalhotas de preocupação e ansiedade.

— É Izabela Aires Cabral — ela anunciou formalmente, para o caso de Luiza decidir aparecer de repente. — É possível marcar uma prova para hoje à tarde, às duas horas?

Houve uma pausa antes de Laurent responder.

— Madame, tenho certeza de que podemos abrir uma exceção. Virá aqui?

— Sim.

— Espero ansiosamente vê-la outra vez.

Ela quase pôde ouvir o sorriso em sua voz quando entrou no jogo.

— Até a tarde, então.

— *À bientôt ma chérie* — ele sussurrou, e Bel desligou o telefone abruptamente.

Seus dedos pairaram sobre o aparelho por alguns instantes ao considerar telefonar para madame Duchaine para marcar um horário, como álibi, mas sabia que não poderia arriscar que os olhos pequenos da madame examinassem seu estômago e fofocasse com outras clientes. Então, marcou um horário para dois dias depois. Pegando seu chapéu e informando Luiza de que visitaria seu pai e depois iria à costureira, Bel entrou no carro e pediu que Jorge a levasse para a Mansão da Princesa.

Gabriela abriu a porta antes que Bel subisse as escadas, seu rosto refletindo preocupação.

— Como ele está? — Bel perguntou ao entrar.

— Ainda na cama. Disse que não tem forças para se levantar. Devo informá-lo de que está aqui, senhora?

— Não, eu mesma irei.

Ela bateu à porta do quarto de seu pai e, sem receber uma resposta, abriu e entrou. As janelas estavam fechadas, impedindo que a luz do sol entrasse, e ela mal podia enxergar a forma encolhida debaixo dos lençóis.

— Pai, sou eu, Izabela. Está se sentindo mal?

Houve um grunhido vindo da direção da cama e mais nada.

— Vou abrir as janelas para te ver — ela disse, indo até as janelas e abrindo-as completamente. Bel se virou e notou que o pai fingia dormir, então foi até a cama e se sentou.

— Pai, por favor, o que o senhor tem?

— Não posso viver sem Carla — Antônio gemeu. — Qual o propósito de tudo se ela não está aqui?

— Pai, o senhor prometeu a ela que seguiria em frente. Ela provavelmente está olhando do céu neste instante, gritando para que o senhor se levante!

— Não acredito em céu, ou em Deus — ele resmungou. — Que tipo de deidade levaria minha preciosa Carla, que nunca fez uma coisa ruim a vida inteira, desta Terra?

— Bem, ela acreditava, então eu também acredito — Bel retrucou com firmeza. — Ambos sabemos que não há uma razão por trás dessas coisas. Vocês tiveram vinte e dois anos maravilhosos juntos. Não está grato por eles? E por que não tentar conceder seu desejo e continuar, em honra de sua memória?

Seu pai não respondeu, então Bel tentou outra estratégia.

— Pai, o senhor sabe o que está acontecendo na América? Maurício disse ontem à noite que acredita que outra crise pode atingir Wall Street a qualquer momento. O Senado está reunido agora, em estado de emergência, para discutir o impacto sobre o Brasil. Todos os grandes produtores de café estão lá. Você também não deveria estar?

— Não, Bel, é tarde demais — Antônio suspirou. — Não vendi as ações que tinha quando deveria, acreditando que todos apenas estavam em pânico. Ontem, depois que você foi embora, meu corretor telefonou para me dizer que a bolsa havia caído e muitas das minhas ações não valiam mais nada. Disse que o pior aconteceria hoje. Izabela, a maior parte do nosso dinheiro estava investido em Wall Street. Perdi tudo.

— Pai, com certeza isso não é verdade. Mesmo que tenha perdido as ações, suas fazendas devem valer muito dinheiro. Se a venda do café não está muito boa agora, o senhor ainda tem as propriedades.

— Izabela — Antônio murmurou —, por favor, não comece a tentar entender de negócios. Peguei dinheiro emprestado dos bancos para comprar aquelas fazendas. Eles estavam dispostos a me emprestar enquanto o café era lucrativo e os preços estavam em alta. Quando os preços caíram, comecei a lutar para conseguir efetuar os pagamentos. Os bancos queriam mais segurança, portanto dei esta casa como garantia. Izabela, você me entende? Agora eles vão tomar tudo o que tenho para cobrir minhas dívidas. Se minhas ações também se foram, não tenho nada, nem um teto sobre minha cabeça.

Bel ouviu, chocada com o que seu pai lhe dizia. E ela se repreendeu por seu conhecimento superficial sobre finanças. Se fosse mais interessada nessas questões, talvez houvesse alguma coisa que pudesse dizer para proporcionar a esperança que Antônio precisava.

— Pai, com certeza esse é mais um motivo para se reunir com o Senado hoje. O senhor não é o único nessa situação, e já me disse antes que a economia do Brasil depende da produção de café. O governo não vai permitir que tudo simplesmente entre em colapso.

— Querida, há uma equação muito simples aqui: se ninguém tem dinheiro para comprar nosso café, não há nada que qualquer governo possa fazer. E posso garantir que os clientes na América estão preocupados em sobreviver, não com o luxo de uma xícara de café. — Antônio esfregou a testa, agitado. — O Senado está tentando manter as aparências, como se estivesse fazendo alguma coisa sobre a crise. Mas todos sabem que já é tarde demais. Portanto, obrigado por me informar da reunião, mas me permita adiantar que é um gesto infrutífero.

— Pelo menos vou perguntar a Maurício o que foi discutido — Bel afirmou, decidida. — Além disso, ainda que esteja certo de que não tem mais nada, lembre-se de que a proprietária da fazenda sou eu. O senhor não ficará sem um lugar para morar, querido pai. E tenho certeza de que, considerando o pagamento generoso que fez a Gustavo quando nos casamos, ele estará preparado para garantir que não morra de fome.

— E o que eu faria sozinho na fazenda? — Antônio indagou com amargura. — Sem um negócio para administrar ou a companhia da minha querida esposa?

— Chega, pai! Como o senhor mesmo disse, muitas pessoas serão afetadas por essa situação, ficarão até destituídas, então se considere com sorte por não ser uma delas. O senhor tem quarenta e oito anos. Com certeza há tempo mais que suficiente para começar outra vez.

— Izabela, minha reputação está arruinada. Mesmo se quisesse começar de novo, nenhum banco no Brasil me emprestaria o dinheiro necessário. Está tudo acabado para mim.

Bel viu seu pai fechar os olhos mais uma vez. Ela lembrou quando, alguns meses antes, Antônio a conduziu com tanto orgulho ao altar. Mesmo detestando o modo descarado como seu pai gostava de exibir sua fortuna, Bel desejava, de todo coração, poder recuperá-la para ele. Apenas agora Bel reconhecia que sua autoestima dependia disso. Somada à perda de sua amada esposa, ela compreendia por que ele sentia que não tinha mais nada.

— O senhor tem a mim... — ela disse baixinho. — E eu preciso do senhor. Por favor, acredite quando digo que não importa se o senhor tem tudo ou nada. Eu ainda o amo e o respeito.

Pela primeira vez, quando Antônio abriu os olhos, Bel notou o vislumbre de um sorriso neles.

— Está certa, eu tenho você — ele assentiu. — E você, minha princesa, é a única coisa nesta vida da qual me orgulho.

— Então, ouça quando digo, como mamãe diria. O senhor não está derrotado ainda. Por favor, pai, levante-se e vamos descobrir juntos o que deve ser feito. Vou ajudar como puder. Tenho minhas joias e as joias de mamãe, que, como o senhor sabe, ela deixou para mim. Com certeza, se vendêssemos, conseguiríamos uma quantia considerável para investir em um novo negócio.

— Se houver alguém com dinheiro para comprar qualquer coisa quando esse holocausto financeiro acabar — Antônio contestou. — Izabela, agradeço por ter vindo, mas estou envergonhado que tenha me visto assim. Prometo que vou me levantar assim que você partir. Agora, quero ficar sozinho para pensar.

— Promete, pai? Fique avisado: vou telefonar para Gabriela mais tarde para saber se cumpriu o que prometeu. E voltarei amanhã para ver como está. — Bel se inclinou para beijá-lo e ele sorriu.

— Obrigado, princesa. Até amanhã.

Bel falou rapidamente com Gabriela e disse que telefonaria mais tarde, então entrou no carro que a esperava e pediu a Jorge para deixá-la no salão da madame Duchaine em Ipanema. Depois de pedir que voltasse às seis, como sempre, Bel repetiu a ladainha de esperar até que se afastasse antes de dar as costas para a porta e se apressar em direção ao apartamento de Laurent.

— *Chérie!* — Laurent disse quando a envolveu nos braços assim que abriu a porta, cobrindo seu rosto e seu pescoço com beijos. — Você não pode imaginar como senti sua falta.

Entregando-se a ele com alívio, Bel não protestou quando ele a pegou e a carregou para o quarto. Por alguns minutos preciosos, todos os seus pensamentos assustadores desapareceram no êxtase que era estar com ele outra vez.

Depois, deitados juntos em uma confusão de lençóis, Bel respondeu as muitas perguntas que Laurent fez sobre as últimas semanas.

— E você, Laurent? — ela perguntou finalmente. — Manteve-se ocupado?

— Infelizmente, desde Alessandra Silveira, não tive mais nenhuma encomenda. Todos estão preocupados com a situação do café no Brasil e com o mercado de ações em Nova York. Não estão mais gastando seu dinheiro com bugigangas como esculturas. Portanto, neste último mês, não fiz quase nada além de comer, beber e nadar no oceano. Izabela — Laurent ficou sério —, além de a situação ficar cada vez pior no Brasil, sinto que já fiquei o máximo que podia. Sinto saudade da França e é hora de seguir adiante. *Chérie*, perdoe-me, mas preciso voltar para casa. — Ele buscou sua mão e a beijou. — A questão é: você vem comigo?

Bel se viu incapaz de responder. Permaneceu deitada em seus braços, os olhos fechados, sentindo como se todos os elementos de sua vida tivessem chegado a um clímax insuportável.

— O senhor Da Silva Costa reservou uma cabine para mim em um navio que parte na sexta-feira — ele continuou, com urgência em seu tom de voz. — Devo ir, já que muitas das empresas de navegação são de propriedade americana. Se a situação financeira piorar ainda mais, pode não haver barcos partindo do Rio por meses.

Bel ouvia Laurent, finalmente compreendendo a extensão da crise na América.

— Você vai embora na sexta? Daqui a três dias? — ela conseguiu sussurrar.

— Sim. E imploro, *mon amour*, que venha comigo. Acho que é a sua vez de me seguir — ele insistiu. — Não importa quanto a ame, não há nada para mim aqui; nenhuma vida e, certamente, ninguém com quem vivê-la, considerando sua situação. Sinto-me culpado por forçá-la a se decidir quando a morte de sua querida mamãe é tão recente. Mas espero que compreenda por que devo ir. — Seus olhos estudaram o rosto de Bel, procurando uma resposta.

— Sim, você já esperou o bastante. — Bel se sentou e colocou o lençol sobre seus seios nus. — Laurent, preciso contar uma coisa...

* * *

Gustavo deixou, aliviado, a sede lotada do Senado. A temperatura e a tensão alcançaram índices altos quando produtores de café, desesperados, exigiram saber o que o governo faria para salvá-los. Houve até mesmo algumas brigas — homens civilizados levados à violência depois que suas fortunas foram reduzidas a nada da noite para o dia.

Ele permaneceu pelo tempo que suportou, desejando ao menos demonstrar seu apoio, mas sentindo que tinha pouco a oferecer em termos de ajuda. Agora, mais que qualquer coisa, precisava de uma bebida. Tomou a direção do clube e deu alguns passos antes de se repreender.

Não. Precisava resistir, ou voltaria à estaca zero. Além disso, prometera a Izabela que havia modificado seu caráter.

Então se lembrou de que ela havia mencionado, durante o café da manhã, que visitaria sua costureira em Ipanema para uma prova. O salão ficava a dez minutos de caminhada e pensou, de repente, que seria agradável surpreendê-la. Talvez pudessem caminhar juntos pelo calçadão, sentar em um dos cafés em frente à praia e apenas observar o mundo girar. Isso era o tipo de coisa que maridos e esposas que apreciavam a companhia um do outro faziam, não era?

Virou à esquerda e seguiu na direção de Ipanema.

Quinze minutos depois, Gustavo saiu confuso do estúdio de madame Duchaine. Ele jurava que Izabela havia dito que era onde estaria depois de visitar seu pai, mas a modista garantiu que sua esposa não havia marcado horário algum para aquela tarde. Dando de ombros, Gustavo continuou pela rua e pegou um táxi para voltar para casa.

***

Laurent a olhava fixamente, o choque estava estampado em seu rosto.

— E você tem certeza de que é meu?

— Revisitei cada ocasião, diversas vezes, em que fosse possível ser de Gustavo, mas você mesmo disse que se não houver... penetração adequada é impossível gerar um filho. — Bel estava enrubescida por falar tão intimamente de seu relacionamento com o marido. — E, nos dois meses que antecederam minha viagem para a fazenda com minha mãe, não houve... nenhuma. Não que meu marido tivesse notado, de um jeito ou de outro — acrescentou.

— Você acha que está com três meses de gravidez?

— Talvez mais, não tenho certeza. Eu não poderia ver o médico da família sem falar com você antes.

— Posso ver? — ele perguntou.

— Sim, mas ainda não aparece muito.

Bel observou enquanto Laurent removia o lençol de seu corpo e colocava a mão gentilmente na pequena protuberância. Seus olhos deixaram sua barriga e encontraram os dela.

— Tem certeza de que essa criança é minha?

— Laurent — Bel prendeu seu olhar —, não tenho dúvidas. Se tivesse, não estaria aqui.

— Não. Bem — ele suspirou —, dada a circunstância que discutíamos antes de você me dar esta notícia, acho que isso torna ainda mais imperativo partirmos juntos para a França assim que possível.

— Você está me dizendo que quer o nosso filho?

— Estou dizendo que quero *você*, minha Izabela. E se isso — ele apontou para a protuberância — é parte de você e de mim, ainda que inesperado, então, sim, claro que quero.

Os olhos de Bel se encheram de lágrimas.

— Pensei que pudesse não querer. Estava preparada para isso.

— Tenho que admitir: se nascer parecido com uma fuinha, posso mudar de opinião, mas eu acredito em você, Bel. Não consigo pensar em um bom motivo para você mentir para mim, levando em conta a vida que posso te dar, em comparação ao seu marido. — Laurent baixou os olhos e suspirou. — Você precisa saber que não sei como sobreviveremos. Até eu posso ver que criar um filho em um sótão em Montparnasse não é o ideal. Também não é o que você merece.

— Tenho joias que posso vender — Bel ofereceu pela segunda vez naquele dia. — E um pouco de dinheiro para começarmos.

Laurent a encarou impressionado.

— *Mon Dieu!* Você já pensou nisso.

— Todo minuto, desde que tive certeza — admitiu. — Mas...

— Sempre tem um "mas"... — ele rolou os olhos. — Qual é o seu?

— Vi meu pai antes de vir aqui. Não queria sair da cama, está tão deprimido. Ele me disse que perdeu tudo no mercado de ações americano. Está falido, além de despedaçado com a morte da minha mãe.

— Então, agora você não se sente culpada apenas por deixar seu marido, mas também seu pai?

— Claro — Bel disse, frustrada por ele não entender a enormidade de sua decisão. — Se for com você, meu pai realmente terá perdido tudo.

— E se não for, nosso filho perderá seu papai. E eu e você perderemos um ao outro — Laurent contrapôs-se. — *Chérie*, não posso ajudá-la com esta decisão. Tudo o que posso dizer é que atravessei meio mundo para estar com você e fiquei sentado aqui, neste apartamento, nos últimos oito meses, vivendo apenas pelos momentos que passávamos juntos. Eu entenderei se você decidir ficar, mas parece que sempre há um motivo para não considerar sua própria felicidade.

— Amei tanto minha mãe, e ainda amo meu pai. Por favor, lembre-se de que não foi por Gustavo que voltei ao Rio depois de Paris — Bel implorou, com lágrimas nos olhos. — Não queria decepcionar meus pais.

— Acredito, Izabela, que você precise de mais tempo para refletir sobre isso. — Laurent conduziu o queixo dela em sua direção e beijou levemente seus lábios. — Mas, quando a decisão estiver tomada, não haverá volta. Seja ela qual for.

— No momento, confesso que não sei o que fazer.

— Infelizmente, não haverá um "momento melhor" no futuro para fazer uma escolha. Nunca há. Contudo — ele suspirou —, sugiro que nos encontremos outra vez em dois dias. E então você me dirá que decisão tomou e pensaremos em um plano.

Bel havia saído da cama e já estava se vestindo. Prendendo o chapéu, ela assentiu.

— O que quer que aconteça, querida, estarei aqui às duas horas na quinta.

***

Quando retornou para a *Casa*, Bel telefonou para Gabriela a fim de saber de seu pai. Gabriela disse que, realmente, ele deixou a cama e saiu de casa, dizendo que estaria no escritório durante a tarde. Aliviada, Izabela decidiu que, em vez de ir para o quarto imediatamente, pediria a Loen para lhe servir um copo de suco de manga na varanda e apreciaria o sol do fim de tarde.

— É tudo de que precisa, senhora Bel? — Loen perguntou ao colocar uma jarra de suco e um copo sobre a mesa ao lado de sua patroa.

Bel estava tentada a confiar seu dilema a Loen. Mas sabia que, ainda sendo a melhor amiga que tinha, não podia dar aquele fardo para Loen carregar.

— Não, obrigada, Loen. Você pode me preparar um banho em dez minutos? Subirei mais tarde.

Bel a viu desaparecer pela lateral da casa e para dentro da cozinha. Agora que sua mãe se fora, Bel sabia que essa era uma decisão que deveria tomar sozinha. Tomou um gole de seu suco e tentou racionalizar os fatos. Ainda que o comportamento de Gustavo nas últimas vinte e quatro horas apresentasse uma melhora notável, a julgar pelo seu passado, Bel acreditava que seria temporário. Não importava o que havia prometido, ela duvidava que seu marido tivesse coragem de enfrentar Luiza.

E, mais importante, não sentia nada por ele, nem mesmo um resquício de culpa. Se realmente o deixasse, parece que sua sogra já tinha um plano em andamento. O casamento poderia ser anulado e Gustavo estaria livre para encontrar uma esposa mais adequada. Bel tinha certeza de que, desta vez, Luiza escolheria tal esposa.

Mas seu pai era outra história. Ela sabia que sua mãe jamais a perdoaria se abandonasse Antônio nessa hora de necessidade. Também se lembrava das palavras de sua mãe, pouco antes de morrer — seguir o coração só poderia acabar em desastre.

E, agora havia uma nova pessoa a considerar em sua vida, Bel deveria pensar no melhor para o pequenino que crescia dentro de si. Se ficasse com Gustavo, daria segurança e sobrenome a seu filho, o que abriria portas para uma vida confortável. E, claro, Bel pensou, podia imaginar a expressão de seu pai quando lhe dissesse que esperava seu primeiro neto. Isso lhe daria um motivo para viver.

Mas ela gostaria que seu filho fosse criado sob o teto austero e frio dos Aires Cabral? Preso a uma mãe que passaria o resto da vida arrependida por decidir ficar, secretamente sonhando com o mundo que havia rejeitado? E um pai que não era verdadeiro?

Bel suspirou, desesperada. Fosse qual fosse o caminho que tomasse, não conseguia encontrar uma solução.

— Olá, Izabela. — Gustavo apareceu na varanda de um dos cantos da casa. — O que está fazendo aqui?

— Aproveitando o frescor do ar do fim de tarde — ela disse bruscamente, incapaz de controlar o rubor por seus pensamentos secretos.

— Certo — ele disse, sentando-se. — Foi bem agitado no Senado hoje. Aparentemente, em Wall Street, estão chamando o dia de "Terça-feira Negra". O índice Dow Jones caiu mais trinta pontos desde ontem, e a família Rockefeller está se afogando em uma grande quantidade de ações para tentar salvar o mercado. Não acho que tenha funcionado, mas não saberemos até amanhã quanto foi perdido. De qualquer forma, pelo menos meu pai tomou algumas decisões sensatas nos últimos meses, ao contrário de muitos. Como seu pai estava? — ele perguntou.

— Péssimo. Acho que ele é um desses que você acabou de mencionar, que apostaram alto e perderam.

— Bem, ele não deve sentir vergonha. Muitos outros estão no mesmo barco. Não podiam adivinhar. Nenhum de nós podia.

Bel se virou de frente para ele, apreciando suas palavras de sabedoria. — Talvez você pudesse visitar meu pai. Dizer a ele o que acabou de me dizer.

— Claro.

— São quase sete horas, e meu banho deve estar esfriando — ela disse, levantando-se do banco. — Obrigada, Gustavo.

— Por quê?

— Por compreender.

Bel estava prestes a entrar na casa.

— A propósito, como foi sua prova na costureira? — ele perguntou, observando com atenção quando ela parou e se virou em sua direção.

— Foi bem. Obrigada por perguntar. — Ela sorriu para ele antes de desaparecer de vista.

# 44

Depois de outra noite sem dormir, Bel acordou tonta e cansada, tendo adormecido apenas ao alvorecer. Viu que o espaço onde Gustavo se deitava estava vazio. Enquanto caminhava até o banheiro, pensou em como isso era estranho. Gustavo nunca se levantava antes dela. Talvez realmente quisesse começar uma nova vida. Quando desceu para o café da manhã, encontrou apenas Luiza à mesa.

— Nossos maridos estão no escritório, lendo os jornais matinais. Gustavo deve ter lhe informado ontem, com certeza, que Wall Street sofreu outra queda. Ambos sairão em breve, de volta ao Senado para discutir o que pode ser feito para salvar a indústria cafeeira diante desse desastre. Você vai à Igreja da Glória hoje? — Luiza questionou, como se nada houvesse mudado desde o dia anterior e metade do mundo não tivesse acordado para descobrir que estava falida.

— Não. Preciso ver meu pai. Como a senhora pode imaginar, ele está... abalado — Bel respondeu, em tom neutro.

— Sim, certamente. Bem, todos colhem o que plantam, como eu já disse. — Luiza se levantou. — Então, devo continuar a cumprir as obrigações de nossa família e assumir seu lugar na igreja.

Bel observou a mulher deixar a sala, chocada com a insensibilidade de Luiza. Ainda mais intolerável era o fato de que a estabilidade financeira de sua sogra — incluindo a casa recém-renovada — havia sido financiada com o trabalho duro de Antônio.

Bel pegou uma laranja da cesta e arremessou contra a parede no momento em que Gustavo entrou na sala.

Ele ergueu uma sobrancelha enquanto a laranja rolava para debaixo da mesa.

— Bom dia, Izabela — ele disse, ajoelhando-se para pegar a fruta e devolvê-la à cesta sobre a mesa. — Praticando tênis?

— Perdoe-me, Gustavo. Sua mãe fez um comentário particularmente ofensivo.

— Ah, sim. Bem, deve ser porque meu pai a informou antes do café da manhã que você assumiria a administração da casa de agora em diante. Como pode imaginar, ela não reagiu muito bem. Temo que tenha que ignorar toda demonstração de mau humor que a notícia cause.

— Farei o possível — concordou. — Eu soube que vai ao Senado outra vez esta manhã.

— Isso mesmo. As notícias estão chegando pouco a pouco de Nova York. Ao que parece, ontem foi um banho de sangue — Gustavo suspirou. — Homens se jogaram das janelas por toda Wall Street. Trinta bilhões de dólares foram perdidos com as ações. Em poucas horas, o preço da saca do café desmoronou.

— Então meu pai estava certo em pensar que está acabado?

— É um desastre gigantesco para todos os produtores e, mais importante, para a economia do Brasil como um todo — Gustavo explicou. — Posso sugerir que convide seu pai para jantar conosco esta noite? Talvez eu possa encontrar um modo de ajudá-lo de alguma forma. No mínimo, meu pai e eu podemos informá-lo sobre a posição do governo, se ele não puder comparecer ao Senado pessoalmente.

— Isso seria muito gentil, Gustavo. Irei visitá-lo mais tarde e sugerir que venha — Bel respondeu, agradecida.

— Que bom. Permita-me dizer como você está linda esta manhã. — Gustavo beijou sua cabeça suavemente. — Vejo você no almoço.

Depois de telefonar para Gabriela e ser informada de que Antônio arriscou ir ao escritório, pediu que o informasse sobre o convite para jantar naquela noite. Bel subiu as escadas até o quarto e, pela janela, viu Jorge retornar depois de levar Maurício e Gustavo à sede do Senado no Rio de Janeiro. Vinte minutos depois, o carro saiu outra vez, com Luiza.

Bel voltou para o andar inferior e foi até o hall de entrada, contente por ter a casa só para si. Em uma bandeja de prata, viu que havia uma carta endereçada a ela. Pegando o envelope, abriu a porta e foi até um dos bancos na parte dos fundos da varanda para ler.

*Apartamento 4*
*Avenue de Marigny, 48*
*Paris*
*França*
*5 de outubro de 1929*

*Minha querida Bel,*

*Mal posso acreditar que já faz um ano desde que a vi quando deixou Paris. Escrevo para dizer que estamos voltando ao Rio, já que meu pai terminou seus cálculos para o Cristo e deseja voltar para inspecionar os últimos estágios de Sua construção. Quando ler esta carta, estaremos em algum lugar no meio do Oceano Atlântico. Ficará contente em saber que agora serei capaz de conversar com você em francês, uma vez que minhas aulas e meu trabalho no hospital me deixaram competente, se não fluente. Deixo Paris com sentimentos confusos — quando cheguei pela primeira vez, você deve se lembrar de como estava assustada. Mas, agora, posso honestamente dizer que sentirei saudade de toda essa complexidade e talvez considere o Rio claustrofóbico em comparação. Contudo, estou ansiosa por muita coisa, incluindo ver você, minha querida amiga.*

*Como está a saúde de sua mãe? Você escreveu na última carta que estava preocupada e espero que ela tenha se recuperado. Falando em saúde, escrevi para a Santa Casa de Misericórdia e estarei matriculada em seu curso de enfermagem quando voltar. Isso vai me deixar longe dos problemas, com certeza. Infelizmente, não encontrei meu conde francês enquanto estive aqui e nenhum homem se interessou por mim, portanto decidi que permanecerei casada com minha carreira, pelo menos por enquanto.*

*Como Gustavo está? Vamos ouvir pequenos passos logo? Você deve ansiar por ser mãe e, certamente, essa é a parte do casamento pela qual também anseio.*

*Nosso navio chega em meados de novembro. Telefonarei quando estiver em casa, e então poderemos conversar direito.*

*A propósito, Margarida manda lembranças. Ela ainda está em Paris, seguindo sua carreira artística. Também disse que o professor Landowski perguntou de você. Soube que monsieur Brouilly está no Rio, trabalhando no projeto do Cristo. Você o viu?*

*Atenciosamente,*

*Sua amiga, Maria Elisa*

Bel foi consumida pela tristeza ao se lembrar de como a vida era simples antes de ir para Paris, dezoito meses antes. Seus pais estavam bem, vivos e contentes, e seu futuro — apesar de ser um que não apreciava — havia sido planejado para ela. Agora, sentada ali, esposa de um homem e amante de outro, com a mãe falecida e o pai falido e de coração partido, e uma criança que precisava proteger a qualquer custo crescendo dentro de si, Bel sentia que a vida era uma gangorra de alegria e dor. De um dia para o outro, nada permanecia constante e nada era certo.

Ponderou que havia milhares — milhões — de pessoas que eram financeiramente seguras e felizes até alguns dias antes e que acordaram naquela manhã para descobrir que haviam perdido tudo.

E ali estava ela, sentada em uma bela casa, com um marido que poderia não ser o belo príncipe de seus sonhos quando era mais jovem, mas que lhe dava tudo o que queria. Como ela poderia ter o direito de reclamar? E como poderia até mesmo considerar deixar seu pobre pai, que trabalhara duro a vida inteira para que ela chegasse aonde estava agora?

E seu bebê? A possibilidade de fugir para Paris e ter um futuro incerto poderia sujeitar seu filho à pobreza, quando havia segurança ali. Isso tudo a fez perceber que seu amor por Laurent a tornara egoísta.

Mesmo que a ideia a deprimisse, Bel se obrigou a cogitar permanecer onde estava. Certa como estava de que seu filho não era de Gustavo, pelo menos havia evidência suficiente para ele acreditar que fosse. Imaginou sua expressão quando ela anunciasse que estava grávida. Sua conversa sobre um novo começo seria acentuada pela notícia, que colocaria Luiza em seu lugar de uma vez por todas.

Bel olhou fixamente para o horizonte. Isso significava desistir da única pessoa no mundo a quem amava mais que qualquer outra... e da felicidade com que ambos sonhavam com tanta frequência. Mas a vida era apenas felicidade pessoal? E como ela seria feliz sabendo que havia abandonado seu pai viúvo em um momento de precisão? Bel sabia que jamais se perdoaria por isso.

— Senhora Bel? Deseja tomar alguma coisa? O sol está quente esta manhã. — Loen apareceu na varanda.

— Obrigada, Loen. Gostaria de um pouco de água.

— Pois não. Senhora, está tudo bem?

Bel pensou antes de responder.

— Ficará tudo bem, Loen. Ficará.

* * *

Naquela noite, Antônio compareceu para jantar. Gustavo o recebeu calorosamente e os três homens se trancaram no escritório de Maurício por uma hora. Antônio reapareceu mais calmo, com Gustavo logo atrás.

— Parece que seu marido pode me ajudar. Ele tem algumas ideias, pelo menos. É um começo, Izabela, e eu estou grato, senhor — seu pai acrescentou.

— Não é nada, Antônio. Você é parte da família, afinal.

Bel respirou fundo, sabendo que precisava confessar agora, ou sua coragem a abandonaria se mudasse de ideia.

— Gustavo, posso falar com você por alguns minutos em particular antes do jantar?

— Claro, querida.

Maurício e Antônio continuaram na sala de jantar, enquanto Bel e Gustavo foram para a sala de visitas e fecharam a porta.

— O que foi? — Gustavo disse, sua testa franzida com preocupação.

— Por favor, não é nada com que se preocupar — Bel garantiu depressa. — Na verdade, acho que são boas notícias. Queria dizer agora, para que, talvez, pudéssemos anunciar juntos durante o jantar. Gustavo, estou esperando um filho.

Bel viu a expressão de seu marido mudar imediatamente de preocupação para alegria.

— Izabela, você está grávida?

— Sim.

— Meu Deus! Não consigo acreditar! Minha linda! — ele exclamou ao abraçá-la. — Essa notícia vai calar minha mãe para sempre.

— E, quem sabe, agradar ao filho dela — Bel respondeu, com um sorriso.

— Certamente, querida. — Gustavo sorria de orelha a orelha. — Nunca me senti tão feliz. E essa notícia não poderia chegar em melhor hora para todos na família. Para você, Izabela, que sofreu uma perda recente. E, claro, para o seu pai, a quem eu e meu pai achamos que é possível ajudar. Insisti nisso — acrescentou. — É a coisa certa a fazer, considerando como foi generoso conosco no passado. Você tem certeza absoluta de que está gravida?

— Sim. Um médico confirmou. Fui vê-lo ontem e ele telefonou hoje de manhã.

— Ah, isso explica! — Gustavo exclamou, o alívio estampado em seu rosto. — Ontem à tarde, fui buscá-la na costureira depois da reunião no Senado. Madame Duchaine disse que você não tinha horário marcado e que não esteve em seu estúdio. Você estava no médico, não estava?

— Sim — Bel mentiu, dominada pelo medo ao ouvir aquelas palavras.

— Por alguns minutos fiquei parado do lado de fora, me perguntando por que você mentiria para mim, imaginando se tinha um amante

— Gustavo riu ao beijar sua testa. — Não poderia estar mais enganado. Você sabe para quando é?

— Uns seis meses.

— Então você já passou da época de risco. Vamos anunciar! — ele afirmou, quase saltitando como uma criança ao conduzi-la em direção à porta. — Ah, minha linda Izabela, você me fez o homem mais feliz do mundo. Juro que farei tudo para ser o pai que nosso filho merece. Agora, vá para a sala de jantar enquanto vou à adega pegar uma garrafa do nosso melhor champanhe!

Gustavo lhe mandou um beijo e saiu, mas Bel ficou parada por alguns instantes, ciente que sua decisão havia sido tomada. E teria que viver com o peso dela para o resto da vida.

* * *

Durante o jantar naquela noite, houve muita comemoração — a expressão de alegria no rosto do seu pai quando Gustavo anunciou a gravidez confirmava que Bel havia tomado a decisão certa. A expressão gélida de Luiza, por outro lado, proporcionou a Bel um brilho minúsculo de satisfação. Depois do jantar, Gustavo voltou-se para ela.

— Passa das dez, minha querida, e você deve estar exausta. Venha — ele disse, puxando a cadeira de Bel e ajudando-a a se levantar —, irei acompanhá-la até o quarto.

— Gustavo — Bel murmurou, envergonhada —, estou me sentindo muito bem.

— Não importa. Você e o bebê passaram algumas semanas difíceis e devemos todos cuidar de vocês agora — ele acrescentou, olhando diretamente para sua mãe.

Bel disse boa noite a todos, então deu a volta na mesa para abraçar seu pai, sem se importar com o protocolo.

— Boa noite, pai.

— Durma bem, Izabela. Prometo que o avô desse pequenino o deixará orgulhoso — ele sussurrou, indicando sua barriga. — Vá me visitar em breve.

— Vou sim, pai.

Gustavo seguiu sua esposa até o quarto e ficou parado lá, indeciso.

— Izabela, agora que está... nesta condição, deve me dizer se prefere dormir sozinha até a criança nascer. Acredito que é isso que os casais fazem nessas circunstâncias.

— Se você acredita que seria apropriado, então, sim — concordou.

— De agora em diante, você deve descansar sempre que possível. Não deve se cansar.

— Gustavo, não estou doente, só grávida. E quero continuar minha rotina normalmente. Amanhã à tarde, realmente preciso ver madame Duchaine e pedir que ajuste meu guarda-roupa para adequá-lo à minha nova forma — sorriu timidamente para ele.

— Sim, naturalmente. Bem, então é isso. — Ele se aproximou e a beijou em ambas as faces. — Boa noite.

— Boa noite, Gustavo.

Bel observou enquanto ele sorria ao deixar o quarto. Sentou-se na beirada da cama, o coração uma mistura de sentimentos conflitantes. Seus pensamentos viajaram até Laurent e o fato de que ele a esperaria em seu apartamento na tarde seguinte. Levantando-se, Bel foi até a janela e olhou para as estrelas, que a lembravam dolorosamente das noites que brilharam sobre o ateliê de Landowski em Boulogne-Billancourt. Recordou-se, em especial, da noite em que encontrara o garoto debaixo dos arbustos do jardim. O sofrimento dele fora um catalisador para seu caso de amor com Laurent.

— Sempre amarei você — sussurrou para as estrelas.

Bel se preparou para dormir, então foi até a escrivaninha, ao lado da janela. Considerando que Gustavo a havia seguido ao estúdio de madame Duchaine no dia anterior — ainda que por motivos carinhosos, não suspeitos —, Bel sabia que não deveria arriscar se encontrar com Laurent no dia seguinte. Em vez disso, compareceria ao compromisso com a costureira e enviaria Loen como sua mensageira, carregando consigo a carta que escreveria agora...

Pegando um folha da gaveta e uma caneta, Bel fitou a noite estrelada, pedindo aos céus para ajudá-la a compor suas últimas palavras para Laurent.

Duas horas depois, leu a carta uma última vez.

*Mon chérie,*

*O fato de receber este envelope de Loen já deve ser o suficiente para informá-lo de que não posso ir para Paris com você. Mesmo que meu coração se parta ao escrever isso, sei qual é meu dever. E não posso, nem mesmo por meu amor por você, fugir dele. Espero e rezo para que compreenda que minha decisão é baseada apenas nisso, e não por que meu amor e desejo por você tenham diminuído. Vou ansiar, por toda a eternidade, estar com você. Sentada aqui, olhando para as estrelas, desejo do fundo do meu coração que tivéssemos nos encontrado em um momento diferente, pois acredito que, se assim fosse, estaríamos juntos agora.*

*Mas esse não era nosso destino. Espero que você aceite isso, assim como eu preciso aceitar. Tenha certeza de que, todos os dias da minha vida, acordarei pensando em você, rezando por você e te amando com todo o meu coração.*

*Meu maior medo é que seu amor por mim se torne ódio diante dessa traição. Eu lhe imploro, Laurent, não me odeie, mas carregue o que tivemos no coração e siga em frente. Espero que o futuro lhe reserve felicidade e satisfação.*

*Au revoir, mon amour.*

*Sempre sua,*

*Bel*

Bel dobrou a carta e a selou dentro do envelope, sem escrever nenhum nome, com medo de ser descoberta. Abrindo a gaveta, escondeu-a embaixo de uma pilha de envelopes vazios.

Ao fechar o esconderijo, seus olhos notaram o triângulo de pedra-sabão que usava como suporte para seu frasco de tinta. Pegando-o nas mãos, acariciou sua suavidade. Então, por instinto, virou-o e mergulhou a caneta na tinta mais uma vez.

*30 de outubro de 1929*
*Izabela Aires Cabral*
*Laurent Brouilly*

Depois, escreveu sua citação preferida de uma parábola de Gilbert Parker debaixo de seus nomes.

Assim que a tinta secou, ela escondeu o ladrilho com a carta sob a pilha de envelopes. Quando Loen viesse ajudá-la a se vestir na manhã seguinte, Bel lhe diria o que fazer com ambos. Se o ladrilho não pudesse ser colocado no Cristo, pelo menos serviria como uma lembrança perfeita para Laurent, do breve período de tempo que tiveram juntos.

Bel se levantou lentamente da escrivaninha e foi para a cama, encolhendo-se como o feto dentro dela, como se seus braços pudessem abraçar seu peito e manter unidos os pedaços do seu coração partido.

# 45

— Izabela não tomará café conosco esta manhã? — Luiza perguntou ao seu filho.

— Não. Pedi a Loen que servisse o café no quarto — Gustavo respondeu, sentando-se à mesa.

— Ela não está bem?

— Não é isso, mãe. Nos últimos dois meses ela cuidou de sua mãe noite e dia. O que, como você deve imaginar, a afetou.

— Espero que não fique muito fragilizada por causa da gravidez — Luiza disse. — Eu certamente não fiquei durante a minha.

— Sério? Conversei com meu pai a noite passada e ele mencionou que você ficou doente por semanas quando estava grávida de mim e que raramente saía da cama — ele ironizou ao se servir de uma xícara de café. — Bem, era o que você queria há muito tempo, não era? Espero que esteja feliz.

— Estou, mas...

Gustavo notou Luiza fazer um sinal para a criada deixar a sala.

— Feche a porta, por favor — acrescentou.

— O que foi agora, mãe? — Gustavo perguntou, com um suspiro cansado.

— Esta manhã, orei por muito tempo na capela, pedindo um sinal que me dissesse se deveria te contar o que sei ou não.

— Bem, considerando que você pediu para a criada nos deixar, presumo que tenha tomado uma decisão. E suponho que seja sobre algum tipo de ofensa que você acredita que minha esposa tenha cometido. Estou certo?

O rosto de Luiza expressou uma aflição exagerada.

— Infelizmente, sim, está.

— Então, desabafe. Tenho um dia cheio pela frente.

— Tenho motivos para acreditar que sua esposa não tem sido... fiel.

— O quê?! — Gustavo exclamou com raiva. — Mãe, acredito que a senhora esteja perdendo a razão. Que provas tem disso?

— Gustavo, compreendo sua descrença e sua raiva, mas garanto que não perdi a razão. E, sim, tenho provas.

— E que provas são essas?

— Nosso motorista, Jorge, que trabalha para mim há muitos anos, viu Izabela entrar em um prédio onde mora um certo... — Luiza fungou — cavalheiro.

— Quer dizer que Jorge a levou para visitar um amigo, talvez, e você transformou isso em algum tipo de acusação ridícula? — Gustavo disse, levantando-se. — Não quero mais ouvir sobre essa besteira! O que espera conseguir com isso?

— Por favor, Gustavo, imploro que ouça — Luiza apelou. — Sua esposa nunca pediu a Jorge que a levasse até esse endereço em particular. Na verdade, ela pediu que a deixasse no estúdio da madame Duchaine. Certa tarde, quando estava parado na rua, ele viu Izabela deixar o salão da costureira poucos minutos depois que chegou. E correr para as ruas de Ipanema.

Gustavo se sentou outra vez.

— Jorge lhe deu essa informação por vontade própria?

— Não — Luiza admitiu. — Minhas próprias suspeitas começaram quando, certa tarde em maio, fui até a Igreja da Glória, onde sua esposa me disse que estaria antes de sair, uma hora antes. Ela não estava lá. Obviamente, perguntei a Jorge naquela noite onde Izabela havia pedido para que ele a pegasse. Ele me disse que havia sido no salão de madame Duchaine e me narrou o que acabei de lhe dizer. Pedi a ele que, na próxima vez que a levasse lá e a visse partir minutos depois, a seguisse e descobrisse aonde ia.

— Você quer dizer que pediu para Jorge vigiá-la?

— Se quiser usar esse termo, sim. Estava tentando proteger você, meu querido filho, e você deve ver que meus motivos foram bem-intencionados. Havia algo que me preocupava desde o início do seu casamento.

— E o que era?

— Eu... — Luiza enrubesceu. — Sou sua mãe e queria ter certeza de que sua relação foi bem-sucedida em sua noite de núpcias. Pedi à criada do Copacabana Palace me informar se havia sido.

— A senhora fez *o quê*? — Gustavo estava de pé, dando voltas ao redor da mesa, com fúria nos olhos.

— Por favor, Gustavo! — Luiza ergueu os braços para se proteger. — Sua esposa havia passado um ano em Paris. Senti que era meu dever me certificar de que ainda era... pura. A criada me disse que não havia sinal de sangue nos lençóis.

— Você subornou a criada para receber informações sobre a inocência da minha esposa? — Gustavo balançou a cabeça, tentando controlar a raiva que sentia de mãe, mas, ao mesmo tempo, sabia que ela falava a verdade sobre sua noite de núpcias.

— Bem — Luiza o desafiou —, os lençóis estavam manchados?

— Como ousa me perguntar isso? — Gustavo esbravejou. — É uma questão particular entre mim e minha esposa!

— Presumo que não estavam — Luiza regozijou-se. — Portanto, Gustavo, quer que eu continue? Posso notar que está ficando agitado. Podemos parar por aqui, se preferir.

— Não, mãe, você foi longe demais. Tenho certeza de que ficou desesperada para descobrir com quem Izabela se encontrava em segredo.

— Posso garantir que não sinto nenhuma satisfação em lhe informar... — O triunfo nos olhos de Luiza sugeria o oposto — Mas a... "pessoa" em questão é alguém que conhecemos.

Gustavo se esforçou para pensar em um nome antes que sua mãe pudesse pronunciá-lo, mas fracassou.

— Quem era?

— Um jovem cavalheiro que foi recebido com hospitalidade debaixo do nosso teto. Na verdade, alguém a quem você pagou uma grande soma em dinheiro, já que desejava presentear sua esposa com algo especial. O apartamento que Izabela tem visitado regularmente é de ninguém mais que do senhor Laurent Brouilly, o escultor.

Gustavo abriu a boca para falar, mas nenhuma palavra foi emitida.

— Entendo que seja um choque para você, Gustavo, mas, considerando que sua esposa está grávida depois de meses sem conseguir conceber, senti que era direito seu saber disso.

— Chega! — Gustavo gritou. — Concordo que seja possível que Izabela tenha visitado esse homem enquanto ele está no Brasil. Eles se tornaram amigos em Paris. E a senhora enviou Alessandra Silveira para ser esculpida por Brouilly. Mas nem mesmo a senhora poderia estar no quarto com eles. E insinuar que minha esposa carrega um filho ilegítimo é, francamente, indecente!

— Entendo sua reação — Luiza disse, calmamente. — Se eu estiver certa, é realmente indecente.

Gustavo andava de um lado para o outro, tentando se acalmar.

— Então me explique *por que* colocou esse homem, que suspeita ser amante de minha esposa, sob sua patronagem. Foi *a senhora* quem o apresentou à sociedade, quem o ajudou a conseguir encomendas através de suas recomendações. E, se me lembro bem, até proporcionou um bloco de pedra-sabão das minas de nossa família para que ele pudesse continuar a trabalhar! *A senhora* prolongou a estadia dele no Rio. E por que faria isso se tivesse suspeitas de seu relacionamento com Izabela? — Gustavo a olhou com fúria. — Porque, mãe, acredito que quisesse ajudar a desonrar minha esposa. A senhora não gostou dela desde o início. Passou todos os dias da minha vida de casado aqui na *Casa* sendo condescendente e tratando-a como se fosse um empecilho a ser tolerado. Não me surpreenderia se quisesse que meu casamento fracassasse desde o começo! — Gustavo gritava com Luiza. — Não quero ouvir mais nada. E posso garantir que farei o possível para que Izabela assuma seu lugar de direito nesta casa imediatamente. Se interferir outra vez em meu casamento, a senhora vai para a rua! Entendeu?

— Sim — Luiza respondeu sem nenhum vislumbre de emoção. — Além disso, você não precisa se preocupar mais com o senhor Brouilly. Ele retorna para Paris amanhã.

— Você ainda o está vigiando? — Gustavo revoltou-se.

— Não. Deixei de recomendá-lo assim que sua esposa foi para a fazenda com a mãe dela. Sem trabalho e com sua esposa longe do Rio, eu sabia que não demoraria em decidir retornar à França. Ele me escreveu uma carta há dois dias, me informando de sua partida e agradecendo minha ajuda. — Aqui está. — Luiza lhe entregou um envelope. — Pode ler se quiser. Note o endereço em Ipanema.

Gustavo pegou o envelope e encarou sua mãe com raiva. Suas mãos tremiam tanto que teve dificuldade para colocar o envelope no bolso da calça.

— Apesar de alegar que fez isso porque me ama, não existe uma parte sequer de seu filho que acredita nisso. E não quero ouvir mais nenhuma palavra sobre o assunto. Está claro?

— Sim.

Com um sorriso de satisfação, Luiza viu seu filho deixar a sala.

* * *

De algum jeito, Gustavo conseguiu manter uma expressão calma, pelo menos em aparência, quando Izabela partiu com sua criada para visitar madame Duchaine. Enquanto via o carro sair da garagem, percebeu que uma forma de descobrir imediatamente se havia alguma verdade na história de sua mãe era perguntar a Jorge, o motorista. Mas, considerando que Jorge trabalhava para Luiza havia mais de trinta anos, Gustavo não confiava que diria a verdade. Entrando na sala de visitas, seu primeiro instinto foi pegar a garrafa de uísque, mas se controlou, ciente de que, se tomasse um pouco, não seria o bastante. Ele precisaria manter a mente lúcida para pensar.

Andando de um lado para o outro da sala, perguntando-se como a alegria que acordou sentindo naquela manhã poderia ter se transformado em raiva e incerteza duas horas depois, tentou racionalizar o que sua mãe havia dito. Mesmo que houvesse um grão de verdade em sua história, acusar Izabela de alegar que o filho de outro homem era seu só podia ser algo nascido na mente de um lunático. Afinal, muitas mulheres casadas tinham admiradores, e Gustavo não era tolo em pensar que sua bela esposa não tinha sua própria gama de seguidores. Talvez esse Brouilly tivesse passado a admirá-la enquanto estavam em Paris — e talvez tenha pedido a ela que posasse para ele aqui no Rio —, mas Gustavo não conseguia acreditar que ela se entregaria a ele fisicamente.

Entretanto, uma coisa que sua mãe havia mencionado que o deixara inquieto era a ausência de sangue quando fizeram amor em sua noite de núpcias. Gustavo não era biólogo, e talvez Izabela estivesse dizendo a verdade naquela noite, mas...

Gustavo desabou sobre uma cadeira e levou as mãos à cabeça em desespero.

A traição, se ela realmente havia mentido, era demais para contemplar. Ele havia incentivado Izabela a viajar para Paris por motivos puramente altruístas, porque realmente a amava e confiava nela.

Com certeza, pensou, a melhor coisa a fazer era esquecer toda aquela história sórdida? A carta que havia lido, de Brouilly para sua mãe, confirmava que ele retornava a Paris no dia seguinte. O que quer que tenham tido, certamente estava acabado agora.

*Sim*, Gustavo decidiu e se levantou, caminhando com determinação até o escritório do pai para ler os jornais. Ele esqueceria essa ladainha de sua mãe, decidiu com firmeza. Mas, ao tentar se concentrar na carnificina financeira, tanto no Brasil quanto na América, percebeu que não conseguia. Sua mãe plantara uma série de sementes de dúvida em sua mente, como ela bem sabia que faria. E, até saber com certeza, Gustavo não conseguiria descansar. Ao ver Jorge retornar depois de levar Izabela à cidade, pegou seu chapéu e entrou no carro para segui-la.

***

Bel estava diante do espelho enquanto madame Duchaine a cobria de felicitações, garantindo que era fácil adequar as roupas que já havia terminado a um corpo que cresceria ao longo dos meses.

— Sempre acreditei que a forma de uma mulher grávida tem sua própria mágica — madame Duchaine tagarelava enquanto Bel encontrou os olhos de Loen e fez um sinal imperceptível.

Loen se levantou e se aproximou de sua patroa.

— Senhora, eu gostaria de ir à farmácia buscar o tônico que o médico sugeriu que tomasse. É aqui perto, virando a esquina. Volto o mais rápido que puder.

Bel suprimiu um sorriso doloroso quando sua criada repetiu a frase que havia sugerido que dissesse.

— Tenho certeza de que ficarei bem nas mãos competentes de madame Duchaine — respondeu.

— Claro que ficará. — Madame Duchaine sorriu para Bel.

Enquanto Loen deixava o salão, Bel notou que seus olhos estavam arregalados de medo. Sabia que pedia demais para sua criada, mas que escolha tinha?

— Boa sorte — murmurou, então respirou fundo e se virou de frente para o espelho.

* * *

Gustavo pediu a Jorge que o deixasse no clube, que ficava apenas a alguns minutos de caminhada do estúdio de madame Duchaine e do endereço onde Brouilly aparentemente residia. Ele deixou o clube e caminhou rapidamente pelas ruas, decidindo que sua esposa estava vinte minutos à sua frente e que iria diretamente para o prédio de Brouilly. Encontrando um café convenientemente do outro lado da rua, Gustavo se escondeu em uma mesa de canto na calçada e, se sentindo um tolo, abriu o jornal para disfarçar. Sobre as páginas, seus olhos observavam freneticamente a rua movimentada. A garçonete veio anotar seu pedido e, sem desviar o olhar, ele pediu um café.

Vinte minutos depois, ainda não havia sinal de sua esposa correndo pela rua para encontrar seu suposto amante. Todos os seus instintos lhe diziam para ir embora, esquecer a coisa toda. Mas, refletiu, talvez Bel fizesse a prova antes, para ter um álibi. Rangeu os dentes e se obrigou a permanecer onde estava.

Pouco tempo depois, Gustavo notou um rosto familiar caminhando rapidamente pela rua. Não era sua esposa, mas sua criada, Loen. Levantando-se e derrubando sua xícara de café, jogou algumas moedas sobre a mesa e ziguezagueou pelo trânsito até o outro lado da rua. Passando pelo prédio de apartamentos e longe de Loen, que se aproximava com hesitação e parava casualmente como se estivesse incerta de seu destino, Gustavo se escondeu no interior da entrada do edifício de Brouilly.

"Tomara que seja uma coincidência", ele rogou, mas, poucos segundos depois, Loen estava do outro lado da porta, a alguns passos de distância, e ele soube que não era. Assim que ela entrou no prédio, Gustavo apareceu à sua frente.

— Olá, Loen — disse, com toda a simpatia que conseguiu. — Aonde você vai?

Se Gustavo quisesse provas da culpa de sua esposa, o olhar de horror na expressão da criada era o bastante.

— Eu...

— Sim? — Gustavo cruzou os braços e esperou pela resposta.

— Eu...

Então notou que ela tinha uma das mãos protegendo o bolso do avental. Pela forma definida, parecia um envelope.

— Talvez esteja fazendo uma entrega para sua senhora.

— Senhor, pensei que era a entrada da farmácia. Devo... ter o endereço errado. Perdoe-me...

— Sério? Você tem uma receita para retirar para minha esposa?

— Sim. — Uma expressão de alívio repentina surgiu em seus olhos quando ele ofereceu uma explicação. — Deve ser mais adiante na rua.

— Na verdade, sei exatamente onde é. Portanto, se me entregar a receita, irei à farmácia pessoalmente.

— Senhor, a senhora Izabela me fez jurar que levaria esta... receita pessoalmente à farmácia.

— Como marido dela, tenho certeza de que se sentiria segura se estivesse em minhas mãos, não acha?

— Sim. — A criada abaixou os olhos, derrotada. — Claro.

Gustavo estendeu a mão e Loen tirou o envelope de seu bolso, seus olhos angustiados quando ele o tomou de suas mãos.

— Obrigado — ele disse, colocando o envelope no bolso de seu casaco. — Prometo que o entregarei com segurança ao destinatário certo. Agora, volte para sua senhora, que certamente deve estar se perguntando aonde você foi.

— Senhor, por favor...

A mão de Gustavo se ergueu para cessar mais protestos.

— Senhorita, a menos que deseje perder o emprego sem nenhuma referência assim que chegar em casa, sugiro que não mencione este encontro a minha esposa. Não importa quanto seja leal a ela, sou eu quem decide quem empregamos em nossa casa. Entendeu?

— Sim, senhor — a criada respondeu, a voz trêmula e os olhos cheios de lágrimas.

— Agora, sugiro que retorne ao salão de madame Duchaine e pegue algum remédio na farmácia, a poucas portas no mesmo quarteirão do salão, para sustentar seu álibi.

— Sim, senhor.

Loen fez uma reverência desajeitada e seguiu pelo mesmo caminho de onde veio.

Imediatamente, Gustavo fez sinal para um táxi que passava. Ciente de que — fosse o que fosse que encontraria no envelope — precisaria de uma forte dose de uísque para ter coragem de abri-lo, disse ao motorista para levá-lo ao clube.

* * *

Loen havia se escondido assim que virou a esquina, devido ao fato de que suas pernas não podiam suportá-la por tremerem como uma pequena árvore em meio a um furacão. Estava sentada na soleira de uma porta quando viu Gustavo passar por ela no banco traseiro de um táxi.

Enterrando a cabeça entre as pernas e respirando fundo, Loen tentou clarear a mente do choque que acabara de sofrer. Ainda que não soubesse com certeza o que havia no envelope, podia imaginar muito bem. Não tinha ideia do que fazer e queria que Bruno estivesse com ela para aconselhá-la sobre como deveria agir.

Também estava com problemas naquele momento — e não se sentiu capaz de conversar com sua senhora, que estava tão desolada com a morte de sua mãe e a certeza de que estava grávida.

A verdade era que a Sra. Bel não era a única mulher da *Casa* na mesma situação. A própria Loen sabia, havia três semanas, que estava carregando um filho. Havia dito a Bruno antes de deixarem a fazenda e ele a fez prometer que falaria com Bel. Ela tinha a intenção de implorar a sua senhora que permitisse que Loen trabalhasse na fazenda permanentemente, para que os dois pudessem se casar e criar seu filho juntos.

Loen não sabia quem era dono da fazenda, mas tinha a impressão de que o marido assumia as propriedades de sua esposa depois do casamento. Se esse fosse o caso, Gustavo tinha o poder de garantir que nem ela nem Bruno trabalhassem para a família outra vez. O que significava que seus planos se transformariam em poeira. Seriam apenas mais um casal negro, pobre, jogado à rua, com a mulher grávida e sem um centavo no bolso, rumando para as favelas, onde viveriam com outros que morriam de fome.

Tudo isso poderia acontecer... se contasse a sua senhora o que havia acabado de acontecer.

Quando sua respiração voltou ao normal, Loen começou a pensar mais claramente, os dedos tocando a forma da vida que crescia dentro dela. Assim como Bel, ela precisava tomar uma decisão. E rápido. O patrão havia ordenado que ficasse quieta — em essência, que traísse a confiança que sua senhora depositou nela. Sob outras circunstâncias, jamais a desobedeceria, não importava o preço. Voltaria imediatamente para o estúdio de madame

Duchaine, convidaria a Sra. Bel para um breve passeio e a informaria do que havia acabado de acontecer, para que sua senhora pudesse se preparar para o que poderia enfrentar quando chegasse em casa.

Afinal, estava com a Sra. Bel desde criança. E devia tudo o que tinha — assim como sua mãe — à família Bonifácio.

Mas agora... Loen sabia que deveria pensar em si mesma. Seus dedos deixaram seu ventre e buscaram o outro bolso de seu avental. Tocaram a suavidade do ladrilho que ele continha. Talvez fosse mais fácil mentir se completasse pelo menos parte de sua missão.

Tomou a decisão e, ciente de que o Sr. Gustavo não estaria de volta de onde quer que tenha ido naquele táxi nos próximos minutos, Loen se levantou e correu em direção ao prédio de Laurent Brouilly.

Poucos minutos depois, chegou sem fôlego à porta de seu apartamento e bateu com força.

A porta se abriu imediatamente e um par de braços a buscou.

— *Chérie*, estava começando a me preocupar, mas...

Quando Laurent percebeu que não era seu amor em seus braços, Loen viu sua expressão se transformar em uma máscara angustiada de compreensão.

— Ela mandou você? Em seu lugar? — ele disse, cambaleando e se segurando na porta.

— Sim.

— Então, ela não vem?

— Não, senhor, sinto muito. Pediu que lhe trouxesse algo.

Loen estendeu a mão com a pedra-sabão e observou enquanto ele a pegou.

— Acredito que haja uma mensagem atrás — sussurrou.

Laurent virou o ladrilho lentamente em suas mãos e leu a inscrição. Ergueu os olhos em sua direção, e Loen viu lágrimas em seus olhos.

— *Merci*... quero dizer, obrigado.

E a porta foi fechada com força.

***

Gustavo estava sentado em uma parte tranquila da biblioteca, grato que a sala estivesse praticamente vazia, como continuava a estar desde o início da crise em Wall Street. Pediu o uísque de que tanto precisava enquanto examinava o envelope à sua frente sobre a mesa. Tomou a bebida em um único gole, imediatamente pedindo mais uma dose. Assim que o copo foi colocado a seu lado, respirou fundo e abriu a carta.

Poucos minutos depois, pediu ao garçom uma terceira dose e permaneceu sentado, catatônico, olhando fixamente para o nada.

Seja o que fosse que a carta provasse ou não quanto às insinuações de sua mãe, aquilo lhe dizia, sem sombra de dúvida, que sua esposa estava completamente apaixonada por outro homem. Tão apaixonada que considerou até mesmo fugir com ele para Paris.

Isso já era culpa suficiente, mas, lendo nas entrelinhas, também dizia algo mais: se Izabela tinha sérias intenções em partir com Brouilly, com certeza ele sabia de sua condição. O que, por sua vez, significava que o filho que sua esposa carregava era certamente de seu amante?

Gustavo releu a carta, apegando-se à ideia de que pudesse ser interpretada como uma forma de se livrar de Brouilly de uma vez por todas, sem necessidade de uma declaração pública de sua parte. Diante da ciência de que Izabela amaria a outro para sempre, mas que sua situação era impossível, um admirador ardente e desesperado poderia estar tranquilo o bastante para partir voluntariamente, percebendo que nada poderia acontecer.

Gustavo suspirou e percebeu que estava se apegando a migalhas. Imaginou Brouilly e viu suas feições atraentes e definidas. Sem dúvida alguma um homem que qualquer mulher acharia atraente, além de considerar seu talento um afrodisíaco. Bel havia se sentado por horas em seu estúdio em Paris... Só Deus sabia o que se passara entre eles durante aquele tempo.

E ele havia permitido que ela fosse como um carneiro para o abate, assim como sua mãe havia suspeitado.

Durante os trinta minutos seguintes, enquanto tomava um uísque atrás do outro, Gustavo viveu uma gama de emoções diferentes; de medo a raiva. Sabia que tinha direito de voltar para casa, mostrar a Izabela a carta e expulsá-la imediatamente. Meu Deus! Tinha até oferecido ao pai dela uma quantia decente para ele se levantar e pagar algumas dívidas. Com aquela carta como prova, ele poderia destruir a reputação de sua esposa e de seu sogro para sempre e divorciar-se dela sob a acusação de adultério.

Sim, sim, poderia fazer tudo isso, Gustavo pensou, acalmando-se. Ele não era o menino fraco e assustado que sua mãe pensava que fosse.

Mas então... O olhar esnobe de satisfação no rosto de Luiza se confessasse que estava certa seria demais para suportar...

Ele também poderia confrontar Brouilly. Afinal, sabia exatamente onde morava. Poucos o condenariam se atirasse no homem. E, pelo menos, poderia perguntar a verdade. E sabia que conseguiria, uma vez que Brouilly não tinha mais nada a perder se confessasse. Porque Izabela decidira ficar com seu marido.

"Ela decidiu ficar comigo..."

Esse pensamento acalmou Gustavo. Apesar de proclamar seu amor por Brouilly, sua esposa não havia se rendido a ele e não estaria fugindo para Paris. Talvez Brouilly *não* soubesse que Izabela estava grávida. Afinal, se realmente acreditasse que Brouilly era o pai de seu filho, certamente teria decidido partir com ele, sem se preocupar com as consequências.

Quando Gustavo deixou o clube, uma hora depois, havia se convencido de que, independentemente do que houvesse entre sua esposa e o escultor, era a *ele*, seu marido, que ela havia escolhido. Brouilly embarcaria a caminho de Paris no dia seguinte e desapareceria da vida deles para sempre.

Ao cambalear nos degraus do clube e caminhar pelas ruas em direção à praia para tentar recobrar a lucidez, Gustavo sabia que chegara a uma decisão.

Não importava o que sua esposa tivesse feito, não haveria benefício algum para si próprio se confessasse o que sabia e a expulsasse de casa. Ela certamente correria para Brouilly em Paris, e esse seria o fim do seu casamento.

Outras mulheres da sociedade tinham casos, pensou. "E outros homens", pensou, lembrando-se de uma amante de seu próprio pai, que conhecera em um baile beneficente. A mulher havia deixado claro que havia mais que simples amizade entre eles.

Finalmente, ele teria mais satisfação em voltar para casa e comunicar à mãe que não havia encontrado nenhum resquício de evidência do que confrontar Izabela com a carta.

Gustavo olhou para as ondas que se quebravam incansavelmente contra a areia frágil e macia da praia e suspirou, resignado.

Não importava o que Bel houvesse feito: ele ainda a amava.

Tirando a carta do bolso, ele se aproximou do mar, rasgou a página em muitos pedaços e os jogou para o alto, observando enquanto flutuavam como pequenas pipas, antes de cair e desaparecer no mar.

* * *

*Paris*
*Novembro de 1929*

— Então, Brouilly, está de volta são e salvo. — Landowski o examinou quando Laurent entrou em seu ateliê. — Já tinha desistido de você, imaginando que havia se juntado a uma tribo amazônica e se casado com a filha do cacique.

— Sim, estou de volta — Laurent concordou. — Ainda tem um lugar para mim aqui?

Landowski voltou sua atenção da enorme escultura de Sun Yat-Sen e examinou seu antigo assistente.

— Talvez — disse, virando-se para falar com o garoto, que havia crescido e se desenvolvido desde que Laurent o vira pela última vez. — O que você acha? Temos trabalho para ele aqui?

Laurent sentiu os olhos do menino examinando-o. Ele se virou para Landowski e, com um sorriso, consentiu com a cabeça.

— Bem, o garoto diz que sim. E, pelo que posso ver do que ainda resta de você, não é ele quem precisa de cuidados desta vez. Foi disenteria ou amor? — Landowski perguntou.

Laurent apenas deu de ombros, melancolicamente.

— Acredito que seu avental ainda esteja onde o deixou. Vista-o e volte para me ajudar com esse globo ocular em que trabalhou com tanto afinco antes de nos trocar pela selva.

— Sim, professor. — Laurent foi em direção aos cabides ao lado da porta.

— Brouilly?

— Sim, professor?

— Tenho certeza de que será capaz de colocar todas as experiências recentes, boas e ruins, no seu trabalho. Você era competente em termos de técnica antes de partir. Agora, tem a habilidade de se tornar um mestre. Um que precisa sofrer antes de alcançar a grandeza. Você me entende? — Landowski perguntou com gentileza.

— Sim, professor — Laurent respondeu com um tremor na voz. — Entendo.

* * *

Naquela noite, Laurent suspirou e limpou as mãos no avental. Landowski havia deixado o ateliê para voltar para sua esposa e filhos horas atrás. Ao seguir para a cozinha somente com a iluminação de velas para lavar a argila de suas mãos, parou subitamente. De algum lugar próximo, podia ouvir o som fraco, mas delicado, de um violino. O violinista tocava as primeiras notas melancólicas de *Le Cygne*[1].

Suas mãos ficaram paralisadas sob a torneira, e Laurent sentiu as lágrimas que ainda não havia derramado arderem em seus olhos. E ali, naquela pequena cozinha, no lugar onde havia visto Izabela cuidar com

[1] Movimento do concerto para piano e orquestra intitulado “O Carnaval dos Animais”, de Camille Saint-Saëns. (N.T.)

tanto carinho de uma criança que sofria e onde soube que a amava, Laurent chorou. Por ele, por ela, por tudo o que poderia ter sido, mas que nunca seria.

Quando a música alcançou seu fim comovente, ele secou os olhos e saiu da cozinha em busca do músico que lhe permitiu derrubar a represa que havia dentro de si desde que Loen lhe entregara a pedra-sabão no Rio.

O tom do violino havia mudado, e agora ele podia ouvir a melodia marcante de *Amanhecer*, de Grieg, evocando — como sempre lhe pareceu — um novo dia e um novo começo. Um tanto reconfortado e seguindo seus ouvidos, pegou a vela e foi para o jardim, onde a ergueu para iluminar o músico.

O garoto estava sentado em um banco ao lado do ateliê. Em suas mãos, havia um violino surrado. Mas o som que produzia com o instrumento traía sua aparência malcuidada. Era puro, doce, excepcional.

— Onde aprendeu a tocar assim? — Laurent perguntou ao garoto, impressionado, quando a música acabou.

Como sempre, recebeu apenas um olhar penetrante como resposta.

— Quem te deu esse violino? Landowski?

Essa pergunta produziu uma afirmação com a cabeça.

Recordando-se das palavras de Landowski, Laurent examinou o menino com atenção.

— Entendo — murmurou. — Como qualquer artista, você se comunica por meio de sua arte. Honestamente, você tem um dom. Valorize isso.

O menino assentiu e exibiu um sorriso de gratidão. Laurent colocou uma mão em seu ombro e, com um pequeno aceno de despedida, partiu para contemplar sua própria infelicidade nos bares de Montparnasse.

MAIA
7 DE JULHO DE 2007

ÚLTIMO QUARTO
16; 54; 44

# 46

Fitei Yara quando ela finalmente ficou em silêncio. Olhei para o retrato de Izabela pendurado sobre a lareira, pensando na decisão terrível que minha bisavó precisou tomar. Eu simplesmente não tinha ideia do que faria nas mesmas circunstâncias. Mesmo vivendo em épocas e culturas diferentes, os dilemas básicos não haviam mudado, especialmente para as mulheres...

— Gustavo alguma vez mencionou a Bel o que descobriu? — perguntei a Yara.

— Não, nunca. Mesmo assim, minha mãe sempre via dor em seus olhos. Especialmente quando olhava para sua filha.

— A senhora Carvalho? Seu primeiro nome é Beatriz, não é?

— Sim. Eu mesma me lembro do senhor Gustavo entrando na sala de visitas quando tínhamos dez ou onze anos. Ele fitou sua filha por um longo tempo, quase como se fosse uma estranha. Não pensei muito nisso na época, mas acho que ele talvez estivesse tentando decidir se ela tinha seu sangue. A senhora Beatriz nasceu com os olhos verdes, e minha mãe dizia que lembravam os olhos do senhor Laurent.

— Então sua mãe suspeitava que ele fosse o pai biológico de Beatriz?

— Quando ela me contou essa história, antes de morrer, disse que nunca teve dúvida — Yara explicou. — De acordo com ela, a senhora Beatriz era uma cópia do senhor Brouilly e também tinha talentos artísticos.

Ainda era uma adolescente quanto pintou o retrato de Izabela. — Yara apontou para a pintura. — Lembro-me dela dizendo que queria fazê-lo em memória de sua querida mãe.

— Izabela morreu quando Beatriz ainda era criança?

— Sim — Yara confirmou. — Tínhamos dezoito meses, na mesma época em que o Cristo foi abençoado e inaugurado no Corcovado, em 1931. Houve uma epidemia de febre amarela no Rio, e eu e a senhora Beatriz fomos confinadas à *Casa*. Mas a senhora Izabela insistiu em assistir à cerimônia de inauguração do Cristo. Considerando sua história, era muito importante para ela. Três dias depois, estava com a febre e nunca se recuperou. Tinha apenas vinte e um anos.

Senti meu coração se contrair ao pensar nisso. Mesmo que Floriano houvesse me mostrado as datas de nascimento e óbito nos registros, não atentei a esse detalhe na época.

— Depois de todo aquele sofrimento e tragédia, morrer tão jovem — comentei, com um tremor na voz.

— Sim. Mas, perdoe-me, Senhor, pelo que vou dizer — Yara fez o sinal da cruz. — A única bênção foi que a epidemia também levou a senhora Luíza, poucos dias depois. Foram sepultadas juntas no mausoléu da família.

— Meu Deus. Pobre Bel... Destinada a repousar eternamente ao lado daquela mulher — murmurei.

— E deixar sua menina sem mãe, vivendo em uma casa de homens — Yara continuou. — Você pode entender como o senhor Gustavo ficou abalado com a morte de Izabela. Ele ainda a amava, apesar de tudo. E você pode imaginar, com base no que narrei, como ele buscou consolo na garrafa e se isolou cada vez mais. O senhor Maurício fez o possível por sua neta; sempre foi um homem gentil, especialmente depois que sua própria esposa faleceu. Ele providenciou um tutor para dar aulas à senhora Beatriz, muito mais que o senhor Gustavo conseguiu fazer.

— Você morava aqui na *Casa* nessa época? — perguntei.

— Sim. Quando minha mãe contou à senhora Izabela que estava grávida e pediu para ser transferida para a fazenda com meu pai, Izabela não pôde suportar deixá-la ir. Em vez disso, providenciou para que Bruno, meu pai, viesse trabalhar na manutenção e como motorista para a família, uma vez que Jorge estava perto da aposentadoria. Este também foi meu lar de infância — Yara refletiu. — E acho que guarda tantas memórias minhas quanto da minha senhora.

— Estou surpresa que Gustavo tenha concordado com o pedido de Izabela para que Loen ficasse. Afinal, ela era a única pessoa além dele que conhecia a verdade — afirmei.

— Talvez tenha sentido que *precisasse* concordar. — Os olhos de Yara brilhavam. — Com o segredo que compartilhavam, um tinha poder sobre o outro, independentemente da relação mestre-criada.

— Então você cresceu com Beatriz?

— Sim, mas talvez seja mais correto afirmar que ela cresceu conosco. Passava a maior parte do tempo em nossa pequena casa, que a senhora Izabela insistiu que fosse construída para meus pais nos fundos do jardim, do que na própria *Casa*. E minha família era o mais próximo que ela tinha de uma família própria. Era uma garotinha tão doce, amorosa e calorosa. Mas tão solitária — Yara acrescentou, com tristeza. — Seu pai estava sempre muito bêbado para saber se ela estava lá ou não. Ou talvez a ignorasse porque era uma lembrança constante das dúvidas que ainda tinha sobre sua falecida esposa. Foi uma bênção ele morrer quando a senhora Beatriz tinha dezessete anos. Ela herdou a *Casa* e as ações da família. Até então, o senhor Gustavo havia proibido que seguisse sua paixão pela arte, mas, depois que ele faleceu, não havia nada que pudesse impedi-la — Yara explicou.

— Posso entender por que Gustavo não apoiou o talento criativo da filha. Deve ter sido como colocar sal em uma ferida aberta. Na verdade, Yara, não consigo evitar sentir pena dele — admiti.

— Ele não era um homem ruim, senhorita Maia, apenas fraco — Yara concordou. — Então, quando completou dezoito anos, ela disse ao avô que iria para Paris se matricular na *École Nationale Supérieure des Beaux-Arts*, como sua mãe havia feito antes dela. Ficou em Paris por mais de cinco anos, voltando ao Rio apenas quando soube que Mauricio, seu avô, havia falecido. Acho que viveu muitas aventuras — Yara sorriu com melancolia. — E eu fiquei feliz por ela.

A imagem que Yara estava criando da mulher que eu havia conhecido cinco dias antes no jardim era muito diferente daquela que criei em minha mente. Percebi que a imaginava mais parecida com Luiza. Mas talvez fosse apenas porque era velha e estava determinada a não me reconhecer.

— E o que aconteceu com Antônio? — perguntei.

— Ah, ele se recuperou, como minha mãe sempre acreditou que faria — Yara disse com um sorriso. — Foi morar na Fazenda Santa Tereza e, com a pequena quantia de dinheiro que Gustavo havia lhe dado para começar outra vez, comprou uma fazenda de tomates. A senhorita deve se lembrar de que havia um sustentáculo financeiro em Paty do Alferes. Com o talento que ele tinha para os negócios, quando Antônio morreu, deixou o que se poderia chamar de um império dos tomates, abrangendo a maioria das terras ao redor da fazenda. Lembro que, como a senhora Izabela antes dela, a senhora Beatriz amava aquele lugar. Seu avô a adorava e a ensinou a cavalgar e a nadar. Ele deixou todas as fazendas para ela, e é delas que ganha uma renda desde que seu marido faleceu. Não é muito, mas paga as contas daqui.

— Quem foi o marido de Beatriz, meu avô? — perguntei.

— Evandro Carvalho, um pianista talentoso. Era um bom homem, senhorita Maia, e foi uma união de amor verdadeiro. Depois da infância difícil da senhora Beatriz, nossa família ficou contente por vê-la feliz. E a *Casa* finalmente voltou à vida. Beatriz e Evandro organizavam saraus para a comunidade criativa do Rio. Também fundaram várias instituições para levantar dinheiro para os moradores das favelas. Posso garantir, senhorita Maia, que, enquanto a idade e o sofrimento a modificaram ao se aproximar do fim, sua avó foi muito bela quando era jovem. Todos que a conheciam a respeitavam e amavam.

— É uma pena, então, que nunca conhecerei esse lado dela — registrei.

— Não. — Yara suspirou com pesar. — Mas a morte chega para todos nós.

— E... — busquei forças para dar voz à pergunta que se manifestava em minha mente nos últimos dez minutos. — Beatriz e Evandro tiveram uma criança, não tiveram?

Vi os olhos de Yara saltitarem ao redor da sala.

— Sim.

— Só uma?

— Houve um menino, mas ele morreu na infância. Portanto, sim — assentiu. — Uma.

— Uma menina?

— Sim.

— E o nome dela era Cristina?

— Sim, senhorita Maia. Eu ajudei a criá-la.

Hesitei, incerta quanto ao que dizer a seguir. As palavras que fluíam dos lábios de Yara sem parar na última hora também secaram. Olhei para ela com expectativa, desejando que continuasse.

— Senhorita, não creio que o que relatei sobre o passado tenha causado problemas, mas... — suspirou — não cabe a mim narrar o resto. Não é minha história.

— E de quem é? — implorei.

— Da senhora Beatriz.

Desesperada como estava para pressioná-la, percebi que Yara começava a olhar ansiosa para o relógio na parede.

— Tenho uma coisa para você — ela disse, colocando a mão no bolso e me entregando quatro envelopes. Quase tive a impressão que era um pedido de desculpas por não poder me dizer mais nada. — São as cartas enviadas, por intermédio de minha mãe, por Laurent Brouilly à senhora Izabela, enquanto estava na fazenda, durante os últimos dias da senhora Carla. Elas vão mostrar à senhorita, mais do que eu poderia, o amor que existiu entre eles.

— Obrigada — respondi ao vê-la se levantar, suprimindo a vontade de abraçá-la, pois eu estava grata pela oportunidade de ouvir sobre meus ancestrais e sua história trágica. Mais do que qualquer outra coisa, eu queria saber agora sobre o *meu* passado.

— Preciso retornar para junto da senhora Beatriz — ela disse.

— Claro — respondi, levantando-me também depois de ficar sentada e tensa por tanto tempo, absorvendo cada palavra.

— Vou acompanhá-la até a saída — afirmou, conduzindo-me até a porta.

— Seria mais fácil se a levássemos até o convento — sugeri, enquanto passávamos pelo corredor do outro lado do hall de entrada e Yara abria a porta. — Tenho um carro esperando.

— Obrigada, mas ainda preciso fazer algumas coisas aqui. — Ela me olhou com expectativa e eu hesitei a seu lado.

— Obrigada por tudo o que me contou. Posso fazer uma última pergunta?

— Depende — ela disse, seus olhos me implorando para atravessar a soleira e partir.

— Minha mãe ainda está viva?

— Não sei, senhorita Maia — Yara suspirou. — Essa é a verdade.

Eu sabia que nosso encontro chegava ao fim e ela não diria mais nada.

— Adeus, Yara — eu disse, relutantemente descendo os degraus. — Por favor, transmita meus votos à senhora Beatriz.

Ela não respondeu quando comecei a me afastar, e apenas quando estava passando pela fonte em ruínas ouvi sua voz.

— Vou falar com ela, senhorita. Adeus.

Ouvi a porta sendo fechada enquanto continuava rumo ao portão. Minhas mãos tocaram o ferro quente do metal enferrujado e, quando o abri e fechei antes de atravessar, ergui os olhos e notei o céu carregado e uma tempestade que se formava.

— Como foi? — Floriano estava sentando na grama fresca sob a sombra. Pude ver uma pilha de bitucas de cigarro a seu lado.

— Entendi muita coisa — respondi, enquanto ele se levantava e abria o carro.

— Que bom — ele disse, quando ambos entramos no veículo, e deu a partida. Floriano não me questionou enquanto dirigia de volta a Ipanema, talvez percebendo que eu precisava de um tempo para voltar ao presente. Permaneci em silêncio durante todo o percurso, revisitando a história que ouvira. Quando chegamos ao pátio de acesso do meu hotel, Floriano se virou de frente para mim. — Tenho certeza que você está exausta e precisa de um tempo sozinha. Você sabe onde estou se quiser comida ou companhia mais tarde. Prometo que eu serei o cozinheiro esta noite, não minha filha — garantiu, com uma piscadela.

— Obrigada — respondi, saindo do carro. — Por tudo — acrescentei, enquanto ele assentia com a cabeça e dava ré. Ao entrar no hotel, eu não compreendia por que minhas pernas pareciam ser dois caules de árvores com raízes profundas, que eu precisava arrancar da terra toda vez que ordenava um passo adiante. Atravessei a recepção devagar, tomei o elevador e caminhei quase embriagada até a suíte. Gastando minha última reserva de energia para procurar a chave dentro da bolsa, entrei no quarto, cambaleei até a cama e adormeci onde caí.

Acordei duas horas depois, sentindo como se tivesse com uma ressaca monstruosa. Tomei um ibuprofeno e um gole grande de água. Deitada na cama, podia ouvir a tempestade que se aproximava, rugindo no céu cinza-azulado, e assisti a um turbilhão de nuvens. Exausta demais para me mover, adormeci outra vez e acordei uma hora depois para ver a chuva começar a cair com força. Relâmpagos rasgavam o céu escuro sobre ondas agitadas, e os trovões — de um tipo que nunca ouvira antes — explodiam em meus ouvidos.

Quando as primeiras gotas de chuva pousaram sobre o parapeito estreito, olhei para o relógio e vi que eram quase sete da noite. Coloquei uma cadeira em frente à janela e me sentei para assistir, impressionada, à tempestade chegar. A chuva caía inclinada e respingava de qualquer superfície sólida em ângulos retos; as ruas e calçadas se transformavam em rios lá embaixo. Abrindo a janela, coloquei a cabeça para fora e senti as gotas frescas e limpas que caíam em meu cabelo e meus ombros.

Ri alto de repente, quase eufórica com a exuberância da força pura da natureza em exibição. Naquele momento, senti que também era parte daquele turbilhão, intrinsecamente ligado ao céu e à terra, incapaz de compreender o milagre que o criara, mas ciente de que pertencia a ele.

Percebendo que me afogaria se não fechasse o vidro e voltasse para dentro, corri ao banheiro, espalhando gotas de chuva pelo carpete, e tomei um banho. Quando saí, a dor de cabeça havia passado e uma sensação tão refrescante quanto o ar limpo pela chuva se instalou ao meu redor. Deitada na cama, olhei para as cartas que Yara havia me dado e tentei dar sentido ao que ela havia me dito naquele dia. Mas meus pensamentos continuavam a buscar Floriano, o modo paciente como esperou por mim a tarde toda e a sensibilidade que demonstrou depois. E percebi que, independente do que os envelopes continham, eu queria — *realmente* queria — compartilhar com ele. Peguei o telefone e procurei seu número.

— Olá, Floriano, é Maia.

— Como você está?

— Admirando a tempestade. Nunca vi algo assim antes.

— É, com certeza uma das coisas que nós, cariocas, podemos nos gabar de fazer muito bem — ele concordou. — Quer vir jantar conosco? É bem simples, mas você é bem-vinda.

— Se a chuva parar, sim, adoraria.

— Creio que vai parar em uns nove minutos, mais ou menos. Portanto, vejo você em vinte minutos.

— Sim, obrigada, Floriano.

— Divirta-se com as poças — ouvi o riso em sua voz. — Tchau.

Exatamente nove minutos depois, arrisquei descer até a recepção e sair do hotel, minhas sandálias de dedo e tornozelos submersos no dilúvio que ainda fluía das calçadas para bueiros inadequados. Havia um frescor maravilhoso no ar enquanto eu caminhava, e eu vi cada vez mais habitantes locais se aventurando nas ruas.

— Suba — Floriano disse quando toquei o interfone.

Chegando ao topo das escadas, ele me encontrou com um dedo sobre os lábios.

— Acabei de colocar Valentina para dormir. Ela sairá da cama imediatamente se perceber que você está aqui — sussurrou.

Assentindo em silêncio, segui-o escada acima até a varanda no telhado, que estava milagrosamente seca e aconchegante.

— Tome um pouco de vinho enquanto desço para preparar o jantar.

Peguei uma taça pequena de vinho tinto, me sentindo culpada por não ter levado nada, e prometendo a mim mesma que levaria Floriano para jantar da próxima vez, como agradecimento por sua hospitalidade. Ele já havia acendido velas sobre a mesa, pois a escuridão chegara, e o som de jazz suave surgia de caixas de som escondidas nos beirais acima. Era uma atmosfera tranquila, algo surpreendente em uma cidade que não parava.

— Enchiladas com todos os acompanhamentos — ele disse, aparecendo com uma bandeja. — Estive no México alguns anos atrás e me apaixonei pela culinária deles.

Levantei-me e o ajudei a descarregar os pratos quentes e as tigelas de guacamole, *sour cream* e salsa, imaginando se ele comia aquilo toda noite.

— Por favor, sirva-se — Floriano incentivou ao se sentar.

Comi com gosto, impressionada com seu talento culinário. Duvidava que pudesse servir até mesmo uma refeição simples como aquela com tanta confiança. Na verdade, pensei com tristeza, eu não dava jantares desde que me mudara para o Pavilhão, em Genebra, treze anos atrás.

— E então — Floriano disse quando terminou de comer e acendeu um cigarro —, descobriu tudo de que precisava hoje?

— Aprendi muitas coisas, mas, infelizmente, nada sobre o que vim ao Brasil para descobrir.

— Você está se referindo a sua mãe, presumo.

— Sim. Yara disse que a história não é sua, portanto não pode me contar.

— Não. Especialmente se sua mãe ainda estiver viva — Floriano concordou.

— Yara disse que não sabia. E eu acredito nela.

Ele me estudou com interesse:

— O que vai fazer agora?

— Não tenho certeza. Lembro de você dizendo que não conseguiu encontrar registros da morte de Cristina.

— Não, não encontrei. Até onde sabemos, ela pode ter ido para o exterior. Maia, seria demais pedir que me contasse o que Yara revelou hoje? — ele perguntou. — Confesso que, depois de chegarmos até aqui, estou curioso.

— Contanto que não faça o que ameaçou e não registre isso em seus romances — brinquei, mas não totalmente.

— Escrevo ficção, Maia. Isso é a vida real. Dou minha palavra de honra.

Nos trinta minutos seguintes, resumi o que pude lembrar do que Yara havia dito. Então, peguei minha bolsa e retirei os quatro envelopes que ela me dera quando estava prestes a deixá-la.

— Ainda não os abri. Talvez esteja nervosa, como Gustavo quando abriu a carta que tomou de Loen — admiti, entregando-as a ele. — Yara disse que foram escritas por Laurent para Izabela, durante o tempo que ela passou na fazenda cuidando da mãe. Quero que você leia uma primeiro.

— Eu ficaria honrado — ele disse, seus olhos se iluminando como eu sabia que iriam ao descobrir evidências concretas de um quebra-cabeça histórico.

Observei-o enquanto retirou a folha amarelada de dentro do primeiro envelope e começou a ler. Finalmente, ele me olhou, visivelmente comovido.

— Bem, monsieur Laurent Brouilly pode ter sido um excelente escultor, mas, julgando por isso, também tinha jeito com as palavras. — Floriano tombou a cabeça para um lado. — Por que qualquer coisa escrita em francês parece mais poética? Tome — me entregou a carta —, leia esta, enquanto me arrasto pela próxima com a ajuda do meu francês escolar. — Meu Deus — ele disse alguns minutos depois —, estas cartas quase fazem um velho cínico chorar — acrescentou, ecoando meus pensamentos.

— Eu sei. Mesmo depois de ouvir Yara descrever o amor de Bel e Laurent, ler estas palavras torna tudo mais real — sussurrei. — De certa forma, ainda que sua história tenha terminado em tragédia, tenho inveja de Bel — admiti, servindo-me de mais uma taça de vinho.

— Você nunca se apaixonou? — Floriano me perguntou daquele seu jeito direto.

— Sim, uma vez. Acho que já mencionei algo para você — apressei-me em dizer. — E disse que não deu certo.

— Ah, sim, aquela experiência que aparentemente a marcou para o resto da vida.

— Foi um pouco pior que isso — contestei, na defensiva.

— Essas situações sempre são. Veja Bel e Laurent. Se ler estas cartas, vai supor apenas que eles eram um casal apaixonado.

— Bem, foi assim que meu primeiro caso de amor começou, mas não foi assim que terminou — dei de ombros e ele pegou mais um cigarro. — Se importa se eu fumar um também?

— Nem um pouco, vá em frente — ele disse, oferecendo-me o maço.

Acendi o cigarro, inspirei e sorri para ele. — Não fumo desde a universidade.

— Bem, quem dera pudesse dizer o mesmo. Valentina sempre tenta me persuadir a largar. Talvez um dia eu consiga — ele suspirou, tragando. — Então, esse amor que partiu seu coração... Quer me dizer o que aconteceu?

Depois de quatorze anos de completo silêncio sobre o assunto e, na verdade, fazendo o possível para evitá-lo, me perguntei o que fazia em uma cobertura, no Rio de Janeiro, com um homem que praticamente não conhecia, me sentindo pronta para contar a ele.

— Sério, Maia, não precisa dizer nada — Floriano declarou, notando o medo em meus olhos.

Instintivamente, porém, eu sabia que esse era o motivo de eu tê-lo procurado naquela noite. A história que ouvi nos últimos dias — somada à morte de Pa Salt — havia desencadeado a dor e a culpa que sentia pelo que fiz um dia. Para não mencionar o próprio Floriano, cuja vida refletia uma imagem desfavorável em que minha existência era triste e solitária.

— Vou contar — declarei antes de perder a coragem. — Na universidade, conheci uma pessoa. Era alguns anos mais velho, e eu o conheci no último semestre do segundo ano. Ele estava no último ano e prestes a se formar. Me apaixonei, fui descuidada e tola. Quando voltei para casa no verão, descobri que estava grávida. Mas era tarde demais para fazer qualquer coisa a respeito. — Suspirei, sabendo que deveria contar tudo rapidamente antes de perder o controle. — Marina, a mulher que, como mencionei, criou a mim e a minhas cinco irmãs, me ajudou a ter o neném em segredo. Então... — pausei, buscando toda a coragem que ainda me restava para pronunciar aquelas palavras — Quando dei à luz, imediatamente entreguei o bebê para a adoção.

Tomei um longo gole de vinho, levei as mãos cerradas aos olhos para bloquear a torrente prestes a fluir deles.

— Maia, está tudo bem, chore se precisar. Eu compreendo — ele disse com delicadeza.

— É que... nunca contei isso a ninguém — admiti, sentindo o coração palpitando em meu peito. — E me sinto muito... muito envergonhada...

As lágrimas começaram a cair, mesmo quando fiz o possível para impedi-las. Floriano se sentou ao meu lado no sofá e me envolveu em seus braços. Acariciou meu cabelo enquanto eu tagarelava incoerentemente sobre como deveria ter sido mais forte e ficado com a criança, a qualquer custo. E como nem um único dia passava, desde que levaram meu bebê, poucos minutos depois de eu ter dado à luz, sem que eu revivesse aquele momento terrível.

— Nem mesmo me deixaram ver seu rosto... — gemi. — Disseram que era melhor assim.

Floriano não disse nada até que o último vestígio de desespero me deixou, como o último sopro de ar em um balão, e meu corpo todo desmoronou de exaustão. Fiquei deitada, em silêncio, sobre seu peito, imaginando o que teria me compelido a compartilhar com ele meu terrível segredo.

Floriano continuou em silêncio. Finalmente, perguntei, aflita:

— Não está chocado?

— Não, claro que não. Por que estaria?

— Por que *não* estaria?

— Porque — suspirou com pesar — você fez o que achou certo no momento, diante das circunstâncias que enfrentava. E não há crime nisso.

— Talvez os assassinos também acreditem que estejam corretos — contra-argumentei.

— Maia, você era jovem e estava assustada, e presumo que o pai não estivesse por perto para se casar com você. Ou mesmo ajudá-la.

— Deus, não — respondi com um tremor, me lembrando da última vez em que falei com Zed no fim daquele semestre. — Para ele, não foi nada mais que um caso passageiro. Estava se formando e prestes a começar um futuro. Ele me disse que os relacionamentos a distância raramente dão certo, que havia sido divertido, mas que era melhor terminar ali. Enquanto ainda éramos amigos — acrescentei, com um riso sombrio.

— E você nunca disse a ele que estava grávida?

— Não percebi que estava, não com certeza, até chegar em casa e Marina dar apenas uma olhada em mim antes de me arrastar para o médico. Àquela altura, a gestação já estava muito avançada e a única solução era continuar. Fui tão ingênua, tão estúpida — me repreendi. — Estava tão apaixonada que faria qualquer coisa que ele quisesse.

— O que, presumo, significava não diminuir o prazer dele com o uso da camisinha.

— Sim. — Escondi meu rubor em sua camisa. — Mas eu deveria, *poderia*, ter me protegido com mais cuidado. Não era uma criança, afinal, mas suponho que não acreditava que pudesse acontecer comigo.

— Muitas jovens inexperientes pensam a mesma coisa, Maia. Especialmente ao viver o primeiro amor. Você conversou com seu pai sobre isso? — perguntou. — Parece que vocês eram muito próximos.

— Nós éramos, mas não para *isso*. É difícil explicar, mas eu era sua menininha, sua primeira filha. E ele esperava tanto de mim. Fui uma das melhores alunas na Sorbonne e esperava uma graduação com honras. Para ser honesta, acho que preferia morrer a confessar como fui estúpida.

— E quanto a Marina? Ela não tentou persuadi-la a contar ao seu pai?

— Sim, tentou, mas estava convencida de que não podia. Sabia que partiria o coração dele.

— Então, em vez disso, partiu o seu    Floriano concluiu.

— Era a melhor opção, na época.

— Entendo.

Ficamos sentados no sofá, em silêncio, por algum tempo. Eu olhava fixamente para a luz da vela que bruxuleava na escuridão, revivendo a dor causada pela decisão que havia tomado.

— Deve ter passado por sua cabeça, em algum momento, que seu pai havia adotado seis meninas — Floriano declarou de repente. — E que, talvez, entre todas as pessoas, compreenderia bem a situação em que você estava.

— Não, não naquela época. — Meus ombros desabaram com uma angústia renovada. — Mas, desde que ele morreu, penso nisso constantemente. Ainda assim, não consigo explicar quem ele foi para mim. Eu o idolatrava e ansiava por sua aprovação.

— Mais que por sua ajuda — Floriano elucidou.

— Não foi culpa *dele*, foi minha — afirmei. — Não confiava nele, não confiava em seu amor por mim. E tenho certeza, agora, que, se tivesse contado, ele teria ficado ao meu lado, teria... — Minha voz perdeu a força e se tornou um sussurro, enquanto novas lágrimas brotavam em meus olhos. — Olho para você e Valentina, em circunstâncias parecidas, e vejo como minha vida poderia ser hoje se eu tivesse tido coragem para ser mais forte. Acho que compliquei tudo.

— Todos nós fazemos coisas das quais nos arrependemos, Maia — Floriano apontou com tristeza. — Desejo todos os dias ter sido mais firme com os médicos que mandaram minha esposa para casa quando instintivamente sabia que ela estava muito doente. Talvez, se tivesse feito isso, minha filha ainda tivesse uma mãe e eu ainda teria uma esposa. Mas aonde a autocrítica nos leva? — Suspirou. — A lugar nenhum.

— Desistir de um filho, especialmente por motivos tão egoístas, não motivados pela pobreza ou pela guerra, deve ser o pior dos crimes — declarei.

— Todos nós acreditamos que nosso próprio erro é o pior, porque *nós* o cometemos. Todos vivemos com culpa por nossas ações, Maia. Especialmente se escolhemos guardá-las conosco por tanto tempo quanto você. Estou sentindo apenas tristeza, não reprovação. E realmente acredito que qualquer pessoa que ouvisse sua história sentiria o mesmo. Você é a única que culpa a si mesma. Não pode ver isso?

— Suponho que sim, mas o que posso fazer?

— Perdoar-se. Simples assim. Até que faça isso, não conseguirá viver em paz. Eu sei. Já passei por isso.

— Todo dia imagino onde meu filho pode estar, se está feliz e se foi adotado por pais amorosos. Às vezes ouço seu choro em meus sonhos, chamando por mim, mas nunca consigo encontrá-lo...

— Entendo, mas lembre-se de que você também é adotada, querida. Você acha que sofreu por causa disso? — Floriano me perguntou.

— Não, porque não conheci uma vida diferente.

— Exatamente — concluiu. — Você acabou de responder a sua própria pergunta. Você me disse uma vez que não importa quem cria uma criança, desde que seja amada. É o mesmo com seu filho, onde quer que ele esteja. Aposto que a única pessoa sofrendo por isso é você. Agora, creio que um conhaque cairia bem. — Libertando-me de seus braços, foi até uma prateleira estreita pegar uma garrafa — Quer um pouco? — ele perguntou ao servir uma pequena dose em um cálice.

— Não, obrigada. — Apenas observei enquanto ele seguia para a varanda a fim de acender outro cigarro e ficou lá, fitando a escuridão. Finalmente, vulnerável e insegura, me juntei a ele.

— Você percebe — ele argumentou — que essas descobertas sobre sua própria origem a fizeram pensar ainda mais em seu filho?

— Sim — admiti —, afinal Pa Salt deu permissão para suas filhas adotivas descobrirem suas origens, se quiserem. Com certeza, meu filho tem o direito de descobrir a dele, também.

— Ou, pelo menos, *escolher* se deseja descobrir — Floriano corrigiu. — Você mesma disse que estava reticente em investigar seu passado. Além disso, todas vocês sempre souberam que foram adotadas. Talvez seu filho não tenha recebido a mesma informação. É completamente possível que não saiba.

— Queria apenas poder vê-lo, saber se está seguro... feliz.

— Isso é natural. Mas talvez deva colocar o que é melhor para ele em primeiro lugar — ele sugeriu gentilmente. — Agora, já passa da uma da manhã e preciso me levantar com o sol por causa da pequena senhorita no andar inferior.

— Claro — eu disse, me virando imediatamente e atravessando a varanda para pegar minha bolsa. — Já vou.

— Na verdade, Maia, eu ia sugerir que ficasse aqui. Não acho que deva ficar sozinha esta noite.

— Ficarei bem — assegurei, em pânico com sua sugestão e seguindo em direção à porta.

— Espere — Floriano riu ao me alcançar. — Não quis dizer que deve ficar *comigo*. Pode dormir no quarto da Petra. Ela foi para Salvador visitar a família por uma semana. Por favor, fique. Ficarei preocupado com você.

— Ok — concordei, cansada demais para discutir. — Obrigada.

Floriano apagou as velas e desligou o computador, então descemos as escadas e ele indicou a direção do quarto de Petra.

— Troquei os lençóis e passei o aspirador depois que ela saiu, portanto o quarto está apresentável. O banheiro é no fim daquele corredor, à direita. Damas primeiro. Boa noite, Maia — ele disse, aproximando-se e beijando suavemente minha testa —, durma bem.

Com um aceno, ele desapareceu de volta para a varanda e eu fui ao banheiro. Ao entrar no quarto de Petra alguns minutos depois, olhei para os livros de biologia arrumados em prateleiras acima da escrivaninha, vi uma bagunça de cosméticos sobre a penteadeira e uma calça jeans jogada sobre uma cadeira. Vestindo apenas minha camiseta, me deitei na cama estreita e lembrei que um dia também fui uma estudante despreocupada e com a vida inteira pela frente, uma tela em branco esperando que eu, a artista, a colorisse... Até descobrir que estava grávida.

Com essa imagem, adormeci.

# 47

Acordei com o ruído de uma porta se abrindo e a sensação de que não estava sozinha no quarto. Abri os olhos e vi Valentina de pé ao lado da cama, me olhando fixamente.

— Já são dez horas. Papai e eu acabamos de fazer um bolo. Você vai se levantar agora e nos ajudar a comer?

— Claro — concordei, ainda despertando depois de um sono obviamente profundo. Valentina balançou a cabeça, satisfeita, e saiu do quarto, então me levantei e me vesti depressa. Ao caminhar pelo corredor estreito, um aroma delicioso assediou meus sentidos, me lembrando da cozinha de Cláudia em *Atlantis*. Seguindo o som da voz de Valentina, subi as escadas até a varanda no telhado e encontrei pai e filha sentados à mesa, saboreando o bolo colocado no centro da mesa.

— Bom dia, Maia. Dormiu bem? — Floriano perguntou, limpando as migalhas ao redor da boca e puxando uma cadeira de madeira para mim.

— Muito bem — sorri enquanto ele cortava uma fatia e passava manteiga.

— Café? — perguntou.

— Sim, por favor — respondi, mordendo o bolo ainda quente. — É isso que você come no café todo dia, Valentina? Ganha fácil do cereal e da torrada que eu como.

— Não — ela suspirou. — Só hoje. Acho que papai está se exibindo para você. — Ela deu de ombros.

Floriano ergueu uma sobrancelha diante das palavras de sua filha, e eu notei um leve rubor em seu rosto.

— Valentina e eu estávamos comentando que você precisa se divertir.

— Isso, Maia — Valentina interrompeu. — Se o meu papai estivesse no céu, eu ficaria muito triste e precisaria me divertir.

— Portanto, montamos uma agenda — Floriano anunciou.

— Não, papai, *você* montou — Valentina franziu o cenho em minha direção. — Eu sugeri que fosse ao parque, depois visse um filme da Disney, mas papai disse que não, então você vai fazer coisas chatas. — Ela levantou as duas mãos com as palmas para cima e suspirou outra vez. — Não me culpe.

— Bem, podemos fazer um pouco dos dois — conciliei. — Eu adoro os filmes da Disney.

— Bem, eu não vou poder ir com vocês, porque papai viaja para Paris amanhã por causa do livro e tem muito trabalho para fazer antes de ir. Então vou ficar com o vovô e a vovó.

— Você vai para Paris? — perguntei a Floriano, surpresa, sentindo uma pontada irracional e súbita de medo.

— Sim. Lembra do e-mail que mandei algumas semanas atrás? Você também está convidada, não se esqueça — ele disse, sorrindo para mim.

— Ah, sim, certamente — balbuciei, relembrando a mensagem.

— Eu não estou — Valentina fez bico. — Papai acha que vou atrapalhar.

— Não, querida, acho que vai ficar entediada. Lembra que você detestou as minhas sessões de autógrafo aqui no Brasil? Logo que chegamos você já estava puxando meu braço, perguntando quando iríamos embora.

— Mas isso foi *aqui*, não em Paris. Eu adoraria visitar Paris — Valentina declarou, suspirando.

— Um dia — Floriano respondeu, inclinando-se sobre a mesa para beijar os cabelos brilhantes da menina — eu prometo que te levo. Seus avós chegam a qualquer momento. Já arrumou a mala?

— Sim, papai — ela respondeu.

— Maia, enquanto retiro a mesa do café, poderia por favor acompanhar Valentina e checar se ela colocou roupas suficientes para duas semanas e a escova de dentes? — Floriano pediu. — Às vezes ela é um pouco... descuidada com essas coisas.

— Claro. — Segui Valentina até seu pequeno quarto no andar inferior. Tudo era cor-de-rosa: paredes, edredom e até os bichos de pelúcia alinhados sobre a cama. Valentina fez sinal para eu me sentar e arrastou sua mala até a cama para que o conteúdo fosse inspecionado; sorri com a obediência dela, mas também achei reconfortante. O cor-de-rosa parecia fazer parte da genética da menina, e também era minha cor preferida.

— Tudo o que eu preciso está aqui, eu juro — Valentina assegurou, cruzando seus bracinhos, na defensiva, enquanto eu abria a mala. Barbies, DVDs, livros para colorir e canetinhas soltas estavam entulhadas lá dentro. Assim como uma camiseta, uma calça jeans e um par de tênis.

— Você não acha que precisa de algumas calcinhas? — arrisquei.

— Ah, é — Valentina disse, abrindo uma gaveta. — Esqueci delas.

— E talvez esse pijama? — sugeri, indicando a roupa que Valentina obviamente havia jogado no chão quando se vestiu naquela manhã. — E talvez um pouco mais de roupas?

Dez minutos depois, ouvi o interfone e os passos de Floriano descendo as escadas.

— Chegaram. Está pronta, Valentina? — gritou do corredor.

— Não quero ir — ela disse, erguendo os olhos dos desenhos que me mostrava.

Instintivamente, coloquei um braço ao redor dos seus ombros.

— Vai ser divertido. Aposto que seus avós fazem tudo o que você quer.

— Eles fazem, mas vou sentir saudade do papai.

— É assim mesmo. Eu detestava quando meu pai viajava. E ele viajava muito!

— Mas você tinha muitas irmãs para te fazer companhia. Eu não tenho. — Com um suspiro resignado, Valentina se levantou e eu fechei sua mala.

Ela observou quando tirei a mala da cama, levantei a alça e a carreguei até a porta.

— Acho que você está pronta.

— Vou ver você quando voltar para casa, Maia? — ela perguntou, descontente. — Você é muito mais legal que a Petra; ela passa o tempo todo no telefone com o namorado dela.

— Espero que sim, querida, de verdade. Agora — a beijei — vá e se divirta bastante.

— Vou tentar. — Valentina pegou a alça da mala e abriu a porta. — O papai gosta mesmo de você, sabe?

— Gosta? — Sorri para ela.

— Sim, ele mesmo me disse. Tchau, tchau, Maia.

Quando ela saiu do quarto, pensei que sua expressão lembrava um refugiado dos dias modernos. Não querendo interferir na despedida entre pai e filha, ou envergonhar Floriano na frente dos pais de sua falecida esposa, me sentei na cama com as mãos no colo. Pensei outra vez que era difícil para eles e que eu admirava Floriano por equilibrar o trabalho com a vida em família. Também senti mais que uma pitada de prazer quando Valentina disse que seu pai gostava de mim. Admiti que também gostava muito dele.

Poucos minutos depois, Floriano bateu à porta e espiou dentro do quarto.

— Está tudo bem, pode sair agora. Pensei que fosse acompanhar Valentina e conhecer Giovane e Lívia, mas você não apareceu. Bem — ele continuou, pegando minha mão e me tirando da cama —, como eu disse no café da manhã, acho que é hora de se divertir. Você se lembra o que é diversão?

— Claro que sim! — exclamei, na defensiva.

— Que bom. Então, no caminho, pode me contar qual foi a última coisa divertida que fez.

— Floriano, não seja sarcástico!

Ele parou abruptamente no corredor e se virou. Eu quase colidi com ele.

— Maia, por favor, relaxe. Estou brincando. Mesmo eu, que tenho uma tendência ao isolamento, sei que não se deve levar tudo muito a sério. Você está sozinha há muito tempo, é isso. Eu, pelo menos, tenho minha filha para me salvar de mim mesmo — explicou. — Por hoje, quero que esqueça suas preocupações e *viva*. Tudo bem?

Abaixei a cabeça, me sentindo estranha e desconfortável. Percebi que havia muito tempo não permitia que outro ser humano se aproximasse o bastante para me repreender por meus defeitos.

— Só quero que você conheça o *meu* Rio. Você precisa de distração — Floriano acrescentou ao abrir a porta da frente e me conduzir por ela.

— Certo — concordei.

— Bom — ele disse, descendo as escadas e me oferecendo seu braço quando chegamos à porta. — Vamos?

— Vamos.

Floriano me conduziu para fora do prédio e pelas ruas de Ipanema até um café, que já estava lotado. Cumprimentou o garçom, que obviamente o conhecia, e pediu duas caipirinhas. Fiquei chocada.

— São onze e meia da manhã! — adverti quando ele me entregou uma dose.

— Eu sei. Estamos sendo imprudentes e imorais — ironizou. — Vamos lá — Floriano disse, tocando seu copo no meu. — Em um gole só.

Depois que o álcool melado e ácido desceu por minha garganta até o estômago, agradeci a Deus que o bolo estivesse lá para absorver o líquido. Floriano pagou a conta e me puxou do banco. Parou um táxi em frente ao bar.

— Aonde vamos?

— Vou levá-la para conhecer um amigo meu — ele afirmou, com um ar de mistério. — Você precisa ver uma coisa antes de deixar o Rio de Janeiro.

Vinte minutos depois, paramos em frente, percebi, da entrada de uma favela.

— Não se preocupe — ele disse ao pagar o motorista. — Os traficantes daqui não vão atirar em você, nem oferecer cocaína. — Ele colocou um braço ao redor do meu ombro e começamos a escalar a longa escada até a comunidade. — Ramon, meu amigo, é tão civilizado como nós.

Quando chegamos ao último degrau e entramos na favela, as passagens se tornaram estreitas que era possível esticar os braços e tocar as paredes de tijolos em ambos os prédios laterais. O chão era escuro, e, ao erguer os olhos, vi uma mistura de construções estranhas no nível da rua.

Floriano seguiu minha visão e assentiu com a cabeça.

— Os moradores do andar térreo vendem espaço para outras famílias, que constroem suas casas em cima das outras — ele explicou enquanto continuávamos pelas ruas serpenteantes.

Ainda que eu tivesse orgulho por conseguir suportar grandes temperaturas, transpirava muito, até que fiquei zonza com aquela atmosfera claustrofóbica e abafada. Floriano percebeu imediatamente e, em uma das ruas estreitas, parou e atravessou uma porta escura. Era um tipo de loja, apenas um cômodo de concreto com algumas prateleiras que guardavam produtos enlatados e uma geladeira no canto. Depois que ele pagou por uma garrafa de água, que bebi com voracidade, continuamos a subir, até finalmente chegarmos a uma porta azul-anil. Floriano bateu e um homem negro atendeu. Observei enquanto se cumprimentavam jocosamente, com uma série de batidas nas costas e socos nos braços, e entramos na casa. Fiquei surpresa ao ver um computador em um dos cantos da sala estreita e uma televisão gigantesca. A sala tinha poucos móveis, mas era imaculadamente limpa.

— Maia, este é Ramon. Mora na comunidade desde que nasceu, mas agora trabalha para o governo como — Floriano olhou para o amigo, procurando inspiração — pacificador.

Os dentes brancos do homem cintilaram quando seus lábios se partiram e ele caiu na gargalhada. — Meu amigo — disse com uma voz rica e grave —, você definitivamente é um escritor. Senhorita — continuou, estendendo a mão em minha direção —, é um prazer conhecê-la.

Durante as duas horas seguintes, passeamos pela favela, parando para comer e tomar uma cerveja em um bar que um habitante empreendedor havia montado em um pequeno espaço, e ali aprendi muito sobre a vida na comunidade.

— Sim, ainda existem crimes e miséria nas ruas de todas as favelas do Rio — Ramon explicou. — E existem lugares que nem mesmo eu arriscaria visitar, especialmente à noite. Mas preciso acreditar que as coisas estão melhorando, ainda que mais devagar do que deveriam. Com educação e amor-próprio, espero que meus netos nasçam em um lugar melhor.

— Como vocês se conheceram? — perguntei enquanto cozinhava naquele calor.

— Ramon ganhou uma bolsa de estudos em minha universidade — Floriano explicou. — Ele estudava Ciências Sociais, mas xeretava na área de História também. É muito mais inteligente que eu. E continuo dizendo que deveria escrever um livro sobre sua vida.

— Você sabe muito bem que ninguém publicaria um livro meu no Brasil — Ramon disse, de repente sério. — Talvez um dia, quando eu estiver velho e a situação política for diferente. Agora, vamos ver meu projeto preferido.

Enquanto seguíamos Ramon pelo labirinto de passagens estreitas, Floriano explicava em voz baixa que a mãe do seu amigo havia sido obrigada a se prostituir pelo próprio marido, um traficante conhecido que estava preso por assassinato.

— Ramon tinha seis irmãos para criar sozinho depois que sua mãe morreu por overdose de heroína. Ele é um homem incrível. Do tipo que faz a gente ter esperança na raça humana — refletiu. — Trabalha sem parar pelos moradores, lutando por algum tipo de serviço básico de saúde e melhores condições para as crianças daqui. Dedica sua vida às favelas — Floriano acrescentou ao segurar meu braço para me ajudar a descer alguns degraus irregulares.

De algum lugar lá embaixo, ouvimos um som grave e ritmado, que pulsava pelo meu corpo enquanto continuávamos a descer a escadaria. Notei que Ramon era cumprimentado com respeito e afeto pelos residentes de cada um dos casebres. Quando chegamos ao fim das escadas e ele nos guiou por uma porta de madeira rodeada por paredes altas, meu respeito por ele havia se multiplicado. Ramon conseguiu dar uma guinada em sua vida, usando as circunstâncias infelizes como alavanca para melhorar a condição de outras pessoas. Sua dedicação e força de caráter me fizeram sentir pequena.

Dentro do pátio em que entramos, vi umas vinte crianças — muitas mais jovens que Valentina — dançando ao som do ritmo forte. Ramon nos conduziu discretamente ao longo de uma parede e para a sombra que o prédio acima proporcionava. Apontou para as crianças.

— Estão se preparando para o Carnaval. Sabia que tudo começou nas favelas? — ele murmurou, oferecendo uma cadeira de plástico torta para que eu pudesse me sentar e assistir.

Os corpinhos das crianças pareciam pulsar instintivamente no ritmo da música. Notei seus rostos concentrados, muitas com os olhos fechados, apenas se movendo com a música.

— Estão aprendendo o que chamamos de samba no pé. Foi o que me salvou quando eu era criança — Ramon disse baixinho em meu ouvido. — Estão dançando pela vida.

Mais tarde, eu me arrependi de não ter algum tipo de registro fotográfico do evento, mas talvez não fosse capaz de capturar o êxtase que vi no rosto daquelas crianças. Sabia que estava testemunhando algo que ficaria em minha memória para sempre.

Ramon sinalizou que era hora de partir e eu me levantei a contragosto. Demos adeus às crianças e saímos pela porta de madeira.

— Você está bem? — Floriano perguntou, colocando um braço protetor ao redor do meu ombro.

— Sim — consegui balbuciar, minha voz carregada de emoção. — Foi a coisa mais bonita que já vi.

Deixamos a favela e tomamos um táxi para voltar para a cidade, meu coração e meus sentidos ainda tomados pelo puro contentamento das crianças dançando.

— Tudo bem, Maia? — Floriano perguntou, estendendo a mão para pegar a minha.

— Sim — respondi —, estou bem. De verdade.

— Gostou do samba?

— Amei.

— Que bom. É exatamente o que vamos fazer esta noite.

Olhei para ele horrorizada.

— Floriano, não sei dançar!

— Claro que sabe, Maia. Todo mundo sabe dançar, especialmente os cariocas. Está no seu sangue. Bem — ele disse, pedindo para o motorista parar em uma praça em Ipanema, repleta de vendedores ambulantes —, precisamos encontrar algo adequado para você usar. Ah, sapatos também.

Segui Floriano como um cachorrinho pelo mercado enquanto ele ia de vendedor em vendedor, selecionando vestidos.

— Acho que o cor de pêssego combina mais com a sua pele — ele comentou, indicando o vestido justo, feito de um tecido sedoso e macio.

Franzi o cenho. Era exatamente o tipo de roupa que eu nunca escolheria, por ser muito reveladora.

— Vamos, Maia. Você prometeu que viveria um pouco hoje! Você se veste como a minha mãe! — ele zombou.

— Obrigada — respondi, sem jeito, quando ele insistiu em pagar pelo vestido.

— Ok, agora, os sapatos — Floriano continuou, pegando minha mão mais uma vez e atravessando as ruas de Ipanema. Paramos em frente a uma pequena loja, uma sapataria artesanal.

Dez minutos depois, saí da loja com um par de sapatos cubanos, de couro e salto alto, com uma fivela em uma tira que passava sobre o peito do meu pé.

— Esse é o tipo de sapato que Marina usaria — resmunguei, insistindo que Floriano aceitasse meu dinheiro para contribuir com os sapatos, que custaram caro, eu sabia. Ele recusou e parou em frente a uma sorveteria.

— De que sabor você quer? — ele perguntou. — Este lugar vende o melhor sorvete do Rio de Janeiro.

— O que você escolher — respondi. Assim que recebemos nossas casquinhas, vagamos até a rua principal e nos sentamos em um banco na praia, lambendo os sorvetes deliciosos antes que derretessem.

— Hum... — ele disse enquanto limpávamos nossos lábios lambuzados. — Já passa das seis. Por que não volta para o hotel e se prepara para sua estreia como sambista? Preciso mandar alguns e-mails antes de arrumar as malas. Encontro você na recepção às oito e meia.

— Certo, obrigada pelo dia maravilhoso — gritei enquanto ele se afastava com um aceno, depois atravessei a rua para voltar ao hotel.

— Ainda não acabou, Maia — ele gritou de volta com um sorriso.

Quando solicitei a chave do quarto na recepção, recebi também um recado.

— O portador disse que era urgente.

A recepcionista me entregou um envelope.

No quarto, abri o envelope, imaginando quem poderia ter deixado uma mensagem urgente, e li as palavras digitadas.

*Prezada Srta. Maia, a Sra. Beatriz deseja vê-la. Ela fica mais fraca a cada dia, então é imperativo que a senhorita venha o quanto antes. Amanhã às dez horas seria o melhor horário. Yara Canterino*

Depois de tirar um dia inteiro de folga e me esquecer completamente, por algumas horas, do meu passado desconhecido e do meu futuro incerto, meu cérebro demorou um pouco para processar o significado do recado. Corri para o chuveiro e entrei debaixo da água quente, deixando que ela escorresse pelo meu corpo. Decidi pensar no amanhã quando ele chegasse.

Entrei no vestido que Floriano comprou, certa de que ficaria horrível, mas, ao calçar os sapatos e ficar diante do espelho, me surpreendi com o resultado. O corpete cruzado desenhava o contorno dos meus seios e da minha cintura. A saia evasê caía em camadas suaves, proporcionando vislumbres tentadores das minhas coxas, acentuados pelos sapatos cubanos.

Minha estadia no Rio deu um pouco de cor à minha pele. Depois de secar e prender o cabelo, acrescentei um toque de delineador, máscara e apliquei um batom vermelho-escuro, comprado por impulso e nunca usado antes. Ri ao pensar que minhas irmãs não me reconheceriam. O comentário debochado de Floriano sobre meu estilo havia machucado, mas não estava errado. Tudo o que eu usava era sóbrio, escolhido para me ajudar a desaparecer entre a multidão. Aqui no Rio de Janeiro as mulheres celebravam a sensualidade de seus corpos e sua sexualidade, enquanto eu passei anos escondendo a minha.

Nos trinta minutos que eu ainda tinha até Floriano chegar, escrevi uma série de e-mails para minhas irmãs, dizendo que estava me divertindo e me sentia melhor. Tomando um gole de vinho direto da garrafa que peguei no frigobar, fiquei impressionada com a veracidade das palavras que escrevi. Era como se um peso do tamanho de uma montanha fosse removido dos meus ombros. Naquela noite, eu me sentia leve como o ar. Talvez fosse minha confissão para Floriano, mas uma voz interna me dizia que era mais que isso.

Era *ele*, também.

Sua energia, otimismo e bom-senso, sem contar o modo como lidava com sua filha e sua vida doméstica, eram uma lição de vida que eu precisava aprender. Ele havia me dado um exemplo que eu queria desesperadamente seguir. Comparada à dele, minha vida parecia uma representação cinzenta. Embora seus comentários fossem dolorosos às vezes, Floriano me fez ver que eu apenas *sobrevivia* em vez de viver.

De alguma forma, esta cidade e este homem juntos romperam o casulo protetor onde eu me escondia. Ri da analogia, pensando que realmente me sentia como uma borboleta em seu primeiro voo.

E, sim, admiti, provavelmente estava um pouco apaixonada por ele. Ao olhar para o relógio, percebi que era hora de descer e concluí que, mesmo que jamais o visse novamente, Floriano me devolveu a vida. E, naquela noite, eu celebraria meu renascimento sem medo do amanhã.

* * *

— Uau! — Floriano me admirou descaradamente quando apareci na recepção. — Por falar em fênix que renasce das cinzas...

Em vez de enrubescer e tentar ignorar o elogio, sorri calorosamente.

— Obrigada pelo vestido. Você estava certo, combina comigo.

— Maia, você está estonteante e, acredite — ele disse ao me conduzir para fora —, tudo o que fiz foi revelar o que você estava determinada a esconder. — Parado no topo da escada, ele me olhou outra vez. — Vamos?

— Sim.

Pegamos um táxi e Floriano direcionou o motorista para o bairro da Lapa, uma parte antiga da cidade, frequentada pelos boêmios.

— Não é seguro vir sozinho — Floriano me avisou quando o taxista nos deixou em uma rua de paralelepípedos, composta de antigos prédios de tijolos. — Mas esta noite estou aqui para te proteger — acrescentou, enquanto eu me segurava nele para caminhar cuidadosamente sobre o chão irregular com meus sapatos novos. Os cafés com mesas ao ar livre estavam lotados, mas deixamos a rua principal e ele me conduziu por uma escada até um porão.

— Este é o clube de samba mais antigo do Rio de Janeiro. Nenhum turista vem aqui. É para cariocas de verdade, que desejam dançar ao som do melhor samba da cidade.

Uma garçonete sorriu e o beijou em ambas as faces, depois nos levou até uma mesa, rodeada por sofás de couro, em um dos cantos. Ele pediu duas cervejas, confidenciando que o vinho ali era intragável.

— Floriano, esta noite é por minha conta — determinei, espiando a pista de dança e os músicos, que já estavam reunidos, preparando seus instrumentos.

— Obrigado — ele consentiu graciosamente. — A propósito, se quiser dizer alguma coisa, Maia, diga na próxima hora. Depois, não conseguiremos ouvir mais nada.

Depois de pedir a especialidade da casa, que Floriano havia recomendado, nossas cervejas foram servidas e nós brindamos.

— Maia, tem sido um prazer passar esse tempo com você. Lamento apenas que tenha que viajar para Paris amanhã.

— Quero agradecer também. Você tem sido maravilhoso, Floriano.

— Então você vai concordar em fazer minha próxima tradução? — ele zombou.

— Eu ficaria ofendida se não pedisse. Aliás — um tipo de caldo de feijão foi colocado diante de nós —, havia um recado de Yara quando cheguei ao hotel esta tarde. Parece que a senhora Beatriz deseja falar comigo amanhã de manhã — anunciei casualmente.

— Sério? — Floriano perguntou entre uma bocada e outra. — E como você se sente em relação a isso?

— Você disse que hoje era só diversão — lembrei, brincando. — Por isso, não pensei em como me sinto.

— Que bom. Mas não posso evitar desejar estar lá com você. Ou, pelo menos — deu de ombros —, ser seu motorista. Percorremos uma jornada incrível nos últimos dias. E adorei ser seu passageiro. Promete me contar o que ela disser?

— Mandarei um e-mail para você.

Uma atmosfera tensa se formou entre nós, e nos concentramos em terminar aquele cozido delicioso. Floriano pediu outra cerveja para a garçonete, mas eu recusei, preferindo uma taça do vinho "intragável". Ao nosso redor, a banda começou a tocar a música do morro e dois casais foram para a pista. Prestei atenção quando eles começaram a dançar, seus movimentos cuidadosos refletindo o nervosismo cortante que pairava entre mim e Floriano.

— E aí? — perguntei quando mais casais foram para a pista. — Vai me ensinar a dançar samba? — Ofereci minha mão sobre a mesa e ele assentiu. Sem falar, nós nos levantamos e nos juntamos à multidão.

Colocando um braço ao redor da minha cintura e estendendo o outro até meus dedos e envolvendo-os com os seus, ele sussurrou em meu ouvido.

— Apenas sinta o ritmo fluir por você, Maia.

Fiz como ele sugeriu, e a pulsação começou a correr pelo meu corpo. Meus quadris começaram a gingar em harmonia com o dele, e nossos pés começaram a se mover, os meus desajeitados enquanto eu estudava os dançarinos ao meu redor. Mas, logo, meu instinto assumiu o controle e eu relaxei, permitindo que meu corpo se movesse com o dele.

Não tenho certeza de quanto tempo dançamos naquela noite. Quando a pista começou a ficar mais cheia, senti que nos tornamos uma massa homogênea; movendo-nos em harmonia, um grupo de humanos celebrando a alegria de viver. Tenho certeza de que, para qualquer profissional que observava, meu samba era amador e imperfeito, mas, pela primeira vez na vida, não liguei para o que as pessoas pensavam. Floriano me conduzia, girava e me segurava contra seu corpo, até que comecei a rir alto com a alegria pura daquele momento.

Finalmente, ambos transpirando, deixamos a pista de dança; ele pegou a garrafa de água da mesa e nós seguimos para a rua e o ar fresco, que foi imediatamente poluído pelo cigarro de Floriano.

— Maia! Para uma iniciante, você foi incrível! Uma verdadeira carioca.

— Esta noite eu me sinto como se fosse, graças a você. — Peguei seu cigarro e dei uma tragada. Senti que ele me observava enquanto fazia isso.

— Você não sabe como está linda — murmurou. — Muito mais bonita que sua bisavó. Há uma luz dentro de você esta noite.

— E é graças a você, Floriano — respondi.

— Eu não fiz nada. Foi você quem decidiu viver outra vez.

De repente, ele me envolveu em seus braços e, antes que eu pudesse perceber o que estava acontecendo, me beijou. E eu correspondi com o mesmo entusiasmo.

— Por favor — ele sussurrou quando nos separamos para tomar fôlego —, fique comigo esta noite.

Deixamos o clube e mal chegamos às escadas do seu apartamento antes que ele deslizasse o vestido por meus ombros e me tomasse ali, no corredor estreito, com o som da música do morro ainda soando em meus ouvidos. Fomos para a cama e fizemos amor outra vez, mais devagar, mas com o mesmo fervor.

Depois, ele se apoiou sobre cotovelos e me fitou com aquele olhar intenso e familiar.

— Você mudou — afirmou. — Quando a encontrei pela primeira vez, reconheci sua beleza, como qualquer homem, mas você era tão reservada, estava apreensiva. Olhe para você agora — ele disse, beijando meu pescoço e seguindo para os meus seios. — Você é... deliciosa. Depois de meses desejando que o dia do meu embarque para Paris chegasse logo, esta noite, quando restam apenas algumas horas, tudo o que desejo é ficar aqui com você. Maia, eu te adoro. — Ele se posicionou sobre mim de repente, sua nudez contra a minha, e me olhou intensamente. — Venha para Paris comigo — pediu.

— Floriano, hoje a noite é nossa — sussurrei. — Foi você quem me ensinou a viver um momento de cada vez. Além disso, você sabe que não posso.

— Não, não amanhã. Depois que falar com sua avó, pegue um avião e me encontre lá. Podemos passar uma semana maravilhosa juntos. Um momento de cada vez — prometeu.

Não respondi. Não queria contemplar o amanhã naquele exato momento. Finalmente, ele adormeceu ao meu lado e eu o admirei, banhado pelo luar que brilhava pela janela. Estendi uma mão para tocar seu rosto gentilmente.

— Obrigada — sussurrei. — Obrigada.

# 48

Surpreendentemente, considerando que eu não compartilhava minha cama com ninguém havia mais de quatorze anos, não acordei até sentir um toque leve em meu ombro. Abri os olhos e encontrei Floriano me olhando, já vestido.

— Trouxe café — ele disse, indicando a caneca sobre o criado-mudo a meu lado.

— Obrigada — respondi, sonolenta. — Que horas são?

— Oito e meia. Maia, preciso ir para o aeroporto. Meu voo parte em três horas.

— E eu preciso voltar para o hotel e me trocar — completei, começando a sair da cama imediatamente. — Tenho que estar no convento às dez.

Floriano levantou uma mão para me impedir.

— Ouça, não sei quais são seus planos depois que falar com Beatriz, mas quero reforçar o que disse ontem à noite. Venha para Paris, querida. Eu adoraria ter você ao meu lado. Promete que vai pensar?

— Sim — concordei —, prometo.

— Bom... — Floriano coçou o nariz com um sorriso triste nos lábios. — Detesto admitir, mas sinto a sombra de Bel e Laurent nesta conversa. Gostaria de pensar que podemos ter um final mais feliz que o deles. — Ele estendeu uma mão e removeu uma mecha de cabelo da minha testa, então se inclinou e me beijou suavemente. — *À bientot*, e boa sorte esta manhã. Agora, preciso mesmo ir.

— Boa viagem — consegui dizer enquanto ele seguia para a porta.

— Obrigado. Feche a porta quando sair. Petra volta em um dia ou dois. Adeus, querida.

Ouvi a porta ser trancada poucos minutos depois e saltei da cama para me vestir. Deixei o apartamento e caminhei rapidamente pelas ruas de Ipanema até meu hotel. Atravessei o saguão com a cabeça erguida e pedi a chave. Ignorei a recepcionista, que me olhava dos pés à cabeça ao notar minha aparência despenteada, e perguntei se Pedro estaria disponível em vinte minutos para me levar ao convento.

Em minha suíte, tomei um banho apressado, parte de mim descontente por remover o cheiro de Floriano de meu corpo, vesti algo mais apropriado e estava de volta ao saguão em quinze minutos. Notei Pedro esperando por mim do lado de fora e ele sorriu quando entrei no carro.

— Senhorita D'Apliése, como está? Não a vejo há alguns dias. Vamos ao hospital do convento, certo?

— Sim — respondi e tentei preparar minha mente confusa para o encontro logo mais.

Quando chegamos, Yara estava esperando por mim do lado de fora, nervosa.

— Olá, senhorita Maia. Obrigada por vir.

— Obrigada por cuidar de tudo.

— Na verdade, não fiz nada. Foi a senhora Beatriz quem pediu que a chamasse, sem nenhuma sugestão minha. Ela sabe que tem muito pouco tempo. Está pronta? — Yara perguntou. Vi que ela estava aliviada.

Respondi que sim e a segui por corredores largos e escuros em direção à ala hospitalar. Quando ela abriu uma porta dupla, senti o cheiro de desinfetante misturado com um aroma que não podia identificar, mas que permeava todos os hospitais que eu já havia visitado. A última vez em que estivera em um, dei à luz meu filho.

— A senhora Beatriz está aqui. — Yara indicou uma porta ao final do corredor. — Vou ver se ela está pronta.

Sentei-me no banco do lado de fora, determinada a não ficar desolada com o que Beatriz me dissesse hoje. O passado não podia ser mudado e ontem, finalmente, comecei a ter um futuro.

A porta do quarto de Beatriz foi aberta e Yara pediu que eu entrasse.

— Ela está lúcida esta manhã. Disse à enfermeira que não queria sedativos até falar com você, para que ficasse com a mente alerta. Vocês terão cerca de uma hora antes que a dor fique insuportável para ela.

Entrei no quarto, que era iluminado e arejado, com uma linda vista das montanhas e do mar. Embora a cama de Beatriz fosse o modelo hospitalar padrão, todo o resto se parecia com um quarto comum.

— Bom dia, Maia — Beatriz, que estava sentada em uma cadeira ao lado da janela, me cumprimentou com uma cordialidade surpreendente. — Obrigada por vir me ver. Por favor, sente-se. — Ela indicou uma cadeira de madeira a sua frente. — Yara, pode nos deixar a sós agora.

— Sim, senhora. Aperte o botão se precisar de alguma coisa — Yara disse antes de sair do quarto.

Enquanto patroa e criada conversavam, aproveitei para estudar Beatriz. E, depois do que Yara disse, tentei vê-la com outros olhos. Fisicamente, não se parecia com Izabela, sua mãe, certamente exibindo a característica mais pálida e europeia do pai. Também notei, pela primeira vez, os enormes olhos verdes em seu rosto definhado.

— Em primeiro lugar, Maia, devo me desculpar. Ver você aparecer do nada no meu jardim com essa aparência, um retrato vivo da minha mãe, foi um choque. E o colar que está usando... Eu, assim como Yara, o reconheci imediatamente. Minha mãe, Izabela, o deixou para mim e eu o dei para minha filha em seu aniversário de dezoito anos. — Os olhos de Beatriz estavam cobertos de dor e emoção, eu não sabia ao certo qual delas. — Perdoe-me, Maia, mas precisei de algum tempo para decidir o melhor a fazer depois de sua chegada repentina, tão perto da minha... partida.

— Senhora Beatriz, como eu disse antes, não quero dinheiro ou herança ou...

Beatriz ergueu uma mão trêmula para me silenciar.

— Me chame de Beatriz. Acho que, infelizmente, é tarde para você me chamar de "vovó". Ainda que eu soubesse que a hora de sua chegada parecia conveniente demais para ser uma coincidência, isso não me preocupou muito. Se necessário, podemos fazer exames para provar o parentesco. Se bem que sua origem reluz em cada uma de suas feições. Não... — ela suspirou. — Foi outra coisa que me fez hesitar.

— E o que foi?

— Maia, toda criança que é adotada, ou perde um dos pais muito cedo, pode colocar seus progenitores em um pedestal. Sei que fiz isso com minha própria mãe. Para mim, Izabela se tornou a Madonna, a mulher perfeita. Mas tenho certeza de que, na realidade, ela tinha muitos defeitos, como todos nós — Beatriz admitiu.

— Sim, suponho que esteja certa — concordei.

Ela pausou por um momento, estudando meu rosto pensativamente.

— Portanto, quando reconheci seu desespero por saber sobre sua mãe e os motivos que a levaram a entregar a filha para adoção, eu soube que não seria capaz de mentir se concordasse em responder a suas perguntas. E, se eu contasse a verdade, destruiria qualquer imagem que você naturalmente criou em sua mente.

— Começo a entender o dilema em que a coloquei — comentei, tentando confortá-la. — Talvez deva confessar que, até a morte do meu pai adotivo, raramente pensei em minha mãe biológica. Ou em meu pai. Tive uma infância muito feliz. Adorava meu pai, e Marina, a mulher que criou a mim e às minhas irmãs, não poderia ter sido mais amorosa. E ainda é — acrescentei.

— Bem, suponho que isso ajude — Beatriz concordou. — Temo que a história de sua adoção não seja bonita. É terrível para uma mãe admitir que se esforçava para gostar de sua própria filha, mas foi assim que passei a me sentir quanto a Cristina, sua mãe. Perdoe-me, Maia. A última coisa que quero é causar mais tristeza. Você claramente é uma mulher inteligente, e seria errado se eu lhe contasse mentiras. Você perceberia, com certeza. Mas se lembre de que, assim como os pais não podem escolher seus filhos, os filhos também não podem escolher seus pais.

Compreendendo o que Beatriz tentava dizer, hesitei por alguns segundos, imaginando se seria melhor, afinal, não saber. Mas eu havia chegado até ali e, talvez, para o bem da própria Beatriz, ela devesse explicar. Respirei fundo.

— Por que não me conta sobre Cristina? — sugeri em um sussurro.

Beatriz viu que eu estava decidida.

— Muito bem. Yara disse que já lhe contou sobre minha vida, então você deve saber que eu e meu marido, seu avô, tivemos um casamento muito feliz. E nos sentimos realizados quando eu descobri que estava grávida. Nosso primeiro filho morreu poucas semanas depois de nascer. Portanto, quando finalmente dei à luz Cristina, alguns anos depois, ela foi ainda mais preciosa.

Respirei fundo, pensando momentaneamente em meu próprio filho.

— Depois das experiências da minha infância — Beatriz continuou —, eu estava determinada a garantir que minha filha fosse criada com todo o amor que eu e seu pai poderíamos dar a ela. Mas, para ser franca, Maia, Cristina foi difícil desde que nasceu. Raramente dormia a noite toda e, quando começou a engatinhar, tinha uma tendência a ataques de raiva que, às vezes, duravam horas. Quando passou a frequentar a escola, sempre se envolvia em problemas, e seus professores enviavam recados dizendo que ela havia maltratado esta menina ou aquela. É terrível ter que admitir isso — a voz de Beatriz demonstrava que essas lembranças eram dolorosas —, mas Cristina parecia não sentir remorso por machucar outras pessoas, nenhum arrependimento. — Ela ergueu os olhos, cheios de agonia, em minha direção. — Maia, querida, por favor me diga se desejar que eu pare.

— Não, continue — encorajei.

— Sua adolescência foi pior ainda. Eu e meu marido estávamos sempre preocupados com seu desprezo pela autoridade, fosse nossa ou de qualquer pessoa que tivesse que lidar com ela. A tragédia estava no fato de que Cristina era extremamente inteligente, como seus professores não se cansavam de nos lembrar. Seu Q.I. foi testado quando era jovem e o resultado foi acima da média. Nos anos seguintes, quando as doenças mentais foram estudadas com mais precisão, li alguns artigos sobre uma síndrome chamada Asperger. Já ouviu falar? — ela perguntou.

— Sim.

— Bem, aparentemente, o paciente quase sempre tem uma inteligência acima da média. E parece demonstrar pouca ou nenhuma empatia pelos outros. Essa é a melhor maneira de descrever sua mãe. Mas Loen, mãe de Yara, sempre dizia que Cristina lembrava minha avó, Luiza, alguém de quem não me recordo bem. Ela morreu quando eu tinha dois anos, na mesma época em que minha mãe faleceu.

— Sim, Yara me contou.

— Portanto, por genética, ou o que chamam de síndrome nos dias de hoje, ou quem sabe uma mistura dos dois, era quase impossível lidar com a personalidade de Cristina. E nenhum dos especialistas que consultamos pôde oferecer uma solução. — Beatriz balançou a cabeça com tristeza. — Quando estava com dezesseis anos, ela começou a sair de casa, frequentando alguns dos bares mais suspeitos da cidade e se envolvendo com más companhias. O que, como você pode imaginar, pode ser muito perigoso, especialmente trinta e quatro anos atrás. Em mais de uma ocasião, Cristina foi trazida para casa pela polícia, bêbada e desgrenhada. Descobrimos que não estava frequentando as aulas, e sim se encontrando com os amigos, muitos dos quais moravam nas favelas.

Beatriz parou e olhou pela janela, para as montanhas ao longe, antes de se voltar em minha direção.

— Finalmente, a escola não teve escolha exceto expulsá-la. Foi pega com uma garrafa de aguardente na bolsa, que havia dado às outras alunas. Consequentemente, todas chegaram bêbadas à aula. Seu pai e eu contratamos um professor particular para Cristina pelo menos terminar seus exames e para que pudéssemos ficar de olho nela. Às vezes a trancávamos no quarto quando ela insistia em sair à noite, mas os ataques de fúria eram cataclísmicos. Além disso, Cristina sempre encontrava um jeito de fugir. Estava completamente fora de controle. Minha querida, você pode pegar um copo de água no criado-mudo? Toda essa falação deixou minha boca seca.

— Claro — respondi, enchendo um copo e pegando um canudo antes de entregar a ela. Quanto tentou segurar, vi que suas mãos tremiam muito, então coloquei o canudo em seus lábios e segurei o copo enquanto ela bebia.

— Obrigada — ela disse, seus olhos me olhando com apreensão. — Tem certeza de que deseja ouvir mais, Maia?

— Sim — confirmei, devolvendo o copo ao criado-mudo e retornando para minha cadeira.

— Bem, um dia descobri que as esmeraldas de minha mãe, um colar e um par de brincos que ela ganhara em seu aniversário de dezoito anos e que valiam uma fortuna, haviam desaparecido. Nada mais foi levado, então não era provável que a *Casa* houvesse sido roubada. A essa altura, Cristina passava a maior parte do tempo na favela; eu e seu pai acreditávamos que algum namorado estava envolvido, e eu comecei a notar que seus olhos estavam sempre vítreos e as pupilas, dilatadas. Perguntei a um médico amigo e ele disse que era provável que Cristina estivesse consumindo algum tipo de droga. — Beatriz estremeceu com a lembrança. — Quando ele me disse que essas substâncias eram caras, o mistério das esmeraldas foi solucionado. Acreditávamos que ela as tivesse roubado e vendido para sustentar seu vício. A essa altura, eu e o pai dela estávamos à beira de um divórcio. Evandro não aguentava mais, e alguma coisa precisava ser feita. Cristina havia completado dezoito anos alguns meses antes. Lembro de tê-la presenteado com o colar de selenita da minha mãe e que ela ficou decepcionada porque não tinha muito valor. Isso — Beatriz disse, com lágrimas brotando em seus olhos pela primeira vez — talvez tenha sido a pior entre todas as coisas terríveis que ela fez. Aquele era meu bem mais valioso, porque eu sabia que meu pai havia presenteado minha mãe com ele e, descobri mais tarde, a mim depois que ela faleceu. Eu o dei a minha filha, que queria apenas saber quanto receberia por ele em uma casa de penhor para financiar seu vício. Perdoe-me, Maia, querida — Beatriz disse, procurando um lenço em um dos bolsos de seu roupão.

— Por favor, senhora Beatriz, não peça desculpas. Entendo que deve ser difícil me contar isso. Mas tente se lembrar de que está descrevendo uma estranha para mim, seja por bem ou por mal. Não posso amá-la, porque nunca a conheci — consolei.

— Bem, eu e meu marido não tivemos escolha. Decidimos confrontar Cristina e avisar que, a menos que ela abandonasse as drogas e parasse de nos roubar, seríamos obrigados a pedir que deixasse a *Casa*. Ao mesmo tempo, oferecemos a ajuda e o apoio de que precisava, mas ela era a única que realmente podia ajudar a si mesma. Porém, àquela altura, ela estava viciada e, além disso, sua vida era em outro lugar, no morro, com seus amigos das favelas. Portanto, arrumamos sua mala e pedimos que saísse de nossa casa.

— Senhora Beatriz, sinto muito. Deve ter sido difícil — murmurei, pegando sua mão e a apertando gentilmente.

— Foi — ela concordou com um suspiro profundo. — Frisamos que, se ela desejasse voltar para casa e abandonar o vício, seria recebida de braços abertos. Lembro-me dela descendo as escadas com a mala na mão enquanto eu estava de pé ao lado da porta. Ela passou por mim e se virou, só por um instante. O ódio que vi em seus olhos me assombra até hoje. E... — Beatriz chorava abertamente — lamento dizer que foi a última vez que vi minha filha.

Ficamos em silêncio por alguns minutos, perdidas em nossos pensamentos. Apesar de meus protestos de que a história de Beatriz não me aborreceria, considerando o que havia acabado de narrar, isso era uma tarefa impossível. Porque o sangue de Cristina corria em minhas veias. Eu também tinha defeitos, como ela?

— Maia, sei no que está pensando — Beatriz declarou de repente, depois de secar os olhos e me estudar. — Garanto, pelo que vi até agora e pelo que Yara me disse, que não há nada em seu caráter que me faça pensar em sua mãe. Dizem que os genes pulam uma geração, e você é a imagem viva de minha mãe, Izabela. De acordo com o que me contaram sobre ela, suas personalidades são parecidas.

Eu sabia que Beatriz estava sendo gentil. E, sim, desde o início, quando soube da minha bisavó e vi como éramos fisicamente parecidas, senti uma empatia natural por ela. Mas isso não mudava nada sobre minha mãe biológica.

— Então, se a senhora nunca mais viu Cristina, como sabe que sou filha dela? — perguntei, me agarrando à esperança inútil de que houvesse um engano. Eu poderia não pertencer, afinal, àquela família.

— Eu não saberia, querida, se não fosse por uma amiga que trabalhava como voluntária em um dos muitos orfanatos da época. A maioria dos bebês vinha das favelas, e minha amiga estava presente quando Cristina chegou com você. Ela não disse seu nome. Apenas entregou o bebê e saiu correndo, como muitas mães faziam. Minha amiga demorou alguns dias para identificar de onde conhecia Cristina. Ao que parece, ela estava muito magra e havia perdido alguns dentes — a voz de Beatriz fraquejou com tristeza. Minha amiga veio me visitar e disse que você havia sido abandonada com um colar de pedra-da-lua. Conforme ela o descrevia, percebi que era o mesmo que eu havia dado à minha filha. Imediatamente, fui ao orfanato com Evandro para pegá-la e trazê-la para casa. Queríamos cuidar de você como se fosse nossa. Mas você já havia sido adotada. Minha amiga ficou surpresa porque, como eu disse, havia um grande número de recém-nascidos no orfanato naquela época. Geralmente demorava semanas para um bebê ser adotado... se fosse. Talvez porque você era um bebê lindo, querida — Beatriz sorriu.

— Então... — eu disse, com certa trepidação, ciente de que precisava fazer a pergunta que já estava em meus lábios. — Isso significa que sua amiga viu meu pai adotivo?

— Sim — Beatriz confirmou —, e também a mulher que veio com ele pegar você. Minha amiga garantiu que ambos pareciam muito gentis. Evandro e eu imploramos que ela nos dissesse para onde você foi levada, mas ela era apenas uma voluntária e não sabia como conseguir essa informação.

— Entendo.

— Mas ela conseguiu uma coisa, Maia. Naquela gaveta — Beatriz apontou — você vai encontrar um envelope. O orfanato tirava uma foto de cada bebê que chegava, para os arquivos. Como você já havia sido adotada e o registro foi fechado, minha amiga pediu à diretora que me desse a foto, como lembrança. Pegue, veja você mesma.

Fui até a gaveta e retirei o envelope que estava dentro dela. Ao pegar a fotografia, vi uma imagem borrada, em preto e branco, de um bebê com um tufo de cabelo negro e grandes olhos assustados. Eu já havia visto uma série de fotos minhas, dormindo nos braços de Marina ou sendo embalada por Pa Salt, ainda bebê. E soube, sem sombra de dúvida, que era uma foto minha.

— Então, nunca descobriram quem me adotou? — perguntei a Beatriz.

— Não. Mas quero que saiba que tentamos muito. Explicamos à diretora que éramos seus avós e tínhamos a intenção de adotá-la e criá-la como nossa filha. Ela perguntou se podíamos provar que você realmente era nossa neta. Infelizmente, não havia nenhuma prova — Beatriz suspirou —, porque o nome da mãe biológica não constava em seu registro. Mesmo quando mostrei uma fotografia minha, com o colar de selenita, ela disse que não provava nada diante da lei. Pedi, ou melhor, implorei — Beatriz reformulou a frase —, que me deixasse pelo menos entrar em contato com a família que a adotou. Ela negou, dizendo que era desaconselhável colocar membros da família antiga em contato com os novos pais. E sua política era firme e intransigente. Minha querida — suspirou —, apesar de todos os nossos esforços, chegamos a um beco sem saída.

— Obrigada por tentar — sussurrei.

— Maia, você precisa acreditar quando digo que nossa vida teria sido diferente caso seu pai adotivo não tivesse chegado tão prontamente.

Devolvi a fotografia ao envelope, precisando de algo em que me concentrar. Levantei-me, com a intenção de guardar a foto na gaveta.

— Fique com ela. Não preciso mais. Tenho minha neta em pessoa bem diante de mim.

Notei que Beatriz sentia dor e soube que meu tempo estava acabando.

— Então, a senhora nunca descobriu quem era meu verdadeiro pai? — perguntei.

— Não.

— E Cristina? Sabe o que aconteceu com ela?

— Infelizmente, como já disse, nunca mais soube nada. Não posso nem mesmo dizer se está viva ou não. Depois que ela apareceu no orfanato com você, simplesmente desapareceu. — Beatriz suspirou. — Talvez, se quiser investigar mais, você tenha mais sorte. Atualmente, sei que as autoridades são mais prestativas em colaborar com aqueles que buscam familiares desaparecidos. Meu instinto, se uma mãe realmente tem um sexto sentido, é que Cristina morreu. Aqueles que embarcam em uma jornada de autodestruição geralmente são bem-sucedidos. Meu coração se parte toda vez que penso nela.

— Claro que sim — respondi, sabendo muito bem como era. — Mas, senhora Beatriz, há certo consolo em saber que ela levou o colar de selenita quando deixou a *Casa*. E o passou para mim. Deve ter sido importante para ela, apesar de tudo o que aconteceu, antes ou depois. Talvez, mais que tudo, isso demonstre que, bem no fundo, ela a amava.

— Talvez — Beatriz assentiu devagar, o esboço de um sorriso surgindo em seus lábios ressecados. — E agora, minha querida, posso pedir para chamar a enfermeira? Temo que deva desistir e tomar um daqueles comprimidos horrorosos que me fazem dormir, mas pelo menos tornam a dor suportável.

— Claro. — Pressionei o botão e Beatriz estendeu uma mão fraca em minha direção.

— Maia, me diga que não vai deixar essa história interferir em seu futuro. Sua mãe e seu pai podem tê-la decepcionado, mas você precisa saber que seu avô e eu nunca deixamos de pensar em você. Seu retorno significa que finalmente posso ter paz.

Eu me aproximei e coloquei meus braços ao seu redor, pela primeira vez sentindo o abraço de um parente biológico. Quem dera pudéssemos ter mais tempo juntas.

— Obrigada por me receber. Se eu não encontrar minha mãe, pelo menos encontrei a senhora. Foi muito bom — afirmei.

A enfermeira entrou no quarto.

— Maia, vai estar no Rio amanhã? — Beatriz perguntou de repente.

— Posso estar, sim.

— Então venha me ver outra vez. Falei sobre as coisas ruins, mas vamos usar o tempo que nos resta para nos conhecermos, se você puder. Não pode imaginar quanto ansiei por descobrir quem você era.

Vi Beatriz abrir a boca para tomar o comprimido que a enfermeira oferecia.

— Virei no mesmo horário amanhã — me despedi.

Sua mão esboçou um aceno quando deixei o quarto.

# 49

De volta ao hotel, me deitei na cama e, encolhida como uma bola, adormeci. Quando acordei, continuei deitada, pensando em Beatriz e no que ela havia me dito, buscando uma reação nessa consciente recém-descoberta. Surpreendentemente, encontrei pouca dor, ainda que a história que minha avó havia relatado fosse terrível, sob qualquer perspectiva. Comecei a pensar na minha reação com as crianças que vi ontem na favela, dançando, e percebi que o que acontecera foi o resultado de uma ligação que eu tinha com elas e que eu ainda não havia compreendido: Eu tinha quase certeza de que eu nasci em uma favela também. Os atos de minha mãe, independentemente de suas motivações na época, certamente me salvaram de um futuro incerto e desesperador. Além disso, encontrei uma avó de sangue que parecia genuinamente se importar comigo.

Ponderei se deveria tentar encontrar minha mãe. E decidi que não. Era óbvio, de acordo com a descrição de Beatriz, que fui apenas uma consequência indesejada do seu estilo de vida. Esse raciocínio inevitavelmente levou à conclusão de que eu havia feito o mesmo com *meu* próprio filho. Portanto, como eu poderia julgar minha mãe ou acreditar que ela nunca me amou sem conhecer as circunstâncias que a levaram a tomar essa decisão?

Contudo, os eventos daquele dia me fizeram perceber que a única coisa que eu queria fazer era deixar ao meu filho uma explicação sobre os motivos que me levaram a tomar aquela decisão. Não havia nenhum colar de pedra-da-lua nem um avô desesperado para adotá-lo. Nenhuma pista ou ligação com seu lugar de origem. Como Floriano havia mencionado, era provável que seus pais adotivos nunca revelassem sua verdadeira origem. Mas, caso digam no futuro, e um dia ele decida me procurar, eu queria deixar um rastro para ele seguir.

Como o rastro que Pa Salt deixou para suas seis filhas.

Eu entendia agora por que as coordenadas de Pa Salt me levaram à *Casa das Orquídeas*, e não ao orfanato. Mesmo não tendo nascido lá, talvez ele soubesse que encontraria Beatriz, a única pessoa do meu passado que se importou em me procurar.

Também refleti, mais uma vez, sobre os motivos que trouxeram Pa Salt ao Rio de Janeiro na época em que nasci e *por que*, entre todos os bebês esperando adoção, ele escolheu a mim. Beatriz não havia mencionado nada sobre um ladrilho de pedra-sabão deixado comigo quando minha mãe me levou ao orfanato. Então, como Pa Salt o conseguiu?

Esse era outro enigma cuja resposta eu nunca saberia. Então, decidi parar de perguntar "por quê" e simplesmente aceitar que fui abençoada por tê-lo como um mentor maravilhoso durante meus anos de formação. Além disso, eu precisava aprender a confiar na bondade de outro ser humano. O que, naturalmente, me trouxe de volta a Floriano.

Por instinto, olhei pela janela e minha visão buscou o céu. A essa altura, ele estava em algum lugar sobre o Oceano Atlântico. Era estranho ter tantas emoções com que lidar agora, pensei, depois de quatorze anos em um vácuo, sem nada para ponderar, ou evitando ponderar. O que eu sentia por Floriano surgiu de modo tão repentino... Como um botão de rosa que desabrocha milagrosamente da noite para o dia. Era, ao mesmo tempo, avassalador e natural.

Eu sentia sua falta, admiti, não por causa de uma paixão passageira, mas porque reconhecia que ele era parte de mim agora. De alguma forma, eu sabia que também era parte dele. Em vez de um desespero insano, sentia calma e aceitava que algo havia começado entre nós, e precisava ser bem cuidado para não murchar e morrer.

Peguei meu laptop e, como prometi, escrevi um e-mail para Floriano. Expliquei tão concisamente quanto possível o que Beatriz havia me contado naquela manhã. E falei que retornaria ao convento para vê-la no dia seguinte.

Não hesitei, como normalmente faria ao escrever a última frase. Apenas segui meu instinto. Pressionei "enviar" sem editar. Depois, deixei o hotel e atravessei a rua para dar um mergulho nas ondas que beijavam a areia de Ipanema.

Na manhã seguinte, Yara me esperava na entrada do convento. Hoje, contudo, me recebeu com um sorriso e estendeu uma mão tímida para apertar a minha.

— Obrigada, senhorita.

— Por quê? — perguntei.

— Por devolver a luz aos olhos da senhora Beatriz. Mesmo por um tempo breve. E você? Está se sentindo bem depois de tudo o que ela disse?

— Para ser honesta, Yara, não era o que eu esperava, mas estou bem.

— Ela não merecia a filha que teve, e você não merecia sua mãe — Yara murmurou.

— Acho que geralmente não merecemos o que temos. Mas talvez no futuro tenhamos o que merecemos — eu disse, quase para mim mesma, e a segui pelo corredor.

— A senhora Beatriz está deitada, mas insistiu que queria vê-la. Vamos entrar? — ela perguntou.

— Sim.

Hoje, pela primeira vez, entramos no quarto juntas, sem nenhuma necessidade de Yara verificar primeiro se sua senhora estava disposta a me ver. Beatriz estava na cama, com a aparência debilitada, mas abriu um sorriso quando me viu.

— Maia — Ela fez sinal para Yara colocar uma cadeira ao lado da cama. — Venha, sente-se. Como está hoje, minha querida? Fiquei preocupada com você durante a noite. O que revelei deve ter sido um choque.

— Estou bem, senhora Beatriz — respondi ao me sentar ao seu lado e tocar sua mão com hesitação.

— Fico feliz. Você é forte e eu a admiro por isso. — Agora — Beatriz disse —, chega de falar do passado. Quero saber sobre sua vida. Me conte, Maia! Onde você mora? É casada? Já tem filhos? E o que faz?

Nos trinta minutos seguintes, contei tudo o que pude sobre mim a minha avó. Sobre Pa Salt, minhas irmãs e nossa linda casa às margens do Lago Léman. Falei sobre minha carreira como tradutora, e fiquei tentada a falar sobre Zed, a gravidez subsequente e a adoção do meu filho. Mas percebi, instintivamente, que tudo o que ela queria ouvir era que eu fui feliz, portanto não compliquei.

— E o futuro? Me conte sobre aquele homem atraente que a acompanhou até a *Casa*. Ele é famoso aqui no Rio. É só um amigo? — Ela me examinou com astúcia. — Algo me diz que é mais que isso.

— É, eu gosto dele — confessei.

— O que vai fazer agora, Maia? Vai voltar para Genebra ou ficar no Rio com ele?

— Na verdade, ele viajou para Paris ontem — expliquei.

— Ah, Paris! — Beatriz bateu palmas. — Uma das épocas mais felizes da minha vida. Como você sabe, sua bisavó esteve lá quando era jovem. Acredito que tenha visto a escultura dela no jardim, que meu pai mandou trazer de Paris como presente de casamento.

— Sim, notei — confirmei desconfortavelmente, imaginando aonde essa conversa nos levaria.

— Quando estive em Paris estudando na *Beaux-Arts*, o escultor responsável foi um de meus professores. Então me apresentei um dia depois da aula e disse que era filha de Izabela. Para minha surpresa, o professor Brouilly disse que se lembrava vividamente de minha mãe. Quando mencionei sua morte, ele pareceu genuinamente abalado. Depois disso, pareceu me colocar debaixo de suas asas, ou pelo menos desenvolveu um interesse especial por mim, me convidando para ir a sua casa em Montparnasse ou para almoçar na La Closerie des Lilas. Contou que ali passou uma hora esplêndida com minha mãe. Até me levou ao ateliê do professor Paul Landowski e me apresentou ao homem em pessoa. Àquela altura, Landowski estava velho e raramente esculpia, mas ele me mostrou fotografias da época que os moldes do Cristo foram preparados em seu ateliê. Parece que minha mãe esteve lá também, enquanto o professor Landowski e o professor Brouilly trabalharam Nele. Ele também encontrou um molde em seu depósito que alegou ser das mãos de minha mãe, feito como um possível protótipo para o Cristo. — Beatriz sorriu com a recordação. — O professor Brouilly foi tão generoso comigo, me deu seu tempo e seu afeto. Por alguns anos, nós nos correspondemos, até sua morte, em 1965. Ah, a bondade dos estranhos — Beatriz suspirou. — Então, Maia, querida, você vai seguir os passos de sua bisavó e ir para Paris? Agora é muito mais fácil do que antes. Eu e minha mãe demoramos cerca de seis semanas para chegar lá. A esta hora, amanhã, você pode estar sentada na La Closerie des Lilas tomando absinto! Maia? Você está me ouvindo?

Depois do que Beatriz havia relatado, eu estava chocada demais para falar. Não surpreende que Yara hesitasse tanto em relatar a história do meu passado. Era óbvio que essa mulher não sabia sobre o seu verdadeiro pai.

— Sim. Talvez eu vá para Paris — concordei, tentando recuperar o equilíbrio.

— Que bom. — Beatriz pareceu satisfeita com minha resposta. — Agora, Maia, temo que precisemos conversar sobre assuntos mais sérios. Esta tarde um tabelião virá me ver. Pretendo reescrever meu testamento. E deixar quase tudo o que tenho para você, minha neta. Não é muito, só uma casa caindo aos pedaços que precisa de centenas de milhares de reais para ser renovada. Dinheiro que você não tem, com certeza. Portanto, talvez você queira vendê-la, e eu gostaria que soubesse que não me importaria com isso. Exceto por uma condição, que é permitir que Yara continue morando lá até o fim da vida. Sei que ela está preocupada com o futuro e quero garantir que seja bem cuidada. E a *Casa* é tanto seu lar quanto foi o meu. Vou deixar uma quantia em dinheiro para ela, o suficiente para viver para o resto da vida. Se não for o bastante, e ela viver mais, confio que você cuidará bem dela. Ela é minha melhor amiga, entende? Crescemos como irmãs.

— Claro que cuidarei dela — eu disse, tentando segurar as lágrimas.

— Tenho algumas joias que pertenceram a mim e a sua bisavó. E a Fazenda Santa Teresa, o lar de infância da minha mãe. Cuido de uma pequena entidade beneficente, que ajuda as mulheres da favela. A entidade usa a fazenda como um lugar de refúgio para elas. Se puder manter isso, ficaria contente.

— Com certeza vou manter — sussurrei, minha garganta contraída por suas palavras. — Senhora Beatriz, acho que não mereço isso. Com certeza a senhora tem amigos, família...

— Maia! Como pode dizer isso? — Havia determinação na voz de Beatriz. — Sua mãe a abandonou quando nasceu, renegou a você o direito de ter uma família que, devo acrescentar, foi importante no Rio de Janeiro. Você é uma continuação da linhagem dos Aires Cabral, e, apesar de dinheiro nenhum compensar o que você perdeu, é o mínimo que eu posso fazer. E deveria fazer — frisou.

— Obrigada, senhora Beatriz. — Pude ver que estava agitada e não quis aborrecê-la mais.

— Confio que usará esse legado com sabedoria — ela disse, e eu notei sua expressão de dor, agora familiar.

— Devo chamar a enfermeira?

— Daqui a um minuto. Maia, antes que fique tentada a ficar comigo até o fim, deixe-me dizer com a mesma determinação que, depois de hoje, não quero que venha me ver outra vez. Sei qual é o meu destino e não quero que você, especialmente por ainda estar de luto por seu pai adotivo, testemunhe meus dias finais. Yara estará comigo, e ela é tudo de que preciso.

— Senhora Beatriz...

— A dor é intolerável, e, apesar de resistir até agora, esta tarde pedirei morfina aos médicos. Depois, o fim chegará rápido. — Beatriz forçou um sorriso — Estou contente por ter tido a sorte de compartilhar meus últimos momentos de lucidez com minha neta. Você é linda, minha querida Maia. Desejo tantas coisas para o seu futuro... Acima de tudo, desejo que encontre o amor. É a única coisa na vida que torna a dor de viver suportável. Por favor, lembre-se disso. Agora você pode chamar a enfermeira.

Poucos minutos depois, abracei Beatriz e nos despedimos pela última vez. Ao deixar o quarto, notei que seus olhos já estavam se fechando e que ela esboçou um leve aceno quando fechei a porta. Desabando sobre o banco, coloquei a cabeça sobre as mãos e chorei em silêncio. Senti um braço ao redor do meu ombro e ergui a cabeça para encontrar Yara sentada ao meu lado.

— Ela nunca soube que Laurent Brouilly era o seu pai, não é?

— Não, senhorita Maia. Não soube.

Yara pegou minha mão e nós ficamos sentadas juntas, lamentando a tragédia da situação.

Depois de anotar meu endereço, telefone e e-mail em um pedaço de papel, Yara me acompanhou até o carro.

— Adeus, senhorita. Estou contente que tudo tenha sido resolvido antes que fosse tarde demais para a senhora Beatriz.

— Foi tudo por sua causa, Yara. Beatriz tem sorte por ter você.

— E eu a ela.

— Por favor, prometa me avisar quando... — Não consegui dar voz àquelas palavras.

— Certamente. Agora, vá viver sua vida, senhorita. Talvez tenha aprendido, com a história da sua família, que todo momento é precioso.

Confiando em Yara, voltei ao hotel e verifiquei meus e-mails com mais ansiedade que o normal. Sorri quando vi que Floriano havia respondido. Paris era maravilhosa, ele disse, mas ele precisava de um intérprete para ajudar com seu francês ruim.

*"Também descobri algo que você precisa ver, Maia. Por favor, me avise quando pretende chegar."*

Gargalhei sozinha ao ler aquilo. Ele não perguntou "se", mas "quando". Telefonei para a concierge, pedindo que verificasse se havia disponibilidade em algum voo do Rio para Paris. Retornaram dez minutos depois informando que havia lugar apenas na primeira classe. Assustei-me com o preço, mas concordei e pedi que reservasse a passagem. Senti Pa Salt, Beatriz e Bel torcendo por mim.

Depois deixei o hotel e voltei ao mercado na praça, onde comprei uma série de vestidos "inapropriados" que horrorizariam a antiga Maia. A nova Maia acreditava que talvez fosse amada por um homem e queria agradar-lhe.

"Chega de me esconder", determinei enquanto comprava mais dois pares de sapatos de salto e procurava uma perfumaria ao longo da avenida para experimentar alguns aromas, algo que não fazia havia anos. Então, comprei um novo batom vermelho.

Naquela noite, fui à cobertura do hotel apreciar meu último vislumbre do Cristo quando o sol começava a se pôr. Tomando uma taça de vinho branco, agradeci a Ele e aos céus por me reencontrar.

Ao deixar o Rio de Janeiro na manhã seguinte, olhei para Ele, no topo do Corcovado, sentindo que estaria de volta a Seu abraço muito em breve.

# 50

— Alô? — uma voz familiar disse do outro lado da linha.

— Ma, sou eu, Maia.

— Maia! Como você está, *chérie*? Parece que faz um século desde que tive notícias suas — Marina respondeu, em tom de reprovação.

— É verdade. Desculpe por não entrar em contato, Ma. Eu estava... ocupada — expliquei, tentando não rir com a mão que serpenteava pela minha barriga nua. — Só queria informar que estarei em casa amanhã, por volta das cinco. E que — engoli a seco antes de anunciar — terei companhia.

— Devo preparar um quarto na casa ou sua amiga ficará com você no Pavilhão?

— Ficará comigo no Pavilhão — olhei para Floriano e sorri.

— Ótimo — sua voz alegre respondeu. — Devo preparar um jantar para vocês?

— Não, por favor, não se preocupe. Telefono amanhã para informar a hora exata em que Christian deve nos encontrar.

— Vou esperar seu telefonema. Até logo, *chérie*.

— Até logo. — Coloquei o telefone no gancho sobre o criado-mudo e voltei para os braços de Floriano, imaginando o que ele acharia da casa onde cresci.

— Não vá ficar impressionado ou achar que sou importante ou algo assim. Minha vida sempre foi desse jeito — expliquei.

— Querida — ele disse, envolvendo-me em seus braços —, estou fascinado por ver como você vive agora. Mas sempre me lembrarei de onde veio. Agora, em nosso último dia em Paris, vou levá-la para ver algo muito especial.

— Precisamos ir? — perguntei, alongando meu corpo junto ao dele.

— Acho que devemos — Floriano disse. — Em algum momento...

***

Duas horas depois, nós nos vestimos, deixamos o hotel e Floriano chamou um táxi. Ele até conseguiu dizer o endereço ao motorista em um francês coerente.

— Vamos para algum lugar nas proximidades da Champs-Élysées? — confirmei, tanto pelo motorista como por mim.

— Sim. Duvida da minha proeza com meu novo idioma favorito? — ele sorriu.

— Não, claro que não — respondi. — Mas tem certeza que quis dizer um parque?

— Fique quietinha, Maia. — Ele colocou um dedo sobre meus lábios. — Confie em mim.

Descemos ao lado das grades de metal de uma pequena área verde nas proximidades da Avenue de Marigny. Floriano pagou ao motorista, então pegou minha mão e me conduziu pelo portão e por uma passarela que nos levava ao centro do jardim. Uma fonte jorrava, e Floriano apontou para a estátua de bronze de uma mulher nua sobre ela. Acostumada a ver muitas imagens eróticas por toda Paris, olhei para Floriano confusa.

— Olhe para ela, Maia, e me diga quem é.

Fiz como ele sugeriu e, de repente, a vi. Izabela, minha bisavó, nua e sensual, a cabeça inclinada para trás em êxtase, as mãos esticadas, com as palmas abertas na direção do céu.

— Consegue ver?

— Sim, consigo — murmurei.

— Então não será surpresa alguma se descobrir que esta estátua foi esculpida por ninguém menos que Laurent Brouilly, seu bisavô. Acredito que tenha sido um tributo silencioso ao amor que sentia por sua bisavó. Olhe para as mãos dela.

Olhei e examinei as palmas e seus dedos delicados. E, sim, vi.

— São muito menores, claro, para se adequar ao tamanho desta escultura, mas comparei com as mãos do Cristo, e estou convencido de que são idênticas. Mais tarde te mostro a fotografia, mas, para mim, não há dúvida. Especialmente pelo fato de que este é o mesmo jardim em que Izabela encontrou Laurent pela última vez aqui em Paris.

Olhei para Izabela e me perguntei como ela se sentiria se pudesse ver que foi imortalizada mais uma vez; não mais uma virgem inocente, como em sua primeira escultura, mas de forma sensual, pelo homem que a amava. E um pai que, através das jogadas do destino, foi capaz de conhecer e amar a filha que conceberam juntos.

Floriano colocou um braço ao redor do meu ombro e nós nos afastamos.

— Maia, não estamos nos despedindo, como Bel e Laurent fizeram um dia. Acredito que nunca vamos nos separar. Você me entende?

— Sim.

— Ótimo, então podemos deixar Paris. Um dia — ele sussurrou em meu ouvido — escreverei um livro em homenagem a *você*.

* * *

Observei a expressão de Floriano enquanto atravessávamos o Lago Léman em direção ao meu lar. Mesmo com a impressão de estar longe havia muitos meses, na realidade foram apenas três semanas. O lago estava lotado com pequenas embarcações, suas velas bruxuleando na brisa como as asas de um anjo. O dia ainda estava quente, apesar de passar das seis da tarde, e o sol brilhava em tons de dourado em um céu azul e sem nuvens. Quando vi as árvores familiares ao longe, senti que vivi uma vida inteira desde que deixara *Atlantis*.

Christian manobrou o barco até o píer, amarrou-o e nos ajudou a descer. Floriano fez menção de pegar minhas malas, mas Christian não deixou.

— Não, senhor. Levo para a casa mais tarde.

— Meu Deus! — ele comentou enquanto atravessamos o gramado. — Você realmente é uma princesa retornando ao seu castelo.

Na casa principal, apresentei Floriano a Marina, que se esforçou para esconder a surpresa ao ver que minha companhia era "ele", não "ela". Levei-o para conhecer a casa e os jardins e, através de seus olhos, vi a beleza do meu lar sob uma nova perspectiva.

Quando o sol começou a se esconder atrás das montanhas do outro lado do lago, peguei uma taça de vinho para mim e uma cerveja para ele e fomos ao jardim secreto de Pa Salt. Havia uma abundância de cores, cada planta e cada flor no ápice de seu esplendor. Eu me lembrei de um famoso jardim que conheci em algum lugar no sul de Londres quando o visitei com minha amiga Jenny e seus pais. Tudo era tão perfeito, seus arbustos aparados cuidadosamente, alinhados em cercas vivas muito simétricas.

Sentamos juntos em um banco sob uma árvore linda e perfumada que ficava de frente para o lago — o mesmo lugar onde tantas vezes encontrei meu pai — e brindamos.

— A nossa última noite na Europa — eu disse, com um tremor em minha voz. — E ao sucesso do seu livro. Se foi o número seis na lista dos mais vendidos na França depois da primeira semana, pode chegar a ser o número um.

— Não sabemos — Floriano deu de ombros, mas eu sabia que estava impressionado com a reação positiva da mídia e das livrarias francesas. — Tudo graças à tradução maravilhosa. Ei, o que é aquilo? — ele perguntou, apontando para o centro do pátio.

— É uma esfera armilar. Pensei que tivesse contado que ela apareceu no jardim logo depois da morte de Pa Salt. Tem todos os nossos nomes gravados e um conjunto de coordenadas para cada irmã. E uma inscrição em grego — expliquei.

Floriano se levantou e foi inspecionar a esfera.

— Aqui está você. — Ele indicou um dos anéis. — O que sua inscrição diz?

— *Nunca deixe o medo decidir seu destino*. — Sorri com ironia.

— Acho que seu pai a conhecia muito bem — ele declarou, voltando sua atenção para a esfera armilar. — E esse anel? Não há nada nele.

— Não. Pa nos deu os nomes das estrelas da constelação Sete Irmãs, mas a sétima irmã nunca veio. Somos apenas seis. E — refleti com tristeza — nunca haverá a sétima.

— É um belo presente de despedida para suas filhas. Seu pai parece ter sido um homem interessante — Floriano disse, sentando-se novamente ao meu lado.

— Ele foi, mas desde sua morte percebi que o conhecíamos muito pouco. Era um enigma — respondi, com resignação. — Devo confessar que continuo me perguntando o que ele fazia no Brasil quando eu nasci. Por que escolheu a mim?

— Isso é como perguntar por que uma alma escolhe seus pais, ou por que você foi escolhida para traduzir meu livro, que foi onde tudo começou para nós. A vida é aleatória, Maia. Uma loteria.

— Talvez, mas você não acredita em destino? — perguntei.

— Há um mês, eu certamente diria que não. Mas me deixe te contar um segredo — ele falou, pegando minha mão. — Pouco antes de conhecer você, foi o aniversário de morte da minha esposa e eu estava me sentindo desolado. Como você, eu estive sozinho por muito tempo. Fiquei na beirada da varanda no telhado, fitando o Cristo e as estrelas. Conversei com Andrea e pedi a ela que enviasse alguém que pudesse me dar um motivo para continuar. Um dia depois, meu editor encaminhou seu e-mail, pedindo que cuidasse de você enquanto estivesse no Rio de Janeiro. Portanto, sim, Maia, acredito que você *foi* enviada para mim. E eu fui enviado para você. — Ele apertou minha mão, então, como sempre fazia quando nossas conversas ficavam muito sérias: — Mas, depois de ver o modo como você vive, acho que não voltará ao meu pequeno apartamento tão cedo.

Finalmente, voltamos para a casa, e Marina, mesmo eu tendo dito para não se preocupar com o jantar, nos encontrou no caminho para o Pavilhão.

— Cláudia fez *bouillabaisse*, que está no aquecedor da cozinha, caso estejam com fome.

— Eu estou — Floriano alegrou-se. — Obrigada, Marina. Não vai jantar conosco? — ele perguntou a ela em um francês travado.

— Não, obrigada, Floriano, já jantei.

Nós nos sentamos na cozinha para saborear o prato delicioso, ambos cientes de que era nosso último jantar juntos. Depois de estender sua viagem à Europa por três dias, e de os avós de Valentina concordarem em ficar com ela um pouco mais, eu sabia que ele precisava voltar para casa e para sua filha. E eu... bem, eu não sabia.

Depois do jantar, levei-o ao escritório para lhe mostrar a melhor fotografia que tínhamos de Pa Salt com suas filhas. Identifiquei cada uma de minhas irmãs para ele.

— Vocês são muito diferentes — Floriano comentou. — E seu pai era um homem atraente, não? — acrescentou ao devolver a foto à prateleira. Ao fazer isso, algo lhe chamou a atenção. Ele ficou parado por alguns instantes, olhando intensamente para o objeto. — Maia, você viu isto? — Ele me chamou e apontou para uma estatueta na prateleira, ao lado dos tesouros pessoais de Pa Salt. Encarei a figura, compreendendo por que ele perguntava.

— Sim, muitas vezes. É só uma réplica do Cristo.

— Não tenho tanta certeza... Posso pegar?

— Claro — respondi, imaginando por que ele estava tão interessado em uma estatueta que era vendida aos milhares, por poucos reais, em qualquer loja do Rio de Janeiro.

— Veja como foi esculpida com delicadeza. — Seus dedos tocavam os entalhes da túnica do Cristo. — E veja isto — ele apontou para a base, onde parecia haver uma inscrição.

***Landowski***

— Maia. — Seus olhos demonstravam admiração genuína. — Não é uma réplica. Foi assinada pelo escultor em pessoa! Lembra que Bel escreveu para Loen sobre as versões em miniatura que Heitor da Silva Costa pediu que Landowski produzisse antes de decidir o design final? Veja. — Ele me entregou a escultura e eu a peguei com cuidado, surpresa com o peso. Meus dedos traçaram as linhas delicadas do rosto e das mãos do Cristo. E eu soube que Floriano estava certo. Era o trabalho de um artista.

— Mas como Pa Salt poderia ter conseguido isto? Talvez tenha comprado em um leilão. Ou talvez tenha sido presente de um amigo. Ou... Não sei. — Fiquei em silêncio, frustrada.

— São possibilidades. Exceto pelas peças que estão com a família de Landowski, as duas únicas estatuetas existentes pertencem aos familiares de Heitor da Silva Costa. Precisaria ser autenticada, naturalmente, mas que descoberta!

Notei que os olhos de Floriano transbordavam empolgação. Compreendi que ele enxergava a situação pela perspectiva de um historiador, enquanto eu meramente tentava descobrir como meu pai a encontrou, para começar.

— Sinto muito, Maia, estou exaltado. Tenho certeza de que gostaria de ficar com ela, de toda forma. Alguém se importaria se a levássemos conosco para o Pavilhão esta noite? Gostaria de ter o privilégio de admirá-la um pouco mais.

— Tudo nesta casa pertence a nós, irmãs, agora. Duvido que as outras se incomodem.

— Então vamos para a cama — ele sussurrou, acariciando meu rosto delicadamente.

* * *

Dormi mal naquela noite, envolvida pelo desânimo ao pensar que Floriano partiria no dia seguinte. Mesmo determinada a dar um passo de cada vez em nosso relacionamento, conforme as horas passavam e a manhã chegava, descobri que não conseguia. Rolei na cama e observei Floriano dormindo tranquilamente a meu lado. E pensei que, quando ele deixasse *Atlantis*, minha vida voltaria a ser exatamente como era antes de eu viajar para o Rio de Janeiro.

Floriano e eu ainda não havíamos discutido o futuro em termos concretos. Mesmo ciente de que ele sentia algo por mim, como me disse tantas vezes quando fazíamos amor, ainda estávamos na alvorada do nosso relacionamento. E, considerando que vivíamos em lados opostos do mundo, eu precisava aceitar que era possível que tudo desaparecesse aos poucos, até se tornar uma lembrança feliz.

Agradeci a Deus quando o alarme tocou e a longa noite chegou ao fim. Saí da cama imediatamente e fui para o chuveiro enquanto Floriano cochilava, com medo de ouvir palavras conciliatórias e sem significado diante de nossa separação iminente. Depois de me vestir rapidamente, anunciei que ia fazer o café, já que Christian estaria esperando na lancha em vinte minutos. Quando ele apareceu na cozinha, eu me apressei em sair, dizendo que precisava ir até a casa principal. E que o veria no píer logo.

— Maia, por favor... — ouvi-o chamar. Quando cheguei em casa, incapaz de enfrentar Marina ou Cláudia, me tranquei no depósito, desejando que os minutos passassem depressa para que tudo acabasse logo. Alguns segundos antes do horário, saí do depósito, abri a porta da frente e atravessei o gramado, notando que Floriano já estava no píer, conversando com Marina.

— Onde estava, *chérie*? Seu amigo precisa embarcar imediatamente ou perderá o voo. — Marina me deu um olhar suspeito antes de voltar sua atenção para Floriano. — Foi um prazer conhecê-lo. Espero que volte a *Atlantis* novamente em breve. Agora vou deixá-los a sós para se despedirem.

— Maia — Floriano disse quando Marina nos deixou —, o que foi? O que aconteceu?

— Nada, nada... Veja, Christian está esperando. É melhor ir.

Ele abriu a boca para dizer alguma coisa, mas me afastei abruptamente e caminhei a sua frente pelo píer em direção à lancha, não dando opção para Floriano a não ser me seguir. Christian o ajudou a entrar no barco e deu a partida nos motores.

— Adeus, Maia — Floriano disse, com os olhos tristes. A lancha começou a se afastar do píer e os motores giravam ruidosamente.

— Vou escrever para você! — ele gritou acima do estrondo. Então disse mais alguma coisa que não consegui ouvir, e a lancha o levou para longe de *Atlantis*. E de mim.

Voltei desolada para a casa, repreendendo-me por agir de modo tão infantil. Era uma mulher adulta, pelo amor de Deus, e deveria ser capaz de lidar com algo que eu sabia, desde o início, ser inevitável. Racionalmente, era uma reação ao meu passado, à dor da separação de Zed — depois de todos esses anos — dilacerando minha mente.

Marina esperava por mim em frente ao Pavilhão, de braços cruzados e com uma expressão de desaprovação.

— O que foi aquilo, Maia? Vocês brigaram? Floriano parece um homem tão bom. Você nem se despediu direito. Não sabíamos onde você estava.

— Eu precisava... fazer uma coisa. Desculpe — dei de ombros, sentindo-me como uma adolescente petulante levando um sermão por mau comportamento. — Aliás, vou a Genebra ver Georg Hoffman. Precisa de alguma coisa? Perguntei depressa, mudando de assunto.

Marina olhou para mim e notei algo que parecia desespero em seus olhos.

— Não, obrigada. Não preciso de nada.

Ela se afastou e eu me senti ridícula.

***

O escritório de Georg Hoffman ficava no distrito comercial de Genebra, nas proximidades da Rue Jean-Perito. Sua sala era elegante e moderna, com janelas que se estendiam por todo o ambiente, proporcionado uma vista belíssima do porto ao longe.

— Maia — ele disse, levantando-se para me cumprimentar. — Que prazer inesperado. — Sorriu, conduzindo-me até um sofá de couro preto, onde nos sentamos. — Soube que esteve viajando.

— Quem lhe contou?

— Marina, claro. O que posso fazer por você? — perguntou.

— Bem — limpei a garganta —, são duas coisas, na verdade.

— Certo. — Georg estalou os dedos. — Diga.

— Você tem alguma ideia de como Pa Salt acabou me escolhendo como a primeira menina que adotou?

— Minha nossa, Maia. — Notei que ficou surpreso. — Fui o advogado do seu pai, não o seu confidente.

— Pensei que fossem amigos.

— Sim, éramos, creio, do meu ponto de vista, pelo menos. Mas, como você sabe, seu pai era uma pessoa muito reservada. Eu gostaria de pensar que ele me considerava confiável quando fosse necessário, mas eu era um profissional em primeiro lugar e nunca coube a mim questioná-lo. A primeira vez que eu soube de você foi quando ele me pediu para registrar sua adoção diante das autoridades suíças. E, depois, para preencher os documentos do seu primeiro passaporte.

— Então você não sabe qual era a ligação dele com o Brasil? — insisti.

— Do ponto de vista pessoal, não. Ele tinha uma série de interesses de negócio por lá, mas tinha interesses parecidos em muitos lugares do mundo — Georg explicou. — Temo que não possa ajudá-la com isso.

Decepcionada, mas não completamente surpresa, continuei com minha investigação.

— Quando estive no Brasil, graças às pistas que Pa me deixou, conheci minha avó, que, infelizmente, faleceu há poucos dias. Ela me disse que, quando meu pai chegou para me adotar, estava acompanhado de uma mulher. O orfanato presumiu que fosse sua esposa. Ele foi casado?

— Nunca, até onde sei.

— Então essa mulher pode ter sido uma namorada?

— Maia, perdoe-me. Realmente não sei nada sobre a vida pessoal do seu pai. Sinto muito por não poder ajudar mais. Qual era o segundo assunto que queria discutir comigo?

Era óbvio que eu não chegaria a alugar algum, então aceitei que nunca conheceria completamente as circunstâncias de minha adoção. Respirei fundo para dizer o que precisava.

— Como eu disse há pouco, minha avó materna faleceu recentemente. Ela me deixou duas propriedades no Brasil e uma pequena renda.

— Entendo. E você gostaria que eu a representasse durante o inventário?

— Sim, mas, ainda mais importante que isso, quero fazer um testamento também. E deixar as propriedades para um... parente.

— Entendo. Bem, não há nenhum problema. Na verdade, é algo que recomendo a todos os meus clientes, independentemente da idade. Se fizer uma lista de beneficiários a quem gostaria de deixar algo que possui e incluir pequenas heranças para amigos, por exemplo, posso providenciar o documento.

— Obrigada. — Hesitei por um momento, tentando decidir a melhor forma de expressar o que diria a seguir. — Também queria perguntar se é difícil para alguém que tenha entregue um bebê para a adoção encontrar seu filho.

Georg me estudou, pensativo, mas não pareceu surpreso com a pergunta.

— Muito difícil para o pai — explicou. — Como você pode imaginar, uma criança adotada, especialmente se era muito pequena, precisa de segurança. As autoridades não aceitam correr o risco de os pais biológicos se arrependerem e se apresentarem à criança. Você pode imaginar o tamanho do problema. Para os próprios pais adotivos, que amam a criança como se fosse sua, um pai ou mãe biológico que reaparece causa muito estresse, a menos que isso seja discutido antes. Contudo, se, como você, a criança adotada deseja procurar seus pais biológicos assim que tiver permissão legal, a história é outra.

Ouvi com atenção.

— Se alguém que foi adotado quer encontrar seus pais naturais, o que deve fazer?

— Deve procurar as autoridades responsáveis. Hoje em dia, aqui na Suíça pelo menos, há um registo minucioso dessas coisas. Essa pessoa poderia ir lá. Quero dizer... — Georg se corrigiu imediatamente — A pessoa adotada precisaria começar por lá.

Notei um rubor suave colorir suas faces pálidas. Naquele momento, percebi que ele sabia.

— Portanto, se um pai biológico fosse, por exemplo, fazer um testamento e deixar uma herança para a criança que entregou para a adoção, o que aconteceria?

Observei Georg pensar cuidadosamente em suas próximas palavras.

— Um advogado seguiria o mesmo caminho de uma criança adotada. Iria às autoridades e explicaria a situação. Então, se o adotado for maior de dezesseis anos, as autoridades entrarão em contato com ele.

— E se ele não for maior de idade?

— As autoridades entrarão em contato com os pais adotivos, que terão o direito de decidir se será benéfico para a criança ficar ciente da herança naquele momento.

— Entendo — assenti com a cabeça, sentindo-me estranhamente no controle. — Se as autoridades não conseguirem encontrar a criança em questão e o advogado precisar usar meios... menos convencionais para encontrá-la... Seria fácil?

Georg me encarou. E, naquele momento, seus olhos me disseram tudo o que suas palavras não podiam.

— Para um advogado competente, Maia, seria fácil, muito fácil.

***

Informei Georg que faria como ele sugeriu e escreveria uma lista. Também disse que enviaria uma carta, para ser guardada por ele e encaminhada caso a agência de adoção, ou qualquer menino com a data de nascimento que eu lhe daria, entrasse em contato. Então deixei seu escritório.

Do lado de fora, relutante em voltar para casa antes de encontrar uma oportunidade para digerir o que acabara de descobrir, sentei à mesa de um café com vista para o lago e pedi uma cerveja. Eu odiava cerveja, mas, por algum motivo, ao levar a garrafa à boca, recusando o copo que a garçonete trouxe, o sabor do Rio me confortou.

Se Georg sabia sobre meu filho, então Pa Salt também sabia. Recordei as palavras que haviam me desestabilizado tanto em sua carta de despedida.

*Por favor, acredite quando digo que a família é tudo. E que o amor de um pai por um filho é a força mais poderosa do mundo.*

Ao tomar minha cerveja sob o sol, eu estava convencida de que poderia voltar ao escritório de Georg e confrontá-lo. Exigir que ele me dissesse exatamente quem havia adotado meu filho e onde ele estava. Mas eu sabia que Floriano estava certo. Não importa o quanto queria dizer ao meu amado filho por que tive que deixá-lo, e encontrar alguma forma de redenção... Era uma vontade egoísta.

Fui atingida por uma explosão de raiva ao pensar na mão invisível e onipotente de Pa Salt, que ainda parecia controlar minha vida do além. E, talvez, concluí, a do meu filho também.

Que direito ele tinha de saber coisas sobre mim que nem eu mesma sabia?

Ainda assim, como aqueles que oravam no altar de um poder invisível em quem confiavam implicitamente — basicamente por instinto e sem evidências reais —, eu também me sentia confortada pela onipotência de Pa Salt. Se meu pai sabia — e a culpa nos olhos de Georg depois que cometeu o ato falho confirmava que sabia —, então eu tinha certeza de que meu menino era muito bem cuidado em algum lugar do planeta.

A falta de confiança em nosso relacionamento não era do meu pai. Era minha. Eu podia ver claramente que ele compreendeu os motivos de minha decisão de não contar a ele, e os aceitava. Permitiu que eu escolhesse sozinha — admito — porque não temia apenas sua reação paternal. Também foi por mim. Aos dezenove anos, vivendo em liberdade pela primeira vez, com o que certamente era um futuro brilhante pela frente, a última coisa que eu desejava era a responsabilidade de criar um filho sozinha. Talvez, refleti, se tivesse falado com Pa, confessado e discutido minhas opiniões com ele, tivesse tomado a mesma decisão.

Pensei em minha própria mãe. A mesma idade, o mesmo dilema, embora em uma época diferente.

— Eu lhe perdoo — murmurei. — Obrigada — acrescentei, ciente de que, independentemente de seus motivos, sua decisão foi a coisa certa para *mim*, sua filha.

Sentada ali tomando minha cerveja, me senti em paz pela primeira vez desde que meu bebê nasceu, treze anos atrás. Agora eu compreendia que, além de me dar um passado, Pa Salt também me ofereceu um futuro. Estremeci ao pensar em meu comportamento em relação a Floriano naquela manhã.

"Maia, o que você fez?", censurei-me.

Telefonei para Christian e pedi-lhe que me encontrasse no píer em quinze minutos. Enquanto caminhava pelas ruas caóticas de Genebra, ansiava pela atmosfera relaxada do Rio de Janeiro. As pessoas trabalhavam e se divertiam, mas também respeitavam o que não podiam mudar ou compreender. Se tivesse prejudicado meu futuro ao permitir que meus velhos temores me derrotassem, eu aceitaria a responsabilidade por isso.

Ao pisar no píer e embarcar na lancha, eu sabia que, apesar de minha vida ser moldada por eventos fora do meu controle, fui *eu* quem decidiu reagir como fiz.

***

Uma figura familiar, mas inesperada, me encontrou no píer quando Christian aportou em *Atlantis*.

— Surpresa! — ela disse, jogando seus braços abertos ao meu redor quando saí da lancha.

— Ally! O que está fazendo aqui?

— Por mais estranho que pareça, também moro aqui — ela sorriu e nós caminhamos de braços dados até a casa.

— Eu sei, mas não esperava te ver.

— Tenho alguns dias de folga, então resolvi vir para casa e ver Ma enquanto você estava fora. Imagino que esteja sendo difícil para ela desde que Pa morreu — minha irmã explicou.

Imediatamente, me culpei por meu egoísmo. Não falei com Ma enquanto estive no Rio. Nem mesmo disse mais que um "olá" casual desde que chegara, no dia anterior.

— Você está ótima, Maia! Soube que anda ocupada — Ally me cutucou afetuosamente. — Ma disse que teve companhia ontem à noite. Quem é ele?

— Alguém que conheci no Rio.

— Bem, vamos pegar uma bebida gelada. Quero que me conte tudo.

Sentamos na varanda, apreciando a luz do sol. A ambivalência usual com minha irmã "perfeita" desapareceu depois de alguns minutos em sua companhia, quando comecei a relaxar e a relatar o que aconteceu no Brasil.

— Uau — ela disse quando pausei para tomar fôlego e um gole da limonada que Cláudia sabia que amávamos. — Que aventura! Você foi corajosa por ir em busca do seu passado. Não tenho certeza se serei capaz de lidar com os motivos que me levaram a ser entregue para a adoção. Doeu muito quando sua avó falou sobre sua mãe? — ela perguntou.

— Claro que doeu, mas eu compreendo. Ally, tem mais uma coisa que preciso te contar. Que talvez devesse ter contado há muito tempo...

Falei sobre meu filho, como tomei a terrível decisão de entregá-lo para a adoção. Ally me olhou genuinamente chocada, e notei que havia lágrimas em seus olhos.

— Maia, que horror passar por tudo isso sozinha. Por que não me contou? Sou sua irmã! Sempre achei que fôssemos próximas. Eu teria ficado ao seu lado, de verdade.

— Eu sei, Ally, mas você tinha apenas dezesseis anos na época. Além disso, eu estava envergonhada.

— Que fardo você teve que carregar — ela lamentou. — Aliás, se não se importa em me dizer... Quem era o pai?

— Ah, ninguém que você conhece. Foi alguém que conheci na universidade, chamado Zed.

— Zed Eszu?

— Sim. Você deve ter ouvido o nome no noticiário. O pai dele é aquele magnata que cometeu suicídio.

— Vi o barco dele perto do iate de Pa no dia em que que soube que ele havia morrido, lembra? — Ally estremeceu.

— Sim — admiti, depois de ter esquecido completamente aquele detalhe no turbilhão das últimas três semanas. — Ironicamente, foi Zed quem, sem saber, me forçou a entrar em um avião para o Rio de Janeiro quando eu ainda não sabia se deveria ir ou não. Depois de quatorze anos de silêncio, ele me deixou uma mensagem, do nada, dizendo que precisava vir à Suíça e queria me encontrar.

Ally me olhou de um modo estranho.

— Ele queria encontrar *você*?

— Sim. Disse que soube da morte do Pa e sugeriu que poderíamos consolar um ao outro. Se alguma coisa me faria sair correndo da Suíça, seria isso.

— Zed sabe que é o pai do seu filho?

— Não. Mesmo que soubesse, duvido que se importasse.

— Acho que você está definitivamente melhor sem ele — Ally declarou.

— Então você o conhece?

— Pessoalmente, não. Mas tenho um... amigo que conhece. De qualquer forma — ela disse, recuperando-se —, parece que pegar aquele avião foi a melhor coisa que você já fez na vida. Mas você ainda não me contou sobre esse brasileiro maravilhoso que esteve aqui ontem. Acho que Ma se apaixonou por ele. Quando cheguei, não falava de outra coisa. É um escritor, parece?

— Sim. Traduzi seu primeiro romance. Foi lançado em Paris na semana passada e foi muito elogiado pela crítica.

— Você esteve com ele lá?

— Sim.

— E...?

— Gosto dele... muito.

— Marina disse que ele também gosta de você. Muito — Ally frisou. — Qual o próximo passo para vocês dois?

— Não sei. Não fizemos planos. Ele tem uma filha de seis anos, entende? Mora no Rio, e eu estou aqui... Mas e você, Ally? — Mudei de assunto, não querendo falar sobre Floriano.

— Tudo está indo muito bem, eu tenho pedido para me juntar à tripulação do Fastnet Race no próximo mês. E também o técnico da seleção suíça quer que eu treine para as seletivas. Se eu passar, vou treinar a partir do outono para os próximos jogos olímpicos.

— Ally! Isso é fantástico! Você vai me manter informada, certo?

— Claro que sim.

Marina apareceu na varanda.

— Maia, *chérie*, não sabia que já estava em casa até encontrar Cláudia. Christian me entregou isto mais cedo. Mas então Ally chegou de surpresa e eu acabei esquecendo de lhe dar. — Marina me entregou um envelope. Olhei para a caligrafia e reconheci imediatamente a letra de Floriano.

— Obrigada, Ma — sorri.

— Vocês vão jantar? — ela perguntou.

— Se tiver alguma coisa, com certeza. Maia? — Ally olhou para mim. — Janta comigo? Não é sempre que temos a chance de bater papo.

— Sim, com certeza — eu disse, levantando-me. — Mas, se não se importa, vou voltar ao Pavilhão por enquanto.

As duas olharam para mim e para a carta.

— Até mais tarde, *chérie* — Marina disse.

No Pavilhão, abri o envelope com dedos trêmulos.

Removi um pedaço de papel amassado, que parecia ter sido arrancado de um bloco às pressas.

*No Barco*
*Lago Léman, 13 de julho de 2007*

*Mon amour Maia,*

*Escrevo com meu francês ruim e, apesar de poder ser poético no idioma como Laurent Brouilly foi para Izabela, o sentimento por detrás destas palavras é o mesmo. (Me perdoe pela caligrafia ruim. A lancha está chacoalhando um pouco sobre a água.) Chérie, compreendo o motivo de sua aflição esta manhã e gostaria de confortá-la, mas talvez você ainda tenha dificuldade para confiar em mim. Portanto, vou declarar por escrito que te amo. E, apesar de nosso tempo juntos ter sido breve, acredito que nossa história esteja apenas começando. Se tivesse ficado mais tempo comigo esta manhã, eu teria lhe dito que desejo, mais que qualquer coisa, que venha ficar comigo no Rio. Assim, poderemos comer feijoada, beber vinho intragável e dançar samba juntos todas as noites de nossa vida. Estou pedindo muito, eu sei, para que deixe sua vida em Genebra e venha morar comigo. Mas, assim como Izabela tinha uma filha em quem pensar, eu também tenho. E Valentina precisa ficar perto da família. Por enquanto, pelo menos.*

*Vou deixá-la pensar. É uma decisão importante. Mas, por favor, ficarei agradecido se colocar logo um fim no meu desespero. Esta noite é uma espera longa demais, mas, diante das circunstâncias, terá que servir.*

*Também incluo o ladrilho de pedra-sabão. Meu amigo no museu finalmente conseguiu decifrar a citação que Izabela escreveu para Laurent.*

O amor não conhece distância;
Não se divide em continentes.
Seus olhos são como as estrelas.

*Adeus, por enquanto. Espero sua resposta.*
*Floriano*

ALLY
14 DE JULHO DE 2007

LUA NOVA
12; 04; 53

# 51

Eu e Marina acenamos e mandamos beijinhos enquanto víamos Maia deixar *Atlantis*. Suas duas malas estavam cheias até estourar com seus bens mais preciosos. Entre eles, trezentos envelopes de chá Twinings sabor English Breakfast, que, aparentemente, não era muito fácil encontrar no Rio. Mesmo nos garantindo que voltaria em breve, nós sabíamos, de algum modo, que não era verdade. Ambas estávamos desoladas, assistindo a minha irmã desaparecer no horizonte para começar uma nova vida.

— Estou tão feliz por ela — Marina disse, enxugando as lágrimas dos olhos quando nos viramos para voltar para casa. — Floriano é um homem adorável, e Maia me disse que sua filha é uma graça de menina.

— Parece que ela encontrou uma família pronta — comentei. — Talvez seja para compensar o filho que perdeu.

Marina me olhou surpresa quando entramos na casa.

— Maia te contou?

— Sim, ontem. E admito que fiquei chocada. Não pelo que aconteceu, mas pelo fato de ela não ter contado a ninguém durante todos esses anos. Na verdade — confessei —, eu me senti magoada por ela não ter confiado em mim. Você sabia, presumo — perguntei a Ma enquanto a seguia para a cozinha.

— Sim, *chérie,* fui eu quem a ajudou. Mas o que está feito está feito. E Maia, finalmente, encontrou uma vida. Para ser honesta — Marina admitiu, colocando a chaleira para ferver —, algumas vezes tive medo de que não encontrasse.

— Acho que todas nós tivemos. Eu me lembro dela tão feliz e otimista quando era mais jovem, mas pareceu mudar da noite para o dia. Fui visitá-la uma vez, quando voltou para fazer o terceiro ano na Sorbonne. Estava tão quieta... reservada. — Suspirei. — Foi um fim de semana longo e chato, porque Maia não queria ir a lugar nenhum, enquanto eu tinha dezesseis anos e estava em Paris pela primeira vez. Agora compreendo por quê. Você sabe que eu a idolatrava quando era mais nova. Fiquei muito chateada, pois sabia que ela estava me excluindo.

— Acho que excluiu a todas nós — Marina me consolou. — Mas, se alguém pode fazê-la reviver e ensiná-la a confiar, esse homem é Floriano. Chá? Ou alguma coisa gelada?

— Água está ótimo, obrigada. Sério, Ma! Acho que você tem uma quedinha pelo Floriano — zombei quando ela me passou um copo de água.

— Bem, ele é muito atraente — Marina concordou, sem malícia.

— Mal posso esperar para conhecê-lo. Mas, agora que Maia se foi, o que você vai fazer por aqui?

— Ah, não se preocupe. Tenho muitas coisas para me manter ocupada. É incrível a frequência com que vocês voltam para o ninho. Geralmente sem aviso prévio — ela sorriu para mim. — Star veio na semana passada.

— Sério? Sem CeCe?

— Sim — Marina respondeu rapidamente. — Você sabe que é um prazer ter qualquer uma de vocês comigo.

— É tão diferente aqui sem Pa — declarei de repente.

— Claro que é, mas imagine como ele ficaria orgulhoso se pudesse ver você amanhã. Você sabe que ele amava velejar.

— Sim — sorri com tristeza. — Mudando de assunto, você obviamente sabia que o pai do filho de Maia é Zed, o filho de Kreeg Eszu.

— Sabia, sim. De qualquer forma — Marina mudou de assunto abruptamente —, vou pedir a Cláudia que sirva o jantar às sete. Sei que você precisa acordar cedo amanhã.

— Sim, e preciso checar meus e-mails. Posso usar o escritório de Pa?

— Ally, lembre-se que esta casa é sua e de suas irmãs agora — Marina disse, pacientemente.

Peguei meu laptop no quarto, desci as escadas, abri a porta do escritório e, pela primeira vez na vida, me sentei na cadeira de Pa Salt. Olhei para o espaço ao meu redor enquanto o laptop iniciava, para a abundância de objetos que Pa Salt guardava nas estantes.

O laptop anunciou que precisava ser reiniciado, portanto esperei um pouco mais, dirigindo-me ao aparelho de som de Pa. Todas nós tentamos convencê-lo a mudar para um iPod, e, ainda que Pa possuísse uma gama dos mais avançados computadores e equipamentos de comunicação, sempre dizia que era velho demais para mudar e, além disso, preferia "ver" fisicamente a música que queria ouvir. Coloquei o CD para tocar, fascinada por descobrir o que Pa Salt ouviu pela última vez: a sala foi preenchida com o som das primeiras notas de *Amanhecer*, da peça *Peer Gynt*, de Grieg.

Fiquei imóvel enquanto uma onda de lembranças me invadiu. Era a música favorita de Pa, e ele frequentemente me pedia que tocasse as primeiras notas para ele em minha flauta. Havia se tornado uma espécie de tema da minha infância, e eu me lembrava das alvoradas gloriosas que compartilhamos quando ele me levava para navegar no lago e me ensinava a velejar.

Eu sentia tanto a sua falta.

E também tinha saudade de outra pessoa.

Conforme a música crescia nos autofalantes, preenchendo o cômodo com seu som glorioso, peguei, sem sentir, o telefone sobre a escrivaninha.

Levando o fone ao ouvido, eu estava prestes a discar o número quando percebi que alguém na casa já estava na linha.

O choque por ouvir os tons ressonantes e familiares daquela voz que me confortou desde a infância me forçou a interromper a conversa.

— Alô?! — eu disse, rapidamente diminuindo o volume do CD para ter absoluta certeza de que era ele.

Mas a voz do outro lado da linha havia se transformado em um bipe monótono e eu soube que ele havia desligado.

# AGRADECIMENTOS

Em primeiro lugar, eu gostaria de agradecer a Milla e Fernando Baracchini — e ao filho deles, Gui —, porque foi na mesa da sua sala de jantar, em Ribeirão Preto, que tive a ideia de escrever uma história ambientada no Brasil.

Obrigada também à maravilhosa Maria Isabel Seabra de Noronha, bisneta de Heitor da Silva Costa, o arquiteto e engenheiro responsável pela construção do Cristo Redentor, por ter compartilhado comigo seu tempo e seus conhecimentos, bem como o documentário *De Braços Abertos* (*Arms Wide Open*), fruto de pesquisa tão minuciosa. Depois disso, ela ainda reservou um tempo para ler os originais deste livro e verificar se todos os detalhes estavam registrados corretamente. É preciso ressaltar, no entanto, que esta é uma obra de ficção elaborada em torno da vida de figuras históricas. O perfil que tracei sobre Paul Landowski e a família Da Silva Costa, além de todos os colaboradores, foi desenvolvido mais pela imaginação do que com base em fatos reais.

Obrigada a Valeria e Luiz Augusto Ribeiro, por terem me oferecido sua fazenda nas montanhas do Rio de Janeiro para escrever — e eu não queria mais ir embora

Um agradecimento especial para Vania e Ivonne Silva, pelo bolo delicioso e por tudo o mais. Suzanna Perl, que muito pacientemente atuou como guia turística através do Rio de Janeiro e de sua história;

Pietro e Eduardo, nossos motoristas tão gentis; Carla Ortelli, pelo magnífico senso de organização — para ela, nada parecia ser um problema; e Andrea Ferreira, por estar do outro lado da linha sempre que eu precisava dela para traduzir alguma informação.

Por último, mas não menos importante, meus maravilhosos leitores brasileiros, que tão apaixonadamente abraçaram a mim e aos meus livros.

Eu gostaria, também, de agradecer a todos os meus editores ao redor do mundo pelo apoio e estímulo que me deram quando anunciei que escreveria uma série de sete livros baseados nas Sete Irmãs das Plêiades. Especialmente Jez Trevathan e Catherine Richards, da Pan Macmillan, Georg Reuchlein e Claudia Negele, da Goldman, na Alemanha, Peter Borland, da Simon & Schuster, nos Estados Unidos, Knut Gørvell, Jorid Mathiassen e Pip Hallén, da Cappelen Damm, na Noruega.

Obrigada a Valérie Brochand, minha vizinha no sul da França, que tão gentilmente visitou, a meu pedido, o museu Landowski, em Boulogne-Billancourt, e tirou centenas de fotos; e a Adriana Hunter, que traduziu a imensa biografia de Landowski e dela extraiu os fatos mais importantes para a minha história.

Agradeço ainda a minha mãe, Janet, presente em todas as horas; minha irmã, Georgia; e seu filho, Rafe, que aos nove anos de idade escolheu *A rosa da meia-noite* como leitura para a escola. A Rita Kalagate, que me revelou que eu iria para o Brasil uma noite antes de a Editora Novo Conceito me convidar; e a Izabel Latter, por continuar a ir até Norfolk e me ouvir tagarelar enquanto gentilmente cuida de um corpo dolorido por ter voado muitas e muitas milhas ao redor do mundo ou por ter se debruçado sobre um manuscrito por dias e noites seguidos.

Obrigada, por fim, a Susan Moss, minha melhor amiga da vida inteira e agora parceira no crime, pelos detalhes que me ajudou a incluir no manuscrito; a Jacquelyn Heslop, que foi minha irmã em outra vida; e a minha assistente, Olivia Riley, que milagrosamente consegue decifrar meus garranchos e que me apresentou a uma esfera armilar.

Foi em uma noite estrelada do início de janeiro de 2013 que tive a ideia de escrever um livro alegórico sobre minhas sete irmãs místicas. Reuni a família toda perto da lareira e mal consegui explicar o que eu queria fazer, tamanha a minha excitação. Devo reconhecer que nenhum deles disse que eu estava maluca — embora eu devesse parecer maluca enquanto as ideias começaram a tomar forma. Então, é para eles que vai o meu maior agradecimento, por tudo o que aconteceu desde aquela noite. Meu querido marido e agente, Stephen — enfrentamos uma jornada vibrante no ano passado, e nós dois aprendemos bastante com ela. Meus filhos fantásticos: Harry, que não se cansa de me apoiar e que faz todos os meus vídeos maravilhosos; Leonora, a autora do anagrama "Pa Salt"; Kit, que me faz rir o tempo todo; e, naturalmente, Isabella Rose, minha incrível, linda e eletrizante "bebê" de dezoito anos, a quem este livro é apropriadamente dedicado.

# BIBLIOGRAFIA

*As Sete Irmãs* é uma obra de ficção ambientada em um cenário histórico. As fontes de pesquisa a que recorri para me informar acerca do período e dos detalhes sobre a vida dos personagens reais estão relacionadas abaixo.

Dan Franck, *Bohemian Paris* (Grove Press, 2001)
Jeffrey D. Needell, *A Tropical* Belle Époque (Cambridge, 2009)
Maria Izabel Noronha, *De Braços Abertos* — documentário (2008)
Maria Izabel Noronha, *Redentor de Braços Abertos* (Réptil Editora, 2011)
Michèle Lefrançois, *Paul Landowski: L'Oeuvre Sculptè* (Crèaphis Editions, 2009)
Munya Andrews, *The Seven Sisters of the Pleiades* (Spinifex Press, 2004)
Nigel Spivey, *Songs of Bronze* (Faber and Faber, 2005)
Peter Robb, *A Death in Brazil* (Bloomsbury, 2005)
Robert Graves, *The Greek Myths* (Penguin, 2011)
Robert Graves, *The White Goddess* (Farrar Straus Giroux, 2013)